LA BIBLIOGRAPHIE EUROPÉENNE

THE EUROPEAN BIBLIOGRAPHY

LA BIBLIOGRAPHIE EUROPÉENNE

élaborée par le

CENTRE EUROPÉEN DE LA CULTURE
GENÈVE

Rédacteurs responsables
Hjalmar Pehrsson et *Hanna Wulf*

A.W. SIJTHOFF–LEYDE
1965

THE EUROPEAN BIBLIOGRAPHY

compiled by the

EUROPEAN CULTURAL CENTRE
GENEVA

Editors
Hjalmar Pehrsson and *Hanna Wulf*

A. W. SIJTHOFF–LEYDEN
1965

LIBRARY OF CONGRESS CATALOG CARD NUMBER: 65-14836

Printed in the Netherlands by A. W. Sijthoff, Printing Division, Leyden

INTRODUCTION

L'essor des études européennes et la multiplication des stages d'information civique ou professionnelle provoquent une demande sans cesse croissante de listes sélectives d'ouvrages traitant des aspects les plus variés de l'union en cours: historiques ou éducatifs, politiques ou juridiques, de culture générale ou de spécialisation économique. Le Centre Européen de la Culture a tenté d'y répondre d'abord par des numéros spéciaux de son Bulletin analysant les ouvrages de base et les publications nouvelles. Mais celles-ci devenaient si nombreuses qu'un effort plus systématique s'est révélé nécessaire. D'où l'idée de la présente Bibliographie, conçue il y a quelques années.

Grâce à l'appui déterminant de la Fondation Européenne de la Culture, à Amsterdam, le CEC a pu dresser dès 1962 une première liste de près de 2000 publications relatives aux problèmes de l'Europe et aux efforts en vue de son union. L'aide ultérieure fournie par les Communautés économiques et par le Conseil de l'Europe, puis par l'Institut d'Etudes Européennes de Genève, a permis de compléter les chapitres économique et pédagogique, et de faire rédiger par une vingtaine de collaborateurs du CEC et d'étudiants de diverses langues de brèves notices explicatives sur les ouvrages finalement choisis.

Nous tenons à exprimer notre vive gratitude à ces Institutions sans lesquelles l'entreprise n'aurait pu démarrer ni aboutir. Nous remercions aussi les Collèges d'Europe à Bruges et à Hambourg qui ont mis à notre disposition les fichiers de leurs bibliothèques; les grandes librairies de Genève qui ont facilité nos recherches; et les très nombreux éditeurs de tous les pays du continent et des Etats-Unis, qui non seulement ont pris la peine de répondre à nos enquêtes mais encore ont accepté de nous adresser gratuitement les ouvrages sur l'Europe publiés par leurs soins.

Voici les principes qui ont guidé notre choix parmi les milliers de publications qui pouvaient à première vue entrer en ligne de compte:

1) Nous avons retenu en règle générale les livres qui traitent de l'Europe en tant qu'unité de culture, union à créer, ou champ de recherches spécifiques, — à l'exclusion de ceux qui n'ont l'Europe que dans le titre, ou qui la considèrent simplement comme expression géographique.

2) Nous avons éliminé (à très peu d'exceptions près, justifiées par l'importance de l'auteur) les brochures, tirés à part, écrits polémiques ou recueils d'articles liés à une actualité fugitive et qui nous semblaient avoir déjà perdu une bonne partie de leur intérêt, même historique.

3) Certains ouvrages de fond parus avant 1939 ont été retenus, bien qu'épuisés, dans l'espoir d'encourager des rééditions très souhaitables. Mais la grande majorité des volumes inclus ont paru de 1945 à la fin de 1963, et se trouvent actuellement dans le commerce ou dans la plupart des bibliothèques universitaires.

4) Toutes les notices ont été rédigées en français et en anglais, selon l'usage du Conseil de l'Europe. Toutefois, une notice dans la langue originale du volume a été ajoutée quand il s'agissait de l'allemand, de l'espagnol, de l'italien ou du néerlandais.

5) La consigne donnée aux rédacteurs des notices était d'informer sur le contenu et sur l'importance relative de l'ouvrage, non de le juger. On voudra bien nous pardonner de n'avoir pas toujours atteint cet idéal de parfaite objectivité, dont chacun sait qu'il est inaccessible.

Nous remercions d'avance les lecteurs qui voudront bien nous signaler les omissions et les erreurs à peu près inévitables en telle matière: il en sera tenu compte à l'occasion d'une éventuelle réédition, et des suites que nous espérons pouvoir donner à l'ouvrage, tous les deux ou trois ans, ainsi que l'exigera sans doute le volume croissant des écrits sur l'Europe et les progrès mêmes de son union.

D. DE ROUGEMONT
Directeur du
Centre Européen de la Culture

INTRODUCTION

The growing importance of European studies and courses of information on civic or professional matters has brought about an ever-increasing demand for selective lists of works on every conceivable aspect of the budding union: historical or educational, political or juridical, of general culture or specializing in economics. The European Cultural Centre tried to satisfy this demand first by issuing special numbers of its Bulletin containing criticisms of basic works and of recent publications. But new books are being published in such great quantities that a more systematic effort was called for, and from there, a few years ago, stemmed the idea of this Bibliography.

Thanks to the decisive support of the European Cultural Foundation at Amsterdam, the ECC was able in 1962 to start drawing up a first list of about 2000 publications on the problems of Europe and the efforts to bring about its unification. Subsequent help from the Economic Communities and the Council of Europe, and then from the Institute of European Studies at Geneva, allowed the completion of the sections on economics and pedagogy, and the compilation by some 20 ECC collaborators and students of different nationalities, of brief explanatory notes on the books finally chosen.

We should like to express deep gratitude to these Institutions without whose help the project could never have been started or completed.

Our thanks are also extended to the Colleges of Europe at Bruges and Hamburg for the use of the card indexes of their libraries, to the bookshops of Geneva for help in our research, and to the many publishers in all the countries of this continent and in the USA who not only took the trouble to reply to our enquiries but agreed to send us free copies of works on Europe published by their houses.

The guiding principles of our choice among the thousands of volumes which could, at first glance, have been included in our selection, are these:

1) As a general rule we have retained books dealing with Europe as a cultural unity, as a union to be created, or as a field of specific research, and excluded those taking Europe only into the title or considering it as a mere geographic expression.

2) We have eliminated (with very few exceptions, which are justified by their author's importance) pamphlets, reprints, polemic writings and collections of articles on passing events whose interest, even historical, seems already to have waned.

3) Some fundamental works published before 1939 have been included, although no longer available, in the hope of encouraging reprints that seem highly desirable. The greater part of the books included here have been published between 1945 and the end of 1963, and can still be found in bookshops and in most university libraries.

4) All the notes have been written in French and English, as is customary with the Council of Europe. However, notes in the original language of the book have been included in the case of works written in German, Spanish, Italian and Dutch.

5) Those who wrote the notes were asked to summarize the books and state their relative importance without passing any judgments. If we have not always maintained the ideal of perfect objectivity, which everyone knows to be beyond his reach, we apologise.

We thank in anticipation all readers who can point out to us the omissions and errors almost inevitable in such an undertaking. Their remarks will be remembered in case of a reprint, and in the supplements we hope to publish every two or three years; such supplements will be essential under the growing pressure of works written on Europe and on the progress of its union.

D. DE ROUGEMONT
Director of the
European Cultural Centre

TABLE DES MATIERES

TABLE OF CONTENTS

I. HISTOIRE – HISTORY

ALBERT-SOREL, Jean: **Le Destin de l'Europe**

Payot, Paris, 1958, 418 p.

"Retracer les lignes maîtresses du destin de l'Europe, et découvrir par quels chemins ce continent si divisé, formé de peuples si parfaitement individualisés, est conduit à s'unir", telle est l'ambition de cet essai historique.

The aim of this historical essay is "to retrace the main lines of the destiny of Europe and to discover by what paths this continent, which is so divided, and composed of peoples so perfectly individualistic, is being led to unite".

ALBRECHT-CARRIÉ, René: **A diplomatic history of Europe since the Congress of Vienna**

Methuen & Co., London 1958, 736 p.

Critical study of the part played by classical diplomacy in the history of Europe after Napoleon. Bound by the decisions of governments reasoning in terms of national interests, diplomats although often very skilful, could not prevent two World Wars.

Etude commentée du rôle joué par la diplomatie classique dans l'histoire de l'Europe après Napoléon. Liés par les décisions de gouvernements raisonnant en fonction d'intérêts nationaux, les diplomates, bien que souvent très habiles, ne purent empêcher deux guerres mondiales.

ALBRECHT-CARRIÉ, René: **Europe 1500-1848**

Littlefield, Adams & Co., Paterson, New Jersey 1961, 302 p., ill.

The author, a professor at Columbia University, traces the course of history from the building of the state system to the revolutionary era. His outlines demonstrate the unity of European history.

L'auteur, professeur à l'Université de Columbia, retrace le cours de l'histoire depuis l'établissement du système des Etats jusqu'à la période révolutionnaire. Montre l'unité des courants de l'histoire européenne.

ALBRECHT-CARRIÉ, René: **Europe since 1815 — From the Ancien Régime to the Atomic Age**

Harper & Brothers, New York 1962, 560 p., ill.

A university text-book, more than half of which is devoted to Europe's complex position in the years 1900-1961, the mutual relationships of European countries, and their attitudes towards their non-European zones of interest.

Manuel universitaire, dont plus de la moitié est consacrée à la situation complexe de l'Europe dans les années 1900-1961, en ce qui concerne les relations des Etats entre eux, et leurs attitudes envers leurs zones d'intérêt extra-européennes.

ALBRECHT-CARRIÉ, René: **Europe after 1815**

Littlefield, Adams & Co., Paterson, New Jersey 1961, 319 p., ill.

A systematic and concise guide, for the history undergraduate, from the rise of liberalism and nationalism, through Europe's period of grandeur, to the present-day era of transition. The author sees Western European unity as a response to the Communist threat.

Guide pour étudiants débutants. L'essor du libéralisme et du nationalisme européens, l'apogée de notre continent, l'époque actuelle de transition. L'unité de l'Europe occidentale vue comme une réponse à la menace communiste.

ALIX, Christine: **Le Saint-Siège et les nationalismes en Europe 1870-1960**

Sirey, Paris 1962, 368 p.

Après avoir analysé les caractères essentiels de l'Eglise catholique et établi une typologie nouvelle du nationalisme, l'auteur étudie successivement les positions du Saint-Siège à l'égard du "Nationalisme de libération", du "Nationalisme de défense" et du "Nationalisme totalitaire". L'ouvrage, primitivement thèse de droit, s'adresse aux publicistes, historiens, canonistes.

After analysing the essential characteristics of the Catholic Church and establishing a new typology of nationalism, the author studies successively the positions of the Holy See with regard to "Liberal Nationalism", "Defensive Nationalism", and "Totalitarian Nationalism". The work, originally a law thesis, is meant for publicists, historians, canonists.

ANNONI, Ada: **L'Europa nel pensiero italiano del Settecento**

Marzorati, Milano 1959, 611 p.

La scoperta delle Americhe obbliga l'Europa al raffronto con questo nuovo mondo, ricettivo agli influssi culturali occidentali. L'autrice studia la posizione europea nei confronti dei popoli estra-europei per presentare in seguito un quadro vivente della vita culturale, economica e politica dell'Italia del XVII secolo, quando l'uomo europeo sentiva il bisogno di affermare la propria personalità e il desiderio di esprimere la sua capacità creatrice. Un'analisi della parte assunta dalle principali nazioni europee nell'evoluzione spirituale e culturale dell'Occidente, porta l'autrice ad esaminare il contributo dei grandi spiriti italiani e como essi intendano interpretare il concetto europeo dell'epoca.

La découverte des Amériques oblige l'Europe à se tourner vers ce nouveau monde très tôt réceptif à la culture occidentale. L'auteur étudie la position européenne vis-à-vis des peuples extra-européens et brosse un tableau vivant de la vie culturelle, économique et politique de l'Italie du XVIIIe siècle époque où l'homme européen ressentait le besoin d'affirmer sa personnalité et le désir d'exprimer sa capacité créatrice. L'analyse du rôle joué par les principales nations européennes dans l'évolution spirituelle et culturelle de l'Occident l'amène à examiner l'apport des grands penseurs italiens.

The discovery of the Americas obliged Europe to face this new world that soon came to accept western cultural influence. The author studies the European position with regard to the non-European peoples, and paints a vivid picture of the cultural, economic and political life of Italy in the 18th century, when European man felt the need to affirm his own personality and the desire to express his creative ability. An analysis of the role played by the chief European nations in the spiritual and cultural evolution of the West leads up to the question of the contribution made by the great minds of Italy.

ARTZ, Frederick B.: **Reaction and Revolution 1814-1832**

Harper & Row, New York 1934, 328 p., ill.

Deals with an often neglected era and emphasizes the values of the various sections of European society after Napoleon, and the liberal movements leading to the revolts of 1820-21, the July Monarchy and in the English Reform Bill.

Traite d'une époque souvent négligée et met en évidence l'importance des diverses parties de la société européenne après Napoléon, ainsi que les mouvements libéraux qui ont conduit aux révoltes de 1820-21, à la Monarchie de Juillet et à l'English Reform Bill.

Der Aufstieg Europas (hrsg. von Fritz Valjavec) Bd. III von "Historia Mundi"

A. Francke, Bern 1954, 528 S., ill.

Mehrere namhafte europäische Wissenschaftler behandeln in diesem dritten Band der "Historia Mundi" u.a.: die europäischen Kulturen der Bronze- und Eisenzeit, Kreta und Mykene, das Reich der Achämeniden, die Entfaltung Griechenlands, Altitalien und die Kelten. Eine Zeittafel verbindet die einzelnen Kulturbereiche. Wertvolle Literaturangaben.

Le troisième tome de "Historia Mundi" traite entre autres: des cultures européennes du Bronze et du Fer, de la Crète et de Mycènes, du royaume des Achémenides, de l'essor grec, de l'Italie ancienne, des Celtes. Un tableau chronologique relie les différents domaines culturels. Précieuse documentation bibliographique.

In the third volume of "Historia Mundi", several European scholars deal, among other subjects, with the European cultures of the Bronze and Iron Ages, Crete and Mycenae, the Kingdom of Achemides, Greek development, ancient Italy, and the Celts. A chronological table links the various cultural spheres. Valuable bibliographical data.

Amiral AUPHAN: **Les Convulsions de l'Histoire ou le Drame de la Désunion européenne**

Les Iles d'or, Paris 1954, 406 p.

Selon l'auteur, amiral sous le régime de Vichy et entré dans la clandestinité après la Libération, l'Occident européen a pour tâche de répandre partout la civilisation chrétienne; l'unité européenne dépend de l'anti-sécularisme et de la contre-Révolution.

In the opinion of the author, an admiral under the Vichy government, who after Liberation, went into secret opposition, Western Europe should spread Christian civilization throughout the world; European unity depends on anti-secularism and the Counter-Revolution.

BABEL, A. — BATTELLI, M. — MONNIER, L.: **L'Europe en 1848 ou l'espérance déçue**

La Baconnière, Neuchâtel 1949, 153 p.

Trois professeurs de l'Université de Genève décrivent les mouvements révolutionnaires de 1848 en France, en Italie, en Allemagne, et analysent les raisons de leur échec, qui entraîna celui de l'idée européenne pendant les cent années suivantes.

Three professors of the University of Geneva describe the revolutionary movements of 1848 in France, Italy and Germany and analyse the reasons for their failure, which brought with it that of the European idea for the next 100 years.

BAETHGEN, Friedrich: **Europa im Spätmittelalter**

Ullstein, Berlin 1951, 160 S.

Eine Übersicht über die Zeit vom Zusammenbruch des mittelalterlichen Kaiserreiches mit dem Tod Friedrich II. und der beginnenden Auflösung Europas in Teilgebiete, die sich nach und nach zu Nationalstaaten ausbilden, nachdem mit der Reformation auch die kirchliche Einheit zerstört wurde.

Décrit l'époque de l'effondrement de l'Empire à la mort de Frédéric II, et la désintégration de l'Europe en régions, qui peu à peu, après la destruction de l'unité de l'Eglise par la Réforme, s'érigeront en Etats.

The author reviews the era when the Empire of the Middle Ages disintegrated after the death of Frederick II, and the beginnings of the disintegration of Europe into regions which, little by little, after the destruction of Church unity by the Reformation, became nation-states.

BARRACLOUGH, Geoffrey: **History in a Changing World**

Basil Blackwell, Oxford, repr. 1957, 246 p.

Deutsche Ausgabe: **Geschichte in einer sich wandelnden Welt.** *Vandenhoeck & Ruprecht, Göttingen 1957, 308 S.*

A collection of essays. In order to renew the concept of History, the author attempts to clarify traditional ideas and notions that have been an obstacle to a European attitude from the Middle Ages to the present day. Bibliographical notes.

Collection d'essais. Pour renouveler la conception de l'Histoire, l'auteur entend clarifier les notions conventionnelles qui ont fait obstacle à une attitude européenne, du Moyen Age à nos jours. Notes bibliographiques.

BASTIANETTO, Mario: **Storia degli Europei**

Il Mulino, Bologna 1960, 215 p.

Storia dell'Europa vista come storia dell'aspirazione unitaria degli Europei, dal Sacro Romano Impero ai giorni nostri.

Histoire de l'Europe présentée comme histoire des aspirations unitaires des Européens, du Saint Empire Romain à nos jours.

The history of Europe seen as the history of European hopes for unity, from the Holy Roman Empire to the present day.

BEHN, Friedrich: **Vorgeschichte Europas**

Walter de Gruyter & Co., Berlin 1949, 125 S.

Eine kurze, aufschlussreiche Einführung in die prähistorische Entwicklung und Ausbreitung der menschlichen Rassen und Kulturen im europäischen Raum, von der Eiszeit bis etwa 4000 v.Chr., als im Orient die vorderasiatischen Hochkulturen entstanden.

Introduction courte et dense au développement préhistorique et à l'expansion des races et des cultures en Europe, depuis l'époque glaciaire jusqu'aux environs de 4000 av. J.-C., époque de la naissance en Orient des grandes cultures préasiatiques.

A short and enlightening introduction to the prehistoric development and spread of races and cultures in Europe from the ice-age to about 4000 B.C., when the primitive pre-asiatic cultures arose in the East.

BEHN, Friedrich: **Aus europäischer Vorzeit**

Kohlhammer, Stuttgart 1957, 140 S.

Ein kurzer Überblick über die Resultate der Ausgrabungen, vor allem im mittleren und nördlichen Europa. Die frühesten Kulturschöpfungen der europäischen Völker, von der Eiszeit bis zur Epoche der ersten Burgen und Klöster, werden hier erfasst.

Bref aperçu des résultats des fouilles, avant tout en Europe centrale et septentrionale. Les premières créations artistiques des peuples européens depuis l'époque glaciaire jusqu'aux premiers châteaux-forts et monastères.

A brief survey of the results of excavations mainly in Central and Northern Europe. The author presents the principal cultural creations of European peoples from the ice age to the first fortresses and monasteries.

BEIK, Paul H. — LAFORE, Laurence: **Modern Europe — A History since 1500**

Henry Holt, New York 1959, 1006 p.

Europe from its emergence as a distinct, modern civilization to the present. Emphasis is given to the role of individual nations, and the contribution of the Eastern countries is included. Topics of a more general nature are studied in separate sections: The Renaissance, the Enlightenment, and economic developments in the 19th century.

L'Europe depuis sa naissance en tant que civilisation distincte, jusqu'à nos jours. L'accent est mis sur le rôle des nations individuelles, pays de l'Est compris. Des sujets d'intérêt général sont étudiés à part: La Renaissance, le Siècle des Lumières et le développement économique au 19e siècle.

BELOFF, Max: **The Age of Absolutism, 1660-1850**

Harper & Brothers, New York 1962, 189 p.

A short but powerful introduction to the age of absolutism and its transformation. The author examines this era in broad terms, analyses the state of politics in Europe, and finishes with a study of the principle of absolutism in France, the Iberian Peninsula, Prussia and Austria, Russia and Poland, and of the issue of the American Revolution. For undergraduates.

Pour les étudiants, une introduction brève, mais efficace à l'âge de l'absolutisme et à sa transformation. L'auteur examine cette période dans les grandes lignes, et analyse le principe absolutiste en France, dans la Péninsule Ibérique, en Prusse et en Autriche, en Russie et en Pologne, ainsi que les données de la Révolution Américaine.

BELOT, R. de: **La Méditerranée et le Destin de l'Europe**

Payot, Paris 1961, 215 p.

Un historien des guerres aéro-navales du XXe siècle présente ici une étude géo-politique des problèmes anciens et modernes du bassin où s'est formée notre civilisation. Il conclut en faveur d'une Europe unie, appuyée sur l'Atlantique et tournée vers l'Afrique.

A historian of aero-naval warfare of the 20th century undertakes a geopolitical study of the ancient and modern problems of the basin where our civilization was formed. He concludes in favour of the united Europe supported by the Atlantic and orientated towards Africa.

BENEYTO, Juan: **España y el problema de Europa**

Espasa-Calpe, Madrid 1950, 228 p. Editora Nacional, Madrid 1962, 278 p.

Estudio histórico de la idea de imperio como se la ve en el transcurso de las Edades Media y Moderna. El autor pone de relieve la actitud de España ante una Europa Imperial.

Etude historique du phénomène impérialiste tel qu'il s'est manifesté au Moyen Age et à l'époque moderne. L'auteur met l'accent sur l'attitude de l'Espagne vis-à-vis d'une Europe impériale.

Historical study of imperialism as seen in the Middle Ages and in the modern era. The author stresses the Spanish attitude towards imperial Europe.

B E N Z, Ernst: **Die abendländische Sendung der östlich-orthodoxen Kirche**

Franz Steiner, Wiesbaden 1950, 294 S.

Schildert die seinerzeit gescheiterten Bemühungen Franz von Baaders, im Zeitalter der Heiligen Allianz die russisch-orthodoxe Kirche und die beiden Formen des abendländischen Christentums einander näher zu führen und die geistige und ökumenische Einheit Europas unter Einbeziehung Russlands zu verwirklichen.

Les vains efforts de Franz von Baader, au temps de la Sainte Alliance, pour rapprocher l'Eglise orthodoxe russe et les deux confessions principales de l'Occident, afin de réaliser l'unité spirituelle et oecuménique de l'Europe, en y associant la Russie.

Describes the fruitless efforts of Franz von Baader, at the time of the Holy Alliance, to establish closer relations between the Russian Orthodox Church and the two principal faiths of the West, in order to bring about the spiritual and oecumenical unity of Europe by associating Russia to it.

B E R L, Emanuel: **Histoire de l'Europe** 2 vol.

Gallimard, Paris 1945/1947, 308/301 p., ill.

Thèse directrice: "Chaque nation européenne est moins influencée par son histoire particulière que par l'histoire générale de l'Occident chrétien". Volontiers polémique et toujours stimulant, l'ouvrage ne cite guère que des sources françaises. Sections: La mort de Rome — La tentative et l'échec des Carolingiens — Grandeur et décadence du Saint-Empire — Les croisades — Les malheurs de l'Europe — Le triomphe de l'Asie — Formation de l'Europe classique — La tentative et l'échec des Habsbourg — Les traités de Westphalie et l'Europe classique — L'Europe des diplomates et des Lumières.

Guiding theme: "Each European nation is influenced less by its own history than by the general history of the Christian West". Often polemical and always stimulating, the work quotes French sources for the most part. It concerns: The downfall of Rome — The attempt and the failure of the Carolingians — Grandeur and decline of the Holy Roman Empire — The Crusades — The misfortunes of Europe — The triumph of Asia — Formation of classical Europe — The attempt and the failure of the Habsburgs — The treaties of Westphalia and classical Europe — The Europe of the diplomats and of the Englightenment.

B I E H N, Heinz: **Feste und Feiern im alten Europa**

Prestel, München 1962, 372 S., ill.

Europäische Karnevals, Jagdveranstaltungen und Turniere, Kaiserkrönungen und Hochzeiten, Bankette, Opern und Balletts durch 5 Jahrhunderte.

Carnavals, chasses et tournois, couronnements et mariages des empereurs, banquets, opéras et ballets durant 5 siècles.

Carnivals, hunts, tourneys, coronations and marriages of emperors, banquets, operas and ballets during five centuries form the subject of this book.

BIEHN, Heinz: **Die Kronen Europas und ihre Schicksale**

Limes, Wiesbaden 1957, 235 S., ill.

Ein amüsantes Buch über die Entstehung und Geschichte der europäischen Fürstenkronen und damit der Geschichte fürstlicher Macht in Europa in Aufstieg und Verfall.

Livre divertissant sur l'origine et l'histoire des Couronnes princières européennes, et en même temps sur l'essor et le déclin du pouvoir princier en Europe.

An amusing book on the origins and history of Europe's princely crowns and on the rise and decline of royal power in Europe.

BORKENAU, Franz: **Der europäische Kommunismus — Seine Geschichte von 1917 bis zur Gegenwart**

A. Francke, Bern 1952, 540 S.

Ziele und Politik des Kommunismus in Europa, mit dem Schwerpunkt auf der Entwicklung in Frankreich, Spanien sowie Zentral- und Osteuropa seit der Französischen Volksfront 1934. Durch zahlreiche Literaturhinweise und ein umfangreiches Namensverzeichnis besonders wertvoll für den Wissenschaftler wie auch für den Praktiker, der sich in seiner Berufstätigkeit mit dem Kommunismus auseinanderzusetzen hat.

Buts et politique du Communisme en Europe, en particulier son développement en France, en Espagne, en Europe Centrale et de l'Est, depuis le Front Populaire français de 1934. Nombreuses indications bibliographiques et index complet. Utile pour les spécialistes et pour ceux que leur vie professionnelle met en contact avec le Communisme.

Aims and policy of Communism in Europe, with special emphasis on its development in France and Spain, Central and Eastern Europe since the French Front Populaire of 1934. Contains much bibliographical information and a complete index. Useful for the specialist and for persons in contact with Communism through their work.

BOSCH-GIMPERA, P.: **Les Indo-Européens — Problèmes archéologiques**

Payot, Paris 1961, 296 p., ill. (Original espagnol introuvable)

Origine et formation des ethnies indo-européennes. Solutions proposées par les historiens, les linguistes, les ethnologues, puis théorie nouvelle de l'auteur basée essentiellement sur l'archéologie. Excellent exposé de l'histoire du monde eurasiatique, du Mésolithique aux Invasions.

Origin and formation of the Indo-European races. Solutions are put forward by historians, linguists, ethnologists, then a new solution is proposed by the author, based essentially on archaeology. An excellent account of the history of the Euro-Asiatic world, from the Mesolithic Age to the Invasions.

BOWLE, John: **The Unity of European History**

Jonathan Cape, London, 3rd ed. 1952, 383 p.

B. Russell, H. Nicolson and other famous historians have praised this work in which the Continental reader will see with interest how an Englishman, with a good deal of clarity, presents the unity of European culture. The first sentence in the book, "European civilization derives from the village community and the city state" sets the tone; this is maintained right to the end.

B. Russel, H. Nicolson et d'autres historiens célèbres ont loué cet ouvrage où le lecteur continental verra avec intérêt comment un Anglais présente, avec beaucoup de clarté, l'unité de la culture européenne. La première phrase du livre, "European civilization derives from the village community and the city state" donne le ton; celui-ci est maintenu jusqu'à la fin.

BOWLE, John: **Western Political Thought — From the Origins to Rousseau**

Methuen & Co., London 1961, 482 p. (University Paperbacks)

The author wants to introduce new-comers to political theory by making them aware of the way in which representative philosophers, exerting an influence on political ideas, were themselves a product of their age. In a final examination of the relevance of Western heritage to the present situation, the author pleads that Europe should make use of her political traditions as a positive force against Communism and Fascism.

L'auteur désire introduire les non-initiés à la théorie politique, en leur montrant comment les philosophes qui ont exercé une influence sur les idées politiques, étaient eux-mêmes un produit de leur époque. Dans un examen final du rapport de l'héritage occidental et la situation actuelle, l'auteur soutient que l'Europe devrait utiliser ses traditions politiques comme une force positive contre le communisme et le fascisme.

BRUGMANS, Henri: **Les Origines de la Civilisation Européenne (I) — L'Europe prend le Large (II)**

Librairie Générale de Droit et de Jurisprudence, Paris 1958, 264 p. 1961, 367 p.

Le Recteur du Collège d'Europe, à Bruges, conçoit l'histoire comme une "psychanalyse collective", comme une prise de conscience du groupe humain —, ici de l'Europe dans son ensemble. Grands thèmes: Héritages, Expériences communes, Croisades, Renaissance, Réforme, Conquête du globe.

The rector of the College of Europe at Bruges looks upon history as a collective psychoanalysis, an "awareness" on the part of a group of human beings — here Europe as a whole. The main chapters concern: Legacies, Common Experiences, Crusades, Renaissance, Reformation, World Conquest.

BRULEY, Edouard — DANCE, E. H.: **Une Histoire de l'Europe?**

A. W. Sijthoff, Leiden 1960, 88 p.

Résumé des travaux de six conférences d'historiens réunies par le Conseil de l'Europe de 1953 à 1958 en vue de reviser les manuels d'histoire.

A summary of the work of six historical conferences organized by the Council of Europe, between 1953 and 1958, with the aim of revising history textbooks.

BRUNNER, Otto: **Adeliges Landleben und europäischer Geist — Leben und Werk Wolf Helmhards von Hohberg 1612-1688**

Otto Müller, Salzburg 1949, 376 S., ill.

Der Verfasser erläutert an einem konkreten, wenig bekannten Einzelfall, inwiefern der österreichische Landadel bis zu seinem Untergang die geistige und wirtschaftliche Einheit Alteuropas vertritt.

Par un exemple concret, peu connu, l'auteur montre dans quelle mesure la noblesse terrienne de l'Autriche était représentative de l'unité spirituelle et économique de l'ancienne Europe.

By means of a concrete but little-known example, the author shows how far the Austrian landed nobility was representatif of the spiritual and economic unity of ancient Europe.

BRUUN, Geoffrey: **Europe and the French Imperium 1799-1814**

Harper & Row, New York 1938, 280 p., ill.

Concerns the Napoleonic era as a stage in general European history, but also includes a discussion of the institutions of Napoleonic rule in France.

Etude de l'époque napoléonienne en tant qu'étape dans l'histoire générale de l'Europe, complétée d'une discussion des institutions du Code Napoléon en France.

BRUUN, Geoffrey: **Nineteenth-Century European Civilization 1815-1914**

Oxford University Press, London 1959, 256 p.

Describing a period of unparalleled prosperity on the Continent and the transmission abroad of European civilization, the author has limited himself to a discussion of general topics. Liberal and romantic currents, industrial transformation, and political systems are analysed as forces contributing to the "European age".

L'auteur decrit une période de prospérité inégalée sur le continent et l'extension mondiale de la civilisation européenne en se limitant aux questions generales. Les courants libéraux et romantiques, la transformation industrielle et les systèmes politiques apparaissent dans cette analyse comme autant de forces constitutives de "l'Ere Européenne".

CHABOD, Federico: **Italien — Europa — Studien zur Geschichte Italiens im 19. und 20. Jahrhundert**

Vandenhoeck & Ruprecht, Göttingen 1962, 234 S.

Auswahl von Vorträgen und Gastvorlesungen Chabods wie auch Auszüge aus seinem Hauptwerk "Politica estera". Der Verfasser stellt die Geschichte Italiens in den grösseren Zusammenhang der europäischen Geschichte und kommt so zu einem neuen historischen Verständnis der Sonderproblematik Italiens seit 1870.

Choix de conférences et d'exposés de Chabod et larges extraits de son œuvre majeure, "Politica estera". L'auteur place l'histoire de l'Italie dans le contexte plus ample de l'histoire européenne et arrive ainsi à une meilleure compréhension des problèmes historiques spécifiquement italiens, depuis 1870.

A selection of Chabod's lectures as well as long extracts from his major work "Politica estera". The author places Italian history in the wider context of European history and so arrives at a better understanding of specifically Italian historical problems since 1870.

CHABOD, Federico: **Storia dell'idea d'Europa**

Laterza, Bari, 2ª ed. 1962, 204 p.

Deutsche Ausgabe: **Der Europagedanke von Alexander dem Grossen bis Zar Alexander** *I. Kohlhammer, Stuttgart 1963, 155 S.*

Raccolta di lezioni universitarie tenute nel 43-44 a Milano. L'autore vuole sopratutto spiegare quando e come i nostri antenati abbiano preso coscienza di essere europei.

Cours universitaires donnés en 1943-44 à Milan. L'auteur s'attache surtout à montrer quand et comment nos ancêtres ont pris conscience d'être des Européens.

Lectures delivered at Milan in 1943-44. The author is mainly concerned with showing how and when our forebears became aware of being Europeans.

CHENEY, L. J.: **A History of the Western World, or The Adventure of Europe**

G. Allen & Unwin, London 1959, 335 p., ill.

The author attempts to broaden the young reader's intellectual horizons both by an emphasis on the synchronization of historical, cultural and religious ideas, and by lucid explanations of many often mystifying and consequently meaningless historical terms. A narrative history for secondary schools.

L'auteur tente d'élargir l'horizon intellectuel des jeunes lecteurs en montrant le synchronisme des idées historiques, culturelles et religieuses, et en expliquant clairement le sens de termes historiques souvent obscurs et par conséquent sans valeur. Histoire narrative pour écoles secondaires.

CHILDE, Gordon V.: **The Dawn of European Civilization**

Routledge & Kegan Paul, London, 6th rev. ed. 1957.
Edition française: **L'Aube de la Civilisation européenne.** *Payot, Paris, 4e éd. 1949, 384 p.*

A classic on the archaeological discovery of our prehistoric origins. Its subtlety and detail on all phases of cultural evolution should prove valuable to advanced students in this field.

Une œuvre classique sur les découvertes archéologiques de notre préhistoire. Toutes les phases de l'évolution culturelle sont décrites avec précision et en détail. D'une utilité certaine pour les étudiants qui se spécialisent dans cette branche.

CHILDE, V. Gordon: **The Prehistory of European Society**

Penguin Books, London 1958, 183 p.

Deutsche Ausgabe: **Vorgeschichte der europäischen Kultur.** *Rowohlt, Hamburg 1960, 154 S.* — *Edizione italiana:* **Preistoria della Società Europea.** *Sansoni, Firenze 1962, 272 p.* — *Edition française:* **L'Europe préhistorique.** Payot, Paris *1962.*

The author attempts to show that the prehistoric inhabitants of our continent already acted like real Europeans. They imitated the Oriental peoples, who were then far superior to them, so well that they later surpassed them.

L'auteur veut démontrer que les habitants préhistoriques de notre continent agissaient déjà en authentiques Européens. Ils imitèrent si bien les peuples orientaux qui leur étaient alors de beaucoup supérieurs, qu'ils finirent par les dépasser.

CHILDE, Gordon: **What happened in History**

Penguin Books, London, rev. ed. 1954, 288 p.
Edition française: **Le Mouvement de l'Histoire.** *Arthaud, Paris 1961, 271 p.*

Summarizing a century of prehistoric research, this work effects a link between Prehistory and History — a pioneering feat in this sphere. It describes man's "continuous and obstinate march" towards civilization from the Stone Age to the Iron Age, and attempts to solve the crucial problem of the parts played by the East and the West in the elaboration of civilization. Conclusion: "The westerners were not servile imitators".

Résumant un siècle de recherches préhistoriques, l'ouvrage établi un lien entre Préhistoire et Histoire. Décrit le "cheminement continu et obstiné" de l'homme vers la civilisation, de l'Age de la Pierre à l'Age du Fer, et tente de résoudre le problème crucial de la part de l'Orient et de l'Occident dans l'élaboration de la civilisation. Conclusion: "les Occidentaux n'étaient pas de serviles imitateurs".

CLARK, George: **Early Modern Europe, from about 1450 to about 1720**

Oxford University Press, London 1957, 261 p.

Edición española: La Europa moderna. Fondo de Cultura Económica, Mexico 1963, 222 p.

A compressed work which, by means of a rich selection of facts and ideas, paints a picture of the many facets of European civilization during more than three centuries. Useful as a revision text for students.

Ouvrage très condensé qui fournit une riche sélection de faits et d'idées sur les aspects les plus variés de la civilisation européenne de la Renaissance au XVIIIe siècle.

CLARK, J. G. D.: **Prehistoric Europe**

Methuen & Co., London 1952, 349 p.

Edition française: **L'Europe préhistorique, les fondements de son économie.** *Payot, Paris 1955, 491 p.*

Starting with the Upper Paleolithic Age, at the end of which period Europe had begun to take on the face we know, the author undertakes a reconstruction of the economic life of prehistoric Europe (hunting, agriculture, urbanization, industry, commerce, means of transport). He spends much more time on Western Europe than on the USSR and its immediate neighbours.

Partant du Paléolithique supérieur, période à la fin de laquelle l'Europe a pris la physionomie que nous lui connaissons, l'auteur entreprend une reconstitution de la vie économique de l'Europe préhistorique (chasse, agriculture, agglomérations, industrie, commerce, moyens de transport). Il s'attache à l'Europe occidentale plus qu'à l'URSS et à ses voisins immédiats.

CLOUGH, Shepard Bancroft — COLE, Charles Woolsey: **Economic History of Europe**

Heath & Co., Boston, 3rd ed. 1952, 917 p., ill.

A history of Western economy beginning with the mediaeval system and its subsequent transformation in Europe. Demonstrates the growth of capitalism since 1500, the improvement of scientific method, and the advent of mass production techniques in the 19th century.

Histoire de l'économie occidentale depuis le système médiéval et sa transformation ultérieure en Europe. Décrit le développement du capitalisme depuis 1500, l'amélioration de la méthode scientifique et l'apparition des techniques de fabrication en série au XIXe siècle.

CRAIG, Gordon A.: **Europe since 1815**

Holt, Rinehart & Winston, New York 1961, 878 p.

A university text-book on the politics, philosophy and personalities that constitute the fabric of history. In his conclusion the author expresses confidence in the capacity of Europe to adapt to her new role in the world and sees the movement of commitment to Western European integration as ushering in a new era.

Manuel universitaire sur la politique, la philosophie et les personnalités qui forment la trame de l'histoire. Dans sa conclusion l'auteur exprime sa confiance dans la faculté de l'Europe à s'adapter à son nouveau rôle mondial. Il voit dans le mouvement vers l'intégration de l'Europe occidentale le signe d'une nouvelle époque.

CURCIO, Carlo: **Europa — Storia di un'Idea** 2 vol.

Vallecchi, Firenze 1958, 476/527 p.

L'opera più completa che sia stata pubblicata fino ad oggi sull'evoluzione dell'idea europea e sulle concezioni dell'Europa, come unità già esistente o come unione da crearsi, da Erodoto al Movimiento Europeo. L'indice dei nomi comprende circa 2000 autori. Strumento di lavoro per tutti coloro che desiderano conoscere gli antecedenti secolari dell'azione federalista in corso. Ricchissima bibliografia, centinaia di citazioni.

L'ouvrage le plus complet publié jusqu'ici sur l'évolution de l'idée européenne et sur les conceptions de l'Europe, depuis Hérodote jusqu'au Mouvement Européen. L'index des noms comprend quelque 2000 auteurs. Instrument de travail pour tous ceux qui désirent connaître les antécédents historiques de l'action fédéraliste contemporaine. Riche bibliographie, très nombreuses citations.

The most complete work yet published on the evolution of Europeanism and the concepts of Europe, from Herodotus to the European movement. The index of names includes almost 2000 authors. A reference work on the historical antecedents of contemporary federalistic activities. Comprehensive bibliography. Numerous quotations.

DAHMS, Hellmuth G.: **Kleine Geschichte Europas im 20. Jahrhundert**

Ullstein, Darmstadt 1958, 191 S.

Information über die wichtigsten europäischen und vor allem deutschen Ereignisse unseres Jahrhunderts bis 1945, in Taschenbuchformat.

Les événements européens et surtout allemands les plus marquants du 20e siècle (jusqu'en 1945) en livre de poche.

The most striking events in Europe, particularly in Germany during the 20th century. A pocket book.

DANIEL, Glyn: **The Megalith Builders of Western Europe**

Hutchinson & Co., London, 2nd ed. 1963, 144 p., ill.

A short, well illustrated account of the present state of knowledge on collective tombs, their contents and their builders — suggesting the latter's ultimate descent from the Minoans.

Livre bien illustré, qui donne un aperçu de l'état actuel des connaissances sur les tombeaux collectifs, leur contenu et leurs constructeurs — dont, selon l'auteur, l'origine remonterait aux Minoens.

DANNENBAUER, Heinrich: **Die Entstehung Europas — Von der Spätantike zum Mittelalter** 2 Bde

Kohlhammer, Stuttgart 1959/1962, 409/340 S.

Eine Geschichte der weniger bekannten Jahrhunderte, die zwischen dem Zerfall des Römischen Reiches und dem des Karolingerreiches liegen. Enthält neben den Geschehnissen um Staat und Kirche Wesentliches über den beginnenden Handel und was an kulturellen Werten mitten im Chaos geschaffen und erhalten wurde.

Histoire des siècles peu connus qui se situent entre la ruine de l'Empire Romain et du règne des Carolingiens. Retrace les événements concernant l'Etat et l'Eglise, et apporte des informations importantes sur le commerce renaissant et sur les valeurs culturelles créées ou conservées au sein du chaos.

A history of the lesser-known centuries, those between the fall of the Roman Empire and the reign of the Carolingians. Besides discussing Church and State, it contains valuable information on the new growth of trade, and on the cultural values which were created and preserved in the midst of chaos.

DAVIS, H. W. C.: **Medieval Europe**

Oxford University Press, London, 2nd ed. 1960, 200 p.

A brief and factual university revision text.

Résumé limité aux principaux faits. Pour étudiants.

DAWSON, Christopher: **Religion and the Rise of Western Culture**

Sheed & Ward, London 1951, 286 p.
Edition française: **La religion et la formation de la civilisation occidentale.** *Payot, Paris 1953, 240 p.*

These "Gifford Lectures" discuss the origins of the Church, the work of the monks, the invasions, Byzantine influence, the reforms of the eleventh century, chivalry, the mediaeval town, and the religious crisis of the thirteenth century. A classic.

Ces "Gifford Lectures" étudient les origines de l'Eglise, l'œuvre des moines, les invasions, l'influence de Byzance, les réformes du XIe siècle, la chevalerie, la commune médiévale, et la crise religieuse du XIIIe siècle. Un classique.

DAWSON, Christopher: **The Making of Europe**

The World Publishing Company, Meridian Books, New York 1958, 274 p.
Deutsche Ausgabe: **Die Gestaltung des Abendlandes,** *J. Hegner, Köln, 2. Aufl. 1950, 311 S. (auch als Fischer-Taschenbuch, Frankfurt 1961, 212 S.) — Edition française:* **Le Moyen Age et les origines de l'Europe,** *Arthaud, Paris 1960, 340 p.*
Edizione italiana: **La nascita dell'Europa,** *Einaudi, Roma 1959, 272 p.*

An interpretation of the least known period of European history, that between the fall of the Roman Empire and the birth of "mediaeval unity", by a catholic historian and essayist of high rank. Based on profound knowledge of the texts, this book was the first to highlight the importance of religious factors in the making of political Europe.

Interprétation de l'époque la moins connue de la formation de l'Europe, entre la fin de l'Empire Romain et la naissance de "l'unité médiévale", par un historien et essayiste catholique de grande classe. Fondé sur une connaissance approfondie des textes, cet ouvrage a été le premier à dégager l'importance des facteurs religieux dans la création de l'Europe politique.

DEANESLY — BROOKE — PREVITÉ-ORTON — WAUGH — GRANT — REDDAWAY — MARRIOTT:
A History of Europe: 476-911/911-1198/1198-1378/1378-1494/1494-1610/ 1610-1715/1715-1814/1815-1939

Methuen & Co., London, 2nd ed. 1960, 620 p./3rd. ed. 1960, 553 p./ 3rd ed. 1960, 464 p./3rd ed. 1960, 545 p./5th ed. 1959, 572 p./repr. 1959, 485 p./1961, 559 p./ 5th ed. 1960, 634 p.

This series of eight textbooks, ranging from 400 to 600 pages, covers European history from the dawn of the Middle Ages to the end of World War II. By eminent British scholars it provides a chronicle of internal events rather than an over-all picture of Europe. Alphabetical indexes, charts and maps are included as well as adequate bibliographical material and marginal notes to facilitate assimilation by the student. Most volumes have been edited and reprinted several times.

Huit volumes à l'intention des écoles, par d'éminents professeurs britanniques, couvrant l'histoire européenne des débuts du Moyen Age au lendemain de la deuxième guerre mondiale. Ces manuels cherchent moins à donner une vue d'ensemble de l'Europe qu'à faire la chronique de ses péripéties internes. Ils ont, pour la plupart, fait l'objet d'un certain nombre de rééditions et réimpressions. Index alphabétiques, tableaux, cartes géographiques et titres marginaux facilitent la lecture rapide. Abondantes notes bibliographiques.

DECARREAUX, Jean: **Les moines et la civilisation en Occident**

Arthaud, Paris 1962, 396 p.

English edition: **Monks and Civilisation.** *G. Allen & Unwin, London 1964, 384 p.*

Deutsche Ausgabe: **Die Mönche und die abendländische Zivilisation.** *Rheinische Verslagsanstalt, Wiesbaden 1964, 420 S.*

Histoire trop mal connue et passionnante du sauvetage et de la reconstruction de notre culture, entre l'effondrement de l'Empire au Ve siècle et la "renaissance" carolingienne. Traite également des colonies de moines du Proche-Orient, de l'Ibérie, de la Provence, de la Gaule, de l'Irlande et de l'Italie.

A little known but fascinating history of the rescue and reconstruction of our culture, as it stood between the fall of the Empire in the 5th century and the Carolingian "renaissance". Also deals with monastic colonies in the Near-East, the Iberian peninsula, Provence, Gaul, Ireland and Italy.

Die deutsche Einheit als Problem der europäischen Geschichte (hrsg. von Carl Hinrichs, Wilhelm Berges)

Klett, Stuttgart 1960, 195 S.

Vorträge von acht Professoren der Freien Universität Berlin über die Bedeutung der Einheit Deutschlands in der gesamteuropäischen Geschichte, die vom frühen Mittelalter bis zu den beiden Weltkriegen führt. Der Stil ist streng wissenschaftlich, und einige neuartige Thesen sind gut begründet.

Conférence par huit professeurs de l'Université Libre de Berlin sur la signification de l'unité de l'Allemagne dans l'histoire de l'Europe, du Haut Moyen Age jusqu'aux deux guerres mondiales. Style strictement scientifique; quelques thèses inédites, bien fondées.

Lectures by eight professors of the Free University of Berlin on the significance of German unity for the history of Europe, from the early Middle Ages till the two world wars. The style is strictly technical; some original theses are well substantiated.

DOPSCH, Alfons: **Wirtschaftliche und soziale Grundlagen der europäischen Kulturentwicklung,** (Teil I und II)

Scientia Verlag, Aalen, 2. Aufl. 1961, 418/615 S.

Photomechanischer Nachdruck eines bereits 1923 erschienenen, klassisch gewordenen Werkes, das sich ausschliesslich auf die Zeit von Cäsar bis Karl dem Grossen beschränkt.

Reproduction photomécanique d'une œuvre parue en 1923, en passe de devenir classique, et qui se limite à l'epoque allant de César à Charlemagne.

Photographic reproduction of a book published in 1923, which was fast becoming a classic, and deals with the era from Caesar to Charlemagne.

DRION DU CHAPOIS, François: **Charles-Quint et l'Europe**

Brepols, Bruxelles 1962, 259 p.

Ouvrage de synthèse où les faits cèdent la place à l'analyse. Après avoir rappelé la création du Bénélux par Charles-Quint, l'auteur démontre que "maintenir l'Héritage, le reconstituer, le parfaire pour le mieux défendre" était l'impérial dessein.

A synthesis in which facts give place to analysis. Having recalled the creation of Benelux by Charles V, the author shows that the imperial design was "to maintain the inheritance, reconstruct it, improve it, and better defend it".

DRION DU CHAPOIS, François: **A la recherche de l'Europe, sur les routes du passé — lectures historiques** 5 vol.

Editions Universitaires, Bruxelles/Paris, 1949-1959, ca. 280 p. par vol.

Recueil de brèves chroniques, parues dans des journaux belges, consacrées à des personnages historiques, à des recensions d'oeuvres littéraires ou historiques, à des événements passés et présents, et toujours reliées à l'idée de l'Europe comme unité culturelle et arrière-plan commun à toutes les manifestations de nos arts et de notre pensée.

A collection of short articles first published in Belgian newspapers. They concern historical personalities, literary and historical works, past and present events linked with the idea of Europe as a cultural entity and as the common background to our art and thought.

DROZ, Jacques: **L'Europe Centrale — Evolution historique de l'idée de "Mitteleuropa"**

Payot, Paris 1960, 282 p.

Evolution des conceptions nationalistes ou fédéralistes dans les Etats successeurs du Saint Empire. Idées de Metternich, de Fr. List, de Bismarck, et projets fédéralistes de Kossuth puis de la noblesse austro-hongroise anti-prussienne.

Concerns the evolution of national or federal concepts in the states which succeeded the Holy Roman Empire. The ideas of Metternich, Fr. List and Bismarck, the federalist aims of Kossuth, then of the anti-Prussian Austro-Hungarian nobility.

EASTON, Stewart C.: **The Heritage of the Past — From the Earliest Times to the Close of the Middle Ages / The Heritage of the Past — From the Earliest Times to 1715 / The Western Heritage — From the Earliest Times to the Present.**

Holt, Rinehart & Winston, New York 1960, 795 p./1961, 845 p./1961, 916 p.

A textbook in three alternative editions. The first gives an analysis of the civilization of the Middle Ages and ends with an introduction to the Modern State System. The second stresses the historical origins of the present day world and adds an interpretation of the Renaissance, the Reformation and the contrasts between English Constitutional Monarchy and French and Russian Absolutisms. The final work includes an acute analysis of events and issues from 1914 to 1916.

Un manuel en trois éditions différentes. La première analyse la civilisation du Moyen Age et se termine par une introduction au régime de l'Etat moderne. La seconde décrit les origines historiques du monde contemporain, puis donne une interprétation de la Renaissance, de la Réforme, et des contrastes entre la Monarchie constitutionnelle anglaise et l'Absolutisme français et russe. Le dernier volume comporte une analyse des événements et des problèmes de 1914 à 1916.

ELTON, G. R.: **Reformation Europe 1517-1559**

Collins, London 1963, 352 p.

An analysis of the age and politics of Charles V. The author not only gives valuable indications of the dialectic arguments of theologians on Lutheran and Calvinist truths, but shows the way in which these doctrines have deviated from their original tenets.

Analyse de l'époque de Charles-Quint et de sa politique. L'auteur ne donne pas seulement des indications précieuses sur les arguments dialectiques des théologiens au sujet des vérités luthérienne et calviniste, mais montre comment ces doctrines se sont écartées de leurs principes originels.

ENDRES, Robert: **Das Werden des europäischen Geistes**

Verlag für Jugend und Volk, Wien 1951, 756 S., ill.

Schildert die Entwicklung der abendländischen Kultur, der europäischen Wirtschaft, der Gesellschaft sowie des politischen Geschehens im Zeitraum von 1125 bis 1740. Die einfache Art der Darstellung sowie eine Vielzahl historischer Karten und Bilder machen das Werk auch für den fachlich nicht gebildeten Leser geeignet.

Développement de la culture occidentale, de l'économie européenne, de la société et des événements politiques de 1125 à 1740. Sa présentation simple avec de nombreuses images et cartes rend cette étude accessible au profane.

Development of Western culture, of the European economy, society and political events from 1125 to 1740. Its simple presentation, including many pictures and maps, make this a work which appeals equally to the uninitiated.

E N G E L, Hans-Ulrich: **Die Strasse nach Europa — Reichskleinodien und Kaiserkrönungen**

Marion von Schröder, Hamburg 1962, 139 S., ill.

Die in diesem Geschenkband dargestellten Kaiser- und Königs-Insignien sollen beim Aufbau einer neuen Einheit Europas vor allem an Karl den Grossen erinnern, Vorbild für alle Versuche abendländischer Völkervereinigung bis zur Auflösung des Heiligen Römischen Reiches Deutscher Nation.

Ouvrage de luxe sur les insignes de la fonction impériale et royale. Au moment où l'on parle d'une nouvelle unité européenne, le livre nous ramène à Charlemagne, qui fut le modèle de toutes les tentatives d'unification de l'Occident, jusqu'à la désintégration du Saint-Empire.

Describes imperial and royal insignia which, in view of the new European unity, take us back to Charlemagne, the model for every attempt at Western reunification, until the disintegration of the Holy Roman Empire.

E R G A N G, Robert: **Europe in our Time — 1914 to the Present**

Heath & Co., Boston, 3rd. ed. 1958, 973 p., ill.

A comprehensive diplomatic history written primarily for the instruction of American citizens in the affairs of a continent in whose politics they play a decisive role. Particular emphasis in the last chapter on the post 1945 conflicts is placed on the activities and problems both of the United Nations and the Western European institutions.

Une histoire diplomatique complète écrite surtout pour instruire les citoyens américains des affaires du continent, dans la politique duquel ils jouent un rôle décisif. Dans le dernier chapitre, l'auteur insiste sur les conflicts surgis après 1945, ainsi que sur les activités et les problèmes des Nations Unies et des institutions de l'Europe occidentale.

E R N S T B E R G E R, Anton: **Europas Widerstand gegen Hollands erste Gesandtschaft bei der Pforte 1612**

Verlag der Bayrischen Akademie der Wissenschaften, München 1956, 54 S.

Vortrag über den Versuch der gerade erst unabhängig gewordenen Niederlande im Jahre 1612, eine Gesandtschaft in Konstantinopel zu eröffnen. Es gelingt dem Verfasser, die entgegengesetzten und verflochtenen Interessen der europäischen Mächte jener Zeit — im Spiegel ihrer Vertretungen bei der Pforte — zu klären und zu schildern.

Conférence sur la tentative faite en 1612 par les Pays-Bas, récemment devenus indépendants, pour établir une légation à Constantinople. Analyse des politiques divergentes et complexes des pays européens de l'époque, reflétées par leurs représentants auprès de la Sublime Porte.

A lecture on the attempt made in 1612 by the Netherlands, then a newly independent State, to establish a delegation at Constantinople. It clearly analyses the diverging and complex policies of the European states at that time, as they were carried out by their representatives at the Sublime Porte.

Europa im XV. Jahrhundert von Byzantinern gesehen (hrsg. von Endre v. Ivanka)

Styria, Graz 1954, 191 S.

Aus Reiseberichten und Geschichtsschriften byzantinischer Autoren jener Zeit erhält der Leser ein Bild von dem damaligen Europa wie auch von der Betrachtungsweise und Geisteshaltung der Byzantiner Europa gegenüber. Will keine Geschichtsquellen sondern die erlebte Wirklichkeit jener Zeit darstellen.

Relations de voyages et manuscrits historiques byzantins décrivant l'attitude politique et spirituelle de Byzance face à l'Europe du XVe siècle. Cette publication n'a aucune ambition historique: elle se borne à décrire la réalité d'une époque.

A picture of the political and spiritual attitudes of Byzantium towards 15th century Europe, in the form of Byzantine travel descriptions and historical manuscripts. This publication has no historical ambitions, it restricts itself to describing the realities of an epoch.

Die Europäer und ihre Geschichte — Epochen und Gestalten im Urteil der Nationen (hrsg. v. Leonhard Reinisch)

C. H. Beck, München 1961, 220 S.

Elf Studien führender Historiker mit Europa als dreifachem Gegenstand: 1. durch die Darstellung der wichtigsten, das Abendland prägenden Gestalten und Ereignisse von Karl dem Grossen bis zum Jahre 1933; 2. durch Vergleiche der national-bedingten Urteile, die in den verschiedenen Ländern Europas über sie geschrieben wurden; 3. durch den Versuch, auf dieser Basis zu einer objektiven, gesamt-europäischen Deutung zu gelangen. Literaturverzeichnis.

Des historiens de premier ordre étudient en onze chapitres trois sujets européens: 1. Figures et événements les plus marquants de l'Occident, de l'époque de Charlemagne jusqu'en 1933; 2. études comparatives des jugements nationaux sur ces figures et ces événements; 3. essai, sur cette base, d'une interprétation objective et globale à l'échelle européenne. Bibliographie.

In eleven essays a number of highly qualified historians examine three European subjects: 1. The most striking events and personalities in the West from the age of Charlemagne to 1933; 2. comparative studies on national criticisms of these personalities and events; 3. an attempt on this basis at an objective and comprehensive interpretation on a European scale. Bibliography.

L'Europe à la fin de l'âge de la pierre (Rédaction: Jaroslav Böhm et Sigfried J. de Laet)

Edit. de l'Académie tchécoslovaque des Sciences, Prague 1961, 690 p., ill.

Actes du Symposium International consacré à l'étude du Néolithique tardif, période de grands changements économiques, sociaux et éthniques. Le troisième millénaire avant J.-C. y est traité dans une perspective européenne, compte tenu de l'etat des recherches. Rédigé en quatre langues, c'est un appareil critique précieux.

The proceedings of the International Symposium on the Late Neolithic Age, a period of great economic, social and ethnical change. The third millenium B.C. is dealt within its European context, the amount of research accomplished being taken into consideration. Edited in four languages, it is a valuable critical instrument.

L'Europe du XIXe et du XXe siècle, interprétations historiques 1815-1914 2 tomes en 4 vol. (comité de rédaction: M. Beloff, P. Renouvin, F. Schnabel, F. Valsecchi)

Marzorati, Milano 1959/1962, env. 600 p. chaque volume. — Co-édition pour la France chez Fischbacher, Paris

L'ambition de cette grande œuvre collective est de dépasser le "nationalisme historiographique" en prenant pour sujet central le problème européen dans son ensemble. Quatre parties: I Problèmes généraux de la civilisation européenne; II Physionomie des Etats; III Attitude des grands Etats à l'égard de l'ensemble européen; IV Rôle de l'Europe dans la vie du Monde.

The ambition of this great joint work is to go beyond "historiographic nationalism" by taking the whole of the European problem as the central subject. Four parts: I. General problems of European civilization; II. The physionomy of nations; III. Attitude of the large nations in relation to Europe as a whole; IV. The role of Europe in the life of the world.

Europe looks at the Civil War — A new dimension of the American Civil War (edit. by B. B. Sideman and L. Friedman)

Collier, New York 1962, 254 p.

An anthology with excerpts of letters, speeches, press articles etc. of distinguished European comtemporaries (Victor Hugo, Queen Victoria, Marx, Darwin and numerous others) forming a survey of European reactions to the American Civil War. The editors are interested in the human rather than the diplomatic aspects of the war.

Une anthologie de lettres, de discours et d'articles de presse etc. d'éminents contemporains européens (Victor Hugo, la Reine Victoria, Marx, Darwin et de nombreux autres) donnant un aperçu général des réactions européennes face à la Guerre Civile aux Etats Unis. Les éditeurs s'intéressent plutôt aux aspects humains qu'aux aspects diplomatiques de la guerre.

The European Inheritance
3 vol. (edit. by Sir Ernest Barker, Sir George Clark, Paul Vaucher)

Clarendon Press, Oxford 1954, 1370 p., ill.

A collective work of general interest analysing the different periods of European history. Includes a fine selection of contemporary texts and documents. I Prehistory, by V. Gordon Childe — II Greece and Rome, by W.W. Tarn. The Jews and the beginnings of the Christian Church, by C.H. Dodd — III The Middle Ages, by F.L. Ganshof — IV The early modern period, by G.N. Clark — V Political, economic and social development in the 18th Century, by P. Vaucher. The development of literature and culture in the 18th Century, by D. Mornet — VI The nineteenth Century (1815-1914), by G. Bruun — VII 1914-1950, by E. Vermeil — VIII Review and Epilogue, by E. Barker.

Ouvrage collectif d'intérêt général, retraçant les périodes successives de l'histoire européenne. Complété par des textes contemporains et des documents. I Préhistoire, par V. Gordon Childe — II La Grèce et Rome, par W. W. Tarn. Les Juifs et les débuts de l'Eglise Chrétienne, par C. H. Dodd — III Le Moyen Age, par F. L. Ganshof — IV Les débuts de l'Age Moderne, par G. N. Clark — V Développements politique, économique et social au XVIIIème siècle, par P. Vaucher. L'évolution de la littérature et de la culture au XVIIIème siècle, par D. Mornet — VI Le XIXème siècle (1815-1914), par G. Bruun — VII 1914-1950, par E. Vermeil — VIII Rétrospective et épilogue.

FABRE-LUCE, Alfred: **Histoire de la Révolution Européenne 1919-1945**

Domat, Paris 1954, 352 p.

Analyse vivante de la faillite des démocraties face à la montée irrésistible du fascisme. La guerre hitlérienne a obligé le monde libre à penser au danger soviétique, et la France à penser à l'union franco-allemande. L'Europe unie est "le grand thème révolutionnaire de notre époque" conclut l'auteur.

A lively analysis of the failure of democracy, confronted by the irresistible rise of Fascism. The Second World War has made the free world aware of the Soviet danger, and has made France think of Franco-German unity. United Europe is "the great revolutionary idea of our times", according to the author.

FISCHER, H. A. L.: **A History of Europe**

Edward Arnold, London, 1961, 1301 p.

Starting with the neolithic man and concluding with Stalin and Hitler the author shows that the civilization of Europe relies not on a foundation of race but on interaction of thought, achievement, and religious aspirations. One dream has however constantly haunted the imagination of statesmen and peoples, that of unity.

De l'homme néolithique à Staline et Hitler, l'auteur montre que la civilisation européenne ne repose pas sur une base raciale mais sur une interaction de la pensée, du progrès, et des aspirations religieuses. Un rêve a cependant toujours hanté l'imagination des hommes d'Etat et des peuples, celui de l'unité.

FISCHER, Jürgen: **Oriens-Occidens-Europa**

Franz Steiner, Wiesbaden 1957, 151 S.
Edicion española: Guadarrama, S.A., Madrid.

Wie der Untertiel: "Begriff und Gedanke, Europa in der späten Antike und im frühen Mittelalter" aussagt, handelt es sich bei dieser wissenschaftlichen Studie um die sprachliche und geistige Klärung der genannten Begriffe.

Comme l'indique le sous-titre: "Conception et pensée, l'Europe dans la Basse Antiquité et dans le Haut Moyen-Age", il s'agit d'un essai de clarification terminologique et spirituelle de ces notions. Etude d'une haute valeur scientifique.

The sub-title: "Concepts and reflections, Europe in the late Antiquity and early Middle Ages" indicates that this book aims at a terminological and spiritual clarification of these ideas. A valuable and original work.

FREYER, Hans: **Weltgeschichte Europas**

Deutsche Verlagsanstalt, Stuttgart, 2. Aufl. 1954, 618 S., ill.

Der Verfasser will die geschichtlichen Kraftquellen Europas aufdecken, die einen Weg aus einer ausweglos scheinenden Lage bieten, wie sie sich während des zweiten Weltkrieges bot, als das Buch geschrieben wurde.

Par l'étude des causes historiques de la puissance européenne, l'auteur essaie de trouver une issue à une situation qui parait désespérée, pendant la deuxième guerre mondiale, quand ce livre fut ecrit.

The author tries to find in history the sources of European strength which will allow the continent to find a way out of the seemingly hopeless situation which presented itself during the second World War, when this book was written.

FREYER, H. — GRUNDMANN, H. — RAUMER, K. v. — SCHAEFER, H.: **Das Problem der Freiheit im europäischen Denken von der Antike bis zur Gegenwart**

R. Oldenbourg, München 1958, 115 S.

Vier auf dem Ulmer Historikertag am 14.9.1956 gehaltene Vorträge über die politische Ordnung und individuelle Freiheit im Griechentum, über Freiheit als religiöses, politisches und persönliches Postulat im Mittelalter, über korporative und persönliche Freiheit, und über die Freiheit des einzelnen im industriellen Zeitalter.

Quatre conférences faites lors de la Journée des Historiens à Ulm, le 14.9.1956, sur l'ordre politique et la liberté individuelle dans le monde grec, la liberté en tant que postulat religieux, politique et individuel au Moyen-Age, la liberté corporative et individuelle, et la liberté de la personne dans l'ère industrielle.

Four lectures given on "Historian's Day", 14.9.1956, at Ulm, on political order and individual liberty in the Greek world, on liberty as a religious, political and individual assumption in the Middle Ages, on corporative and individual liberty, and the freedom of the individual in the industrial era.

GEIGENMÜLLER, Ernst: **Briand — Tragik des grossen Europäers**

Alfred Metzner, Frankfurt 1959, 272 S., ill.

"Einig sein, um zu leben und zu Wohlstand zu kommen — das ist die strikte Notwendigkeit, vor der sich von jetzt ab die Nationen Europas befinden", schrieb Briand 1930 in einer Denkschrift an die Regierungen Europas. War dies nur diplomatische Finesse oder tatsächliche echte Sorge um das Abendland? Der Autor, der schon 1912 mit Briand in Berührung kam, gibt Antwort auf diese und viele andere Fragen um diesen grossen europäischen Staatsmann.

"Etre unis pour vivre et pour accéder au bien-être, telle est la stricte nécessité devant laquelle se trouvent depuis aujourd'hui les nations européennes" écrivit en 1930 Briand dans un mémorandum aux gouvernements de l'Europe. Finesse de diplomate ou souci véritable de l'Occident? L'auteur, qui connaît Briand depuis 1912, répond à cette question, et à beaucoup d'autres sur ce grand homme d'Etat européen.

"Henceforth, the nations of Europe are faced with the necessity of union, to achieve well-being and to live" wrote Briand in 1930 in a memorandum to the governments of Europe. Was it a diplomatic manoeuvre or genuine anxiety for the West? The author, who had already met Briand in 1912, answers this question as well as others concerning this great European statesman.

Geschiedkundige Encyclopedie "Indeurop"

Indeurop, Neerharen 1957-1964, 55 delen, gem. 420 p.

De geschiedenis wordt per land zodanig beschreven, dat het totale werk een goed beeld geeft van de Europese geschiedenis, vanaf de prehistorie tot heden. Elk deel is chronologisch opgezet, zodat vergelijking van een bepaalde periode in de verschillende delen vrij eenvoudig is. Het geheel is zo objectief mogelijk benaderd, zonder te letten op heilige huisjes of bestaande ideeën over historische figuren.

L'histoire est écrite pays par pays, mais de façon à donner une idée d'ensemble de l'Europe, de la préhistoire à nos jours. Chaque partie est subdivisée chronologiquement de manière à faciliter la comparaison entre les événements survenus dans les différents pays aux mêmes dates. L'ensemble est traité de façon aussi objective que possible, sans que les idées ou les écoles de pensée prennent le pas sur les figures historiques.

History is written for each country individually in such a way as to give an impression of Europe as a whole from prehistoric times to the present day. Each part of the book is subdivided chronologically, so as to facilitate comparison between different countries at a given time. The whole is dealt with as objectively as possible, so that existing schools of thought and ideas do not outvalue historical personalities.

GIANO — D'ECCLESTON — SALIMBENE: **Sur les routes d'Europe au XIIIe siècle**

Editions Franciscaines, Paris 1959, 229 p.

Trois chroniques dues à trois frères franciscains parcourant l'Europe au XIIIe siècle: chronique de Frère Giano (témoignage direct sur l'expansion de l'Ordre en Europe Orientale), chronique de Frère Thomas d'Eccleston (diffusion de l'Ordre en Angleterre) et, enfin, chronique de Frère Salimbene (deux voyages en France). Utile contribution à l'étude de la diffusion de l'Ordre de St. François hors d'Italie.

Three chronicles written by three Franciscan friars journeying through the 13th century Europe: Brother Giano's chronicle (direct evidence on the expansion of the Order in Eastern Europe), Brother Thomas of Eccleston's chronicle (spread of the Order in England) and, lastly, Brother Salimbene's chronicle (two journeys in France). A useful contribution to the study of the expansion of the Order of St. Francis outside Italy.

GÖHRING, Martin: **Napoleon — Vom alten zum neuen Europa**

Musterschmidt, Göttingen 1959, 162 S.

Geraffte Darstellung von Napoleons Streben nach gesamteuropäischer Herrschaft und die reaktionär bedingte Entstehung eines deutschen Staates moderner Struktur.

Exposé concis de la tentative de domination napoléonienne sur l'ensemble de l'Europe, et de son contrecoup: la naissance d'un Etat allemand de structure moderne.

A concise study of Napoleon's bid for power over the whole of Europe, and as an after-effect, the formation of a German state along modern lines.

GOLDAMMER, Kurt: **Der Mythus von Ost und West**

Ernst Reinhardt, Basel/München 1962, 111 S.

Geschichtliche Darstellung des Mythus von Ost und West von Herodot bis heute, der nicht aus einer dem Wesen entsprechenden Notwendigkeit hervorgegangen ist, sondern aus einer geschichtlichen; der Autor führt weiterhin die geschichtlichen Tatsachen an, die diesem Mythus widersprechen.

Historique du mythe Est-Ouest d'Hérodote à nos jours. L'auteur démontre qu'il ne relève pas d'une exigence essentielle mais d'une exigence historique, et souligne tous les faits historiques qui le contredisent.

An account of the East-West myth from Herodotus to the present day. The writer demonstrates that it does not correspond to facts but that it depends on historical necessity, and spotlights everything in history that gainsays this myth.

GRANT, A. J. —TEMPERLEY, Harold: **Europe in the Nineteenth and Twentieth Centuries, 1789-1950**

Longmans, Green & Co., London, 6th rev. ed. 1963, 603 p.

A classic university text-book presenting solid facts gives an unbiased description of the theories and clearly exposes the intricacies of diplomatic history. Its work on the post World War I period is as thorough as previous chapters and includes a detailed account of the political state of Europe during the years 1945-50.

Cet ouvrage universitaire classique basé sur des faits solides, donne un exposé clair et sans parti pris des dédales de l'histoire diplomatique. La partie consacrée à la période suivant la première guerre mondiale est aussi approfondie que les chapitres précédents et comprend un compte-rendu détaillé de la situation politique de l'Europe de 1945 à 1950.

Grosse Soldaten der europäischen Geschichte (hrsg. von Wolfgang von Groote)

Athenäum, Frankfurt 1961, 381 S., ill.

Sammelband von Lebensbildern militärischer Persönlichkeiten vom 16. bis 20. Jahrhundert. Neben Marlborough, Scharnhorst oder Clausewitz werden auch weniger zitierte Heerführer gewürdigt, deren abendländisches Verantwortungsbewusstsein beispielhaft war.

Galerie de portraits militaires du XVIe au XXe siècle. Malborough, Scharnhorst, Clausewitz, et d'autres chefs moins connus, sont donnés en exemple pour leur conscience de leurs responsabilités occidentales.

A gallery of military portraits from the 16th to the 20th centuries. Besides Marlborough, Scharnhorst and Clausewitz, the author praises other leaders, less known, but exemplary by their awareness of their Western responsibilities.

GUILLEMAIN, Bernard: **La Chrétienté, sa grandeur et sa ruine**

Fayard, Paris 1959, 350 p.

Deutsche Ausgabe: **Die abendländische Kirche des Mittelalters.** *Paul Pattloch, Aschaffenburg 1960, 176 S.*

Etude approfondie d'une période de l'Histoire européenne de l'Eglise catholique s'étendant du XIe au XVe siècle: politique, société, vie de l'esprit, courants artistiques, et leur influence réciproque.

A study of a period in the European history of the Catholic church, from the 11th to the 15th century. The author shows the development of the Church and its subsequent decadence, as related to changes in politics, society, spiritual life and artistic trends.

GUTTENBERG, A. Ch. de: **Der Aufstieg des Abendlandes**

Limes, Wiesbaden, 2. Aufl. 1959, 398 S.
Edition française: **L'Occident en formation.** *Payot, Patis 1963, 448 p.*

Dem Europäer ist zu eigen, dass er das Reich Gottes auf Erden verwirklichen möchte. Die Renaissance brachte den Bruch der mittelalterlichen Einheit mit sich und beraubte den Menschen seines Sendungsbewusstseins und seiner transzendenten Kraft. Der Westen des 20. Jhrh. hat die Aufgabe, die Weltkultur zu retten und das Bewusstsein einer für alle Europäer geltenden geistigen Verbindung neu zu wecken. Anhand von Beispielen aus allen Wissensgebieten führt der Verfasser die vielen nationalen Vorurteile ad absurdum.

L'Européen se distingue par son désir de réaliser le royaume de Dieu sur la terre. Mais la Renaissance a désintégré l'unité médiévale et enlevé à l'homme le sens de son destin et de sa transcendance. L'Occident au XXe siècle doit assurer la survie de la culture mondiale et reprendre conscience du lien spirituel qui unit tous les Européens. En recourant à des exemples pris dans toutes les branches de la science et de la culture, l'auteur démontre l'absurdité des préjugés nationaux.

Western man is distinguished from other men by his desire to realise the kingdom of God on earth. But the Renaissance split up mediaeval unity and took away from man his sense of destiny and transcendancy. The Occident in the 20th century must assure the survival of World Culture and regain awareness of the spiritual bond which unites all Europeans. With the help of examples taken from every branch of science and culture, the author demonstrates the absurdity of national prejudices.

HALECKI, Oscar: **Borderlands of Western Civilization**

Ronald Press, New York 1952, 503 p.
Deutsche Ausgabe: **Grenzraum des Abendlandes.** *Otto Müller, Salzburg 1956, 527 S., ill.*

The author is a specialist of the History — too often ignored — of the peoples of Eastern Europe, now satellites of the Soviet Union. He explains the historical role of these countries in Europe, and examines all the problems they have at present concerning the future of our continent.

L'auteur est un spécialiste de l'Histoire — trop souvent méconnue — des peuples de l'Europe de l'Est, actuellement satellites de l'Union soviétique. Il explique leur rôle historique en Europe, et examine l'ensemble de leurs problèmes actuels concernant l'avenir de notre continent.

HALECKI, Oscar: **The Limits and Divisions of European History** (Foreword by Christopher Dawson)

Sheed & Ward, London 1950, 242 p.

Deutsche Ausgabe: **Europa — Grenzen und Gliederung seiner Geschichte.** *Hermann Gentner, Darmstadt, 2. Aufl. 1964, 212 S.*

A history of Europe as a distinct community, based on a study of chronological and geographical factors, up to 1950. European civilization is conceived as a variety of individual cultures influenced by common development. Of particular interest are the author's attempts to redefine the existing classification of historical periods and to evaluate the contribution of Eastern Europe to culture as a whole.

Histoire de l'Europe en tant que communauté distincte, basée sur une étude des facteurs chronologiques et géographiques jusqu'en 1950. La civilisation européenne est présentée comme un mélange de cultures individuelles influencées par un développement commun. L'auteur tente d'une manière intéressante de redéfinir la classification existante des périodes historiques et d'évaluer la contribution de l'Europe Orientale à la culture dans son ensemble.

HANKE, Alfred: **Europas Weg zur Einheit**

Pädagogischer Verlag Schwann, Düsseldorf 1959, 80 S.

Eine populär gehaltene Einführung in die Geschichte der europäischen Einigung: von den Ideen der Vorkämpfer des 18. und 19. Jhrh. zu den Verwirklichungen unserer Epoche.

Introduction à l'histoire de l'unification européenne, depuis les idées des précurseurs du 18e et du 19e siècle jusqu'aux réalisations de notre époque. Ouvrage de lecture aisée.

An introduction to the history of European unification, from the ideas of our 18th and 19th century precursors to the achievements of our time. For the general eader.

HASHAGEN, Justus: **Europa im Mittelalter — Alte Tatsachen und neue Gesichtspunkte**

Bruckmann, München 1951, 519 S.

Der Verfasser sieht hinter der augenscheinlichen Einheit Europas im Mittelalter eine grundlegende dreistufige Periodisierung. Bis zum Jahr 1100 besteht ein in sich geschlossenes, aber übernationales, von der Kirche beherrschtes Europa; danach folgt eine zweihundertjährige Übergangszeit, bis schliesslich im 14. und 15. Jahrhundert Ausdehnung, weltliche Macht und Nationalismus überhandnehmen. Im Hinblick auf ein neues Europa vertritt der Verfasser den übernationalen Standpunkt.

Derrière l'apparente unité de l'Europe du Moyen Age, l'auteur distingue trois périodes fondamentales: Jusqu'à l'an 1100 subsiste une Europe fermée sur elle-même, mais supranationale, dominée par l'Eglise; une période de transition de deux siècles lui succède, jusqu'au moment où, au XIVe et au XVe siècle, s'imposeront les grandes découvertes, le pouvoir temporel, et le nationalisme. En ce qui concerne la Nouvelle Europe, l'auteur défend le point de vue supranational.

The author distinguishes three fundamental periods behind the apparent unity of Europe during the Middle Ages: a Europe closed in on herself, though supranational, and dominated by the Church, subsists till 1100 A.D.; a period of transition during the two succeeding centuries, until the 14th and the 15th centuries, when the great discoveries, temporal power and nationalism prevail. In what concerns the New Europe, the author defends the supranational point of view.

HASKINS, Charles Homer: **The Normans in European History**

Frederick Ungar, New York 1959, 258 p.

Eight lectures delivered by the author before the Lowell Institute in 1915, reprinted in 1959. The author analyses the unifying influence of the Normans on past and present European civilization, England being the country of their most permanent influence.

Huit conférences données au "Lowell Institute" en 1915 et rééditées en 1959. L'auteur analyse l'influence unificatrice des Normands sur la civilisation européenne passée et présente, l'Angleterre étant le pays de leur action la plus constante.

HASSINGER, Erich: **Das Werden des neuzeitlichen Europa 1300-1600**

G. Westermann, Braunschweig 1959, 493 S.

Eine Geschichte der Neuzeit, in der sie weitgehend unter dem Gesichtspunkt der europäischen Zusammengehörigkeit gesichtet wird. Der Verfasser legt das Hauptgewicht der dargestellten Epoche auf das kirchengeschichtliche Gebiet und offenbart dadurch, wie weitgehend die Einheit Europas durch das Misslingen der Bemühungen um die kirchliche Einheit zerstört wurde.

Histoire des temps modernes insistant spécialement sur ce qui est commun à toute l'Europe. L'auteur cherche le point central de l'époque dans l'histoire de l'Eglise; il montre dans quelle mesure l'échec des efforts en faveur de l'unité de l'Eglise a fait obstacle à l'unité européenne.

A contemporary history mainly from the point of view of events common to all Europe. According to the author, the main issue is in the sphere of church history; he shows how far European unity has been disturbed by the failure of attempts at uniting the Church.

HAY, Denys: **Europe — The Emergence of an Idea**

Edinburgh University Press, Edinburgh 1957, 132 p.

Groping for the origins of the European concept, the author begins with the early myths of Greece and Rome, goes on to the identification of Europe with Christendom, and winds up with a chapter on the 17th century and "the Prospects for Europe". Modern Europe is capable of attracting loyalties and enmities as passionate as those which united and divided Christendom.

Cherchant les origines du concept européen, l'auteur commence par les premiers mythes de la Grèce et de Rome, passe ensuite à l'identification de l'Europe avec le Christianisme, et termine par un chapitre consacré au 17e siècle et aux "perspectives de l'Europe". L'Europe moderne est capable de s'attirer des amitiés et des inimitiés aussi passionnées que celles qui unirent et divisèrent le Christianisme.

HAY, Denys: **From Roman Empire to Renaissance Europe**

Methuen & Co., London 1953, 240 p.

A history of the Middle Ages from the 5th to the 15th century. The author views political and cultural developments as factors of equal importance in the period and analyses Roman, Germanic, and Christian influences in the mediaeval world.

Histoire du Moyen Age du 5e au 15e siècle. L'auteur considère les développements politiques et culturels comme des facteurs d'égale importance et analyse les influences romaine, germanique et chrétienne dans le monde médiéval.

HAYES, Carlton J. H.: **Contemporary Europe since 1870**

The Macmillan Company, New York, 2nd ed. 1959, 835 p., ill.

A factually rich university text-book concerned mainly with the diplomatic interpretation of recent history. The author sees two main elements, distinct and contrasting: grandeur and aggressive imperialism, decline and reaction both in Europe and in the colonies against European colonialism.

Manuel universitaire riche en faits et qui traite principalement de l'interprétation diplomatique de l'histoire moderne. L'auteur voit deux éléments essentiels en opposition: grandeur et impérialisme agressif d'une part, déclin et réaction à la fois en Europe et dans les colonies contre le colonialisme européen, d'autre part.

HAYES, Carlton J. H.: **A Generation of Materialism, 1871-1900**

Harper & Row, New York 1941, 390 p., ill.

The author analyzes the heritage of a period of political dynamism and economic boom, followed by panic, and European emigration to the New World.

Analyse de l'héritage laissé par une période de dynamisme politique, de boom économique suivi de panique, et d'émigration européenne vers le Nouveau Monde

HAYES, C. J. H. — COLE, Ch. W.: **History of Europe since 1500**

The Macmillan Company, New York, 4th repr. 1959, 632 p.

A text-book for introductory college courses. The authors focus two main themes: the spread of European civilization to Africa, the Far East and especially to America, and the development of European conceptions of States and institutions from absolute monarchy and aristocracy to dictatorship and democracy.

Manuel universitaire d'introduction à l'histoire. Les auteurs mettent en lumière deux thèmes essentiels: la pénétration de la civilisation européenne en Afrique, en Extrême-Orient, et surtout en Amérique, et le développement du système européen des Etats et des institutions depuis la monarchie absolue et l'aristocratie jusqu'à la dictature et la démocratie.

HAYES, C. J. H. — BALDWIN, M. W. — COLE, Ch. W.: **History of Western Civilization**

The Macmillan Company, New York 1962, 919 p., ill.

Revised, up-to-date and extensively illustrated, this general work does justice to the richness of the Western heritage. It states that Europe is a cultural entity rather than a political one, based on Greco-Roman institutions and Jewish-Christian ethics. Of the contemporary situation, it is maintained that it is by no means certain that the highest spiritual values of European civilization will persist.

Revu, mis à jour et abondamment illustré, ce livre de caractère général rend justice à la richesse de l'héritage occidental. Il affirme que l'Europe est une entité culturelle plutôt que politique, basée sur les institutions gréco-romaines et sur la morale judéo-chrétienne. En ce qui concerne la situation actuelle, il n'est pas certain que les plus hautes valeurs spirituelles de la civilisation européenne puissent subsister.

HEER, Friedrich: **Aufgang Europas**

Europa Verlag, Zürich 1949, 660 S.

Der Inhalt des wichtigen Werkes wird am besten mit seinem Untertitel umfasst: "Eine Studie zu den Zusammenhängen zwischen politischer Religiosität, Frömmigkeitsstil und dem Werden Europas im 12. Jahrhundert".

Le contenu de cette oeuvre importante est exactement décrit par son sous-titre: "Etude des relations entre la religiosité politique, la forme de piété et le devenir de l'Europe au douzième siècle".

The contents of this important work are best described by its sub-title: "A study on the relations between religious policy, piety and the formation of Europe in the twelfth century".

HEER, Friedrich: **Die dritte Kraft**

S. Fischer, Frankfurt 1959, 741 S.

Die dritte Kraft ist, wie der Verfasser im Prolog selbst sagt, "das Bemühen europäischer Humanisten und Reformer, zwischen 1500 und 1555, Europa zu retten vor der dogmatischen Aufspaltung in die Ghettobildungen der neueren Jahrhunderte, in die Kirchenstaaten, Staatskirchen und Nationalstaaten".

Comme l'auteur le dit dans son prologue, la Troisième Force est "l'effort des humanistes et réformateurs européens, entrepris entre 1500 et 1555, pour sauver l'Europe de la division dogmatique et du cloisonnement subséquent en nouveaux ghettos: Etats théocratiques, Eglises d'Etat, Etats-nations".

As the author says in the prologue, the Third Force is "the efforts of humanists and reformers, between 1500 and 1555, to prevent the dogmatic disintegration of Europe into ghettos of a new type: Church-states, State-churches, and Nation States".

HEER, Friedrich: **Das Mittelalter von 1100 bis 1350**

Kindler, München 1961, 747 S., ill.

Der Author hebt das typisch Gemeineuropäische im Religiösen, Geistigen, Künstlerischen sowie den Niederschlag dieser Elemente in der Siedlungsgeschichte während 150 Jahren hervor. Zugleich weist er auch auf die beginnenden Spaltungstendenzen hin, welche Europa später immer stärker entzweien sollten. Umfangreiche Bibliographie.

L'auteur met en évidence les caractères typiquement européens dans les domaines religieux, intellectuel et artistique, ainsi que l'influence de ces éléments sur la période de colonisation, qui dura 150 ans. Il insiste également sur les premières manifestations des forces, qui devaient conduire plus tard à la désintégration de l'Europe. Bibliographie riche.

The author stresses the typically European character of the religious, intellectual and artistic life of Europe, as well as its influence on a period of colonization which lasted 150 years. He also emphasises the first fissures which grew progressively wider till Europe was split up. Extensive bibliography.

HEER, Friedrich: **Die Tragödie des Heiligen Reiches**

Kohlhammer, Stuttgart 1952, 361 S.

Das Werk befasst sich vor allem mit der tragischen Wendung der Entwicklung infolge des Misslingens der Stauferkaiser, das Reich und die europäische Ordnung, die nach dem Tod Karls des Grossen verloren gegangen waren, wiederaufzurichten.

Décrit les conséquences tragiques pour le Saint-Empire de l'effondrement des Hohenstaufen, qui avaient tenté de faire revivre l'ordre européen détruit lors du partage de l'empire carolingien.

Deals mainly with the tragic developments in the Holy Empire after the fall of the Staufen dynasty which had tried to restore a European order after the partition following Charlemagnes' death.

HERZFELD, Hans: **Die Moderne Welt — 1789-1945**
Teil I: **Die Epoche der bürgerlichen Nationalstaaten, 1789-1890**
Teil II: **Weltmächte und Weltkriege — Die Geschichte unserer Epoche 1890-1945**

G. Westermann, Braunschweig, 2. neu bearb. Aufl. 1957, 260/376 S.

Diese beiden Bände sind für Lehrer und Studierende bestimmt. Der Verfasser begnügt sich jedoch nicht mit einer Darstellung der Geschehnisse sondern verweist auch auf die wesentlichen ideologischen Zusammenhänge in der Geschichte Europas und später der Welt nach der Französischen Revolution. Jedem Kapitel folgt eine ausführliche Bibliographie.

Ces deux volumes s'adressent aux enseignants et aux étudiants. L'auteur ne se contente pas d'une énumération des événements, mais indique les facteurs idéologiques les plus importants de l'Histoire de l'Europe et du monde après la Révolution Française. Bibliographie détaillée à la fin de chaque chapitre.

These two volumes are meant for both students and teachers. The author does not merely draw up a list of events, but also indicates the most important ideological factors in European and world history after the French Revolution. Detailed bibliography at the end of each chapter.

HIBBEN, Frank C.: **Prehistoric Man in Europe**

Constable & Co., London 1959, 317 p., ill.
Edition française: **L'Homme préhistorique en Europe.** *Payot, Paris 1960, 350 p.*

Based on the manuscript of the late Vladimir Fewkes, this interesting work juxtaposes and examines the evidence and the theories of the dominant schools of thought on the subject of prehistory of European civilization.

Basée sur le manuscrit de feu Vladimir Fewkes, cette œuvre compare et critique les preuves et les théories avancées par les principales écoles de pensée au sujet de la préhistoire de l'Europe.

Histoire de l'Europe et du Génie Européen (éd. par Robert Laffont)

Edit. du Pont-Royal, Paris 1959, 276 p., ill.
Deutsche Ausgabe: **Europa, sein Wesen im Bild der Geschichte.** *Scherz, Stuttgart 1960, 278 S. — English edition:* **Europe, a Visual History.** *The Bodley Head, London 1959, 275 p. — Edizione italiana:* **Storia d'Europa e del genio europeo.** *Valentino Bompiani, Milano 1959, 280 p. — Nederlandse uitgave:* **Geschiedenis van Europa en de Europese geest.** *J. M. Meulenhoff, Amsterdam 1960, 280 p. — Svensk upplaga:* **Europas historia — Ett panorama i text och bild.** *Natur och Kultur, Stockholm 1960, 280 S., ill.*

De la préhistoire à nos jours, voici en un millier de documents et trois cents pages, toute l'aventure des hommes de ce "petit cap du continent asiatique" qui, en deux mille ans, ont changé la face du monde. Certainement un des livres les plus réussis sur l'Europe.

From prehistoric times to the present, here, in a thousand documents and three hundred pages, is the adventure of the men of this "small headland of the Asiatic continent" who, in two thousand years, changed the face of the world. This is undoubtedly one of the best books on Europe.

HOBSBAWM, E. J.: **The Age of Revolution — Europe from 1789 to 1848**

Weidenfeld & Nicolson, London 1962, 356 p., ill.
Deutsche Ausgabe: **Europäische Revolutionen, 1789-1848.** *Kindler, München 1962, 679 S., ill.*

In this study of the "Dual Revolution" the author, rather than tracing the development of revolutionary ideas prior to 1789, examines their sudden triumph. Analysing the social, political and economic ideas of the French Revolution as well as the contemporaneous Industrial Revolution in England, the writer also points to the seeds which were to germinate in the century after 1848.

Dans cette étude de la "Double Révolution" l'auteur, plutôt que de retracer le développement des idées révolutionnaires antérieures à 1789, examine le succès soudain des idées sociales, politiques et économiques de la Révolution Française et de la Révolution Industrielle en Angleterre, dont beaucoup devaient germer après 1848.

HOLBORN, Hajo: **The Political Collapse of Europe**

Alfred A. Knopf, New York, repr. 1960, 207 p.
Deutsche Ausgabe: **Der Zusammenbruch des europäischen Staatensystems.** *Kohlhammer, Stuttgart, 2. Aufl. 1955, 192 S. — Edizione italiana:* **Storia dell'Europa contemporanea.** *Il Mulino, Bologna 1957, 270 p.*

A historical interpretation of development in Europe from 1815 to World War II. The European political system and forces leading to its decline are described, with the weakness of national diplomacy and the growth of America and Russia cited as causes.

Interprétation historique des événements européens de 1815 à la seconde guerre mondiale. L'accent est mis sur les forces menant l'Europe à son déclin, la faiblesse de la diplomatie nationale et l'expansion des Etats-Unis et de la Russie en étant le motif.

HOLLINGS, Mary A.: **Europe in Renaissance and Reformation 1453-1660**

Methuen & Co., London, 18th ed. 1959, 238 p.

Originally printed in 1909, but revised and reprinted in 1959, the book deals with the politics of the major powers, economic and social history, and the religious controversies of the period. A text-book for senior forms.

Imprimé pour la première fois en 1909, mais revu et réimprimé en 1959, ce livre traite à la fois de la politique des grandes puissances, de l'histoire économique et sociale ainsi que des controverses religieuses de la période qui va de 1453 à 1660. Manuel pour classes supérieures.

HUGHES, H. Stuart: **Contemporary Europe — A History**

Prentice Hall, Englewood Cliffs, N.J., 1961, 524 p.

The central theme of the book is the author's conviction that ideologies are the cornerstone of Twentieth Century conflicts. Western European unity must reduce national differences and blur ideological distinctions.

Thème central du livre: la conviction de l'auteur que les idéologies sont à la base des conflits du XXe siècle. L'unité de l'Europe occidentale atténuera les différences nationales et tendra à effacer les divergences d'ordre idéologique.

I V E R S E N, Erik: **The Myth of Egypt and its Hieroglyphs in European Tradition**

G.E.C. Gad, Copenhagen 1961, 177 p., ill.

An illuminating work on the nature and evolution of Egyptian hieroglyphic writing, and its fascination for European scholars throughout the ages, from the Middle Ages to the era of prolific deciphering in the 19th century. Not only for initiated readers.

L'écriture hiéroglyphique égyptienne, et sa fascination sur les savants européens à travers les siècles, depuis le Moyen Age jusqu'à l'époque des déchiffrages au XIXe siècle. Pour non-initiés également.

J A G G I, Arnold: **Russland und Europa in Geschichte und Gegenwart**

Paul Haupt, Bern 1951, 237 S.

Klare und lebendige Darstellung der entscheidenden Perioden der russischen Geschichte; der Leser wird hier zu einem tieferen Verständnis der geistigen Spannungen zwischen Ost und West geführt.

Présentation claire et vivante des périodes décisives de l'Histoire russe; le lecteur est amené à une compréhension plus profonde des tensions spirituelles entre l'Est et l'Ouest.

A clear and vivid presentation of the crucial periods of Russian History; the reader arrives at a deeper understanding of the spiritual tensions between East and West.

J O R D A N, Karl: **Friedrich Barbarossa — Kaiser des christlichen Abendlandes**

Musterschmidt, Göttingen 1959, 91 S.

Der Verfasser sieht in Barbarossa trotz seiner Auseinandersetzungen mit dem Papsttum den "Gesalbten des Herrn", der die abendländischen Staaten einer Neuordnung im Sinne der Einheit zuzuführen verstand.

L'auteur voit en Barberousse en dépit de ses démêlés avec la Papauté, "l'Oint du Seigneur" qui a su regrouper les Etats occidentaux dans la voie de l'unité.

The author sees Barbarossa, in spite of his quarrels with the Papacy, as an "Anointed one of the Lord", able to lead the Western States towards a new unity.

JUNG, Kurt M.: **Die Geschichte unseres Jahrhunderts — Europäische Geschichte von 1900-1960**

Safari-Verlag, Berlin 1960, 510 S., 190 Photos

Eine erzählende Geschichte der politischen Ereignisse, die seit der Jahrhundertwende zur Auflösung Europas führten. Der Verfasser weist auf die Notwendigkeit einer neuen, ethisch-religiös gesinnten Ordnung hin. Deutschland ist in den angeführten Dokumenten zentral vertreten.

Histoire narrative des événements politiques qui depuis le début du siècle ont conduit à la "dissolution de l'Europe". L'auteur insiste sur la nécessité d'un nouvel ordre basé sur la morale et la religion. L'Allemagne occupe une place centrale dans les documents présentés.

A narrative history of the political events which, since 1900, led to the dissolution of Europe. The author stresses the need for a new order based on ethics and religion. Germany occupies a prominent place in these documents.

KENNAN, George F.: **Russia and the West under Lenin and Stalin**

Hutchinson & Co., London 1961, 411 p.
Edition française: **La Russie Soviétique et l'Occident.** *Calman-Lévy, Paris 1962, 368 p.*

An analysis, by an ex-US Ambassador to the USSR, of mutual mistrust and illusion in the relations between Russia and the West from the Russian Revolution to 1945. Accepted as an authoritative university text-book in the English speaking world.

L'ex-ambassadeur américain en URSS analyse les méfiances et les illusions réciproques des relations Est-Ouest depuis la révolution russe jusqu'en 1945. Ouvrage universitaire qui fait autorité dans les pays de langue anglaise.

KLEIST, Peter: **Die europäische Tragödie**

K. W. Schütz, Göttingen 1961, 323 S.

Der Verfasser, ehemaliger Referent Polens und der baltischen Staaten unter Ribbentrop, schildert die deutsche Ostpolitik im Zweiten Weltkrieg und ihre weiteren Folgen in der Weltpolitik. Er tritt für "ein Bündnis der westeuropäischen Völker" als "dritte Kraft" ein.

L'auteur, ancien référendaire de Pologne et des Etats Baltes sous Ribbentrop, expose la politique allemande à l'Est durant la deuxième guerre mondiale ainsi que ses conséquences pour la politique mondiale. Il est partisan d'une "fédération des peuples de l'Ouest" en tant que "troisième force".

The author, a former referendary in Poland and the Baltic States under Ribbentrop, studies Germany's Eastern policy and it's effects on world policy. He defends the thesis of a "federation of Western peoples" as a "third force".

KNAPTON, Ernest J.: **Europe 1450-1815**

John Murray, London 1958, 770 p., ill.

A text-book for the college student on the religious, political, economic, and intellectual history of the period. To the author it is inconceivable that the new areas of power and prestige in the world should not recognize their debt to European traditon and achievement.

Manuel d'histoire religieuse, politique, économique et intellectuelle de la période indiquée. Il semble inconcevable à l'auteur que les nouvelles régions de puissance et de prestige dans le monde ne reconnaissent pas leur dette envers la tradition et les réalisations européennes.

KOHN, Hans: **Pan-Slavism — Its History and Ideology**

Random House, New York, 2nd rev. ed. 1960, 468 p.
Deutsche Ausgabe: **Die Slawen und der Westen — Die Geschichte des Panslawismus,** *Herold, München/Wien 1956, 359 S.*

Concerns the evolution of Panslavism between 1850 and 1950. Nationalist and separatist elements were at the source of manifold difficulties throughout those hundred years, in the same way as they are a source of difficulties for Europe now as it endeavours to unite. Detailed bibliography.

L'évolution du pan-slavisme de 1850 à 1950. Des éléments nationalistes et séparatistes ont été à l'origine des difficultés multiples que ce mouvement a rencontrées pendant ce siècle, comme ils s'opposent actuellement aux efforts d'unification de l'Europe. Bibliographie détaillée.

KOSSMANN, Oskar: **Warum ist Europa so?**

S. Hirzel, Stuttgart 1950, 286 p.

Eine aus den geographischen Bedingtheiten abgeleitete Geschichte Europas mit interessanten Rückschlüssen auf die sich aus ihnen ergebenden Lebensweisen, vor allem der maritimen und kontinentalen auf die Psyche der Menschen, sowie der daraus resultierenden politischen Haltung der Völker und ihrer geschichtlichen Folgen, wie sie heute in der Rivalität Russland-Amerika bestehen.

Histoire de l'Europe basée sur les données géographiques. Nombreuses conclusions intéressantes concernant les diverses habitudes — continentales et maritimes —, la psychologie des hommes et le comportement politique des peuples.

A history of Europe based on geographical data. Numerous interesting conclusions regarding the habits, — continental and maritime, — human psychology and political behaviour of European nations.

KRAKOWSKI, Edouard: **Histoire de Russie — L'Eurasie et l'Occident**

Deux Rives, Paris 1954, 428 p.

Récusant toute fatalité historique, l'historien étudie les causes éternelles de la dualité russe et les avantages de cette dualité dans les relations sino-européennes.

Refuting historical fatality the author studies the eternal causes of Russian duality, and its advantages in Sino-European relations.

KRUSIUS-AHRENBERG, L. — STÖKL, G. — SCHLESINGER, W. — WITTRAM, R.: **Russland, Europa und der Deutsche Osten**

R. Oldenbourg, München 1960, 184 S.

Sechs bereits in der "Historischen Zeitschrift" erschienene Studien über das Verhältnis von Russland zu Europa, an markanten Punkten der politischen Geschichte dargestellt.

Six études, ayant déjà paru dans la *Historische Zeitschrift*, sur les relations de la Russie avec l'Europe, à des époques décisives de l'Histoire politique.

Six essays, which have already appeared in the *Historische Zeitschrift*, on the relations between Russia and Europe at crucial moments in political history.

LASKI, Harold J.: **The Rise of European Liberalism — An Essay in Interpretation**

G. Allen & Unwin, London, 3rd impr. 1958, 288 p. Also as "Unwin"-book.

The origins, flowering and stagnation of the doctrine of liberalism, its changing values in France and England, its opponents and the efforts of visionaries to make it greater than its institutions, are the subject of this powerful essay on the period from the 16th to the 20th centuries.

La naissance, l'épanouissement et la stagnation de la doctrine du libéralisme, ses fluctuations en France et en Angleterre, ses adversaires et les efforts de ses visionnaires pour l'élever au-dessus de ses institutions originelles, forment le sujet de ce remarquable essai concernant la période du XVIe au XXe siècle.

LATOUCHE, Robert: **Les origines de l'économie occidentale**

Albin Michel, Paris 1956, 406 p.

English edition: **The Birth of Western Economy.** *Methuen & Co., London 1961, 328 p., ill.*

Etude historique de l'évolution de la vie économique en Europe occidentale du IVème au XIème siècle. L'auteur s'attaque ainsi au grand problème historique du passage de l'Antiquité au Moyen Age, et tente de montrer comment l'Europe a pris son visage particulier.

A historical work concerning the evolution of economic life in Western Europe from the fourth to the eleventh centuries. The author thus attacks the great historical problem of the change from Antiquity to the Middle Ages, and he attempts to show how Europe gained its peculiar characteristics.

LEDERMANN, László: **Les précurseurs de l'organisation internationale**

La Baconnière, Neuchâtel 1945, 172 p.

L'ouvrage traite quelques-uns des grands projets d'organisation internationale: ceux de Pierre Du Bois, Podiebrad, Crucé, Sully, William Penn, l'Abbé de Saint-Pierre, Rousseau, Bentham et Kant. D'intérêt historique pour la question de l'unification européenne.

The work deals with a number of great projects for international organization, those of Pierre Du Bois, Podiebrad, Crucé, Sully, William Penn, the Abbé de St. Pierre, Rousseau, Bentham and Kant. Of historical interest on the question of European unification.

LEMBERG, Eugen: **Geschichte des Nationalismus in Europa**

C. E. Schwab, Stuttgart 1950, 319 S.

Das Bild, das uns der Verfasser von den verschiedenartigen Bewegungen vermittelt, die alle unter dem Namen des Nationalismus in die Geschichte eingingen, soll eine erzieherische Verwertung der gemachten Erfahrungen ermöglichen.

Met en lumière les différents aspects historiques et les fondements moraux du nationalisme. Tableau objectif des différentes formes adoptées par les mouvements appelés nationalistes au cours de l'histoire, d'une grande valeur didactique.

Brings out the different historical aspects and moral foundations of nationalism. This objective picture of the different forms adopted by so-called nationalist movements in the course of history, has considerable didactic value.

L'HUILLIER, Fernand: **De la Sainte-Alliance au Pacte Atlantique** 2 vol.

La Baconnière, Neuchâtel 1954, 292/290 p., ill.

Excellent manuel sur les relations internationales de l'époque contemporaine. L'auteur néglige systématiquement l'histoire des guerres pour se livrer à une analyse des "arrières-plans" des conflits. Décrit le déclin de l'Europe face à l'apparition de nouveaux centres d'attractions (1815-1898), et brosse un tableau d'ensemble des deux guerres mondiales jusqu'à la naissance de l'idée européenne actuelle (1898-1954).

An excellent text-book on modern international relations. The author systematically leaves to one side the history of war to concentrate on background. He describes the decline of Europe in the face of new spheres of influence (1815-1898), then gives a picture of the whole of the two World Wars up to the birth of the present-day European idea (1898-1954).

LINDSAY, Jack: **Byzantium into Europe**

The Bodley Head, London 1952, 485 p., ill.

On the important role of Byzantium, during her thousand year history, in the development of Europe and European culture. Establishes the reasons for the differences in social development between the East and West of the continent.

Sur le rôle important joué par Byzance, au cours de son histoire millénaire, dans le développement de l'Europe et de sa culture. Donne les raisons de la différence dans le développement social à l'Est et à l'Ouest du continent.

LOPEZ, Robert: **La Naissance de l'Europe**

Armand Colin, Paris 1962, 500 p., ill.

Depuis la fin de l'Empire romain; l'Eglise, les Barbares jusqu'à Charlemagne, puis des nouvelles invasions à l'épanouissement des XIIe et XIIIe siècles, toute l'histoire de l'incubation obscure puis du premier essor de l'Europe. Histoire culturelle, économique, sociale, richement illustrée de planches en couleurs, de photos et de cartes.

Beginning with the down-fall of the Roman empire, the author deals with the Church, the Barbarians up to Charlemagne, and the new invasions up to the opening of the 12th and 13th centuries. The book gives the history of the obscure birth and the first concrete appearance of Europe. A cultural, economic and social history richly illustrated with colour-plates, photographs and maps.

L U D A T, Herbert: **Osteuropa und der Deutsche Osten**

Rudolf Müller, Köln 1954, 29 S.

Zwei Vorträge über die Stellung Osteuropas im Rahmen der frühen historischen Entwicklung des Abendlandes und die gegenwärtige Revolution der Geschichtsanschauung in dieser Randzone Europas.

Deux conférences sur la position de l'Europe de l'Est aux premiers temps du développement occidental, et sur la révolution actuelle de la conception de l'Histoire dans cette zone-frontière européenne.

Two lectures on the position of Eastern Europe in relation to the early historical development of the West, and on the present revolution in the manner of conceiving history in this fringe area of Europe.

M A C A R T N E Y, C. A. — P A L M E R, A. W.: **Independent Eastern Europe — A History**

Macmillan, London 1962, 499 p.

A diplomatic history of that Eastern "belt" of nation-states, excluding Russia, which the politicians of the years between 1919 and 1939 deemed to belong to Europe.

Histoire diplomatique de la "ceinture" orientale d'Etats-Nations (Russie exclue) que les hommes politiques des années 1919 à 1939 croyaient faire partie de l'Europe.

The Making of Modern Europe (ed. by Herman Ausubel)
vol. I: The Middle Ages to Waterloo
vol. II: Waterloo to the Atomic Age

Holt, Rinehart & Winston, New York 1951, 575/608 p.

Selected articles from British and American academic journals written by eminent specialists, with diverse and often novel interpretations of political, economic, religious and intellectual issues of European history. An ample complement to standard text-books for both student and teacher.

Choix d'articles de journaux académiques anglais et américains, écrits par d'éminents spécialistes. Interprétations variées et souvent neuves des événements politiques, économiques, religieux et intellectuels de l'histoire européenne. Pour étudiant et professeur, un ample complément d'informations aux manuels courants.

MANN, Golo: **Friedrich von Gentz — Geschichte eines europäischen Staatsmannes**

Europa Verlag, Zürich 1947, 402 S.

"Versuch, die Geschichte der frühesten modernen Weltkrise von einem persönlichen Blickpunt aus noch einmal zu erzählen", begründet auf die Werke und die echt europäische Karriere des Staatsmannes, der lange die rechte Hand Metternichs war.

"Essai sur l'histoire de la première crise moderne à caractère mondial, racontée d'un point de vue personnel", sur la base des oeuvres et de la carrière authentiquement européenne d'un homme d'Etat qui fut longtemps le bras droit de Metternich.

"An attempt to write the history of the early world crises of the modern period", from a personal point of view, based on the writings and the truly European career of a statesman who, for a long time, was Metternich's right hand man.

MARRIOTT, J. A. R.: **The Evolution of Modern Europe 1453-1939**

Methuen & Co., London, 3rd ed. 1957, 445 p., ill.

A selective outline rather than a summary introduction to European history based on the author's own lectures. The book is divided into three parts corresponding to the age of religion-inspired politics down to the Thirty Years War; the ascendency of France and the consolidation of the territorial states; German hegemony, Weltpolitik, rampant nationalism and the conflicts of the twentieth century.

Plus qu'une sommaire introduction à l'histoire européenne, l'auteur — en s'appuyant sur une série de conférences —, expose quelques aspects choisis de son sujet. L'ouvrage comprend trois parties: l'âge de la politique d'inspiration religieuse allant jusqu'à la Guerre de Trente Ans, la suprématie de la France et l'affermissement des Etats territoriaux, enfin l'époque d'hégémonie allemande, de "Weltpolitik", de nationalisme exacerbé et les conflits du XXe siècle.

MARTIN, Marie-Madeleine: **Sully le Grand**

Edit. du Conquistador, Paris 1959, 405 p., ill.

Biographie solidement documentée du ministre d'Henri IV et de l'auteur, des Mémoires ou "Economies d'Etat", dans lesquelles se trouve exposé le célèbre "Grand Dessein" d'une confédération des nations de l'Europe.

A well-documented biography of Henry IV's minister, the author of the "Memoires" or "Economies d'Etat" which contain the famous "Grand Dessein" for a confederation of the nations of Europe.

Well-documented biography of Henry IV's minister, the author of the "Memoires" or "State Economics" in which he sets forth the famous "Grand Dessein" for a confederation of the nations of Europe.

MASUR, Gerhard: Prophets of Yesterday — Studies in European Culture 1890-1914

Weidenfeld & Nicolson, London 1963, 481 p.

The author describes the attitudes of Europe's most celebrated artists, writers and scientists, and in so doing he interprets the hey-day, or perhaps the swan-song, of the Golden Age of European security, in which he already sees the seeds of decline.

L'auteur décrit les attitudes des plus célèbres artistes, écrivains, et savants. Ce faisant, il interprète l'apogée, ou peut-être le chant du cygne, de l'âge d'or de la sécurité européenne, où il discerne déjà les germes d'un déclin.

MAYER, Alfred: 400 Jahre europäischer Kulturgemeinschaft, in Übersichten, 1500-1900

Ernst Reinhardt, München 1959, 259 S.

Den in jeweils fünfundzwanzig Jahre gestaffelten Generationstafeln und chronologischen Übersichten sind einführende Erklärungen vorangesetzt. Als Zeittafel und Nachschlagewerk sehr nützlich.

Tableaux de générations et tableaux chronologiques classés par tranches de 25 ans accompagnés d'explications introductives. Très utile comme synopsis et ouvrage de référence.

Introductory explanations precede indices of generations and chronological tables classified in periods of 25 years. Very useful as a conspectus and for reference.

MEDIGER, Walther: Moskaus Weg nach Europa

G. Westermann, Braunschweig 1952, 743 S., ill.

Eine Darstellung des Aufstiegs Russlands zur europäischen Macht seit Peter dem Grossen, begünstigt durch die Rivalitäten zwischen den Grossmächten der damaligen Zeit. Mit zeitgenössischen Dokumenten gut unterbaut, erleichtert sie das Verständnis für die Problematik der Ost-West-Verbindungen.

Histoire de l'accession de la Russie au rang de Puissance européenne depuis Pierre le Grand, favorisée par les rivalités des grandes Puissances de l'époque. Ce livre facilite la compréhension des problèmes des relations Est-Ouest; bonne base de documents contemporains.

A history of Russia's accession to the title of European power from the time of Peter the Great. Russia was favoured by the rivalries between the great powers of the time. The book helps us to understand the problems of East-West relations; well substantiated by contemporary documents.

MENDENHALL, Thomas — HENNING, Basil — FOORD, Archibald: **Ideas and Institutions in European History 800-1715 — The Quest for a Principle of Authority in Europe 1715-Present — The Dynamic Force of Liberty in Europe — Select Problems in Western Civilization**

Holt, Rinehart & Winston, New York 1960, 369 p./1962, 376 p./1952, 160 p./1961, 283 p.

These four volumes of extracts from original documents have the purpose of demonstrating to the student the method of arriving at judgments on the major problems throughout the centuries of common European history. The first volume concerns the social, religious, political and economic manifestations of Feudalism, the Renaissance, Abolutism, the birth of English democracy and liberalism. The second deals with the origins and development of liberalism, socialism and nationalism. The third volume is only a smaller selection of the second one. The theme of the final volume is the relationship of the individual to his State.

Ces 4 volumes, composés d'extraits de documents originaux, proposent à l'étudiant une méthode de compréhension des principaux problèmes au cours des siècles d'une histoire européenne commune. Premier volume: aspects sociaux, religieux, politiques, économiques de la féodalité, la Renaissance, l'Absolutisme, la naissance de la démocratie et du libéralisme en Angleterre. Deuxième volume: naissance et développement du libéralisme, du socialisme et du nationalisme. Le troisième volume n'est qu'un condensé du deuxième, tandis que le quatrième a pour thème les relations entre l'individu et l'Etat.

MEYER, Karl: **Weltgeschichte im Üerblick**

Europa Verlag, Zürich 1959, 452 S.

Eine Gesamtschau der grossen Rhythmen und Leitbilder in der Geschichte der Menschheit vom Beginn des organischen Lebens bis zur Gegenwart unter besonderer Berücksichtigung Europas.

Vue d'ensemble des grandes lignes de force de l'histoire de l'humanité, des débuts de la vie organique à nos jours, tenant compte plus particulièrement de l'Europe.

A general survey of the broad trends and ideals in the history of mankind from the beginnings of organic life to the present day, particularly in Europe.

MICHEL, H. — PUTTMANNS, A.: **Les Mouvements Européens de Résistance 1939-1945**

Gauthiers Villars & Cie., Paris 1960, 410 p. Pergamon Press, Oxford.

Deux cents "spécialistes", acteurs, témoins et historiens, réunis en congrès à Liège "sous l'égide de l'Europe unie, de l'Europe du coeur" confrontent leurs souvenirs, documents et doctrines sur la Résistance non seulement dans les pays alliés, mais en Allemagne (Goerdeler), Italie, Pologne (Général Bor) et Yougoslavie.

200 specialists, participants, eye witnesses and historians, united at a congress at Liège "under the auspices of a united Europe — a Europe of the heart", compare memories, documents and doctrines on the resistance movements, not only in the allied countries, but in Germany (Goerdeler), Italy, Poland (General Bor), and Jugoslavia.

MIKOLETZKY, Hanns Leo: **Europa und die Geschichte**

Austria-Edition, Wien 1960, 206 S.

Der Autor definiert zunächst die Geschichte und Geschichtswissenschaft, bevor er fordert, dass "sich alle Staaten Europas bemühen, die Geschichte nach Kräften objektiv zu betreiben". Er verfolgt die Europa-Idee und die Friedensidee (und beider Verknüpfung schon seit dem 17. Jhrh.) und gibt zum Schluss einen Überblick über die Arbeit an der Revision der Geschichtsbücher

L'auteur définit tout d'abord l'Histoire et la science historique, puis demande que "tous les Etats d'Europe s'efforcent de traiter l'Histoire autant que possible objectivement". Il recherche les origines de l'idée européenne et de celle de la paix (liées depuis le 17ème siècle) et donne finalement un aperçu sur l'oeuvre de revision des manuels d'histoire.

First of all the author defines History and historical science, then he asks if "all European countries have made an effort to treat history as objectively as possible". He looks for traces of the European idea and for the idea of peace (which have been linked since the 17th century), and in conclusion surveys the work of revision of history books.

MIRGELER, Albert: **Geschichte Europas**

Herder, Freiburg i. Br. 1958, 503 S.
Nederlandse uitgave: **De Geschiedenis van Europa.** *Romen & Zonen, Roermond 1959, 526 p.*

Diese universalgeschichtliche Darstellung der Geschehnisse jener tausendjährigen Epoche, in deren Verlauf Europa mehr und mehr die Weltgeschichte repräsentieren sollte, wird zur engültigen Absage an die nationale Geschichtsschreibung.

Histoire universelle des événements du millénaire durant lequel l'histoire de l'Europe s'est de plus en plus confondue avec l'histoire du monde. L'auteur oppose un refus définitif à la méthode de l'histoire nationale.

This universal history of the events of the millenium during which European history became progressively more representative of the history of the world, definitely refutes the method of writing a history of each nation separately.

MIRGELER, Albert: **Rückblick auf das abendländische Christentum**

Matthias Grünewald, Mainz 1961, 176 S.

Ein analytisch-philosophisches Werk von der Entstehung und Weiterbildung des abendlänischen Christentums untei dem Einfluss der Antike und des frühchristlichen Europas, bis zu seiner neuzeitlichen Problematik.

Analyse de l'influence de l'Antiquité et de l'Europe des premiers temps de l'Eglise sur la naissance et la formation du Christianisme occidental, ainsi que des problèmes qui lui sont posés à l'époque moderne.

Analysis and philosophy of the influence of Antiquity and of the Europe of early Christian times on the birth and formation of Western Christianity, including a consideration of the problems with which it is faced in the modern age.

MOSSE, George L.: **The Culture of Western Europe — the 19th and 20th Centuries**

John Murray, London 1961, 437 p.

Contains three sections corresponding to the basic cultural ideas of the 19th century, their transition in the period 1820-1914, and their full expression or perversion in such notions as that of an "Elite", fascism, existentialism, in the 20th century.

Les trois parties correspondent aux idées fondamentales de la culture au 19e siècle, à leur évolution pendant la période de 1820 à 1914, et à leur pleine expression ou leur déformation dans les notions d'"Elite", de fascisme, ou d'existentialisme au XXe siècle.

MOURIN, Maxime: **Histoire des Nations Européennes, de 1918 à 1962**
3 vol.

Payot, Paris 1962-63, ensemble 1080 p.

Répertoire des événements politiques du dernier demi-siècle, énumérés dans l'ordre chronologique, par nations. Peu ou point de commentaires: l'auteur n'entend pas "remonter aux causes profondes", mais simplement rappeler "des faits incontestables" trop souvent oubliés ou ignorés de nos contemporains.

A list of the political events of the last 50 years, set down in chronological order, nation by nation. Few remarks are made by the author, who is content to leave explanations aside and to concern himself solely with the "basic facts" which are too often forgotten by us today.

MULLER, Herbert J.: **Freedom in the Western World — Western Civilization from the Dark Ages to the Rise of Democracy**

Harper & Row, New York 1963, 428 p., ill.

A study of political, religious, commercial and philosophical ideas in as far as they have influenced or have been influenced by illusions or notions of freedom. Spanning the epoch from the Dark Ages up to 1800 the book is sequel of the author's "Freedom in the Ancient World".

Histoire des idées politiques, religieuses, commerciales, et philosophiques, de "l'age des Ténèbres" à 1800, dans la mesure où elles influencèrent ou furent influencées par des illusions, ou par des notions de liberté. Fait suite à "Freedom in the Ancient World", du même auteur.

NAMIER, Sir Lewis: **Vanished Supremacies — Essays on European History 1812-1918**

Penguin Books, London 1962, 218 p., first publ. by Hamish Hamilton 1958.

A sharply focussed book dealing with intrinsic issues of the period between the Napoleonic wars and the first World War. It includes essays on the personalities who contributed to the spirit of those years.

Mise au point précise des problèmes spécifiques de la période qui va des guerres napoléoniennes à la première guerre mondiale, avec des esquisses biographiques des personnalités qui ont marqué l'esprit de ces années.

Napoléon et l'Europe (publ. par la Commission Internationale pour l'Enseignement de l'Histoire)

Brepols, Bruxelles 1961, 179 p., ill.

Cent historiens de sept pays européens étudient la place tenue par Napoléon dans l'Histoire de l'Europe, plus particulièrement les relations de Napoléon avec l'Italie, la Hollande, l'Allemagne et la Suisse. En appendice une très utile bibliographie napoléonienne.

A hundred historians from seven European countries study the place held by Napoleon in the History of Europe. Napoleon's relations with Italy, Holland, Germany and Switzerland are studied more particularly. In the appendix is a very useful napoleonic bibliography.

NEF, John U.: **Cultural Foundations of Industrial Civilization**

Harper & Brothers, New York 1960, 163 p.

Edition française: **Les fondements culturels de la civilisation industrielle.** *Payot, Paris 1964, 230 p.*

Surmising that the methods of pure economic historical interpretation are unsatisfactory in evaluating the genesis of industrial philosophy, the author embarks on a study of the spiritual basis of industrial evolution, from the Renaissance to the era of the French "salons". A useful approach for students of history and economics.

Considérant les méthodes de l'histoire économique comme insuffisantes pour l'interprétation de la genèse de la philosophie industrielle, l'auteur se livre à l'étude des bases spirituelles du développement de l'industrie depuis la Renaissance jusqu'à l'époque des Salons. Utile introduction à l'usage des étudiants en histoire et en économie.

NICOLSON, Harold: **The Congress of Vienna — A Study in Allied Unity, 1812-1822**

Constable & Co., London, 3rd. ed. 1947, 312 p., ill.

A historical study of the European powers in the years before and immediately following the defeat of Napoleon with particular analyses of individual nations and statesmen, reactions to the French Revolution and the origins of the balance of power system.

Etude historique des Puissances européennes dans les années précédant et suivant immédiatement la défaite de Napoléon. Les nations, les hommes d'Etat, les réactions à la Revolution Française et les origines du système de l'équilibre des Puissances sont analysés.

NICOLSON, Harold: **The Evolution of Diplomatic Method**

Constable & Co., London, 4th ed. 1956, 93 p.

Extracts from lectures delivered at Oxford University about the art of negotiation in Europe as practised by the Greeks and Romans, its transformation in Renaissance Italy and 17th century France, and the changes in 20th century diplomatic practice, wrought by the decline of the nation-state and the decreasing effectiveness of bilateral negotiations.

Extraits de conférences faites à Oxford sur l'art de la négociation en Europe, tel qu'il était pratiqué par les Grecs et les Romains, sa transformation dans l'Italie de la Renaissance, dans la France du XVIIe siècle, et les changements dans la pratique diplomatique du XXe siècle, provoqués par le déclin de l'Etat-Nation et l'efficacité réduite des négociations bilatérales.

NINCK, Martin: **Die Entdeckung Europas durch die Griechen**

Benno Schwabe & Co., Basel 1945, 287 S., ill.

Ein aufschlussreiches Werk über die Entdeckungsfahrten der Griechen und der sich daraus ergebenden geographischen und völkerkundlichen Erschliessung des gesamten Kontinents wie auch seiner kulturellen Durchdringung.

Les voyages d'exploration des Grecs et leurs conséquences: ouverture géographique, ethnographique et culturelle de tout le continent. Ouvrage important.

Concerns the voyages of discovery of the Greeks, and their result *i.e.* the geographical, ethnological, and cultural opening of the whole continent. An important work.

NITTI, Francesco S.: **Scritti politici: L'Europa senza pace; la decadenza dell'Europa; la tragedia dell'Europa**

Laterza, Bari 2ª ed. 1959, 722 p.

L'epoca fra le due guerre mondiali è il tema centrale intorno al quale l'autore studia la fatalità dei nazionalismi europei. Il raffronto dei Trattati di pace del 1815 e del 1919 porta l'autore a prospettive poco ottimistiche; già nel 1920, procedendo alla redazione di quest'opera, egli avera intravvisto la parte importante che arrebbero svolto gli Stati Uniti in Europa, il cui coordinamento economico-sociale egli giudica tanto importante quanto quello puramente politico.

Décrit l'aspect néfaste des nationalismes européens dans la période de l'entre-deux-guerres après avoir comparé les traités de paix de 1815 et de 1919. En 1920, lors de la première édition de cet ouvrage, l'auteur avait déjà entrevu le rôle grandissant qu'allaient tenir les Etats-Unis dans cette Europe qu'il appelle aujourd'hui à une étroite collaboration politique, économique et sociale.

Dealing with the period between the two World Wars the author studies the ruinous nature of European nationalisms. A comparison of the Peace Treaties of 1815 and 1919 leads to unoptimistic views from the author who, as early as 1920, the date of the first publication of this work, foresaw the important role to be played by the United States in a Europe whose economic and social co-operation he considers as being of equal importance with political co-ordination.

NOACK, Ulrich: **Geist und Raum in der Geschichte — Einordnung der deutschen Geschichte in den Aufbau der Weltgeschichte**

Musterschmidt, Göttingen 1961, 250 S., 57 Karten.

Der Würzburger Ordinarius für Neuere Geschichte untersucht den "Sonderfall Europa" bzw. seine einmalige geschichtliche Wirkung, sowie den "Sonderfall Deutschland" als sein geographisches Zentrum. Ein geschichtsphilosophisches, auf der Grundlage der Bedeutung historischer Räume aufgebautes Werk.

Le titulaire de la chaire d'histoire moderne de l'Université de Wurzbourg étudie le "cas singulier de l'Europe", sa portée historique extraordinaire, et le "cas singulier de l'Allemagne" qui en est le centre géographique. Une philosophie de l'Histoire, basée sur la doctrine des espaces historiques.

The professor of modern history at Wurzburg University examines the "peculiarity of Europe" from the standpoint of its extraordinary historical importance, and the "peculiarity of Germany" as its geographical centre. Based on the significance of historical areas, this is a philosophy of history.

NÖLL VON DER NAHMER, Robert: **Vom Werden des Neuen Zeitalters**

Quelle & Meyer, Heidelberg 1957, 317 S., ill.

Darstellung der geographischen, religiösen, soziologischen, wirtschaftlichen und staatlichen Faktoren, die seit dem Ausgang des achtzehnten Jahrhunderts bis in die Gegenwart die Existenz der Menschen und besonders der Europäer verwandelten, ohne bisher neue, echte Lebenswerte geschaffen zu haben.

Exposé des facteurs géographiques, religieux, sociologiques, économiques et politiques qui ont transformé l'existence de l'homme et surtout de l'Européen depuis le XVIIIe siècle, sans pour autant lui apporter de valeurs authentiques nouvelles.

An essay on the geographical, religious, sociological, economical and political factors which have transformed the existence of Man, especially the European, since the 18th century without, for all that, bringing him any authentic new values.

OPPERMANN, Hans: **Caesar, Wegbereiter Europas**

Musterschmidt, Göttingen 1958, 111 S.

Der Verfasser zeigt, wie "mit Caesar eine neue Form politischen Lebens entsteht und zwar eine abendländische", die "auf der Grösse des Menschen und seiner Würde" beruht, und wie der Caesarname als Symbol für die Vorherrschaft Europas gelten darf.

Avec l'avènement de César, apparaît une nouvelle forme de vie politique et typiquement occidentale, basée sur la grandeur et la dignité humaines. Le nom de César peut être pris comme un symbole de la prééminence de l'Europe.

With the advent of Caesar appears, a new, typically Western form of political life based on grandeur and human dignity. The name of Caesar can be used as a symbol of the pre-eminence of Europe.

PARRY, J. H.: **The Establishment of the European Hegemony 1415-1715**

Harper & Row, New York 1961, 202 p. (first publ. 1949 by Hutchinson & Co., London, under the title "Europe and a Wider World")

The author elucidates not only the economic, but also the religious and political interests that led Great Britain, Spain, Portugal and Holland to cast a web of power over the world.

Analyse des mobiles non seulement économiques, mais religieux et politiques, qui ont conduit la Grande Bretagne, l'Espagne, le Portugal et les Pays-Bas à étendre leur puissance à travers le monde.

PAUL, Johannes: **Europa im Ostseeraum**

Musterschmidt, Göttingen 1961, 156 S.

Eine Geschichte des Ostseeraumes von den ersten Anfängen bis zur heutigen Bedrohung durch Russland, über die Zeit der Hanse und das Schweden des siebzehnten Jahrhunderts.

Une Histoire de la Baltique, depuis les débuts jusqu'à la menace russe actuelle, en passant par l'époque de la Ligue Hanséatique et celle de la Suède du XVIIe siècle.

A history of the Baltic area, from its beginnings to the present Russian threat, including the era of the Hanseatic League and the Swedish history of the 17th century.

PIRENNE, Henri: **Histoire de l'Europe — Des invasions au XVIe siècle**

Renaissance du Livre, Bruxelles/La Bâconnière, Neuchâtel, 20ème édit. 1959, 496 p. Nederlandse uitgave: **Geschiedenis van Europa.** *L. J. Veen, Amsterdam 1960, 448 p. — Deutsche Ausgabe:* **Geschichte Europas von der Völkerwanderung bis zur Reformation.** *S. Fischer, Frankfurt 1961, 627 S.*

Le grand historien belge, prisonnier dans un camp allemand pendant la première guerre mondiale, rédige une histoire européenne ramenée à ses grands ensembles, à ses "grands courants" comme le dira son fils Jacques Pirenne, auteur de la très imposante série qui porte le titre: "Les grands courants de l'histoire universelle". Un classique de l'historiographie européenne.

A great Belgian historian, who was prisoner in a German camp during the first World War, here explains European history in terms of its essential components, or "basic trends", in the words of his son, Jacques Pirenne, the author of a very impressive series entitled "The Great Trends of World History". A classic of European historiography.

PIRENNE, Henri: **Mahomet et Charlemagne**

Le Club du meilleur livre, Paris 1961, 235 p., ill.

Montre que la rupture d'avec la tradition antique n'a pas eu pour cause les invasions germaniques mais l'avance rapide de l'Islam: la Mediterranée devenant un "lac musulman", les Carolingiens prirent en main le destin de l'Europe.

Shows that the cause of the break with the ancient tradition was not the Germanic invasions but the rapid advance of Islam: the Mediterranean was becoming a "Moslem lake", and the Carolingians were taking in hand the destiny of Europe.

PIRENNE, Jacques-Henri: **La Sainte Alliance — Organisation européenne de la paix mondiale**

La Baconnière, Neuchâtel 1949, 396 p.

Les tentatives d'organisation européenne, du Congrès de Vienne à celui d'Aix-la-Chapelle (1815-1818). Après avoir évoqué le "drame diplomatique" de la rivalité anglo-russe, accentuée par l'affrontement de la Quadruple Alliance et de la Sainte Alliance, l'auteur montre comment la lutte qui aboutit en 1818 à un compromis, donna la prépondérance à l'Autriche, en Europe, et en Amérique du Nord, aux Etats-Unis.

Studies of the attempts at European organization from the Congress of Vienna to that of Aix-la-Chapelle (1815-1818). After recalling the "diplomatic drama" of Anglo-Russian rivalry, accentuated by the opposition between the Quadruple and Holy Alliances, the author shows how the struggle, which in 1818 lead to a compromise, gave preponderance to Austria in Europe, and to the United States in North America.

PIRENNE, Jacques-Henri: **Panorama de l'Histoire Universelle**

La Baconnière, Neuchâtel 1963, 396 p.

Synthèse des "Grands courants de l'Histoire Universelle" de l'historien Jacques Pirenne: J.-H. Pirenne développe les idées de son père en s'attachant plus particulièrement aux aspects économiques et sociaux des civilisations ainsi qu'à l'influence des religions et des philosophies sur leur évolution. Dans la deuxième partie, le monde occidental tient une place prédominante.

A synthesis of "Great trends of World History" J.-H. Pirenne develops his father's ideas, dealing more particularly with the economic and social aspects of civilization as well as with the influence of religions and philosophies on their evolution. In the second part, the Western world is given a predominant place.

PITTIONI, Richard: **Die urgeschichtlichen Grundlagen der europäischen Kultur**

Franz Deuticke, Wien 1949, 368 p., 141 Abb.

Ein österreichisches Universitätslehrbuch, das den gegenwärtigen Stand der Urgeschichtsforschung in referierender Form wiedergibt. Die Betonung liegt auf Europa, wo die urgeschichtlichen Formen und Abwandlungen nach Zeit und Ort abgegrenzt wiedergegeben sind.

Un manuel universitaire autrichien fait le point des recherches actuelles sur l'Europe préhistorique. La formation et les diverses mutations du continent y sont étudiées par ordre géographique et chronologique.

An Austrian university text-book giving in lecture form the state of present research into prehistoric Europe. The formation and subsequent modifications of the continent are examined from geographical and chronological points of view.

POISSON, Georges: **Le peuplement de l'Europe — Etat actuel, origines, évolution**

Payot, Paris 1939, 371 p., ill.

Discussion, analyse et synthèse très compétentes des connaissances acquises (en 1939) sur les races, puis sur les origines du peuplement de l'Europe, l'introduction des civilisations à partir du Proche-Orient, l'invasion aryenne au 3e millénaire av. J.-C., et les civilisations de l'âge du bronze et de l'âge du fer. Photos et cartes.

Discussion, analysis and synthesis of knowledge acquired, in 1939, on the races and initial population of Europe, the introduction of civilizations from the Near-East, the Aryan invasions of the third millenium B.C., and the civilizations of the Bronze and Iron Ages. Photographs and maps.

RASSOW, Peter: **Die geschichtliche Einheit des Abendlandes**

Böhlau, Köln/Graz 1960, 463 S.

Reden und Aufsätze über verschiedene historische und geistesgeschichtliche Probleme der Gegenwart, des 19. Jahrhunderts und des Mittelalters; die Themen sind vorwiegend auf den deutschen Kulturkreis konzentriert.

Causeries et travaux sur divers problèmes d'Histoire et d'Histoire des idées de l'époque contemporaine, du XIXème siècle et du Moyen Age. Les thèmes ressortissent principalement du domaine culturel allemand.

Lectures and essays on various problems of history and of the history of ideas during the contemporary era, the nineteenth century and the Middle Ages. The subjects belong mainly to the sphere of German culture.

RASSOW, Peter: **Karl V. — Der letzte Kaiser des Mittelalters**

Musterschmidt, Göttingen 1957, 76 S.

Der Lebensweg des letzten Kaisers, der von der nicht mehr zeitgemässen Idee seiner sakralen Mission erfüllt war und sich vergeblich um die Einigung des christlichen Abendlandes bemühte.

La vie de Charles-Quint, "dernier empereur du moyen âge" qui, pénétré de l'idée anachronique de sa mission sacrée, a travaillé vainement à l'unification de l'Occident chrétien.

A biography of the last mediaeval Kaiser who, imbued with the anachronistic idea of his sacred mission, worked in vain for the unification of the Christian West.

RAUMER, Kurt von: **Ewiger Friede**

Karl Alber, Freiburg i. Br. 1953, 555 S.

Bringt sowohl die wortgetreuen Texte wie auch eingehende kritische Analysen der grossen Friedenspläne von Erasmus, Seb. Frank, Sully, Abbé St. Pierre, William Penn, Bentham, Kant und Gentz, die fast alle auch Pläne für eine europäische Föderation enthalten. Für Historiker, wie für politisch interessierte Leser.

Textes originaux, accompagnés d'analyses critiques, des grands plans de paix, d'Erasme, Seb. Frank, Sully, l'Abbé de St. Pierre, William Penn, Bentham, Kant et Gentz, qui sont aussi, pour la plupart, des plans de fédération de l'Europe. Pour historiens et lecteurs intéressés à la politique.

Presents the original texts, with comprehensive critical analyses, of the great plans for peace of Erasmus, Seb. Frank, Sully, Abbé de St. Pierre, William Penn, Bentham, Kant and Gentz. They almost all contain some plan for a European federation. For historians as well as for general readers interested in politics.

REK, J. de: **Pas gisteren — Europa tussen twee wereldoorlogen**

Bosch & Keuning, Baarn, 2e dr., 1964, 288 p., ill.

In een flitsende stijl worden hier de politieke en sociale gevolgen van de eerste en het voorspel tot de tweede wereldoorlog geschetst. Men leest dit boek als een boeiend en spannend verhaal.

Décrit dans un style vivant les conséquences politiques et sociales de la première guerre mondiale et le prélude à la seconde. Se lit comme un roman.

In a vivid style the author describes political and social consequences of World War I and the prelude to World War II. This book reads like a captivating novel.

REYNOLD, Gonzague de: **La Formation de l'Europe**

Plon, Paris 1947-1957.

Tome I: **Qu'est-ce que l'Europe?** *(1947, 276 p.). II:* **Le monde grec et sa pensée** *(1947, 390 p.). III:* **L'Hellénisme et le génie européen** *(1947, 390 p.). IV:* **L'Empire Romain** *(1947, 276 p.). V:* **Le monde barbare et sa fusion avec le monde antique** *(I.* **Les Celtes.** *1949, 284 p.) II:* **Les Germains.** *1953, 408 p.). VI:* **Le monde russe** *(1950, 412 p.). VII:* **Toit chrétien** *(1957, 522 p.).*

Edición española: **La Formación de Europa.** *Pegaso, Madrid 1947-1958.*

Un des ouvrages fondamentaux, à la fois analytique et synthétique, sur l'Europe. L'historien suisse montre que la substance de toutes les cultures "nationales" de l'Europe est en réalité une culture commune à tous, dont les fondements sont l'Antiquité, les Barbares et le Christianisme. De la genèse et de l'examen des éléments se dégage une grande Histoire de la formation de l'Europe.

A fundamental work, both analytical and synthetical, on Europe. The Swiss scholar shows us that, in essence, all the national cultures of Europe are really one culture derived from Antiquity, the Barbarians and Christianity. A history of the formation of Europe emerges from a study of these elements and of their origins.

RIEBEN, Hans: **Prinzipiengrundlage und Diplomatie in Metternichs Europapolitik 1815-1848**

Sauerländer & Co., Aarau 1942, 172 S.

Untersucht und kritisiert die Motive, Ziele, Mittel und Erfolge von Metternichs Politik zwischen 1815 und 1848. Die Schwerpunkte der Betrachtungen liegen auf Metternichs Einstellung zum griechischen Freiheitskampf, zur Schweiz und zum Deutschen Bund.

Analyse critique des buts, moyens et résultats de la politique de Metternich de 1815 à 1848. L'étude met l'accent sur l'attitude du chancelier autrichien vis-à-vis de la guerre indépendance grecque, de la Suisse et de la Confédération germanique.

A critical analysis of the ends, means and results of Metternich's policy from 1815 to 1848. The study emphasizes the attitude of the Austrian Chancellor towards the Greek War of Independance, Switzerland and the German Confederation.

RIPKA, Hubert: **Eastern Europe in the Post-War World**

Methuen & Co., London 1961, 266 p.

This readable book is particularly interesting in its emphasis on the profound significance of the Polish and Hungarian Revolutions, the quarrel with Tito and the challenge of the Chinese interpretation of Marxism.

Ouvrage de lecture aisée qui souligne l'importance des révolutions polonaise et hongroise, du révisionnisme de Tito et du problème posé par l'interprétation chinoise du Marxisme.

RÖHRIG, Fritz: **Die europäische Stadt und die Kultur des Bürgertums im Mittelalter**

Vandenhoeck & Ruprecht, Göttingen 1955, 135 S.

Das Buch behandelt den kulturellen, wirtschaftlichen und politischen Aufstieg der mittelalterlichen, insbesondere zentraleuropäischen, Stadt, ihre Vorteile, wie auch ihre innerstädtischen Nöte und Auseinandersetzungen mit dem Staat. Wertvolle Bibliographie im Anhang.

Traite de l'essor culturel, économique et politique de la ville au Moyen Age, principalement en Europe centrale; ses avantages, misères internes et luttes avec l'Etat sont évoqués. Précieuse bibliographie en annexe.

Deals with the cultural, economic and political progress of towns, mainly in Central Europe, during the Middle Ages. Describes their advantages as well as their inherent misery and struggles with the State. Contains a valuable bibliography.

RÖSSLER, Hellmuth: **Europa im Zeitalter von Renaissance, Reformation und Gegenreformation, 1450-1650**

Bruckmann, München 1956, 719 S.

Der Verfasser vertritt die Meinung, dass nur das Schwinden der religiösen Vorherrschaft im Europa des ausgehenden fünfzehnten und beginnenden sechzehnten Jahrhunderts den politischen, wirtschaftlichen und künstlerischen Umbruch der Renaissance bewirkt und erst das Luthertum, der Calvinismus und die Gegenreformation neue Seelenkräfte entstehen lassen, wobei die deutsche Nation kraft ihrer Glaubenstoleranz die Mittlerrolle einnimmt.

La disparition de la suprématie religieuse en Europe à la fin du XVe et au début du XVIe siècle serait la seule cause des bouleversements politiques, économiques et artistiques de la Renaissance. Le Luthéranisme, le Calvinisme et la Contre-Réforme insuffleront de nouvelles forces spirituelles; grâce à leur tolérance religieuse, les nations allemandes y joueront le rôle de médiateurs.

The author defends the theses that the disappearance of religious supremacy, at the end of the 15th and beginning of the 16th centuries, was the only cause of the political, economic and artistic upheavals of the Renaissance. Lutheranism, Calvinism and the Counter-Reformation invoke a new spiritual force. The religious toleration of the germanic nations place them in the role of mediators.

RÖSSLER, Hellmuth: **Grösse und Tragik des christlichen Europa**

Moritz Diesterweg, Frankfurt 1955, 796 S., ill.

Am Beispiel europäischer, vorwiegend deutscher Künstler, Politiker und Religionsvertreter will der Verfasser darstellen, wie der Staat sich vom Spätmittelalter bis zur Gegenwart immer mehr von der Kirche trennt und "zu einer rein irdischen Machtorganisation" wird, in der "die politische Vernunft massvoller Persönlichkeiten" sich nicht mehr Geltung verschaffen kann.

Par l'exemple d'artistes, de politiciens, d'hommes d'église européens et principalement allemands, l'auteur entend montrer comment, depuis la fin du Moyen-Age, l'Etat se sépare de plus en plus de l'Eglise pour devenir un "pouvoir organisé, purement terrestre", où il n'y a plus de place pour "la sagesse politique de personnalités modérées."

Using European and, in particular, German artists, politicians and churchmen as examples, the author tries to demonstrate that there has been a steady widening of the breach between State and Church since the end of the Middle Ages. The State is transformed into "an organised power, purely temporal, where there is no more room for the political wisdom of moderates."

RÖSSLER, Hellmuth: **Napoleons Griff nach der Karlskrone — Das Ende des alten Reiches 1806**

R. Oldenbourg, München 1957, 95 S.

Schildert den Versuch Napoleons, nach dem Beispiel Karls des Grossen Europas Einheit wiederherzustellen, und sein Misslingen, weil gerade die durch seine Politik hervorgerufene Auflösung des Heiligen Römischen Reiches seinen Zielen entgegenwirkte.

Traite de la tentative de Napoléon de restaurer l'unité de l'Europe selon l'exemple de Charlemagne, ainsi que de son échec, dû à sa propre politique de dissolution du Saint Empire Romain.

Deals with Napoleon's attempt to restore European unity according to Charlemagne's model, and his failure caused by his own policy of breaking up the Holy Roman Empire.

ROWEN, Herbert H.: **A History of Early Modern Europe 1500-1815**

Holt, Rinehart & Winston, New York, 2nd ed. 1962, 726 p.

A concise text-book and guide for teachers of the economic, philosophical, religious and diplomatic history of a very complex period. The author divides his book into two sections dealing with the emergence of the Territorial State and the eras of the "Old Regime" and the Revolution, the mid-seventeenth century being the dividing point.

Manuel concis et guide pour professeurs d'histoire économique, philosophique, religieuse et diplomatique, couvrant une période très complexe. L'auteur divise son oeuvre en deux parties traitant, d'une part, de l'apparition de l'Etat territorial et l'"Ancien Régime", d'autre part de la Révolution.

SALVATORELLI, Luigi: **Storia d'Europa**

U.T.E.T., Torino, 4e ed. 1961, 2 vol., 670/725 p., ill.

Si tratta veramente della Storia d'Europa, vale a dire dell'evoluzione di un complesso umano, fisico e spirituale dalla preistoria ai nostri giorni. Vasto quadro storico-culturale, in una presentazione viva e attuale. La prospettiva generale è nettamente "mediterranea".

Véritable histoire de l'Europe, c'est-à-dire de l'évolution d'un ensemble humain physique et spirituel, de la préhistoire à nos jours. Cadre historico-culturel très large présenté d'une façon vive et actuelle. La perspective générale est nettement "méditerranéenne".

A history of Europe in the true sense of the word, this book deals with the physical and spiritual evolution of a particular portion of humanity from prehistory to the present day. A wide historical and cultural view is taken of the subject which is dealt with vividly and accurately. The general outlook is definitely Mediterranean.

SATTLER, Rolf Joachim: **Die Französische Revolution in europäischen Schulbüchern**

Albert Limbach, Braunschweig 1959, 270 S.

Kritische Studie der Darstellung der verschiedenen Phasen und bedeutenden Geschehnisse der französischen Revolution in den Geschichtsbüchern, die in verschiedenen Ländern Europas zum Unterricht verwendet werden.

Examen critique des diverses phases et des principaux événements de la Révolution Française, tels qu'ils sont présentés par les manuels d'histoire en usage dans divers pays européens.

A critical examination of the principal phases and events of the French Revolution, as they are presented in the history text-books of different European countries.

SCHAPIRO, J. Salwyn: **Modern and Contemporary European History (1815-1952)**

Houghton Mifflinn Co., Boston 1953, 970 p., ill.

The author provides the undergraduate with a comprehensive text-book based on factual knowledge rather than on theoretical interpretation, covering the political history of Europe from the end of the eighteenth century to the Cold War issues of the 1950's.

Manuel complet basé sur des faits plutôt que sur l'interprétation théorique. Couvre l'histoire politique de l'Europe depuis la fin du XVIIIe siècle jusqu'aux conséquences de la guerre froide dans les années 1950.

SCHARP, Heinrich: **Europäische Epochen — Querschnitt durch die Geschichte Europas**

Josef Knecht, Frankfurt 1959, 283 S.

Die europäische Einheit in der Perspektive von vier Epochen: a) der griechisch- römischen Antike, b) der Entfaltung und Ausbreitung der europäischen Christenheit, c) des Partikularismus der europäischen Nationen, welcher in die beiden Weltkriege mündet, d) stellt die Frage, wie Europa sich im gegenwärtigen Ost-West-Konflikt auf Grund seiner Geschichte behaupten kann.

L'unité européenne dans la perspective de quatre époques: a) l'Antiquité gréco-romaine, b) l'épanouissement et l'expansion de la Chrétienté européenne, c) les particularismes nationaux aboutissant aux des guerres mondiales, d) l'époque actuelle: l'Europe pourra-t-elle s'affirmer, face au conflit Est-Ouest, en se basant sur son histoire?

European unity is examined in the perspective of four historical phenomena: a) Greco-Roman Antiquity, b) the development and spread of European Christianity, c) the particularism of European nations culminating in the period of the two World Wars, d) the present position of Europe: can she assert herself, on the basis of her history, as far as the East-West conflict is concerned?

SCHELTING, Alexander von: **Russland und Europa im russischen Geschichtsdenken**

A. Francke, Bern 1948, 404 S.

Hier geht es um die geschichtsphilosophische Selbstinterpretation Russlands, wobei der Autor die Anschauungen der russischen Geschichtsdenker des 19. Jahrhunderts über das Verhältnis zu Westeuropa in den Vordergrund stellt.

Traite de l'interprétation philosophique de leur Histoire par les Russes. L'auteur met l'accent sur les idées des penseurs russes du XIXe siècle sur les relations avec l'Europe de l'Ouest.

Deals with Russia's philosophical interpretation of her own History. The author lays emphasis on the conceptions of 19th century Russian thinkers concerning relations with Western Europe.

SCHEVILL, Ferdinand: **A History of Europe from the Reformation to the Present Day**

Harcourt, Brace & World, New York, new and revised ed. 1951, 964 p.

Includes an interpretative introductory chapter to the pre-Reformation era. Other sections concern the Reformation and Religion, Absolute Monarchs, and the Revolution and the Democracies, studied in relation to individual European States. Most useful are the chapters on the cultural aspects of each period concluding each section, and the marginal guide notes throughout.

Comprend un chapitre d'introduction à l'époque précédant la Réforme. Les autres parties concernent la Réforme et la religion, les monarques absolus, les révolutions et les démocraties, leurs manifestations étant étudiées dans l'histoire individuelle de chaque Etat européen. Chaque partie se termine par un chapitre traitant des aspects culturels. Notes marginales très utiles à la compréhension.

SCHMALZ, Hans W.: **Versuche einer gesamteuropäischen Organisation 1815-1820**
Mit besonderer Berücksichtigung der Troppauer Interventionspolitik

Sauerländer & Co., Aarau 1940, 96 S.

Gründliche historische Untersuchung jener Epoche von europäischen Konferenzen und Verträgen, in der zum ersten Mal in der neueren Geschichte gesamteuropäische Gedanken und Ziele auf das Handeln der leitenden Staatsmänner Einfluss gewannen. Zahlreiche Quellenangaben und Literaturhinweise.

Etude historique fouillée d'une époque de congrès et de traités (1815-1820), où pour la première fois des hommes politiques élaborèrent une politique véritablement européenne. Nombreuses références bibliographiques.

A thorough historical study of an era of congresses and treaties (1815-1820) when, for the first time, statesmen formulated a truly European policy. Numerous bibliographical references.

SCHOPEN, Edmund: **Geschichte des Judentums im Abendland**

A. Francke, Bern 1961, 160 S. (Dalp-Taschenbuch)

Unparteiische, kurze aber klare Darstellung der Geschichte, wie die Juden, in der Diaspora lebend, das Abendland allmählich durchdringen und trotz zahlreicher Verfolgungen schliesslich zu einem festen Bestandteil der europäischen Bevölkerung und sogar der intelligentesten Schicht werden, bis Amerika und der neue Staat Israel die weitere Emanzipation der Juden sichern.

Exposé court, mais clair et sans parti-pris, de l'histoire des Juifs de la Diaspora, et de leur implantation progressive en Occident, où ils allèrent jusqu'à constituer une partie appréciable — et la plus intelligente — de la population européenne. Aujourd'hui l'Amerique du Nord et le nouvel Etat d'Israël leur assurent une émancipation plus large.

A short but clear and unbiased history of the Jews in the Diaspora, and of their increasing settlements in the West until they formed a considerable section — the most intelligent — of the population of Europe. Today North America and the new State of Israel give them the means of wider emancipation.

SCHRAMM, Percy Ernst: **Die Anerkennung Karls des Grossen als Kaiser — Ein Kapitel aus der Geschichte der mittelalterlichen "Staatssymbolik"**

R. Oldenbourg, München 1952, 71 S.

Der Verfasser erläutert die Bräuche und Vorrechte, die schon im Römischen Reich dem Kaiser Anerkennung verschafften, und auf deren Grundlage Karl der Grosse zum Herrscher des Abendlandes wird.

Explication des coutumes et des privilèges qui dans l'Empire romain déjà légitimaient l'Empereur, et dont Charlemagne s'est prévalu pour devenir le maître de l'Occident.

An explanation of the customs and privileges which legitimized the Emperor under he Roman Empire. Charlemagne availed himself of them to become master o the West.

S E I G N O B O S, Charles: **Essai d'une Histoire comparée des peuples de l'Europe**

Presses Universitaires de France, Paris 1947, 417 p.

Somme de soixante ans d'études sur les conditions de vie réelles des Européens des divers pays, classes sociales, fonctions économiques et intellectuelles, cet ouvrage n'est pas un livre de référence, ni un répertoire d'événements, mais un tableau général de la civilisation européenne, nourri de faits et de chiffres de plus en plus nombreux à mesure qu'on s'approche de l'ère contemporaine.

The result of 60 years of study on the actual conditions of life of Europeans of different countries, social classes, intellectual and economic occupations. This is not a work of reference nor a catalogue of events, but a general picture of European civilization supported by facts and figures which become more numerous as the author approaches modern times.

S E I G N O B O S, Charles: **Histoire de l'Europe**

Editions de Cluny, Paris 1934, 198 p.

Synthèse de l'histoire d'une Europe considérée comme unité, de l'Antiquité à Hitler (non compris), par un des maîtres de l'historiographie contemporaine. Il s'agit du texte français de l'article "Europe" paru dans l'Encyclopædia Britannica, édition de 1932.

A synthesis of the history of a Europe considered as a whole from ancient times to Hitler (who is not discussed), by a master of modern historiography. It is the French text of the article "Europe" which appeared in the 1932 edition of the Encyclopaedia Britannica.

S E T H E, Paul: **Epochen der Weltgeschichte — von Hammurabi bis Kolumbus**

Heinrich Scheffler, Frankfurt, 3. Aufl. 1964, 336 S., ill.

Der Autor umreisst die entscheidenden geschichtlichen Augenblicke in eindrucksvollen Bildern und setzt sie vergleichend zur Gegenwart in Beziehung. Ein bebildertes Werk, das sich an den Laien und an die Jugend wendet.

Récit des événements décisifs de l'Histoire et comparaison avec notre époque. Ouvrage illustré, destiné aux profanes et à la jeunesse.

Outlines, in thrilling images, the capital events of History and points out comparisons with our own epoch. Illustrated work for the uninitiated and for young people.

S E T H E, Paul: **Schicksalsstunden der Weltgeschichte — Die Aussenpolitik der Grossmächte von Karl V bis Churchill**

Heinrich Scheffler, Frankfurt, 5 Aufl. 1956, 328 S., ill.

Ein begabter Journalist stellt die grossen Zusammenhänge und Einschnitte der Weltgeschichte dar, mit Beschränkung auf den europäischen Kulturkreis und auf seine unmittelbaren Ahnen. Eine interessante Lektüre und ein wertvolles Nachschlagwerk für den Laien.

Un brillant journaliste présente les grands enchaînements de l'Histoire mondiale en se limitant toutefois à la zone culturelle européenne et ses ancêtres immédiats. Lecture intéressante pour les profanes et ouvrage de référence précieux.

A brilliant journalist presents the great sequences of World History confining himself to the area of European culture and to his immediate forerunners. Interesting reading for the uninitiated and valuable as a reference work.

S I E B U R G, Heinz-Otto: **Deutschland und Frankreich in der Geschichtsschreibung des 19. Jahrhunderts, 1815-1848 und 1848-1871** 2 Bde. (Veröffentl. Institut für Europäische Geschichte, Mainz)

Franz Steiner, Wiesbaden 1954/1958, 339/393 S.

Gründliche Erforschung der Historiographie Frankreichs und Deutschlands vor dem deutsch-französischen Krieg, soweit sich die Geschichtsschreibung der einen Nation über die andere geäussert hat. Indem der Autor das oft einseitige Geschichtsbild, das jede Nation von sich selbst hat, überwinden hilft, leistet er gleichzeitig einen Beitrag zur Entwicklung einer umfassenden europäischen Geschichtsschreibung.

Etude approfondie de l'état de l'historiographie de la France et de l'Allemagne avant la guerre franco-allemande. L'auteur surmonte les interprétations nationalistes pour contribuer à l'évolution d'une historiographie européenne plus complexe.

A searching study of the state of historiography on France and Germany in these two countries before the Franco-German War. The author goes beyond nationalist interpretations in contributing to the development of a more complete European historiography.

S L E S S E R, Henry: **The Middle Ages in the West — A Study of European Unity**

Hutchinson & Co., London 1949, 251 p.

The author discusses the philosophical foundations of European unity. While Mediaeval Europe was founded on faith, contemporary Europe is based on Reason, and only time will tell whether political integration, based on economic and material needs, will prove as vital as the unity Europe experienced under Christendom.

Discute les bases philosophiques de l'unité européenne. Tandis que l'Europe médiévale était fondée sur la foi, l'Europe contemporaine est basée sur la raison. Seul l'avenir nous dira si l'intégration politique basée sur des besoins matériels et économiques, s'avérera aussi viable que l'unité que l'Europe a connue sous le Christianisme.

SLICHER VAN BATH, B. H.: **De agrarische geschiedenis van West-Europa 500-1850**

Het Spectrum, Utrecht 1962, 416 p.

English edition: **The Agrarian History of Western Europe.** *Edward Arnold, London 1963, 364 p.*

Dit werk beschrijft de opkomst van een nieuw stelsel van rechtstreekse agrarische consumptie zonder tussenpersonen, en de vergelijkbare ontwikkeling van de landbouw en de boerenstand uit economisch en sociaal oogpunt. Deze studie eindigt juist bij de periode waarin het industriële element in de West-Europese economie een overheersende rol gaat spelen.

Describes the emergence of a new system of direct agricultural consumption without middlemen, and the parallel development of agriculture and the farmer from the economic and social points of view. This study ends just before the industrial element in the economy overtakes Western Europe. Vast list of references at the end.

Cet ouvrage décrit l'apparition d'un nouveau système de consommation directe de produits agricoles sans intermédiaire, le développement parallèle de l'agriculture et la situation du fermier des points de vue social et économique. Cette étude se termine juste avant que l'élément industriel dans l'économie ne prédomine en Europe occidentale. Longue liste de sources à la fin.

SOMERVELL, D. C.: **Modern Europe 1871-1950**

Methuen & Co., London, 9th enl. ed. 1960, 275 p., ill.

A text-book for the intermediate grammar forms. The author analyses the interwar period between 1918 and 1939. Includes an interesting chapter on British foreign policy during this period.

Manuel pour classes moyennes. L'auteur consacre à la période entre deux guerres, de 1918 à 1939, un chapitre intéressant sur la politique étrangère de la Grande-Bretagne.

Les sources de l'Histoire Maritime en Europe, du Moyen Age au XVIIIe siècle (présenté par Michel Mollat)

S.E.V.P.E.N., Paris 1962, 482 p.

Dans ce quatrième Colloque International d'Histoire Maritime, les représentants de seize pays européens ont rassemblé les conclusions de leurs discussions autour de trois thèmes: 1. Nature et caractère des divers types de sources de l'histoire maritime; 2. Valeur intrinsèque de ces sources; 3. Leur utilité pratique pour l'histoire maritime de l'Europe et pour l'étude de la conjoncture économique générale.

In this, the fourth International Colloquy on Maritime History, the representatives of sixteen European countries grouped the conclusions of their discussions in three sections: 1. Nature and character of different types of sources of maritime history; 2. Intrinsic value of these sources; 3. Their practical use for the maritime history of Europe and for the study of the general economic situation.

SOUTHERN, R. W.: **The Making of the Middle Ages**

Hutchinson & Co., London 1953.
Deutsche Ausgabe: **Gestaltende Kräfte des Mittelalters.** *Kohlhammer, Stuttgart 1960, 265 S. — Edición española:* **La formación de la Edad Media.** *Revista de Occidente, Madrid 1955, 296 p.*

Concerns the strengthening of relations with non-European regions during the 11th and 12th centuries as well as the development of Society, the Church, and the sciences into structures still evident today.

Le renforcement des relations avec les contrées extra-européennes durant les XIe et XIIe siècles, le développement de la société, de l'Eglise et des sciences en des structures encore existantes.

STRONG, C. F.: **Dynamic Europe — A Background of Ferment and Change**

Hodder & Stoughton, London 1945, 472 p.

After an introductory analysis of the principles, conflicts and institutions of contemporary Europe the author examines the eras of ferment and change which are necessary for the understanding of present and future problems. He concludes that present tensions are a result of misdirection of the new industrial techniques and of nationalism and democracy.

Après une analyse préliminaire des principes, conflits et institutions de l'Europe contemporaine, l'auteur examine les époques de fermentation et de changement, qu'il faut connaître pour comprendre les problèmes actuels et futurs. Il conclut que les tensions actuelles sont le résultat du mauvais emploi des nouvelles techniques industrielles, du nationalisme et de la démocratie.

Studien zu den Anfängen des europäischen Städtewesens (hrsg. von Theodor Mayer)

Jan Thorbecke, Lindau/Konstanz 1958, 553 S., ill.

Sammlung wissenschaftlicher Arbeiten zu Entstehen und Entwicklung des europäischen Städtewesen von der Adria bis zur Nordsee, von Spanien bis zur Elbe. Mit dem Ausgangspunkt der römischen Stadt wird die Wandlung bis zum Aufkommen der Gemeinden in 12. und 13. Jahrhundert verfolgt.

Recueil d'études scientifiques sur les origines et le développement du phénomène urbain en Europe, de l'Adriatique à la mer du Nord, de l'Espagne à l'Elbe. On suit l'évolution urbaine depuis la cité romaine jusqu'à l'apparition des communes au XIIe et au XIIIe siècle.

A collective work on the origins and development of urban progress in Europe, from the Adriatic to the North Sea, and from Spain to the Elbe. The course of development of the city is pursued from the time of the Romans up to the appearance of the boroughs of the 12th and 13th centuries.

TERSEN, E.—DAUTRY, J.—WILLARD, C.—CHAMBAZ, J.: **L'Europe de Napoléon à nos jours — Mythes et réalités**

Editions Sociales, Paris 1954, 158 p.

Quatre professeurs marxistes dénoncent les tentatives européennes de Napoléon, Metternich, Bismarck, Coudenhove, Briand, Hitler, Adenauer et R. Schuman; ils y voient autant de menaces contre "l'indépendance et l'originalité nationale" du peuple français.

Four Marxist professors denounce the European efforts of Napoleon, Metternich, Bismarck, Coudenhove, Briand, Hitler, Adenauer and Schuman. They consider them as threats against the "independance and national originality" of the French people.

THIESS, Frank: **Die Griechischen Kaiser — Die Geburt Europas**

Paul Zsolnay, Hamburg/Wien 1959, 930 S., ill.

Behandelt die politische Geschichte des oströmischen Reiches vom sechsten bis achten Jahrhundert (Justinian I. bis Leon III.) und seines beharrlichen Widerstandes gegen das Nichtchristentum, durch das das byzantinische Kaisertum zu dem Bollwerk wurde, "hinter dem sich jenes Europa bilden konnte, in dessen Mitte wir leben".

Histoire politique de l'Empire d'Orient du VIe au VIIIe siècle, de Justinien Ier à Léon III et de sa lutte opiniâtre contre les Païens, qui fera de l'Empire byzantin "le bastion derrière lequel se formera l'Europe dans laquelle nous vivons".

A treatise on the political history of the Eastern Empire from the 6th to the 8th century (Justinian I to Leo III) and of the persistent struggle against the Pagans, which made the Byzantine Empire the "bulwark behind which modern Europe was formed".

THOMSON, David: **Europe Since Napoleon**

Alfred A. Knopf, New York, new ed. 1962, 948 p.
Edizione italiana: **Storia d'Europa della Rivoluzione Francese ai giorni nostri.**
Feltrinelli, Milano 1961, 1076 p.

A Cambridge professor treats Europe as a single entity and illustrates the movements common to all her members. Economics and geography rather than diplomacy and politics are considered as the significant causes of state groupings, and the social and technological forces underlying political changes are brought sharply into focus. A recognised university text-book.

Un professeur de Cambridge considère l'Europe comme une entité, et illustre les mouvements communs à tous ses membres. Il accorde une plus grande importance à l'économie et à la géographie en tant que facteurs des groupements d'Etats qu'à la diplomatie et à la politique. Il met en lumière les forces sociales et technologiques qui sont à la base des transformations politiques. Ouvrage universitaire.

THOMSON, S. Harrison: **Europe in Renaissance and Reformation**

Harcourt, Brace & World, New York/Rupert Hart-Davis, London 1963, 854 p., ill.

An erudite study of the many changing facets in European life and thought in the period from Dante to the Peace of Westphalia, analysing the situation of the Church and the States as well as the social and economic revolts of the later era.

Etude savante sur les nombreux aspects de la vie et de la pensée européenne pendant le période qui va de Dante à la Paix de Westphalie, analysant la situation de l'Eglise et de l'Etat aussi bien que les révolutions sociales et économiques de la Réforme.

TRILLMICH, Werner: **Das Werden des Abendlandes — Grundlagen und räumliche Entwicklung seines Kulturbereichs**

G. Westermann, Braunschweig 1950, 56 S., 24 Karten

Vergleichende Kartenskizzen und ein einleitender Text veranschaulichen die kulturellen, religiösen und politischen Umstände, welche die Entfaltung des Abendlandes bis ins vierzehnte Jahrhundert begünstigten und seinen späteren Zerfall bewirkten. Das Buch schliesst mit einem kurzen Ausblick auf einige jüngere Bemühungen, die alte Einheit Europas wiederzugewinnen.

Des tableaux comparatifs et un texte introductif expliquent les circonstances culturelles, religieuses et politiques qui ont favorisé l'épanouissement de l'Occident jusqu'au XIVe siècle et qui ont été la cause de son effondrement ultérieur. Bref aperçu final sur les récents efforts pour retrouver la vieille unité européenne.

Comparative diagrams and an introductory text show the cultural, religious and political circumstances which favoured the development of the West till the 14th century, and which were the cause of its later decline. The book closes with a brief survey of recent efforts to rediscover the former European unity.

Twelfth-Century Europe and the Foundations of Modern Society (ed. by Marshall Clagett, Gaines Post, Robert Reynolds)

The University of Wisconsin Press, Wisconsin 1961, 219 p., ill.

A collection of papers given by eminent professors at a symposium held at the University of Wisconsin. Taking the period from the 11th to the 13th centuries, the contributors discuss thought in European society, the transitions of economy and society, and finally the Eastern influence on European culture. Each contributor concludes with intelligible full notes, and the book includes many fine prints.

Recueil d'articles présentés par d'éminents professeurs à un symposium tenu à l'Université de Wisconsin. Se limitant à la période du XIe au XIIIe siècle, les participants discutent de la pensée dans la société européenne, des changements survenus dans l'économie et dans la société, et enfin, de l'influence orientale sur la culture européenne. Chaque auteur conclut par des notes complètes et claires: plusieurs belles illustrations.

VACCARI, Pietro: **Stato e classi nei paesi europeì**

A. Giuffrè, Milano 1957, 86 p.

Storia delle classi sociali in Europa dal Medioevo all'inizio dell'era moderna con un raffronto interessante Oriente-Occidente sul piano agronomico.

Histoire des classes sociales en Europe, du Moyen Age au début de l'ère moderne. Intéressante confrontation Orient-Occident sur le plan de l'agriculture.

History of the social classes in Europe from the Middle Ages to the beginning of modern times, with an interesting confrontation of East and West in the agricultural sphere.

VALJAVEC, Fritz: **Geschichte der abendländischen Aufklärung**

Herold Verlag, Wien/München 1961, 377 S.

Edición española: **Historia de la Ilustración en Occidente.** *Rialp, Madrid 1964, 362 p.*

Eine gründliche und sehr persönliche Studie, die nicht nur über das historisch als Aufklärungszeit benannte 18. Jahrhundert berichtet, sondern diese Geisteshaltung einerseits in ihre frühesten Anfänge zurückverfolgt, anderseits zu ihren Nachwirkungen im 19. Jahrhundert und bis in unsere Zeit führt.

Etude exhaustive et très personnelle, qui non seulement traite du XVIIIème siècle, que les historiens appellent Siècle des Lumières, mais qui remonte également aux premières manifestations de l'attitude d'esprit qui le caractérise et en examine les prolongements au XIXème siècle et à notre époque.

This thorough and very personal study not only deals with the eighteenth century — the age of enlightenment or the "Aufklärung" of the German historians — but goes back to the very first manifestations of the state of mind which caracterized it, and follows its effects into the nineteenth century and to the present day.

VOSSLER, Carlos: **España y Europa**

Instituto de Estudios Políticos, Madrid 1951, 201 p.

El autor analiza sistemáticamente el pensamiento español a través de la historia, comparándolo con el pensamiento europeo. Libro de consulta histórica, sobre todo en lo que concierne a la Edad Media y Edad Moderna.

Analyse systématique de la pensée espagnole à travers l'Histoire, comparée à la pensée européenne. Ouvrage historique axé sur le Moyen Age et l'Age Moderne.

The author makes a systematic analysis of Spanish thought through history, comparing it with European thought. A historical reference book, concentrating on the Middle Ages and the modern era.

VOYENNE, Bernard: **Petite Histoire de l'Idée européenne**

Ed. de la CEJ, Paris, 2ème édit. 1954, 212 p.

Retrace pour la première fois, sous une forme concise et dans un style vivant, l'histoire des tentatives qui se sont succédées depuis plus de vingt siècles pour faire de l'Europe une unité organique.

Recounts, for the first time, in a compact and vivid manner, the history of the attempts made over more than twenty centuries to form Europe into an organic unit.

WAGNER, Wolfgang: **Die Teilung Europas — Geschichte der sowjetischen Expansion 1918-1945**

Deutsche Verlaganstalt, Stuttgart 1959, 242 S.

Die tiefste Ursache für die Teilung Deutschlands und Europas liegt in der sowjetischen Entschlossenheit zur Expansion. Zur Belegung dieser These — parallel zur Geschichte der Sowjetunion seit 1918 — eine Fülle von Tatsachen mit vielen Dokumenten und Zitaten.

La raison profonde de la division de l'Allemagne et de l'Europe réside dans l'expansion soviétique. Pour étayer sa thèse, l'auteur a rassemblé — en parallèle avec l'Histoire de l'Union soviétique depuis 1918 — une série de faits appuyés de nombreuses références et citations.

The fundamental reasons for the division of Germany and of Europe lies in Soviet expansion. In support of his thesis the author has gathered together — parallel with the History of the Soviet Union since 1918 — a series of facts backed up by numerous references and quotations.

WAGNER, Fritz: **Europa im Zeitalter des Absolutismus 1648-1789**

Bruckmann, München, 2. Aufl. 1959, 358 S.

Universitätsvorlesungen über die politische Geschichte des siebzehnten Jahrhunderts unter dem Zeichen des "reifen Absolutismus" und der Zeit der Aufklärung von 1700 bis 1789.

Cours universitaires sur l'histoire politique du XVIIe siècle sous le signe de l'apogée de l'absolutisme, et du Siècle des Lumières de 1700 à 1789.

A university course on the political history of the 17th century under the sign of the zenith of absolutism, and of the Age of Enlightenment, from 1700 to 1789.

WALLACE-HADRILL, J. M.: **The Barbarian West 400-1000**

Hutchinson & Co., London, 4th ed. 1961, 157 p.

A full account of the forces impelling the mobility of ancient Western-European tribes. The author traces a path from the necessary conquest of the Mediterranean by Justinian, through an analysis of the power of the Franks, to the state of the Christian Empire.

Exposé des forces qui ont provoqué les migrations des anciennes tribus d'Europe occidentale. L'auteur indique une voie allant de la conquête nécessaire de la Méditerranée par Justinien, à l'empire chrétien, en passant par une analyse de la puissance des Francs.

WIEDEBURG, Paul: **Der junge Leibniz — Das Reich und Europa,** 1. Teil: Mainz (1 Darstellungsband und 1 Anmerkungsband)

Franz Steiner, Wiesbaden 1962, 608 S.

Die ersten Bände einer auf drei Teile geplanten Leibniz-Biographie behandeln die Frankfurter und Mainzer Jahre des jungen Leibniz, seine Anteilnahme am Reich und am Reichsgedanken. Der zweite Band enthält ein Literaturverzeichnis und über 500 Anmerkungen, die zum Teil den Charakter kleiner Sonderabhandlungen haben.

Les premiers tomes d'une biographie de Leibniz, qui comprendra trois parties, traitent de ses années de jeunesse à Francfort et à Mayence et de sa participation à la vie et à la pensée de l'Empire. Le second volume contient un index bibliographique et plus de 500 notes, qui parfois sont en elles-mêmes de véritables petites études.

These volumes, the first of a three-part biography of Leibniz, deal with the youth of Leibniz in Frankfurt and Mainz, and his participation in the life and thought of the Empire. The second volume contains a bibliography and over 500 notes, some of which are in the nature of small studies.

WOLF, John B.: **The Emergence of European Civilization — From the Middle Ages to the Opening of the Nineteenth Century**

Harper & Brothers, New York 1962, 752 p., ill.

An illustrated, systematic university text-book, providing a panoramic view of European history, from its mediaeval institutions to the French Revolution and the first Empire.

Manuel universitaire illustré, systématique, donnant une vue d'ensemble de l'histoire européenne, depuis ses institutions médiévales jusqu'à la Révolution Française et au premier Empire.

WOODWARD, E. L.: **War and Peace in Europe 1815-1870**

Frank Cass & Co., London 1963, 292 p.

The originality of these three essays lies in the fact that though the first concerns the forces towards war and peace in the period, the other two deal with rarely exposed topics: the methods of historical research and analysis o memoirs, their authors and the periods of history which they made.

Trois essais. Le premier concerne les forces de guerre et de paix durant la période considérée, les deux derniers traitent d'un sujet rarement abordé: les méthodes de la recherche historique et l'analyse des mémoires, de leurs auteurs et des années d'histoire qu'ils ont faites.

ZAMPAGLIONE, Gerardo: **Breve Soria dell'Integrazione Europea**

Cinque Lune, Roma, 2a ed. 1958, 144 p.

Storia dell'integrazione europea, esaminata nei suoi rapporti con l'evoluzione dell' organizzazione internazionale dalla S.d.N. in poi e dei movimenti politici internazionali a tendenza federativa.

Histoire de l'intégration européenne, vue dans ses rapports avec l'évolution des organisations internationales à partir de la S.d.N. et des mouvements politiques internationaux à tendance fédérative.

A history of European integration, from the point of view of its relations with international organizations from the League of Nations onwards, and with international federalistic movements.

II. L'EUROPE ET LE MONDE
EUROPE AND THE WORLD

ALTHEIM, Franz: **Reich gegen Mitternacht — Asiens Weg nach Europa**

Rowohlt, Hamburg 1955, 143 S.

Um den Europäern die gegenwärtige Herausforderung Asiens ins Bewusstsein zu führen und verständlich zu machen, schildert der Autor den Vorstoss der Hunnen bis ins Herz Europas im Jahre 375 n. Ch. — als ein Beispiel für den asiatischen Dynamismus — und die Geschichte des iranischen Reiches unter der Dynastie der Sasaniden von 226 — 651 n.Ch. — als ein Beispiel für ein asiatisches Staatsleben. Übersichtliche Tafeln und Verzeichnisse machen das Buch auch für den Studenten wertvoll.

Afin de rappeler et d'expliquer le défi actuel de l'Asie aux Européens, l'auteur analyse le dynamisme asiatique tel qu'il s'est manifesté en 375 après J.-C. par l'invasion des Huns en Europe centrale. Il étudie ensuite la vie politique asiatique en prenant comme exemple la dynastie des Sassanides (226-651). Des tableaux clairs et vivants font de l'ouvrage un guide précieux pour l'étudiant.

In order to recall and to make more comprehensible the contemporary challenge of Asia to Europeans, the author analyses Asiatic dynamism as it manifested itself in 375 A.D. by the invasion of Central Europe by the Huns. He then studies Asiatic political life taking as an example the Sassanide dynasty (226-651). Clear and vibrant illustrations make this a valuable guide for students.

BONNEFOUS, Marc: **Europe et Tiers Monde**

A. W. Sijthoff, Leiden 1961, 112 p.

Exposé clair et bien documenté du problème de l'aide européenne aux pays techniquement sous-développés. Il appartient à l'Europe de "réconcilier l'homme, la technique et l'Etat", tâche éducative autant qu'économique et technique.

A clear and annotated description of the problems of European aid to technically under-developed countries. Europe must "reconcile man, technology and the state". An instructive as well as an economic and technical task.

CARTIER, Raymond: **L'Europe à la conquête de l'Amérique**

Plon, Paris 1956

Deutsche Ausgabe: **Europa erobert Amerika.** *DTV, München 1962, 354 S.*

Dans un style vivant, le journaliste français décrit l'histoire de la colonisation de l'Amérique du Nord par les Européens. Il caractérise les différentes nations qui y participèrent, mettant ainsi en lumière les divers motifs de cette colonisation.

A French journalist vividly describes the history of the European colonization of North America. He characterizes the different nations that took part in it, thus throwing light on the various motives for this colonization.

Le Dialogue des Cultures

La Baconnière, Neuchâtel 1962, 156 p.

Rapports et débats d'un colloque sur les principes et méthodes du dialogue entre les cultures, ses motifs généraux et ses motifs spécifiques pour l'Europe, le Monde Arabe, l'Inde, l'Afrique Noire, l'Amérique latine. Projet de création de centres culturels régionaux. Une étape importante dans l'histoire des relations Europe-Monde.

The reports and discussions recorded in this volume are those of a seminar concerning the principles and methods of a "dialogue" between the different cultures of the world, the general aims such a dialogue must have, and its specific aims for Europe, the Arab world, India, tropical Africa, Latin America. Discussions give rise to a project for the creation of a network of "regional cultural centres".

EDWARDES, Michael: **Asia in the European Age 1498-1955**

Thames & Hudson, London 1961, 351 p.
Deutsche Ausgabe: **Asien im europäischen Zeitalter,** *1498-1955. Droemer, München 1962, 358 S., ill.*

A history of Asia in the last 450 years, in which the impact of European domination is the principal theme. The author traces the development of colonialism from Vasco da Gama's Indian expedition to 1955, when the age of imperialism in Asia was clearly ended.

Histoire de l'Asie durant les 450 dernières années, mettant particulièrement l'accent sur la domination européenne. L'auteur suit le développement du colonialisme depuis l'expédition de Vasco de Gama en Inde jusqu'en 1955, date de la fin de l'ère impérialiste en Asie.

Europa in den Augen der anderen

Verlag für Jugend und Volk, Wien 1962, 316 S., ill.

Der Bericht über das fünfte der jährlich in Wien stattfindenden Europa-Gespräche. Afrikanische, asiatische und europäische Gelehrte äussern sich darin über die verschiedenen — insbesondere geistigen — Aspekte des Problems der Entwicklungshilfe und über Europas Aufgabe und Möglichkeiten, sie durchzuführen.

Rapport sur les cinquièmes "Conversations Européennes", qui ont lieu chaque année à Vienne. Des savants africains, asiatiques et européens s'expriment sur différents aspects, surtout spirituels, du problème de l'aide au développement et des possibilités pour l'Europe d'accomplir cette tâche.

Report of the fifth meeting of "European Discussions" which take place every year at Vienna. African, Asian and European scholars here talk about the different aspects, mainly spiritual, of the problem of aid for development and the possibilities Europe has for realising this task.

Europa und der Kolonialismus (hrsg. v. Max Silberschmidt)

Artemis-Verlag, Zürich/Stuttgart 1962, 290 S.

Eine Ringvorlesung von Professoren der Universität Zürich. Drei Historiker, ein Theologe, ein Jurist, zwei Wirtschaftswissenschaftler, ein Geograph, ein Mediziner, ein Kunsthistoriker und ein Musikwissenschaftler behandeln die europäische "Ausfahrt in die Welt" und die Erfahrungen und Bereicherungen, die Europa durch sie gewann.

Table ronde de professeurs de l'Université de Zürich. Trois historiens, un théologien, un juriste, deux économistes, un géographe, un médecin, un historien de l'art, et un musicologue traitent de l'"essor européen dans le monde" et des expériences et enrichissements qui en ont résulté pour l'Europe.

A round table of professors from the University of Zurich. Three historians, a theologian, a jurist, two economists, a geographer, a doctor, an art historian, and a musician discuss the spread of Europe into the world and the experiences and riches she gained from it.

Europäisch-asiatischer Dialog (hrsg. vom Vorstand des Landesverbandes nordrhein-westfälischer Geschichtslehrer)

Pädagogischer Verlag Schwann, Düsseldorf 1956, 117 S.

Vorträge, die auf einer Tagung des Landesverbandes nord-rhein-westfälischer Geschichtslehrer in Bottrop gehalten wurden, behandeln politische, religiöse und geschichtliche Probleme Asiens, in Gegenüberstellung zur europäischen Tradition.

Conférences données lors d'une assemblée de l'association des professeurs d'histoire du Rhin du nord et de Westphalie, qui s'est tenue à Bottrop. Ces travaux étudient les problèmes politiques, religieux et historiques de l'Asie, par rapport à la tradition européenne.

Lectures given at an assembly of the Association of history teachers of North-Rhine-Westphalia, held at Bottrop, deal with political, religious and historical problems of Asia, from the point-of-view of European tradition.

L'Europe et l'Afrique Noire

Publ. par le Centre Universitaire des Hautes Etudes Européennes, Strasbourg 1962, 74 p.

Plaquette contenant une analyse de M.G.Sautter sur la densité de population et le développement économique en Afrique tropicale, une étude de l'Office du Niger par M. Zahan, ainsi que le compte-rendu d'une table ronde.

A small work containing an analysis by G. Sautter on the density of population and economic development of tropical Africa, a study by Mr. Zahan from the Niger Bureau, and an account of a round-table conference.

FRANKE, Wolfgang: **China und das Abendland**

Vandenhoeck & Ruprecht, Göttingen 1962, 140 S.

Eine spannende und lehrreiche Darlegung der Geschichte und Problematik sino-europäischer Beziehungen, der es vor allem auf das Verständnis der chinesischen Haltung gegenüber dem Abendland ankommt. Eine Bereicherung sowohl für den Laien als auch für den fachlich interessierten Studenten.

Présentation instructive et captivante de l'Histoire et des problèmes des relations sino-européennes, qui dépendent surtout de la compréhension de l'attitude chinoise à l'égard de l'Occident. Etude enrichissante pour les profanes et les étudiants.

An instructive and captivating presentation of the History and problems of Sino-European relations, which depend above all on an understanding of the Chinese attitude towards the West. Enriching both for the uninitiated and for students.

GROSS, Hermann: **Internationaler Wettbewerb in Wissenschaft und Bildungswesen zwischen West und Ost**

Stifterverband für die deutsche Wissenschaft, Essen-Bredeney 1960, 30 S.

Vergleichender Bericht mit Schwerpunkten auf der Entwicklung in den USA, der UdSSR und Westdeutschland. Die Vergleiche betreffen vor allem Umfang, Finanzierung und Organisation der Wissenschaft.

Tableau comparatif de l'évolution de la science et de l'éducation aux Etats-Unis, en URSS et en Allemagne Fédérale. Les comparaisons ont été effectuées particulièrement du point de vue des dimensions, du financement et de l'organisation des institutions scientifiques.

A comparative picture of the development of science and education in the United States, the USSR and the Federal Germany. Compares the organization, administration and financing of scientific and educational institutions.

HITTI, Philip K.: **Islam and the West**

Van Nostrand Co., Princeton 1962, 192 p.

The diffusion of culture and the politico-military encounters between Islam and the West are the subject of this stimulating introductory book. A great number of quotations are from original Arabic sources.

La propagation de la culture et les obstacles politico-militaires existant entre l'Islam et l'Ouest forment le sujet de ce stimulant ouvrage d'introduction. Nombreux extraits de sources arabes originales.

HUDSON, G. F.: **Europe and China — A Survey of their Relations from the Earliest Times to 1800**

Edward Arnold, London, repr. 1961, 336 p.

A history of the reciprocal influence of two cultures, Chinese and Hellenic. The author attempts to show China's effect on Western thought through commercial contact and the indirect diffusion of religious ideas.

Histoire de l'influence réciproque de deux civilisations, la chinoise et la grecque. L'auteur montre l'influence de la Chine sur la pensée occidentale par les relations commerciales et à la diffusion des idées religieuses.

HUNKE, Sigrid: **Allahs Sonne über dem Abendland — Unser arabisches Erbe**

Deutsche Verlagsanstalt, Stuttgart 1960, 357 S., ill.

Eine Darstellung der unzähligen verschlungenen Bahnen, auf denen arabisches Kultur- und Geistesgut in das Abendland gelangt ist, dessen zivilisatorische Entwicklung jenen Einflüssen viel zu verdanken hat. Gut dokumentierte Information in unterhaltsamem Stil.

Présentation des innombrables voies — fort compliquées — par lesquelles la culture et l'esprit de l'Islam ont pénétré en Europe et contribué au développement de sa civilisation. Bien documenté, écrit dans un style attrayant.

A description of the innumerable and highly complicated ways in which the culture and spirit of Islam have influenced Europe and contributed greatly to the development of our civilization. Well documented, and written in an attractive style.

Indien-Europa — Zwei Welten in Briefen (hrsg. von Wolfgang Schwarz und Horst Schliewen)

Eckart Verlag, Witten/Berlin 1961, 356 S.

Briefe von Tolstoi, Gandhi, Martin Buber, Tagore und vielen anderen bekannten und unbekannten Europäern und Indern. Ein Teil dieser sehr persönlichen Zeugnisse enthält interessante Äusserungen zu wissenschaftlichen, religiösen und kulturellen Eigenheiten beider Erdteile in unserem Jahrhundert.

Lettres de Tolstoï, Gandhi, Martin Buber, Tagore et de beaucoup d'autres Européens et Indiens, connus ou inconnus. Témoignages très personnels, déclarations intéressantes pour la connaissance des particularismes scientifiques, culturels et religieux des deux continents.

Letters of Tolstoi, Gandhi, Martin Buber, Tagore and many other Europeans and Indians known or unknown. Some of these very personal comments contain remarks of interest on the scientific, cultural and religious peculiarities of the two continents.

L'Islam et l'Occident

Les Cahiers du Sud, Marseille 1947, 393 p.

Articles d'islamisants renommés s'efforçant d'approfondir notre connaissance de l'Islam, à la recherche de valeurs culturelles et de vérités d'ordre universel susceptibles de s'intégrer à notre civilisation occidentale.

Articles by renowned scholars of Islam aiming to deepen the knowledge of Islam by research into its cultural values and its universal truths capable of assimilation into our Western civilization.

Islam und Abendland — Begegnungen zweier Welten (hrsg. von Muhammad Asad und Hans Zbinden)

Walter-Verlag, Olten/Freiburg i. Br. 1960, 236 S., ill.

Vortragsfolge des Radios Beromünster aus den Jahren 1958/59, die sich eingehend mit dem wechselseitigen Einfluss von Islam und Christentum im Laufe der Geschichte befasst.

Série de conférences diffusées à Radio Béromunster durant les années 1958/59 qui traite d'une façon approfondie de l'influence réciproque de l'Islam et du Christianisme au cours de l'histoire.

A series of lectures given over Radio Beromünster during 1958/59 treating in detail of the mutual influence throughout history of Islam and Christianity.

JAGGI, Arnold: **Europa und die Welt — Einst und heute**

Paul Haupt, Bern 1961, 317 S.

Die grossen Entdeckungsreisen und die ersten Auseinandersetzungen zwischen der farbigen und der weissen Rasse werden spannend geschildert. In den letzten beiden Kapiteln setzt sich der Autor mit viel Idealismus für die Entwicklungshilfe und die Völkerverständigung ein. Für jüngere Leser.

Raconte dans un style animé les grands voyages de découvertes ainsi que les premières confrontations entre la race blanche et les races de couleur. Dans les deux derniers chapitres, l'auteur se prononce avec beaucoup d'idéalisme en faveur de l'aide au développement et de la compréhension entre les peuples. Pour jeunes lecteurs.

The great journeys of discovery and the first meetings between the white and the coloured races are described in an exciting way. In the last two chapters, the author, with much idealism, upholds the necessity for aid in development and for understanding between peoples. For young readers.

KELMANN, Friedrich: **Europäer und Ostasiaten — Die Verschiedenheit ihres Intellekts**

Ernst Reinhardt, München/Basel 1957, 258 S.

Diskussionsbeitrag zur Entwicklung des Intellekts. Der Autor vertritt die Ansicht, dass sich bei den Ostasiaten der Verstand vom Auge her entwickelt hat, während gleichzeitig die begriffliche Vernunft, die sich vom Ohr und dem Laut her entwickelt, dem Europäer gegenüber zurückgeblieben ist.

Contribution à l'étude du développement de l'intellect. Pour l'auteur, celui des Asiatiques de l'Est se développe à partir de la perception visuelle; la compréhension qui naît de la perception auditive y est moins développée que chez les Européens.

A contribution to the study of the development of the intellect. For the author the intellect of the Eastern Asiatic develops from visual perception, while the understanding, which comes from auditive perceptions is less developed in them than in Europeans.

LEGER, François: **Les influences occidentales dans la révolution de l'Orient: Inde, Malaisie, Chine, 1850-1950. 2 vol.**

Plon, Paris 1955, 300/267 p.

Après avoir mentionné les incitations occidentales de caractères divers, qui ont déclenché le "reveil" des peuples de l'Asie, l'auteur décrit les réactions de ces peuples, étape par étape.

After mentioning the various impulses from the West, which provoked the "awakening" of the peoples of Asia, the author describes these people's reactions stage by stage.

MATIP, Benjamin: **Heurts et Malheurs des rapports Europe - Afrique noire dans l'histoire moderne (15e au 18e siècle)**

La Nef de Paris-Editions, Paris 1959, 124 p.

Retraçant l'évolution des rapports entre l'Europe et l'Afrique, l'auteur, un africain, donne en même temps un bref aperçu des objectifs religieux, commerciaux, politiques qui sont à la base de ces rapports.

Tracing the evolution of contacts between Europe and Africa, the author, an African, gives at the same time a brief glimpse of the religious, commercial and political objectives which motivate these contacts.

McNEILL, William H.: **The Rise of the West — A History of the Human Community**

University of Chicago Press, Cicago 1963, 830 p., ill.

An interpretation of history from the early cultures of Asia Minor, Crete, India and China to the rise and diffusion of Western ways of life in our time. It maintains the cross-breeding and diffusion of civilizations as opposed to the Toynbee doctrine of the independence of their development.

Une interprétation de l'histoire reliant les cultures anciennes d'Asie mineure, de Crète, d'Inde et de Chine au développement et à la diffusion des modes de vie occidentaux de nos jours. L'auteur oppose le croisement et la diffusion des civilisations à la doctrine de Toynbee sur leurs développements indépendants.

NARR, Karl J.: **Ur- und frühgeschichtliche Beziehungen zwischen Europa und Asien**

Albert Limbach, Braunschweig, o. D., 23 S.

Die asiatischen Einflüsse auf die Entstehung der europäischen Kultur.

L'influence de l'Asie sur le développement de la culture européenne.

Concerns the considerable influence of Asia on the development of European culture.

Le Nouveau Monde et l'Europe

La Baconnière, Neuchâtel 1954, 503 p.

Procès-verbaux et documents de deux rencontres, l'une à Sao Paulo, l'autre à Genève, organisées sous les auspices de l'UNESCO en 1954. Les cultures américaines, d'origine latine et anglo-saxonne, sont-elles réellement affranchies de l'influence du Vieux Monde? Ces débats n'ont rien perdu de leur saveur et de leur actualité.

Verbatim reports and documents of two meetings, one at Sao Paulo and the other at Geneva, organised by UNESCO in 1954. Are the Latin and Anglo-Saxon cultures of America really rid of the influence of the Old World? The debates have lost nothing of their interest and topicality.

El Occidente en esta hora de Iberoamerica (X reunión international del CEDI Madrid, 7-9 de Julio de 1961)

Centre Européen de Documentation et d'Information, Madrid 1961, 531 p.

Informe detallado del Congreso en el que intelectuales, políticos y economistas estudian los diferentes problemas políticos, sociales, religioses y económicos de Iberoamérica, a fin de encauzar, en forma efectiva y constructiva, las preocupaciones político-económicas europeas con respecto a la América Latina.

Rapport détaillé d'un congrès où des intellectuels, des hommes politiques et des économistes ont étudié les problèmes politiques, sociaux, religieux et économiques de l'Amérique latine, dans le but de clarifier les préoccupations politiques et économiques de l'Europe vis-à-vis du continent latino-américain.

A detailed report of a Congress in which intellectuals, politicians and economists studied the political social, religious and economic problems of Latin America in order to clarify political and economic problems of European countries regarding Latin America.

OHM, Thomas: **Asiens Nein und Ja zum westlichen Christentum**

Kösel-Verlag, München 1960, 241 S.

Auch in Asien beschäftigt das Christentum die Menschen und fordert Entscheidungen heraus. Der Autor beschreibt eingehend, zu welchen Ergebnissen man in Asien bei der Beschäftigung mit dem abendländischen Christentum gekommen ist, und analysiert die Ursachen der positiven und negativen Reaktionen in jenem Erdteil.

Le Christianisme préoccupe les hommes également en Asie. L'auteur expose en détail les résultats de l'examen du Christianisme occidental en Asie et analyse les causes des réactions positives et négatives dans cette partie du monde.

Christianity interests Asians as well. The author presents in detail the verdict on Western Christianity in Asia, and analyses the causes of favourable and unfavourable reactions in this part of the world.

RIEMENS, Hendrik: **L'Europe devant l'Amérique Latine**

Martinus Nijhoff, La Haye 1962, 229 p.

Exposé sobre et pénétrant de l'histoire de l'Amérique latine, et de ses liens avec les principaux pays de l'hémisphère occidental. Pour l'auteur, ancien ministre des Pays-Bas au Venezuela, les véritables bases sur lesquelles peut se fonder l'amitié entre l'Amérique latine et l'Europe occidentale, sont l'identité de leurs intérêts dans le monde actuel et les racines communes de leurs civilisations.

A sober and penetrating account of the history of Latin America, and its links with the most important countries of the Western hemisphere. For the author, former minister of the Netherlands in Venezuela, the true bases on which friendship between Latin America and Western Europe can be founded are the identity of their interest in the world of today and the common roots of their civilizations.

RÖPKE, Wilhelm: **Europa in der Welt von heute**

Werner Krebser & Co., Thun 1962, 22 S.

Europa geht nicht unter, denn seine Kultur hat Welteinfluss erlangt. Die Europäer tragen jedoch die Verantwortung dafür, dass ihre Kultur in der Welt nicht auf den Bereich der materiellen Zivilisation beschränkt bleibt.

L'Europe ne peut sombrer car sa culture exerce une influence mondiale. Les Européens ont le devoir d'empêcher que leur culture dans le monde ne se limite au domaine de la civilisation matérielle.

Europe cannot fail because its culture has gained world-wide influence. Europeans are, however, responsible for seeing that their culture in the world is not limited to materialist civilization.

ROUSSEAUX, André: **L'Espérance orientale — Propos d'un Homme d'Occident**

La Dépêche Tunisienne, Tunis 1953, 76 p.

Articles publiés dans la "Dépêche Tunisienne" en 1952 sur le problème des rapports entre l'Europe et l'Orient. L'auteur voit la possibilité d'un humanisme régénéré dans un accord franco-islamique.

Articles published in the "Dépêche Tunisienne" in 1952 on the problem of relations between Europe and the East. The author sees the possibility of a regenerated humanism in a Franco-Islamic agreement.

SCHAEDER, Hans Heinrich: **Der Mensch in Orient und Okzident - Grundzüge einer eurasiatischen Geschichte**

Piper & Co., München 1960, 427 S.

Eine Zusammenfassung von Aufsätzen und Artikeln des bekannten Orientalisten über die Geschichte der Staaten und Religionen vom persischen Weltreich bis Mohammed, wobei es dem Autor darum geht, die Einheit der abendländischen und morgenländischen Welt herauszustellen.

Ensemble de travaux et d'articles d'un orientaliste bien connu sur l'histoire des Etats et des religions, de l'Empire perse jusqu'à Mahomet. L'auteur s'attache à faire ressortir l'unité du monde occidental et du monde oriental.

A summary of papers and articles by a well-known orientalist, on the history of the States and religions of the Persian Empire up to Mohamed. The author's intention is to make evident the unity of the Western and Eastern worlds.

SCHMITT, Matthias: **Die befreite Welt — vom Kolonialsystem zur Partnerschaft**

A. Lutzeyer, Baden-Baden 1962, 464 S., ill.

Geschichte der Dritten Welt von den Anfängen der kolonialen Expansion Europas bis zur modernen Zusammenarbeit mit den Entwicklungsländern. Der Kolonialismus wird positiv als Europäisierung der Welt gedeutet; die Emanzipation der Dritten Welt ist eine Herausforderung an Europa, unter dessen Gesetz sie angetreten ist.

Histoire du Tiers-Monde depuis les débuts de l'expansion coloniale de l'Europe jusqu'à la collaboration actuelle avec les pays en voie de développement. Le colonialisme est interprété positivement en tant qu' "Européanisation" du monde; l'émancipation du Tiers-Monde pose à l'Europe un problème nouveau.

History of the "Third World" countries, from the beginning of European colonial expansion to the present-day co-operation with developing countries. Colonialism is positively interpreted as "Europeanization" of the world; the emancipation of the "Third World" countries is a new problem for Europe.

SCHMITT, Peter A.: **Paraguay und Europa** (hrsg. vom Ibero-Amerikanischen Institut Berlin)

Colloquium Verlag, Berlin 1963, 368 S., ill.

Ein Beitrag zur Geschichte der diplomatischen Beziehungen Paraguays in der Zeit von 1841 bis 1871. Auf Grund mehrjähriger Forschungen in südamerikanischen Archiven konnten bereits vorliegende Forschungsergebnisse durch bisher unbekannte Quellen ergänzt werden.

Contribution à l'histoire des relations diplomatiques du Paraguay de 1841 à 1871. Des longues recherches dans les archives sudaméricaines enrichissent nos connaissances d'éléments entièrement nouveaux.

A contribution to the history of the diplomatic relations between Paraguav and Europe from 1841 to 1871. The author has delved for several years into South American archives, and thus complements our knowledge from formerly unknown sources.

La solidarité euro-africaine

Centre Européen de Documentation et d'Information, Madrid 1959, 183 p.

Compte-rendu de la VIIème réunion internationale du C.E.D.I. à l'Escurial, 19-21 juin 1958. La solidarité euro-africaine est envisagée sous ses aspects culturel, politique et économique. Survol rapide de quelques problèmes. Aucun Africain ne figure sur la liste des participants.

Account of the 7th International Meeting of the European Centre of Documentation and Information (C.E.D.I.) at the Escorial, from June 19 to 21, 1958. Euro-African solidarity is foreseen in three forms: cultural, political and economic. Rapid survey of a number of problems. No African appears on the list of participants.

SUZUKI, D. Taitaro: **Der westliche und der östliche Weg**

Ullstein, Frankfurt 1957, 187 S.

Eine Sammlung von Studien über christliche und budhistische Mystik, die der Autor vorwiegend anlässlich seiner Beschäftigung mit Meister Eckhart als dem Repräsentanten christlicher Mystik geschrieben hat.

Etudes sur la mystique chrétienne et bouddhiste, fondées principalement sur Maître Eckhart, tenu pour représentatif de la mystique chrétienne.

A collection of studies on Christian and Buddhist mysticism, written principally in the context of working on Meister Eckhart — representative of the Christian mysticism.

WAARDENBURG, Jean-Jacques: **L'Islam dans le miroir de l'Occident**

Mouton, La Haye 1963, 374 p.

Comment quelques orientalistes occidentaux ont étudié l'Islam et se sont fait une image de cette religion. Etude comparée, par un jeune Hollandais historien de la religion, des travaux de Goldziher, Snouck Hurgronje, Becker, MacDonald, Massignon.

How a number of European orientalists undertook the study of Islam, and built up an image of that religion. This book is a comparative study, by a young Dutch historian, of the works of Goldziher, Snouck Hurgronje, Becker, MacDonald and Massignon.

Die wirtschaftlich und gesellschaftlich unterentwickelten Länder und wir — Stellungnahmen aus Wissenschaft und Praxis (hrsg. von R. F. Behrendt)

Paul Haupt, Bern 1961, 448 S.

Vorträge und Diskussionen im Institut für Soziologie und sozio-ökonomische Entwicklungsfragen an der Universität Bern. Das Verhältnis der Entwicklungsländer zu Europa und die Frage ihrer Zusammenarbeit mit dem Westen bilden die Zentralpunkte dieses Buches.

Conférences et discussions à l'Institut de sociologie et des problèmes socio-économiques du développement de l'Université de Berne. Les rapports des pays en voie de développement avec l'Europe et la question de leur collaboration avec l'Ouest constituent les thèmes centraux.

Lectures and discussions at Berne University's Institute of Sociology and Socio-economic Development. The relations of the developing countries with Europe and their collaboration with the West are the main themes.

III. OUVRAGES GENERAUX
GENERAL BOOKS

ABELLIO, Raymond: **Assomption de l'Europe**

Flammarion, Paris 1954, 268 p.

Utopie d'une Europe faite d'"Inter-nations". L'Europe est périssable, mais l'Occident, né en Palestine, transcende l'Histoire.

Presents an utopia of an "Inter-Nation" Europe; Europe is perishable, but the West, born in Palestine, transcends History.

AMÉRY, Jean: **Geburt der Gegenwart**

Walter-Verlag, Olten/Freiburg i.Br. 1961, 301 S.

Analyse der Hauptströmungen des kulturellen Lebens der Nachkriegsjahre und der daraus entstehenden Probleme der westlichen Welt.

Analyse des principaux courants de la vie culturelle des années d'après-guerre et des problèmes qui en résultent pour le monde occidental.

An analysis of the principal currents of cultural life during the post-war years, and of resulting problems in the Western world.

ARENDT, Hannah: **Fragwürdige Traditionsbestände im politischen Denken der Gegenwart — Vier Essays**

Europäische Verlagsanstalt, Frankfurt 1957, 168 S.

Eine kritische Untersuchung solcher aus europäischer Geisteshaltung entstandenen Begriffe wie Arbeit, Herrschaft, Autorität, Geschichte, Politik, und vergleichende Analyse ihrer heutigen Bedeutung auf der Basis des politischen und philosophischen Denkens vor allem der Antike und des 19. Jahrhunderts.

Examen critique de notions issues du génie européen, telles que le travail, le pouvoir, l'autorité, l'histoire, la politique, suivi d'une analyse comparative de leur signification actuelle, sur la base de la pensée politique et philosophique, de l'Antiquité et du XIXe siècle principalement.

A critical analysis of ideas born of the European mentality such as work, power, authority, history and politics; followed by a comparative analysis of their present meaning, on the basis of the political and philosophical thinking mainly of Antiquity and of the 19th century.

BACINO, Ezio: **L'Europa cominciò oggi**

Vallecchi, Firenze 1962, 292 p.

Raccolta di corrispondenze giornalistische. Gran parte di esse descrivono le più varie regioni d'Europa, un'altra parte è dedicata a un'analisi, sempre di tipo giornalistico, dell'atmosfera delle organizzazioni internazionali e del carattere dei loro funzionari.

Recueil d'articles de journaux, dont une partie décrit les différentes régions européennes. Une autre partie explique l'atmosphère des organisations internationales et les caractéristiques des fonctionnaires internationaux.

A collection of newspaper articles the majority of which is concerned with describing the many European regions. An explanation of the atmosphere of international organizations and the psychological and cultural traits of International Civil Servants is also attempted.

BALTUS, René: **De la vieille à la nouvelle Europe**

Le Centurion, Paris 1953, 141 p.

Plaidoyer pour une Europe unie par l'esprit de St. Bernard, des cathédrales, des poètes et des hommes d'Etat catholiques, selon les vœux des papes du XXe siècle. Les motifs et modalités de l'union sont étudiés, mais aussi ses obstacles et ses adversaires.

A plea for a Europe united by the ideals of St. Bernard, the cathedrals, the poets, and the Catholic statesmen, in accordance with the wishes expressed by the twentieth-century popes. The aims of this union, and the means of attaining it, are discussed, and its obstacles and opponents are also considered.

BARRACLOUGH, Geoffrey: **European Unity in Thought and Action**

Basil Blackwell, Oxford 1963, 60 p.
Deutsche Ausgabe: **Die Einheit Europas als Gedanke und Tat.** *Vandenhoeck & Ruprecht, Göttingen 1964, 57 S.*

Exposition of the often diverging doctrines on European unity as they were held by politicians or philosophers, and an enquiry into their relevance to our own dynamic age. The author concludes by suggesting that General De Gaulle's notions for Europe cannot be justified by past theories of benevolent hegemony, but only by an evaluation of their desirability for the present or future.

Exposé des doctrines souvent divergentes adoptées par les politiciens et les philosophes sur l'unité européenne, et étude de leur adaptation à notre temps. L'auteur suggère que les idées du général de Gaulle sur l'Europe ne sauraient être justifiées par d'anciennes théories d'hégémonie libérale, mais par une évaluation de leur intérêt présent ou futur.

BEHRENDT, Richard F.: **Problem und Verantwortung des Abendlandes in einer revolutionären Welt**

J. C. B. Mohr, Tübingen 1956, 47 S.

Die Revolution, von der der Verfasser spricht, ist die der farbigen Völkerschaften. Er meint, dass es an uns liegt, ob wir sie in geordnete Bahnen lenken können, oder, wie einst die Männer des Ancien Régime, auf einem historischen Schafott enden werden.

La révolution dont parle l'auteur est celle des peuples de couleur. Il estime que nous devons les guider dans la voie de l'ordre si nous ne voulons pas finir, historiquement parlant, sur l'échafaud.

The revolution spoken of by the author is of coloured peoples. He considers that we should help them towards order, or else we, like the aristocrats of the Ancien Régime, shall finish up — historically speaking — on the scaffold.

Bekenntnis zu Europa (hrsg. von Fritz Burgbacher)

Herder, Freiburg i. Br. 1963, 288 S.

Enthält Beiträge bekannter Wissenschafter und Politiker zu philosophischen, theologischen, rechtlichen, wirtschaftlichen und politischen Fragen der europäischen Einheitsbestrebungen.

Contributions d'hommes de science et d'hommes politiques éminents sur les problèmes philosophiques, théologiques, juridiques, économiques, et politiques posés par les efforts d'unification européenne.

Writings by famous politicians and scientists on philosophical, theological, juridical, economic and political problems brought about by the attempts towards European unification.

BELLOC, Hilaire: **Europe and the Faith**

Burns & Oates, London 1962, 192 p.

In this famous work published in 1920 and reprinted in 1962, the author expounds his views on the foundation of European unity, crystallised in the statement: "Europe will return to the Faith or she will perish".

Dans cet essai fameux publié en 1920 et réimprimé en 1962, l'auteur expose ses vues sur la fondation d'une unité européenne, résumées dans cette déclaration: "L'Europe retournera à la Foi, ou elle périra".

BELOFF, Max: **Europe and the Europeans**

Chatto & Windus, London 1957, 320 p.

Deutsche Ausgabe: **Europa und die Europäer.** *Verl. f. Politik u. Wirtschaft, Köln 1959, 412 S. — Edizione italiana:* **L'Europa e gli Europei.** *Comunità, Milano 1960, 427 p.*

A report on the "Round Table" debates organized in Rome and Strasbourg, with the participation of about forty historians, scientists, linguists, economists, philosophers, writers and important journalists. Each chapter deals with a specific aspect of Europe.

Rapport sur les débats de la "Table Ronde" organisée à Rome et à Strasbourg, avec la participation de quelque quarante historiens, hommes de science, linguistes, économistes, philosophes, écrivains et journalistes. Chaque chapitre traite un aspect particulier de l'Europe.

BERLIN, Isaiah: **L'Unité Européenne et ses vicissitudes**

A. W. Sijthoff, Leiden 1959, 33 p.

Allocution prononcée à l'occasion du troisième Congrès de la Fondation Européenne de la Culture en 1959. Analyse philosophique de certains aspects de la pensée occidentale et de son évolution.

An address delivered on the occasion of the 3rd Congress of the European Cultural Foundation in 1959. A philosophical analysis of certain aspects of Western thought and its evolution.

BEUS, J. G. de: **The Future of the West**

Harper & Brothers, New York 1953

Deutsche Ausgabe: **Die Zukunft des Abendlandes.** *Europäische Verlagsanstalt, Frankfurt 1956, 174 S.*

The author examines, with regard to the different modern philosophies of History, the positive and negative forces of our time which will determine the future destiny of Western Civilization.

L'auteur examine, au regard des différentes philosophies modernes de l'Histoire, es forces positives et négatives de notre époque, qui détermineront l'avenir de notre civilisation occidentale.

BLIESENER, Erich: **Europäische Integration als Thema der Karikatur**

Impuls-Verlag Heinz Moos, Heidelberg 1962, 92 S., ill.

Wie dornenreich der Weg zur europäischen Integration gewesen ist, stellt diese Sammlung von Karikaturen aus aller Welt sehr anschaulich dar.

Cette collection de caricatures du monde entier rappelle que le chemin vers l'intégration européenne est semé d'épines.

This collection of caricatures from all over the world shows how thorny the way to European integration has been.

BOISDEFFRE, P. de — BOUCHAUD, J. M.: **Vocation de l'Europe**

Bloud & Gay, Paris 1950, 260 p.

Au moment où se crée le Conseil de l'Europe et où se déclare la guerre froide, deux jeunes auteurs français entreprennent une ambitieuse mais exacte synthèse des problèmes politiques, économiques et culturels de l'Europe, rapportés à l'histoire du continent, et ouverts sur l'avenir d'une fédération, au delà des nations en crise.

At the moment when the Council of Europe was created and the cold war declared, two young French authors undertook an ambitious but exact description of the political, economic and cultural problems of Europe, in relation to the history of the continent, and open to a future federation which remain inaffected by the crises of individual nations.

BONNEVILLE, Georges: **Prophètes et Témoins de l'Europe**

A. W. Sijthoff, Leiden 1961, 183 p.

L'auteur présente en onze chapitres les idées sur l'Europe de Martin du Gard, Romain Rolland, Gide, Valéry, Benda, Drieu la Rochelle, Fabre-Luce, Bernanos, Romains, et plus brièvement, celles de Dumont-Wilden, Reynold, Rougemont, Camus, Malraux, etc.

The author presents in 11 chapters, the ideas on Europe of Martin du Gard, Romain Rolland, Gide, Valéry, Benda, Drieu la Rochelle, Fabre-Luce, Bernanos, Romains, and more briefly those of Dumont-Wilden, Reynold, Rougemont, Camus, Malraux, and others.

BONNEVILLE, Georges: **Y a-t-il une culture Européenne?**

Edit. du Conquistador, Paris 1953, 253 p.

Les manifestations actuelles de la civilisation reflètent, selon l'auteur, sa rupture d'avec la culture. Celle-ci remplira sa mission universelle et aristocratique si elle sauvegarde ses particularités, sans s'abandonner au nivellement cosmopolite d'une sous-culture.

According to the author, the outward signs of civilization to-day reflect its break with culture. Culture will fulfill its world-wide and aristocratic role if it preserves its originality without giving itself up to the cosmopolitan levelling of a sub-culture.

BRICKMANN, A. E.: **Europageist und Europäer**

Hoffmann & Campe, Hamburg 1948, 109 S.

Eine Definition Europas und des europäischen Menschen als geistiges Problem.

Une définition de l'Europe et de l'homme européen en tant que problème de l'esprit.

A definition of Europe and the European as an intellectual problem.

BRINTON, Crane: **The Temper of Western Europe**

Harvard University Press, Cambridge, Mass. 1953, 118 p.
Edition française: **Visite aux Européens.** *Calmann-Lévy, Paris 1955, 212 p. —*
Deutsche Ausgabe: **Westeuropa wohin?** *Nest Verlag, Frankfurt 1955, 117 S.*

Writing in 1953, the author attempts to disarm contemporary American prophets of the cultural, economic and political decline of Europe. For those who enjoy historical anecdotes.

L'auteur, qui écrit en 1953, tente de réfuter les prophéties américaines contemporaines selon lesquelles l'Europe subirait un déclin culturel, économique et politique. Pour amateurs d'anecdotes historiques.

BRONOWSKI, J. — MAZLISH, Bruce: **The Western Intellectual Tradition**

Hutchinson & Co., London 1960, 522 p.

A recognition of the interdependence of scientific and literary thought and its effect on political and literary ideas of the era from the Renaissance to the 19th century.

Analyse de l'interdépendance de la pensée scientifique et littéraire et de ses effets sur les idées politiques et littéraires, de la Renaissance au XIXe siècle.

BRUNSCHVICG, Léon: **L'Esprit Européen**

La Baconnière, Neuchâtel 1947, 186 p.

Leçons professées en Sorbonne au début de 1940, par un célèbre professeur de philosophie. Analyse "strictement philosophique" des fondements européens de la science, du spiritualisme occidental, des règles de la justice entre les peuples, de la conscience critique, — fondements d'une véritable "communauté spirituelle" des Européens.

Lectures given by a famous professor of philosophy at the Sorbonne at the beginning of 1940. A "strictly philosophical" analysis of the European bases of science, of Western spiritualism, of the rules of justice among the nations, of the critical conscience — the basis of a veritable "spiritual community" among Europeans.

BUCHHOLZ, Arnold: **Der Kampf um die bessere Welt — Geistige Ost-West-Probleme**

Deutsche Verlaganstalt, Stuttgart 1961, 254 S.

In der Untersuchung des Verfassers sind die Ost-West-Auseinandersetzungen und die Bemühungen um den Frieden eine geistige Aufgabe.

Selon l'auteur, la confrontation de l'Est et de l'Ouest et les efforts en faveur de la paix sont des tâches qui ressortissent au domaine de l'esprit.

According to the author the East-West opposition and the efforts towards peace are a spiritual problem.

CARMOY, Guy de: **Fortune de l'Europe**

Domat, Paris 1953, 402 p.
Deutsche Ausgabe: **Europas Chance. Aufstieg oder Verfall?** *Knapp, Frankfurt 1954, 380 S.*

Analyse, synthèse et essai de solution des problèmes qui se posent à l'Europe: l'Europe entre les grands blocs, son économie présentée par pays, par secteurs économiques et par institutions, et finalement l'Europe politique. Riche documentation.

An analysis, synthesis and attempt to solve the problems faced by Europe: her position between two blocs, the economy of each country by economic sectors and institutions, and finally, political questions. Extensively documented.

CARTIER, Raymond: **Les Dix-neuf Europes**

Plon, Paris 1960, 668 p.
Deutsche Ausgabe: **Neunzehnmal Europa.** *R. Piper & Co., München 1960, 673 S.*
Edizione italiana: **Le 19 Europe.** *Garzanti, Milano 1961, 596 p. — Edición española:* **Las 19 Europas.** *Rialp, Madrid 1962, 845 p.*

Description vivante, pleine de chiffres et d'anecdotes, par un journaliste, de 19 pays de l'Europe de l'Ouest, de leur régime politique et social, de leurs mœurs, et de leurs problèmes particuliers face à l'intégration du continent.

A lively description, full of figures and anecdotes, of 19 countries of Western Europe — their political regimes, their customs, and their particular problems with regard to the integration of the continent. Written by a journalist.

Les Catholiques devant l'Europe

CEP, Bruxelles 1963, 194 p.

Travaux présentés lors d'une rencontre de la Fédération Internationale des Hommes Catholiques (Unum Omnes) en 1962. Aspects de l'Europe en marche, le chrétien et l'Europe, l'Europe chrétienne devant ses responsabilités mondiales; thèmes d'où ressort la nécessité de baser l'Europe future sur une coopération spirituelle.

Papers presented at a meeting of the International Federation of Catholic Men (Unum Omnes) in 1962. They deal with aspects of Europe on the move, the Christian and Europe, the European Christian and his world-wide responsibilities and bring out the necessity of founding the future Europe on a spiritual co-operation.

CLOUGH, Shepard B.: **Basic Values of Western Civilization**

Columbia University Press, New York 1960, 132 p.

If the basic tenet of our culture is: "the end of man is man," how far do we achieve it? What value do we put on religion, material wealth, aesthetics and education in our ideal for self-realization?

Si le principe de base de notre culture est: "le but de l'homme est l'homme," jusqu'à quel point le mettons-nous en application? Quelle valeur attribuons-nous à la religion, aux richesses matérielles, à l'esthétique, à l'éducation dans cet idéal fondamental?

221.750.000 consommateurs — Marché Commun et Grande-Bretagne

Sélection du Reader's Digest, Paris 1963, 246 p., ill.

Enquête sur les attitudes des populations européennes de chaque pays à l'égard des habitants et des produits des autres pays, qui présente un intérêt exceptionnel du quadruple point de vue géographique, économique, social et psychologique. Réalisée avec le concours des principaux Instituts de sondage et de statistique, elle s'adresse aux milieux gouvernementaux, privés et universitaires.

Research on the attitude of European peoples of each country towards the inhabitants and products of other countries. Of exceptional interest from a foursided point of view: geographical, economic, social, and psychological. Carried out with the help of the principal Institutes of research and statistics, the investigation is directed towards governmental, private and university circles.

CROCE, Benedetto: **Storia di Europa**

Laterza, Bari, 1920 env.

Edition française: **Histoire de l'Europe au dix-neuvième siècle.** *Plon, Paris 1959, 355 p.*

Il gran pensatore italiano vuol combattere un cieco nazionalismo facendo appello ad un'Europa organizzata, capace di vincere i propri interessi personali e conflitti interni. La sua perorazione in favore di una "religione della libertà" è una magistrale ed illustre difesa del liberalismo, malgrado le tracce di un laicismo e di un marxismo deciso.

Le grand penseur italien veut combattre le nationalisme aveugle et fait appel à une Europe organisée, capable de surmonter ses intérêts particuliers et ses conflits internes. Son plaidoyer en faveur d'une "religion de la liberté" est une magistrale défense et illustration du libéralisme, malgré les traces d'un sécularisme et d'un anti-marxisme résolus.

The great Italian thinker wishes to combat blind nationalism and pleads for an organized Europe, capable of overcoming its particular interests and internal conflicts. His plea for "a religion of freedom" is both an authoritative defence and an example of liberalism, despite traces of resolute secularity and anti-marxism.

CYSARZ, Herbert — DELPHIN, Edgar — KIER, Herbert — PRAXMARER, Konrad: **Europa Nova**

Linde Verlag, Wien 1951, 200 S.

Den vier Autoren dieses Werkes geht es nicht um die Frage, ob sondern wie ein geeintes Europa geschaffen werden müsse auf geistiger, politischer und wirtschaftlicher Ebene.

Pour les auteurs de cet ouvrage il ne s'agit pas de savoir si l'on doit faire une Europe unie, mais comment la faire, sur les plans spirituel, politique et économique.

The problem for each of the contributors to this work is not to know if one should create a united Europe, but how to go about it at the spiritual, political and economic levels.

DAWSON, Christopher: **Understanding Europe**

Sheed & Ward, London 1952, 261 p.
Deutsche Ausgabe: **Europa, Idee und Wirklichkeit.** *W. Heyne, München 1953, 230 S. — Nederlandse uitgave:* **Europa, Wezen en Roeping.** *Desclée de Brouwer, Brügge 1953, 223 p.*

The great cultural historian defines, in this comprehensive essay, the "essence" of Europe and its cultural crisis, which was provoked by religious nihilism and nationalism. "Europe is not a continent, but a society of peoples". It can recover its unity only in and through social and religious revival.

Le grand historien de la culture définit dans cet essai synthétique l'essence de l'Europe et la crise de sa culture, provoquée par le nihilisme religieux et le nationalisme. "L'Europe n'est pas un continent, mais une société de peuples". Elle ne peut retrouver son unité que dans et par une rénovation sociale et religieuse.

DERRUAU, Max: **L'Europe**

Hachette, Paris 1958, 603 p., ill.

Description détaillée des diverses régions géographiques de l'Europe et de leur économie. Fournit en abondance les faits et chiffres nécessaires à connaître sur le continent et souvent difficiles à trouver. L'ouvrage a l'originalité de présenter l'Europe géo-économique comme une unité. Ouvrage de références.

A detailed description of the different geographical regions of Europe and their economies. Many of the facts and figures necessary for a knowledge of the continent, and which are often difficult to find, are supplied. The work has the originality to present geo-economic Europe as a unity. A reference work.

DIEZ DEL CORRAL, Luis: **El rapto de Europa**

Revista de Occidente, Madrid, 2a edición 1962, 350 p.
English edition: **The Rape of Europe.** *G. Allen & Unwin, London 1959, 310 p. —*
Deutsche Ausgabe: **Der Raub der Europa.** *C. H. Beck, München 1959, 400 S. —*
Edition française: **Le rapt de l'Europe.** *Stock, Paris 1960. —*
Nederlandse uitgave: **De ontvoering van Europa.** *Het Spectrum, Utrecht 1961.—*
Edizione italiana: **Il Ratto di Europa.** *G. Semerano, Roma 1963.*

Interpretación histórica de la Europa actual, de la evolución de su civilización y de sus caracteres particulares. El universalismo europeo amenazado por el nacionalismo de nuestros Estados ha preparado los caminos de esa "expropiación" la que el autor symboliza por la imagen de otro Rapto de Europa!

Interprétation historique de l'Europe actuelle, de l'évolution de sa civilisation et de ses caractères spécifiques. L'universalisme européen, menacé par le nationalisme de nos Etats, a préparé les voies de cette "expropriation" que l'auteur symbolise par l'image d'un nouvel Enlèvement d'Europe.

This is a historical interpretation of present-day Europe, of the evolution of its civilization and of its specific characteristics. European universality, menaced by nationalism in the various European countries, has prepared the way for an "expropriation" which the author symbolizes by the image of a new Rape of Europe.

DREES, Ludwig: **Die Botschaft Toynbees an die abendländische Welt**

Kohlhammer, Stuttgart 1952, 52 S.

Die heutige Stellung und Aufgabe des Abendlandes als Kulturkreis, wie sie sich aus Toynbees Geschichtsbild ergeben, werden kurz und übersichtlich aufgezeigt.

Exposé clair et concis de la position et de la mission spirituelle de l'Occident à l'heure actuelle, d'après la conception historique de Toynbee.

A short and clear essay on the position and duty of the West to-day, according to Toynbee's concept of the West as a cultural sphere.

DUMONT-WILDEN, L.: **L'évolution de l'esprit européen**

Flammarion, Paris 1945, 252 p.

De l'Europe romaine puis chrétienne jusqu'à l'Europe des nationalités, puis à travers les idéologies nationaliste, socialiste, pan-germaniste, et briandiste, l'historien belge décrit les vicissitudes de l'esprit européen et conclut (en 1945) en faveur d'une Europe fédérale.

From Roman Europe to Christian and to Nationalist Europe, then to nationalist, socialist, pan-germanist and briandist ideologies, a Belgian historian describes the vagaries of the European ideal and concludes (in 1945) in favour of a federal Europe.

DÜRRENMATT, Peter: **Europa will leben — Ein Bekenntnis zur europäischen Wirklichkeit**

Hallwag, Bern 1960, 198 S.

Im entschiedenen Glauben an Europa und im Widerstand gegen alle Untergangstheorien skizziert der Verfasser, Redakteur der Basler Nationalzeitung, die heutige Situation und legt dar, über welche Kräfte Europa noch immer verfügt.

Le redacteur de la "Basler Nationalzeitung", qui croit fermement à l'Europe, prend le contre-pied de toutes les théories de la décadence et esquisse un tableau de la situation actuelle et des ressources dont dispose encore l'Europe.

The editor of the "Basler Nationalzeitung", a firm believer in Europe, summarizes the present situation and resources still available in Europe, in contrast with all the decadence theories.

Ecrits sur l'Europe — D'Hésiode à Robert Schuman

Seghers, Paris 1963, 188 p.

A travers les siècles, des penseurs, des historiens, des politiciens, prennent conscience de l'unité politique et culturelle de l'Europe et annoncent l'inéluctable nécessité de sa réalisation.

Through the centuries, thinkers, historians, and politicians have become aware of the political and cultural unity of Europe, and announce the inevitability of its fulfilment.

EDSCHMID, Kasimir: **Europäisches Reisebuch**

Paul Zsolnay, Hamburg 1953, 352 S., ill./Taschenbuchausg. Ullstein, Frankfurt 1961, 218 S.

Ein reisender Dichter und Kulturhistoriker gibt in diesem Werk nicht nur eine geistreiche Darstellung vieler Länder Europas, sondern auch manchen praktischen Hinweis für den Touristen.

Un poète itinérant doublé d'un historien de la culture fait une description spirituelle de nombreux pays de l'Europe, tout en donnant de multiples indications pratiques à l'usage du touriste.

A wandering poet and cultural historian provides a witty introduction to many European countries, at the same time giving much practical information for the tourist.

EDSCHMID, Kasimir: **Vom Mittelmeer zum Nordkap**

Wilhelm Andermann, München/Wien 1961, 183 S.

Über 100 faszinierende Farbfotos geben einen Überblick über die Vielfalt der europäischen Städte und Landschaften.

Plus de 100 photos en couleurs donnent un aperçu fascinant de la diversité des villes et des paysages européens.

More than a hundred colour photographs give a fascinating picture of the diversity of the towns and countryside of Europe.

EGLI, Emil: **Flugbild Europas** *(Einführung von Salvador de Madariaga)*

Artemis-Verlag, Zürich 1958, 225 S., ill.
Edition française: **Europe, Panorama aérien.** *Payot, Lausanne 1959, 208 p., ill.*
English edition: **Europe from the Air.** *G. Harrap & Co., London 1959.*

"Unser Geist ist so beschaffen, dass er nicht autonom ist gegenüber dem Rahmen, in dem unsere Existenz eingebettet ist," schreibt der Verfasser in der Einleitung. Seine Bilder überzeugen eindeutig davon, dass dieser Rahmen nicht national begrenzt ist, sondern nur europäisch gesehen werden darf.

"Notre esprit est fait de telle sorte qu'il ne saurait s'abstraire du cadre dans lequel notre existence se déroule", dit l'auteur dans l'introduction. Les photos admirables prouvent clairement que ce cadre ne s'arrête pas aux frontières nationales, mais qu'il s'étend aux dimensions européennes.

"Our spirit is such that it cannot become independent of the context in which we exist" says the author in the introduction. His photographs clearly show that this context is not limited by national frontiers but takes in Europe as a whole.

L'Eglise, l'Occident, le Monde

Fayard, Paris 1956, 184 p.

Dans sa première partie, cet ouvrage collectif s'interroge sur la vie culturelle, scientifique, politique et économique de l'Occident et sur les liens qui l'attachent à l'Eglise. La deuxième partie est consacrée à des témoignages sur l'affrontement du Catholicisme et de certaines grandes religions du monde.

Part I of this collective work enquires into the cultural, scientific, political and economic life of the West and its links with the Church. The second part is devoted to evidence of the opposition between Catholicism and some of the world's great religions.

Die Einheit Europas — Idee und Aufgabe

Verlag für Jugend und Volk, Wien 1958, 253 S.

Enthält die innerhalb des "Europa-Gesprächs" 1958 in Wien gehaltenen Vorträge von Persönlichkeiten der politischen Bühne Europas, u.a. Prof. Carlo Schmid und S. de Madariaga. Die Vertreter der verschiedenen Länder konfrontieren ihre Ansichten über die Zukunft eines geeinten Europa und den daraus erwachsenden Verantwortungen.

Conférences données dans le cadre des "Entretiens Européens" à Vienne en 1958, au cours desquels des personnalités du monde politique européen, telles que Carlo Schmid, S. de Madariaga, confrontent leurs points de vue sur les responsabilités que comporte l'avenir de l'Europe unie.

Lectures given in association with "European Discussions" at Vienna in 1958, in the course of which well-known figures in the field of European politics, such as Prof. Carlo Schmid and S. de Madariaga expose their points of view on the responsibilities which a united Europe would bring.

ELIOT, T. S.: **Notes towards the Definition of Culture**

Faber & Faber, London, 5th ed. 1954, 124 p.

A criticism of the misuse of the notion of culture; pleading the cause of European culture, the author advocates the need for communication between countries, but maintains strongly that culture neither can be artificially constructed, nor can it exist in a strictly equalized society.

Critique de l'emploi courant de la notion de culture. Plaidant la cause de la culture européenne, l'auteur montre la nécessité des échanges entre les pays, mais affirme avec force que la culture ne peut être construite artificiellement, ni exister dans une société strictement égalitaire.

ÉMERY, Léon: **Genèse de l'Europe**

Les Cahiers Libres, Lyon 1959, 141 p.

Un bourgeois catholique et libéral tire de ses réflexions sur l'histoire de l'Europe des raisons de souhaiter une union de nos Etats qui évite tous les excès du pessimisme réactionnaire et de l'optimisme progressiste.

A middle-class Catholic liberal draws from his reflexions on the history of Europe reasons for the creation of a union of States which would avoid all the excesses of reactionary pessimism and progressive optimism.

Erbe und Zukunft des Abendlandes

A. Francke, Bern 1948, 136 S.

Eine Sammlung von Radiovorträgen, in denen Schweizer Gelehrte sich von verschiedenen Standpunkten aus auf das Thema: "Abendland" besinnen.

Série de conférences radiophoniques. Diverses personnalités suisses s'interrogent, à différents points de vue, sur le thème de l'Occident.

A series of radio talks by various Swiss scholars showing different points of view on the subject of the West.

Erkenntnis und Aktion (hrsg. von Otto Moldon)

Ullstein, Wien 1955, 221 S.

Gespräche und Vorträge des Europäischen Forums Alpbach vom Jahre 1955. Universitätsprofessoren verschiedener Länder Europas setzen sich mit den politischen, wirtschaftlichen und pädagogischen Fragen auseinander, die aus dem Gegensatz zwischen nationalem Selbstbewusstsein und den europäischen Einheitsbestrebungen entstehen.

Textes des discussions et conférences du Forum Européen d'Alpbach en 1955. Des professeurs d'université venus de plusieurs pays d'Europe cherchent à y résoudre les problèmes de nature politique, économique et pédagogique qui jaillissent de l'opposition entre la conscience nationale et les efforts d'unification.

Texts of discussions and conferences held at the European Forum of Alpbach in 1955. University professors from several European countries seek to solve the problems of political, economic and educational natures which arise from the opposition between nationalist thinking and efforts for unification.

L'Esprit Européen

La Baconnière, Neuchâtel 1947, 360 p.
Edizione italiana: **Spiritu Europeo.** *Comunità, Milano 1950, 345 p.*
Edición española: **El Espiritu Europeo.** *Guadarrama, Madrid 1957, 330 p.*

Textes in extenso des conférences prononcées lors des premières "Rencontres internationales de Genève", en 1946 par J. Benda, G. Bernanos, F. Flora, K. Jaspers, G. Lukacs, D. de Rougemont, J.R. de Salis, S. Spender, et comptes rendus des débats qui s'y rapportent.

Complete texts of the first "Rencontres internationales at Geneva in 1946, with contributions from J. Benda, G. Bernanos, F. Flora, K. Jaspers, G. Lukacs, D. de Rougemont, J. R. de Salis, S. Spender, and a summary of the debates of the meeting.

L'Esprit Européen (présentation par Théo Fleischmann)

Robert Laffont, Paris 1957, 251 p.

L'Europe et les universités, les écrivains et l'idée d'Europe, le type de l'Européen, tels sont les thèmes principaux de cette série d'études présentées par des participants à l'Université Radiophonique Internationale.

Europe and universities, writers and Europeanism, the typical European, these are the main themes of this series of studies presented by members of the International Radiophonic University.

Europa Aeterna

Max S. Metz, Zürich 1954-57, 3 Bde. je 400 S., ill.
Edition française: **Europa Aeterna.** *Max S. Metz, Zürich 1960-61, 3 vol. à 400 p., ill.*

Eine vertikale Schau der einzelnen Länder mit einer horizontalen Übersicht über Europa als kulturelle und geographische Einheit, seine Problematik von heute, seine Aufgaben von morgen und seine Ausstrahlung auf die übrige Welt.

Vue verticale de chaque pays en particulier et panorama horizontal de l'Europe en tant qu'unité culturelle et géographique: l'ensemble de ses problèmes actuels, ses tâches pour demain et son rayonnement dans le reste du monde.

A cross-section of each country separately and a general view of Europe as a cultural and geographical unity: its present problems, future tasks and diffusion in the rest of the world.

Europa — Besinnung und Hoffnung (Red. Albert Hunold)

Eugen Rentsch, Zürich 1957, 330 S.

In dem vom Schweizerischen Institut für Auslandsforschung herausgegebenen Buch befassen sich kurz nach dem Ungarnaufstand europäische und amerikanische Beobachter mit wesentlichen, für Europa lebenswichtigen und allzu oft beiseitegeschobenen Problemen.

Des observateurs européens et américains réunis par l'Institut Suisse de Recherches Internationales s'occupent, peu de temps après le soulèvement hongrois, des problèmes vitaux pour l'Europe, qui sont trop souvent laissés de côté.

In this book published by the Swiss Institute of International Studies soon after the Hungarian uprising, a number of Europeans and Americans study vital problems of Europe which all too often are disregarded.

Europa — Bilder seiner Landschaft und Kultur (hrsg. von Martin Hürlimann; Vorw. von Carl J. Burckhardt)

Atlantis-Verlag, Zürich, 5. Aufl. 1962, 262 S., ill.
Edition française: **Europe.** *Edit. Braun, Mulhouse 1959, 383 p*
English edition: **Europe.** *Thames & Hudson, London 1962.*

Dieses Bildwerk, zu dem C. J. Burckhardt eine wahrhaft dichterische Einleitung geschrieben hat, beschwört ein unvergessliches Bild Europas herauf.

Ce livre illustré préfacé par le grand poète Paul Claudel, donne de l'Europe une image inoubliable.

This illustrated book, beautifully prefaced by Carl. J. Buckhardt, gives an unforgettable impression of Europe.

Europa en el mundo actual (publ. por la Delegación Nacional de Organizaciones del Movimiento)

Seminario Central de Estudios Europeos, Madrid 1962, 584 p.

En este curso que por vez primera se celebró en 1961 en la Universidad Internacional "Menéndez y Pelayo" de Santander, se estudia la importancia que a Europa corresponde y que Europa ofrece en el mundo actual, partiendo de la filosofía griega, la civilización romana y las proyecciones que estas tienen en la Europa de hoy.

Cours donnés pour la première fois en 1961 à l'Université Internationale "Menéndez y Pelayo" à Santander sur le rôle joué par l'Europe dans le monde actuel, prenant comme point de départ la philosophie grecque, la civilisation romaine, et leur influence sur l'Europe de nos jours.

Lectures given for the first time in 1961 at the Menendez y Pelayo International University at Santander; they deal with the importance of Europe and what she offers to the modern world, starting with Greek philosophy and Roman civilization and their influence over Europe to-day.

Europa — Erbe und Aufgabe (hrsg. von Martin Göhring)

Franz Steiner, Wiesbaden 1956, 339 S.

Bericht über den internationalen Gelehrtenkongress, der 1955 in Mainz stattfand. Das Teilnehmerverzeichnis umfasst eine europäische Elite und die Diskussion bewegt sich daher stets auf höchstem Niveau.

Compte-rendu du Congrès International des savants, qui s'est tenu à Mayence en 1955. Les participants appartenaient à l'élite européenne d'où le très haut niveau des discussions.

Report on the International Congress of Scholars at Mains in 1955.

A European elite was represented, and discussions were kept at a very high level.

Europa — Das Gesicht seiner Städte und Landschaften

Bertelsmann, Gütersloh, 8. Aufl. 1958, 244 S., ill.

Eine Folge von bekannten und unbekannten Bildern, die in ihrer Gegenüberstellung die Vielfalt der Ausdrucksweise und zugleich die Einheit des gemeinsamen Kulturerbes veranschaulichen.

Suite d'images connues et inconnues dont la confrontation montre la diversité des moyens d'expression et en même temps notre unité de l'héritage culturel commun.

A series of familiar and unfamiliar pictures whose very juxtaposition shows the diversity of the means of expression and, at the same time, the unity of our common cultural heritage.

Europa, Grossmacht oder Kleinstaaterei. Eine Sammlung von Essays (hrsg. von E. Stern-Rubarth)

F. Eilers, Bielefeld 1951, 295 S.

Der Plan eines geeinten Europa wird von 28 Verfassern systematisch geprüft: die geistigen, politischen und wirtschaftlichen Grundlagen, die völkischen Probleme und die Folgen einer Einigung.

L'idée d'une Europe unifiée est examinée par 28 auteurs: bases spirituelles, politiques et économiques, problèmes concernant les peuples et conséquences d'une unification.

The idea of a unified Europe — spiritual, political and economic bases of problems concerning the people, and the consequences of unification — is studied here by 28 authors.

Europa — Vermächtnis und Verpflichtung (hrsg. von H. Loebel)

Walter Kerber, Frankfurt 1957, 260 S., ill.

Kurze Beiträge zu jeweils konzis gestellten Themen. Sowohl die Aufsätze, wie die Bilder sollen die Vielschichtigkeit des europäischen Wesens und seiner Ausdruckmittel ebenso wie die einheitliche Zielsetzung darstellen.

Brefs essais, richement illustrés, et tendant à mettre en lumière la diversité de l'homme européen et de ses moyens d'expression, ainsi que ses buts communs.

Short essays on fixed and concise subjects. They, as well as the illustrations, aim to show the diversity of the Europeans, their means of expression and their common aims.

Die europäische Christenheit in der heutigen säkularisierten Welt

Gotthelf-Verlag, Zürich 1960, 141 S.

Enthält die Vorträge und Beschlüsse der Konferenz europäischer Kirchen des Jahres 1959. Thema der Beiträge: Die Verantwortung der Kirchen in der heutigen Welt.

Conférences et résolutions de la Conférence des Eglises Européennes de 1959. Thème des travaux: la responsabilité des Eglises dans le monde actuel.

Discussions and resolutions of the Conference of European Churches in 1959. The subject is the responsibility of Churches in the modern world.

Europäische Häfen

A. et G. de May, Düsseldorf 1961, 206 S., ill.
Edition française: **Ports Maritimes de l'Europe.** *Editions des Deux Mondes, Paris.*

Eine Yacht mit den Namen "Europa" fährt von Leningrad über Cadiz bis Rostow. Durch einführende Bemerkungen von H. de Villefosse und zahlreiche Fotos von Arielli macht der Leser mit jedem der angelaufenen Häfen Bekanntschaft.

Le yacht "Europe" vogue de Léningrad à Rostow, en passant par Cadiz. Le lecteur fait la connaissance de chacun des ports visités grâce à des commentaires introductifs d'H. de Villefosse et à de nombreuses photos d'Arielli.

The yacht "Europe" sails from Leningrad to Rostow, by way of Cadiz. The reader is introduced to each of the ports visited by short commentaries by H. de Villefosse and many photographs by Arielli.

Europäische Länder — Beharrung und Wandel der europäischen Volkskultur in der Gegenwart (hrsg. von T. Gebhard und J. Hanika, Schriftleitung G. Fochler-Hauke)

IRO-Verlag, München 1963, 308 S., ill.

Zwölf Beiträge, nach Ländern geordnet, von Spezialisten der Volkskunde über Leben, Sitten und Brauchtum der europäischen Völker. Die Auswirkung markanter geschichtlicher Ereignisse auf die Volkskultur und die gegenseitige Beeinflussung der Völker über territoriale Grenzen hinweg werden gründlich und allgemein verständlich dargestellt. Originelle Photos, Kartenskizzen und reiche Bibliographie.

Douze études par des spécialistes de l'ethnologie, sur la vie quotidienne, les mœurs et les coutumes des peuples européens. Etude approfondie de l'influence des événements historiques sur les civilisations ainsi que de l'influence réciproque des peuples. Photos soigneusement choisies, tableaux, riche bibliographie.

These twelve studies by ethnologists, concern the daily life, manners and customs of European peoples. A thorough but readable study of the influence of historical events on civilizations, as well as of the mutual influence of peoples. Carefully chosen photographs, pictures and a weighty bibliography.

Die europäische Lebensordnung im Wandel (hrsg. von W. F. Mueller)

Kohlhammer, Stuttgart 1959, 107 S.

Vorträge, die die Wandlungen der europäischen Zivilisation in religiöser, künstlerischer, wissenschaftlicher, politischer und wirtschaftlicher Hinsicht bis zum Ausbruch des ersten Weltkrieges darstellen sollen.

Conférences sur les transformations de la civilisation européenne, dans les domaines religieux, artistique, scientifique, politique, commercial, jusqu'à la première guerre mondiale.

Several lectures on the transformation of European civilization up to the First World War in the religious, artistic, scientific, political or commercial spheres.

L'Europe des dix pays absents

Berger-Levrault, Paris/Strasbourg 1957, 258 p.

English edition: **The Absent Countries of Europe.** *Osteuropa-Bibliothek, Bern, 1958, 272 p.*

Conférences faites au Collège de l'Europe Libre à Strasbourg-Robertsau du 6 août au 6 septembre 1957. Les collaborateurs observent et interprètent les transformations politiques, sociales, économiques et religieuses de l'Europe orientale, et spécialement de la Pologne et de la Hongrie.

Lectures held at the Collège de l'Europe Libre, from Aug. 6 to Sept. 6 1957 in Strasbourg-Robertsau. The contributors scrutinize and interpret, with particular attention to Poland and Hungary, the changing facets of the political, social, économic, religious aspects of Eastern Europe.

L'Europe des personnes et des peuples

Sirey, Paris 1962, 415 p.

Compte rendu in extenso de la 49e session des "Semaines Sociales de France" à Strasbourg en 1962. Introduite par un message du Pape, cette Semaine a discuté 18 rapports dont les textes sont ici reproduits, définissant les positions catholiques devant les problèmes concrets de l'unification de l'Europe.

A complete account of the 49th session of the "socialist weeks of France", held at Strasbourg in 1962. Inspired by a message from the Pope, this "Week" discussed 18 reports which are reproduced here, defining the Catholic position on the problems of uniting Europe.

L'Europe et le Monde d'Aujourd'hui

La Baconnière, Neuchâtel 1958, 347 p.
Edición espagñola: **Europa y el mundo de hoy.** *Guadarrama, Madrid 1959, 482 p.*

Textes in extenso des conférences prononcées par A. Philip, E. Gilson, M. Born, P.-H. Spaak, P. de Berredo Carneiro, lors des "Rencontres Internationales de Genève", 1957, et comptes rendus des débats qui s'y rapportent.

Complete texts of the lectures given by A. Philip, E. Gilson, M. Born, P.-H. Spaak, P. de Berredo Carneiro, at the "Geneva International Meetings 1957", and accounts of the debates connected with them.

Europese geest

Van Loghum Slaterus, Arnhem 1961, 372 p.

In dit boek wordt door een keur van geleerden duidelijk gemaakt, waaruit de geestescultuur van Europa eigenlijk bestaat, hoe zij is geworden en wat zij betekent, ook voor heden en morgen.

Quelques savants hollandais étudient les fondements de la culture européenne, comment elle a pris forme et ce qu'elle signifie, pour aujourd'hui et pour demain.

A number of Dutch specialists analyse the substantial background of European culture, its development and significance both to the present and to the future.

FARKAS, Julius von: **Südosteuropa — Ein Überblick**

Vandenhoeck & Ruprecht, Göttingen 1955, 135 S.

Dieser geologische, ethnische, geschichtliche und kulturelle Überblick umfasst räumlich die Slowakei, Rumänien, Bulgarien und Ungarn. Das als eine erste Einführung gedachte Buch will den südost-europäischen Raum dem Verständnis und Interesse Westeuropas näherbringen.

Aperçu géologique, ethnique, historique et culturel de la Slovaquie, de la Roumanie, de la Bulgarie et de la Hongrie. Ouvrage d'initiation cherchant à faciliter la compréhension de l'Europe du sud-est et à accroître l'intérêt que peut lui porter l'Europe occidentale.

A geological, ethnical, historical and cultural outline of Slovakia, Rumania, Bulgaria and Hungary. An introductory work aiming to facilitate an understanding of South-East Europe and to increase the interest of Western Europe in that area.

FEHRLE, Eugen: **Feste und Volksbräuche im Jahreslauf europäischer Völker**

Johann Ph. Hinnenthal-Verlag, Kassel 1955, 219 S., ill.

Ein in seiner Art besonderer Beitrag zum gegenseitigen Verständnis der Völker Europas. Der Autor geht bis zu den Anfängen zurück, um die religiösen, kulturellen, geographischen Ursprünge der zahlreichen Jahresfeste und Feiern aufzuzeigen. Umfangreiches Quellenmaterial.

Contribution d'un genre particulier à la compréhension mutuelle des peuples européens. L'auteur remonte à la naissance des mœurs et des coutumes pour expliquer les origines religieuses, culturelles et géographiques des multiples fêtes en Europe. Nombreuses références.

An original contribution to the mutual understanding of European peoples. The author goes back to the birth of manners and customs to explain the religious, cultural and geographic origins of the numerous feast and festival days in Europe. Many references.

FLITNER, Wilhelm: **Europäische Gesittung**

Artemis-Verlag, Zürich 1961, 568 S.

Eine geschichtsphilosophische Analyse über Ursprung und Aufbau abendländischer Lebensformen. Historisch verlegt der Verfasser den Beginn der "abendländischen Zeit" in das Karolingerreich. Er führt seine Analyse bis zur Neuzeit durch und wirft die Frage auf, ob die traditionellen Lebensformen genügend Kraft besitzen, um sich in der total veränderten industriellen Gesellschaft durchzusetzen.

Etude de philosophie de l'histoire sur l'origine et le développement des formes de vic occidentales. L'auteur situe le début de l'ère occidentale à l'époque carolingienne, et poursuit son analyse jusqu'aux temps modernes. Il pose la question de savoir si les formes de vie traditionnelles ont suffisamment de force pour subsister dans une société industrielle totalement différente.

A philosophical-historical analysis of the origins and development of ways of life in the West. The author places the beginnings of the Western epoch in the Carolingian period. He continues his analysis till he reaches modern times, and asks whether the traditional ways of life are strong enough to subsist under a totally different industrial society.

FRIEDEN, Pierre: **Variations sur le thème humaniste et européen**

Editions Self, Luxembourg 1956, 173 p.

Recueil d'articles et d'écrits de circonstance liés par la préoccupation constante de faire prévaloir l'humanisme chrétien dans tous les domaines de la vie européenne: école, armée, technique, institutions, culture.

A collection of articles and incidental writings having in common the constant preoccupation of making Christian humanism prevail in all spheres of European life: school, army, science, institutions and culture.

GAITANIDES, Johannes: **Passion Europa**

Fr. Vorwerk, Stuttgart 1956, 112 S.

Zehn Aufsätze des sich als Europäer fühlenden politischen Publizisten über Fragen einer europäischen Staats- und Gesellschaftsordnung, die in die These einmündet: "Einheit ohne Vielheit kann immer nur die Gleichheit in der Unfreiheit sein". Die beiden längsten Aufsätze befassen sich mit dem Kommunismus und dem amerikanischen "Teamwork"-System.

Dix essais sur un ordre social européen. "L'unité sans la diversité sera toujours une égalité dans la servitude". Les deux articles les plus longs traitent du communisme et du système américain du team-work.

A convinced European author of political publications here writes ten articles on European political and social order. He concludes that, "unity without diversity can only mean equality in servitude". The two longest articles deal with Communism and the American teamwork system.

GAITANIDES, Johannes: **Westliche Ärgernisse**

Paul List, München 1958, 154 S.

Der Verfasser kritisiert in kurzen Aufsätzen den heutigen Journalismus, analysiert die politischen Schlagworte, verfolgt die Entwicklung des Sowjetregimes und des westlichen Kapitalismus in den letzten Jahren und versucht schliesslich, eine Diagnose des europäischen Menschen zu stellen.

L'auteur critique le journalisme actuel, analyse les slogans politiques, examine le développement du régime soviétique et du capitalisme occidental durant ces dernières années et tente finalement de formuler un diagnostic de l'Homme européen.

In short articles the author criticises present-day journalism, analyses political slogans, examines the development of the Soviet regime and Western capitalism during recent years and finally attempts a forecast of the future of European Man.

GEIJL, P. — SAMKALDEN, I. — KLEFFENS, E. N. van — BEUGEL, E. H. van den: **Vier maal Europa**

Samsom, Alphen aan den Rijn, 1960, 94 p.

Dit zijn acht colleges, in het kader van het Studium Generale, handelend over de historische achtergrond van de Europese eenheidsgedachte, de politieke aspecten, de economische aspecten en de Europese rechtsgemeenschap in wording.

Huit cours donnés dans le cadre du Studium Generale et traitant de l'évolution historique de l'idée de l'unité européenne, de ses aspects politiques et économiques ainsi que de la communauté juridique européenne, en cours d'élaboration.

Eight "Studium Generale" lectures dealing with the historical evolution of the idea of European unity, its political and economic aspects as well as with the juridical problems of the European Community.

Geist und Gesicht der Gegenwart (hrsg. von Otto Molden)

Europa Verlag, Zürich 1962, 223 S.

Zehn Vorträge aus dem kulturpolitischen und wissenschaftlichen Forum Alpbach. Die wichtigsten Themen behandeln Europa, wie es ist oder werden soll, sowie das Problem von Technik und Kultur und die Frage der Spezialisierung.

Dix conférences, tenues au Forum politique, culturel et scientifique d'Alpbach. Les thèmes les plus importants concernent l'Europe, telle qu'elle est ou telle qu'elle doit devenir, le problème de la Technique et de la Culture, et la question de la spécialisation.

Ten lectures from one of the cultural, political and scientific Forums regularly held at Alpbach. The principle themes concern Europe as she is and as she should be, and discuss the problems of technology, culture and specialization.

GIANCOLA, Luigi: **Europeismo e civiltà cristiana**

A. Belardetti, Roma 1953, 131 p.

Le due guerre mondiali hanno messo in discussione la struttura civilizzatrice dell'Europa; si tratta di sapere sotto quale forma il cristianesimo odierno può contribuire all'unificazione di un continente alla ricerca di un'espressione comune.

Les deux guerres mondiales ayant mis en question la capacité civilisatrice de l'Europe, il s'agit de savoir sous quelle forme le christianisme d'aujourd'hui peut contribuer à l'unification d'un continent en quête d'une expression commune.

The two wars in our century having put in question the structure of civilization of Europe, there is a need to know how present-day Christianity can contribute towards the unification of a continent in search of a common means of expression.

GREGOR, Joseph: **Europa — Hauptdenkmäler der west-östlichen, geistigen und künstlerischen Bewegung**

Kremayr & Scheriau, Wien 1957, 462 S., 125 Ill.

Ursprünglich als Vorträge konzipiert bringt diese Kulturgeschichte eine Sammlung von Gedanken über die wesentlichen Elemente und historischen Bewegungen, die Europa zu einer Ganzheit machten, wie es sich in seinen grossen Schöpfungen aus allen Zeiten dokumentiert.

Histoire de la civilisation européenne, originalement conçue comme un cours universitaire. Réflexions sur les idées philosophiques essentielles et les événements historiques qui ont fait de l'Europe cette entité qui se manifeste dans les grandes œuvres d'art de tous les temps.

A history of European civilization, originally conceived as a university course, comprising a series of reflections on the basic philosophical ideas and historical tendencies which have given Europe the unity which manifests itself in the great works of art of all time.

GREMMELS, Heinrich: **An der Milvischen Brücke — Europäische Gesinnung und politische Erziehung**

Deutsche Verlagsanstalt, Stuttgart 1959, 125 S.

Der Verfasser versucht, an einigen ausgewählten Beispielen aus der europäischen Geschichte klar zu machen, dass jenes Europa, welches mit dem Sieg Kaiser Konstantins an der Milvischen Brücke begründet werden konnte, heute vor einem neuen Wendepunkt steht.

L'auteur veut montrer que l'Europe, née de la victoire de Constantin au Pont Milvius, se trouve aujourd'hui de nouveau à un tournant décisif de son histoire.

Analysing some decisive moments in the history of Europe, the author wishes to explain that Europe, born of the victory of Constantine on the bridge of Milvius, is today once again faced with a significant moment in its history.

GROH, Dieter: **Russland und das Selbstverständnis Europas — Ein Beitrag zur europäischen Geistesgeschichte**

H. Luchterhand, Neuwied 1961, 366 S.

Vor dem Hintergrund äusserer geschichtlicher Ereignisse seit der Zeit Peters des Grossen stellt der Autor die Geschichte der europäisch-russischen Auseinandersetzungen dar, indem er die Antworten der westeuropäischen Intelligenz auf die immer deutlicher werdende russische Herausforderung sammelt.

Tableau historique de la confrontation entre la Russie et l'Occident depuis le règne de Pierre le Grand. L'auteur expose les diverses réponses des intellectuels ouest-européens au défi sans cesse grandissant de la Russie.

A historical view of the opposition between Russia and the West from the reign of Peter the Great. The author sets forth the answers provided by West-European intellectuals to the ever increasing challenge of Russia.

GOLLANCZ, Victor: **Our Threatened Values**

Victor Gollancz, London, 5th impr. 1946, 157 p.

A stirring critique, written in 1946, of the Labour Government, British attitudes towards Germany and the consequent danger of Communist success, the misuse of Western values such as respect for personality and truth, which make the West vulnerable to totalitarian attack.

Ecrit en 1946, cet ouvrage critique le gouvernement travailliste, l'attitude britannique vis-à-vis de l'Allemagne et le danger d'un succès communiste, enfin, le mauvais usage que fait l'Occident de ses valeurs traditionnelles, telles que le respect de la personnalité et de la vérité, se rendant ainsi vulnérable aux attaques du totalitarisme.

GOLLWITZER, Heinz: **Europabild und Europagedanke**

C. H. Beck, München 1951, 464 S.

Welches Bild konnten sich Schriftsteller, Philosophen und politische Denker des 18. und des angehenden 19. Jahrhunderts von Europa machen? Die Antwort des Autors, die sich vor allem auf die Denker der Aufklärung und der Romantik bezieht, zeugt von wissenschaftlicher Kenntnis und literarischem Geschick und bildet ein grundlegendes Werk für das Studium des europäischen Geistes.

Quelle image de l'Europe pouvaient se former les écrivains, philosophes et penseurs politiques du XVIIIe et de la première moitié du XIXe siècle? L'auteur répond avec science et finesse en 400 pages — surtout consacrées aux penseurs de l'Aufklärung et du Romantisme — et nous donne un ouvrage fondamental pour toute étude de l'esprit européen.

How did the writers, philosophers and political thinkers of the eighteenth century and of the first half of the nineteenth century imagine Europe? The authors' reply, which is both scientific and subtle, bears especially on the thinkers of the Aufklärung and of the Romantic period. The result is a book which is fundamental for any study of the European genius.

GUNTHER, John: **Inside Europe Today**

Hamish Hamilton Ltd., London 1961, 352 p.
Edition française: **Visa pour l'Europe.** *Gallimard, Paris 1962. — Edizione italiana:* **Oggi in Europa.** *Garzanti, Milano 1962, 388 p.*

From Moscow to the Iberian peninsula, from the problems of the Common Market to those of Algeria, John Gunther attempts to highlight the significant facts, events and personalities in present-day Europe.

De Moscou à la péninsule Ibérique, des problèmes du Marché Commun à ceux de l'Algérie, John Gunther s'efforce de dégager les faits, personnalités et événements marquants de l'Europe d'aujourd'hui.

HAHN, Herbert: **Vom Genius Europas** 2 Bde.

Verlag Freies Geistesleben, Stuttgart 1963/1964, 474/362 S.

"Skizze einer anthroposophischen Völkerpsychologie" nennt der Verfasser im Untertitel sein Werk, in dem er ein neuartiges Wesensbild Europas auf der Grundlage seiner von Natur und Sprache geformten Menschen entwirft.

"Esquisse d'une psychologie anthroposophique des peuples". C'est le sous-titre de ce livre qui propose un portrait inédit de l'Europe, basé sur l'étude de ses habitants, formés par la Nature et la langue.

"An outline of the anthroposophical psychology of peoples" is the sub-title of this book which sketches an original portrait of Europe, based on a study of its inhabitants and by nature and language which made them what they are.

HAMON — HEER — HOURS — MENDE — RABIER — de ROUGEMONT — SCHUMAN: **Quelle Europe?**

Fayard, Paris 1958, 245 p.

Recueil d'études faisant le point des problèmes de l'union européenne en 1957: dans les institutions, les partis, l'opinion, la culture, face aux Etats-Unis et au "monde de Bandoeng", adversaires et protagonistes de l'union sont confrontés, sans qu'un choix final soit proposé.

A collection of studies concentrating on the problems of European union in 1957 and related to institutions, parties, public opinion, culture, with reference to the USA and the "Bandung world". Adversaries and protagonists of the union confront each other, but no final choice is put forward.

HASSMANN, Heinrich: **Der Westen — seine Idee und seine Wirklichkeit**

Heinrich Seewald, Stuttgart 1960, 47 S.

Die Idee Europas — die Prinzipien der Persönlichkeit, der Freiheit und der Gerechtigkeit, stellt sich einem von der heutigen Lage geforderten, absolut geschlossenen Europa gegenüber; darin liegt dessen Tragik.

A l'idée européenne, fondée sur les principes de la personnalité, de la liberté et de la justice, se trouve tragiquement opposée une Europe absolument fermée, imposée par les circonstances actuelles.

The European concept, based on the principles of personality, freedom, and justice is in tragic opposition to an absolutely closed Europe which results from the present circumstances.

HAUSENSTEIN, Wilhelm: **Europäische Hauptstädte — Ein Reisetagebuch 1926-1932**

Prestel, München, 2. Aufl. 1956, 369 S., ill.

Ein Buch über "jenes Europa, das den letzten Glanz edlerer Jahrtausende trägt", wie der Verfasser im Vorwort schreibt, jenes Europa der Vielfalt in der Einheit.

Un livre sur "cette Europa qui jette les derniers feux de millénaires plus éclatants", ainsi que l'écrit l'auteur dans sa préface: l'Europe de l'unité dans la diversité.

A book about "a Europe which is emitting the last flashes of a more brilliant epoch", as the author says in his preface; the Europe of diversity in unity.

HAZARD, Paul: **La crise de la conscience européenne 1680-1715**

Fayard, Paris 1961, 429 p.

English edition: **The European Mind.** *Hollis & Carter, London 1953, 476 p.* — *Edición española:* **La Crisis de la Conciencia Europea.** *Pegaso, Madrid 1952, 429 p.*

Réédition attendue de l'ouvrage classique du Prof. P. Hazard, sur les conflits d'idées et la transformation des mœurs en Europe au moment où l'Europe moderne sort de l'âge classique et entre dans une ère de mouvement.

This is the long-awaited reprint of Prof. P. Hazard's classic work on conflicts of ideas and on the transformation of European living patterns at the time when modern Europe emerged from the classical age and entered an era of agitation.

HAZARD, Paul: **La pensée européenne au XVIIIe siècle — De Montesquieu à Lessing**

Fayard, Paris 1963, 470 p.

Deutsche Ausgabe: **Die Herrschaft der Vernunft, das europäische Denken im 18. Jhdt.** *Hoffmann & Campe, Hamburg 1949, 639 S.*

Suite à "La Crise de la Conscience européenne" cet ouvrage étudie le "procès du christianisme" par les philosophes des Lumières, les efforts des pédagogues du XVIIIe siècle pour créer une "cité des hommes", enfin la "désagrégation" de l'Europe chrétienne par la critique rationaliste. Très haute tenue scientifique.

Following up on "The European Mind" the author studies the "trial of Christianity" by the philosophers of the Enlightenment, the efforts of 18th century pedagogues to create a "city of mankind", finally the disintegration of Christian Europe as seen by rationalist criticism. Of considerable scientific value.

HEER, Friedrich: **Europäische Geistesgeschichte**

Kohlhammer, Stuttgart 1953, 727 S.

Der Verfasser bricht mit der üblichen Auffassung der Geschichte als einer Reihe von aufeinanderfolgenden Ereignissen, die für ihn nur Resultanten geistiger Kräfte sind, die ununterbrochen in verschiedenen Dualismen aufeinanderprallen, wie wir sie heute in dem Verhältnis Ost-West und im Widerspruch Seele-Materie erleben.

L'auteur rompt avec la conception traditionnelle de l'Histoire comme succession d'événements: ceux-ci ne sont pour lui que les résultantes de forces spirituelles en conflit continuel et de divers dualismes, tels que nous les voyons à l'œuvre dans les relations Est-Ouest, ou dans la contradiction entre l'esprit et la matière. L'Europe est un complexe de tensions.

The author breaks with the usual conception of history as a succession of facts. For him, events are the result of spiritual forces continually rebounding against each other in various dualisms, as we see in the East-West conflict, or in the contradictions between mind and matter. Europe is a complex of tensions.

HEER, Friedrich: **Das Experiment Europa — Tausend Jahre Christenheit**

Johannes Verlag, Einsiedeln, 2. Aufl. 1952, 78 S.

Der Verfasser sucht in der Geschichte nach dem Ausdruck christlichen Seins und weist auf einige grosse Heilige als Wegbereiter des Abendlandes in die Zukunft und in die Weltgeschichte hin.

Recherche de l'expression de l'esprit chrétien dans l'histoire. L'auteur trace le portrait de quelques grands saints, pionniers de l'Occident sur la voie de l'avenir et de l'histoire universelle.

The author seeks evidence of the Christian attitude in history, and sketches the portraits of some great saints who were pioneers of the West on its journey into the future and world history.

HEER, Friedrich: **Gespräch der Feinde**

Europa-Verlag, Zürich 1949, 164 S.
Edición española: **Cristianismo europeo.** *Guadarrama, Madrid 1962, 179 p.*

Fünf Abhandlungen, deren Gegenstand das Abendland, das europäische Christentum und Oesterreich sind, beleuchten die Grundidee des Verfassers: Europas wesentliches Merkmal ist der Wille zur Auseinandersetzung mit dem Fremden und Feindlichen.

Cinq essais ayant pour thèmes: l'Occident, la Chrétienté européenne, et l'Autriche. Selon l'idée fondamentale de l'auteur, l'Europe est caractérisée principalement par sa volonté de se confronter avec l'étranger et l'ennemi.

Five essays on the following subjects :The West, European Christianity and Austria. The author's fundamental idea is that Europe's most marked characteristic is her desire to measure herself with the foreigner and the enemy.

HEER, Friedrich: **Koexistenz — Zusammenarbeit — Widerstand. Grundfragen europäischer und christlicher Einigung**

Max Niehans A. G., Zürich 1956, 185 S.

Der Verfasser fordert auf der Basis historischer und zeitkritischer Einsichten Offenheit für die Welt, den Menschen und Gott, als notwendige Haltung gegenüber der Aufgabe, die die Zeit an Europa und das Christentum stellt.

L'auteur, se fondant sur des considérations historiques et critiques, préconise une ouverture au monde, à l'Homme et à Dieu, attitude indispensable pour accomplir la tâche imposée à l'Europe et à la Chrétienté par les temps modernes.

The author, on the basis of historical considerations and contemporary criticisms, argues in favour of an open attitude towards the world, men and God, which is indispensable to accomplish the task set to Europe and Christianity by modern times.

HOFFMANN, Heinrich: **Die Humanitätsidee in der Geschichte des Abendlandes**

Herbert Lang & Cie., Bern 1951, 172 S.

Ein Essay über Sinngehalt und Vielfältigkeit der Humanitätsidee in der abendländischen Geistesgeschichte, von ihren Wurzeln in der Stoa und im Christentum bis zu ihren derzeitigen Gegenströmungen.

Essai consacré aux caractéristiques et aux diverses expressions de l'humanisme dans l'histoire de la pensée occidentale, des origines du stoïcisme et du christianisme jusqu'aux doctrines modernes.

An essay concerning the characteristics and diverse expressions of humanism in the history of Western thought from its origins in stoicism and Christianity up to modern doctrines.

HOWALD, Ernst: **Humanismus und Europäertum**

Artemis-Verlag, Zürich 1957, 256 S.

Eine Geburtstagsgabe seiner Freunde für den grossen Zürcher Altertumswissenschaftler. Prof. Howald betrachtet die Antike nicht nur als eine abgeschlossene Zeitperiode sondern als einen Faktor, der aus dem geographischen Begriff Europa einen kulturellen macht.

Publication pour l'anniversaire d'un grand historien de l'Antiquité. Le professeur zurichois Howald ne considère pas l'Antiquité comme une période fermée, mais comme un facteur qui a fait du concept géographique de l'Europe un concept culturel.

Publication in honour of the birthday of a great historian of Antiquity from Zürich; Professor Howald does not consider Antiquity as a closed period, but as a factor which has made the geographical concept of Europe a cultural concept.

Die Idee Europa 1300-1946 — Quellen zur Idee der politischen Einigung (hrsg. von Hellmut Foerster)

DTV, München 1963, 278 S.

Eine Sammlung von Ausschnitten aus den politischen Werken europäischer Schriftsteller von Dante bis Churchill. Sie illustrieren die Geschichte der Idee von Europas Einigung. In Taschenbuchformat.

Recueil d'extraits d'ouvrages politiques d'écrivains européens, de Dante à Churchill. Ils illustrent l'histoire de l'idée de l'unification européenne.

An anthology of passages taken from the political works of European writers from Dante to Churchill. They illustrate the history of the idea of European unification.

JAEGER, Marc A.: **Die Zukunft des Abendlandes — Kulturpsychologische Betrachtungen**

A. Francke, Bern 1963, 270 S.

Der Titel ist in bewusstem Widerspruch zu Spengler gestellt. Mit seinen Betrachtungen will der Schweizer Autor zeigen, dass der Zerfall der abendländischen Kultur durch die Erkenntnisse der modernen Tiefenpsychologie, vom Menschen auf das kollektive Leben der Völker übertragen, aufgehalten werden kann.

Le titre est en opposition voulue avec l'ouvrage de Spengler. L'auteur, suisse, veut montrer que l'effondrement de la culture occidentale peut être évité par les acquisitions récentes de la psychologie des profondeurs, transposées sur le plan de la vie collective des peuples.

The title is in deliberate opposition to Spengler's writings. The Swiss author tries to show that the decline of European culture can be avoided by the discoveries of modern depth psychology transferred from the individual to collective life.

JANSEN, Wilhelm H.: **Wende oder Ende? Die europäische Schicksalsfrage**

D. Reimer, Berlin 1950, 330 S.

Ein Arzt setzt sich mit den heutigen Formen des europäischen Lebens auseinander und sieht in einem vereinten Europa und der damit verbundenen moralischen Anstrengung die Chance, ein wahres Sozialleben und ein echt demokratisches Staatssystem zu schaffen, die es allein vor dem Untergang bewahren können.

Un médecin examine les formes actuelles de la vie européenne et voit dans une Europe unie et dans l'effort moral qui l'accompagne, une chance d'organiser une vie véritablement sociale et un système authentiquement démocratique, qui seuls pourront sauver l'Europe du désastre.

A doctor deals with the present forms of life in Europe and sees in the unification of the continent and in the moral effort which would accompany it, a chance to organize life on really social lines and to build up the authentic democratic system which alone will be able to save Europe from disaster.

JUNG, Kurt M.: **Die Kultur aus der wir leben**

Safari Verlag, Berlin 1958, 539 S., ill.

Eine leicht verständliche Kulturgeschichte des Abendlandes, die heutige Wertmassstäbe anlegt und die jene Epochen der Menschheitsentwicklung besonders eingehend darstellt, die heute noch Einfluss auf unser Denken haben.

Une histoire culturelle de l'Occident facilement accessible, qui utilise une échelle de valeurs actuelle et qui examine plus particulièrement les époques du développement de l'humanité qui ont, aujourd'hui encore, une influence sur notre façon de penser.

An eminently readable cultural history of the West, which applies an up to date scale of values, and which examines in greater detail the periods of the development of humanity which even today have an influence on our way of thinking.

KELLER, Werner: **Ost minus West = Null — Der Aufbau Russlands durch den Westen**

Droemer, München 1960, 451 S., ill.

Anhand einer Vielfalt von Einzelbeispielen legt der Verfasser seine These dar, dass es im Osten keine Periode der Aufwärtsentwicklung gab, zu welcher der Westen nicht Entscheidendes beigetragen hätte.

L'auteur soutient, au moyen d'une multitude d'exemples, qu'il n'y a pas eu de périodes d'essor à l'Est qui n'aient reçu une impulsion décisive de l'Europe.

The author argues, with the help of numerous examples, that there has been no period of progress in the East that has not received a decisive impulse from the West.

KERKHOFS, J.: **Onze roeping in Europa**

Desclée de Brouwer, Brugge 1958, 61 p.

Een beschouwing over de vraag, of de katholieke jongeren iets voelen, of zouden moeten voelen voor Europa. Tevens wil dit werkje het bewustzijn opwekken, dat men ten overstaan van het nieuwe Europa een taak heeft.

Considérations sur l'attitude des jeunes catholiques devant l'Europe, et appel à une prise de conscience des tâches nouvelles qu'elle impose.

Reflections on the question of whether young Catholics feel, or should feel something for Europe. In the new Europe there is work to be done.

KEYSERLING, Hermann von: **Das Spektrum Europas**

Deutsche Verlagsanstalt, Stuttgart 1928, 497 S.

Edition française: **Analyse spectrale de l'Europe.** *Stock, Paris, nouv. éd. 1947 378 p.*

Ein klassisches Buch über jenes Europa, "das über den Einzelvölkern und Einzelkulturen steht", und über die Mission des Europäertums in der Welt, die künftig geistiger und übernationaler Natur sein muss.

Livre classique sur cette Europe "qui se dresse au-dessus des cultures et des peuples particuliers", et sur la mission de l'esprit européen dans le monde, mission qui doit être désormais de nature spirituelle et supranationale.

A classic on the subject of a Europe "which rises above particular cultures and peoples". It deals with the mission of the European idea in the world, which ought henceforth to be of a spiritual and supranational nature.

KÖHLER, Hans: **Gründe des dialektischen Materialismus im europäischen Denken**

Anton Pustet, München 1961, 206 S.

Die These von einer "Ahnenreihe" des Marxismus-Leninismus im europäischen Denken belegt der Autor in einer gründlichen und quellenkundigen Darstellung. Die Veränderungen in der religiösen Welt, in der Erkenntnistheorie, im Geschichtsbild, in der Moral- und Staatsauffassung seit dem 13. Jahrh. im Werk von Meister Eckardt, Bruno, Bacon, Descartes, Spinoza u.a. werden verfolgt bis hin zu Comte, Hegel und Feuerbach.

L'auteur remonte le cours de la pensée européenne à la recherche des ancêtres du Marxisme-Léninisme. Il traite des transformations survenues dans l'univers religieux dans la théorie de la connaissance, dans la vision historique, dans la conception de la morale et de l'Etat, depuis le XIIIe siècle, à travers les œuvres de Maître Eckardt, Bruno, Bacon, Descartes, Spinoza, jusqu'à Auguste Comte et Feuerbach.

The thesis that a line of ancestors of Marxism-Leninism is to be found in the history of European thought is well-substantiated, and goes back to the sources. The author discusses changes in the religious world, in epistemology, in historical vision, and in the idea of ethics and the State, from the 13th century going through the works of Eckardt, Bruno, Bacon, Descartes, Spinoza, to Auguste Comte and Feuerbach.

KUEHNELT-LEDDIHN, Erik R. von: **Freiheit oder Gleichheit?**

Otto Müller, Salzburg 1953, 626 S.

Von einem freiheitlich-christlichen Standpunkt ausgehend befasst sich der Autor mit dem unüberbrückbaren inneren Gegensatz der Begriffe Freiheit und Gleichheit und diskutiert zugleich die Frage nach der geeignetsten Staatsform in Europa. Im Anfang finden sich über 2000 Literaturnachweise.

L'auteur examine du point de vue d'un chrétien libéral la contradiction, peut-être insoluble, inhérente aux concepts de "liberté" et d'"égalité" et tente de définir la forme d'Etat la plus appropriée en Europe. En annexe, plus de deux mille indications bibliographiques.

From the point of view of an open-minded christian the author examines the insoluble contradiction inherent in the concepts of "liberty" and "equality" and tries to define the most appropriate form of state for Europe. In appendix are more than 2,000 bibliographical references.

LAMBERT, Henri: **Européens sans Europe**

Marcel Rivière et Cie, Paris 1960, 131 p.

Plaidoyer d'un ton très personnel pour une Europe incluant l'Angleterre, dépassant les nationalismes, et sauvant les valeurs de liberté grâce à une organisation fondée sur le socialisme non-marxiste, les droits de la personne et un humanisme social et laïc.

A personal plea for a Europe including England, transcending nationalisms and saving the essential liberties by means of an organization founded on non-marxist socialism, the rights of the individual and non-religious humanism.

LAMBRECHTS, P. — ROELANDTS, K. — PEREMANS, W. BEUKERS, CH.: **Basisculturen van de Europese mens**

Desclée de Brouwer, Brugge 1958, 131 p.

Het ontwikkelingsproces van de mens in het vlak van zijn psychische en culturele ontwikkeling. Behandeld worden de familierelaties, de verhouding tot de godheid en de verhouding tot het probleem van leven en dood van de Kelten, Grieken en Romeinen.

Le processus de développement de l'homme et ses progrès psychiques et culturels. L'ouvrage traite des relations familiales, du comportement devant la divinité et du problème de la vie et de la mort chez les Celtes, les Germains, les Grecs et les Romains.

Concerns the development of the human being and his progress in the cultural and mental domains. The author studies family relations, attitudes towards the divinity, and problems of life and death among the Celts, Teutons, Greeks and Romans.

LAZARD, Didier: **L'Occident, quel Occident?**

La Baconnière, Neuchâtel 1960, 93 p.

Deutsche Ausgabe: **Der Westen? Ja! Aber welcher Westen?** *Krausskopf, Wiesbaden 1961, 66 S.*

L'humanité désire un progrès de la conscience humaine à la dimension d'un univers marqué par la technique et par l'avènement des masses. Seul l'Occident est capable de cette nouvelle synthèse, à condition que sa civilisation redevienne celle de l'esprit.

For the sake of mankind human beings should become more conscious of their position in a world characterized by technology and the emancipation of the masses. Only the West is capable of this synthesis, provided that its civilization returns to the domain of the spirit.

LORTZ, J. — LOEWENICH, W. v. — STEPUN, F.: **Europa und das Christentum**

Franz Steiner, Wiesbaden 1959, 204 S.

Edición española: **Unidad europea y cristianismo.** *Guadarrama, Madrid 1961, 311 p.*

Drei Vorträge zu der Frage, welche Rolle das Christentum bei der Verteidigung der europäischen Kulturgüter spielen sollte. Alle drei Autoren halten eine innere Erneuerung des Christentums für lebensnotwendig.

Trois conférences traitant du rôle que le christianisme devrait jouer dans la défense des valeurs culturelles de l'Europe. Les trois auteurs, catholiques, pensent qu'un complet renouvellement du christianisme est indispensable.

These three lectures deal with the role Christianity needs to play in the defence of European cultural values. All three authors (Roman catholics) believe that a thorough reform of Christianity will be indispensable in the future.

MADARIAGA, Salvador de: **De l'angoisse à la liberté**

Calmann-Lévy, Paris 1954, 286 p.

Somme de la pensée philosophique et politique d'un libéral passionné. Tous les problèmes fondamentaux de l'homme européen — en tant que tel — sont discutés: la croyance religieuse, la liberté et l'ordre social, la commune et la nation, l'école et l'impôt sur le revenu, enfin l'ordre international, qui ne saurait être que fédéral.

The essence of the philosophical and political thought of an ardent liberal. All the basic problems of European man — as such — are discussed: religious belief, liberty and social order, the town council and the nation, education and income-tax, and finally international order, which can only be obtained by federalism.

MADARIAGA, Salvador de: **The Blowing up of the Parthenon**

Pall Mall, London 1960

Deutsche Ausgabe: **Der Westen — Heer ohne Banner.** *Scherz, Bern 1961, 151 S.*

Reflections on East-West relations. The author urges the Western world to recognize the fact that true peace needs Man's freedom, including the freedom of the peoples behind the Iron Curtain.

Considérations sur les relations Est-Ouest. L'auteur exhorte le monde occidental à reconnaître que la vraie paix nécessite la liberté de l'homme, y compris celle des peuples au delà du Rideau de Fer.

MADARIAGA, Salvador de: **Le Grand Dessein**

Flammarion, Paris 1939, 250 p.

Brillante analyse du "chaos d'aujourd'hui" (c'était en 1938) et programme d'une organisation politique de l'Europe et du Monde au delà des guerres qui viennent. Le Grand Dessein dont il est question est celui d'une République Universelle, très en avance sur l'époque à laquelle écrivait l'historien et diplomate espagnol.

A brilliant analysis of "the chaos of our times" (1938) including a plan for the political organization of Europe and the world beyond the coming wars. The Grand Design in question is that of a Universal Republic, an idea very much in advance of the age in which this Spanish historian and diplomat wrote.

MADARIAGA, Salvador de: **Portrait of Europe**

Hollis & Carter, London 1952

Deutsche Ausgabe: **Porträt Europas.** *Deutsche Verlagsanstalt, Stuttgart 1952, 239 S. — Edition française:* **Portrait de l'Europe.** *Calmann-Lévy, Paris 1952, 276 p.*

One of the most stimulating essays ever written about Europe, its nations and its human problems.

Un des plus riches et stimulants essais qu'on ait écrit sur l'Europe, ses nations et ess problèmes humains.

MADARIAGA, Salvador de: **Rettet die Freiheit!**

A. Francke, Bern 1958, 258 S.

Diese Sammlung politischer Aufsätze, erschienen in den Jahren 1945-1958 in der Neuen Zürcher Zeitung, legen Zeugnis ab vom publizistischen Kampf eines führenden Liberalen und grossen Europäers unserer Zeit. Thematik: Ost-West-Konflikt, Einigung Europas, Deutschlandfrage usw. Der Leser wird immer wieder auf die Grundzüge europäischen Denkens zurückgeführt.

Ce recueil d'essais politiques parus durant les années 1945 à 1958 dans la Neue Zürcher Zeitung, témoigne du combat d'un publiciste qui est aussi un leader libéral et un grand Européen. Thèmes d'actualité: conflit Est-Ouest, unité européenne, question de l'Allemagne; le lecteur est toujours ramené aux fondements de la pensée européenne.

This collection of political works, published between 1945 and 1958 in the Neue Zürcher Zeitung, bears witness to the struggle, through the printed word, of a leading liberal and great European of our time. Main themes: East-West conflict, European unity, the German question, etc. But the reader is always led back to the foundations of European thought.

MARLIN, Jon Frederic: **Das dritte Europa**

Glock und Lutz, Nürnberg 1961, 367 S.

Das dritte Europa schwebt dem Verfasser als eine Synthese der Kämpfe vor, die Europa seit dem Zusammenbruch der von ihm als zweites Europa bezeichneten gotischen Welt (das erste Europa war Rom) heimsuchten.

L'auteur conçoit la troisième Europe comme une synthèse des luttes qui l'ont affligée depuis l'effondrement du monde gothique, — la deuxième Europe, la première étant Rome.

For the author the "third Europe" synthesizes all the struggles which have troubled Europe since the disintegration of the Gothic world which was the second Europe, Rome having been the first.

MARLIN, Jon Frederic: **Das Konzil der Abendländischen Elite**

Thomas Verlag, Zürich 1955, 180 S.

Damit die über den politischen und wirtschaftlichen Interessen stehende Idee Europas, wie sie im mittelalterlichen Kaiserreich verwirklicht wurde, neu aufleben und als göttlicher Auftrag erkannt werden kann, schlägt der Verfasser ein Konzil hervorragender Männer vor.

L'auteur propose de réunir un concile d'hommes éminents, afin de faire ressurgir l'idée européenne, au delà des intérêts politiques et économiques, telle qu'elle s'est réalisée dans l'Empire au Moyen Age, et afin qu'elle soit reconnue comme une mission divine.

The author proposes that a Council of eminent personalities be formed to emphasize the importance of the European idea as realized in the Empire of the Middle Ages, in relation to political and economic interests, and to recognize that idea as divinely inspired.

Das menschliche Antlitz Europas

Hans Reich, München 1960, 107 Fotos.

English edition: **The Human Face of Europe.** *Hill & Wang Co., New York.*

Über 100 Schwarzweissfotos von Menschen in Europa. Das Vorwort stammt von André Maurois.

Plus de 100 photos en noir et blanc consacrées aux hommes habitant l'Europe. Préface d'André Maurois.

More than 100 black and white photographs of people in Europe. Preface by André Maurois.

MILLER, J. Marshall: **Lake Europa — A new Capital for a United Europe**

Books International, New York 1963, 114 p., ill.

With copious quotes ranging from Aristotle to General Eisenhower, architectural sketches and political and philosophical resolutions, the author tries to win the reader to believe in his dream for a capital, Lake Europa, on the frontiers of France, Germany and Luxemburg. This capital would be symbolic of European unity.

A l'aide de citations abondantes, d'Aristote jusqu'au Général Eisenhower, de dessins d'architecture et de résolutions politiques et philosophiques, l'auteur tente de gagner le lecteur à son rêve: la création d'une capitale, symbole de l'unité européenne, qui s'intitulerait "Lac Europa" et qui serait située à la frontière de la France, de l'Allemagne et du Luxembourg.

MILOSZ, Czeslaw: **West und Östliches Gelände**

Kiepenheuer & Witsch, Köln, 340 S.

Die Autobiographie eines Osteuropäers, der sich selbst als soziologisches Objekt betrachtet und sein Augenmerk auf das Europa, das er durchlebte, richtet.

L'autobiographie d'un Européen de l'Est qui se considère lui-même comme un cas sociologique et qui concentre son attention sur l'Europe dans laquelle il a vécu.

The autobiography of an East European who considers himself a subject for sociological research and concentrates his attention on the Europe in which he lived.

MÖBUS, Gerhard: **Europäische Humanität als politische Formkraft**

A. Fromm, Osnabrück 1963, 143 S.

Der Verfasser beschreibt die Entstehung und Durchsetzung einer "freiheitlichen, rechtsstaatlichen Lebensordnung" in der westlichen Welt aus den Ansätzen der Antike und des Christentums.

L'auteur décrit la naissance et l'implantation, dans le monde occidental, d'un "mode de vie basé sur la liberté et sur l'Etat de Droit" sur les fondements de l'Antiquité et du Christianisme.

The author describes the birth and establishment in the Western World, of a "way of life based on liberty and rule-of-law" and having its origins in Antiquity and Christianity.

MORAZÉ, Charles: **Essai sur la civilisation d'Occident**
vol. I: l'Homme

Armand Colin, Paris 1959, 254 p.

La Terre, la Vie, la Pensée et l'Art, le Rythme du Monde. Le style n'est pas facile, la documentation d'une grande richesse et précision. Les contraintes et la libération que la démographie impose ou propose à l'homme européen sont l'un des thèmes centraux. Origininale et stimulante synthèse.

Concerns the Earth, Life, Thought and Art, World Rhythm. The style of the book is not easy; its documentation is lavish and accurate. The constraint and the freedom which demography imposes on or proposes to the European man are one of its central themes. An original and stimulating work.

MOTTU, Philippe: **L'Occident au Défi**

La Baconnière, Neuchâtel 1963, 278 p.

L'Occident doit faire son examen de conscience. L'auteur oppose le Réarmement moral à l'idéologie communiste.

The West, according to the author, must make an examination of conscience. He opposes Moral Rearmament to communist ideology.

MÜLLER, J.: **Die Kirche und die Einigung Europas**

West-Ost-Verlag, Saarbrücken 1955, 239 S.

Der Präsident des Internationalen Friedensbureaus schildert anhand von umfangreichem Geschichtsmaterial das Wirken der Kirche als eine die Völkerverständigung fördernde Macht.

Le président du Bureau International pour la Paix examine, à la lumière de larges informations historiques, l'influence de l'Eglise en tant que puissance favorisant l'entente entre les peuples.

The president of the International Peace Bureau examines in the light of extensive historical information, the influence of the Church as a power promoting understanding among peoples.

MÜLLER, Max — FRIEDRICH, Hugo — THIEME, Hans — BERGSTRÄSSER, Arnold: **Europa als Idee und Wirklichkeit**

H. F. Schulze, Freiburg i. Br. 1955, 80 S.

Vier Vorträge, gehalten im Rahmen des Freiburger dies universitatis (1954-55), befassen sich mit den Aufgaben, welche ein zu einendes Europa an die Wissenschaft auf politischer, juristischer und philosophischer Ebene stellt.

Quatre conférences tenues en 1954-55 dans le cadre du dies universitatis de Fribourg en B. et qui examinent les problèmes qu'une Europe en voie de s'unir pose à la science dans les domaines politique, juridique et philosophique.

Four discussions held in 1954/55 at the University of Freiburg/Breisgau, concerned with the problems that the unification of Europe presents to science in the political juridical and philosophical fields.

MÜLLER-ARMACK, Alfred: **Religion und Wirtschaft**

Kohlhammer, Stuttgart 1959, 603 S.

Der Sammelband enthält die zwischen 1930 und 1952 entstandenen religions- und kultursoziologischen Arbeiten des deutschen Volkswirtschaftlers, der sich hier über eine blosse Geschichtsdarstellung hinaus um eine Analyse der Hintergründe und Kräfte unserer europäischen Existenz bemüht.

Recueil de travaux culturels, sociologiques et religieux écrits par l'auteur entre 1930 et 1952. L'économiste allemand tente d'analyser les forces latentes qui soustendent notre existence européenne.

The work contains the cultural, sociological and religious writings of the author between 1930 and 1952. The German economist tries to analyse the hidden forces that sustain our European way of life.

MUSIL, Robert: **Das hilflose Europa**

Piper & Co., München 1961, 55 S.

Diese 1922 zum ersten Mal erschienenen, auch heute noch lesenswerten Essays zeigen, dass der Mensch des 20. Jahrhunderts für das erdrückende Tatsachenwissen, das er aufgestapelt hat, keine Ordnungsbegriffe finden, es geistig nicht verdauen konnte.

Ces essais qui ont paru pour la première fois en 1922, mais qui gardent leur intérêt à cause de la personnalité de l'auteur, montrent que l'homme du XXe siècle n'a pas pu ordonner ni assimiler les connaissances écrasantes qu'il a acquises.

These essays, first published in 1922 but still of interest show that 20th century man has not been able to organize or assimilate the tremendous knowledge he has acquired.

Neue Wege im alten Europa (hrsg. von Walter Felix Mueller)

Kohlhammer, Stuttgart 1961, 172 S.

Vortragsreihe der Wiesbadener Goethegesellschaft "Die geistige Erneuerung der europäischen Lebensordnung". Professoren der Theologie, Philosophie und Staatswissenschaften vermitteln einen interessanten Einblick in die geistige Situation ihrer Disziplinen. Im Anhang ein Entwurf einer Staatsbürgerfibel.

Conférences de la Société Goethéenne de Wiesbaden sur "Le renouvellement intellectuel de la manière de vivre européenne". Des professeurs de théologie, de philosophie et de science politique exposent l'attitude adoptée dans leur domaine vis-à-vis de ces problèmes. En annexe, le projet d'un manuel éducatif pour les jeunes citoyens.

A series of talks given in the Goethe Society of Wiesbaden, on "the intellectual revival of the European way of life". Professors of Theology, Philosophy and Political Science describe the attitudes adopted in their own fields vis-à-vis this problem. A plan for an educational text-book for young citizens is in the appendix.

NOTHOMB, Pierre: **L'Europe naturelle** (préf. de Pierre Wigny)

Editions Universitaires, Paris 1960, 198 p.

Recueil d'articles et de conférences sur l'alliance atlantique, la nature géographique du continent, l'Europe des Régions, et l'Europe des esprits. Projet d'une "Communauté européenne de culture", qui s'est constituée dès 1955 à Bruxelles.

A collection of articles and conferences on the Atlantic alliance, the geographical character of the continent, the regional and ideological aspects of Europe. Project of a "European Community of Culture" which was founded at Brussels in 1955.

NOTHOMB, Pierre: **Pélerinages européens**

Editions Universitaires, Paris 1957, 144 p.

La solidarité méditerranéenne n'est qu'un aspect de la solidarité atlantique. Autour de cet océan s'organisent la paix, la liberté et la force du monde. Certains lieux historiques révèlent une "géographie qui ne détermine pas les êtres", mais leur suggère un moyen de salut: l'unification de l'Europe.

Mediterranean solidarity is but an aspect of Atlantic solidarity. Peace, freedom and world strength are being organized around this ocean. Some historic places reveal "geographical features which do not determine individuals", but suggest to them a means of salvation: the unification of Europe.

Notre Europe

Odé, Paris 1958, 240 p., ill.

Deutsche Ausgabe: **Unser Europa.** *Süd-Westverlag, München 1958, 230 S., ill.*

Composé et édité sous les auspices du Conseil de l'Europe, ce livre illustré est avant tout dédié à la jeunesse de tous les pays d'Europe.

Composed and edited under the auspices of the Council of Europe in Strasbourg, this illustrated book is above all intended for young Europeans.

ORTEGA Y GASSET, José: **Europäische Kultur und Europäische Völker**

Deutsche Verlagsanstalt, Stuttgart 1954, 38 S.

Über die schon bestehende geistige, sowie über die Notwendigkeit einer zu schaffenden politischen Einheit Europas als logische Folge überlebter Nationalismen. Geistvolle Analyse der periodisch aufkommenden Zweifelskrisen in der europäischen Entwicklung.

La unidad europea existe ya como fenómeno espiritual, pero que se debe crear políticamente. En esta unidad se ve la consecuencia lógica de los nacionalismos enterrados, como lo demuestra el autor al analizar ingeniosamente los períodos que se caracterizan por sus graves dudas sobre la evolución europea.

L'unité européenne existe déjà en tant que phénomène spirituel, mais reste encore à créer sur le plan politique. L'auteur la présente comme une conséquence logique des nationalismes démodés et donne une analyse ingénieuse des crises périodiques qui ont mis en question l'évolution de l'Europe.

A dissertation on European unity, which exists as a spiritual phenomenon but should be constructed politically. Political unity is the logical consequence of outmoded nationalism as the author shows in his brilliant analysis of the periodical crises which have thrown grave doubts on European evolution.

ORTEGA Y GASSET, José: **Meditación de Europa**

Revista de Occidente, Madrid 1960, 150 p.

Se trata de una de las obras póstumas de este gran filósofo. En ella el lector encontrará las últimas ideas del autor sobre Europa. Libro que sigue siendo de una gran actualidad.

Ouvrage posthume du grand philosophe: ses idées sur l'Europe pendant les dernières années de sa vie. Ouvrage toujours actuel.

One of this great philosopher's posthumous works. The reader will find here his last ideas on Europe. The book is still of great topical interest.

ORTEGA Y GASSET, José: **La Rebelión de las Masas**

Revista de Occidente, Madrid, 36a ed. 1962.
Deutsche Ausgabe: **Aufstand der Massen.** *Deutsche Verlagsanstalt, Stuttgart 1957, 399 S. — English edition:* **The Revolt of the Masses.** *G. Allen & Unwin, London, 3rd ed. 1961, 144 p. — Edition française:* **La Révolte des Masses.** *Stock, Paris, 2e éd. 1961, 248 p.*

Esa obra clásica ya y traducida en casi todos los idiomas, analiza en su esencial el distino de Europa la cual el autor considera como un solo cuerpo unido pero, a pesar de eso, despedazada por el nacionalismo. La actualidad de esa obra no se ha reducido en nada durante estos 30 años desde su publicación.

Cet ouvrage célèbre et traduit dans presque toutes nos langues, est une méditation sur le destin de l'Europe, considérée comme une unité de fait, mais déchirée par les nationalismes. L'actualité de ces pages n'a pas diminué depuis trente ans.

This book, already a classic and translated into most languages, is a meditation on the destiny of Europe which the author sees as a single entity split up by nationalism. Its topicality has not diminished since it was published thirty years ago.

PANNWITZ, Rudolf: **Beiträge zu einer europäischen Kultur**

Hans Carl, Nürnberg 1954, 266 S.

Die Beiträge umspannen von der Politik und Geschichte bis zur Psychologie und modernen Physik alle Einzelprobleme unter dem Zeichen ihrer Zugehörigkeit zur gemeinsamen europäischen Kultur.

Ces essais embrassent les problèmes les plus variés, de la politique à l'histoire et de la psychologie à la physique moderne, considérés sous l'angle de leur appartenance à la culture européenne commune.

Deals with all particular problems, from politics and history to psychology and modern physics, in so far as they are related to a common European culture.

PANNWITZ, Rudolf: **Der Übergang von Heute zu Morgen**

Kohlhammer, Stuttgart 1958, 94 S.

Eine Reihe von Aufsätzen und Vorträgen des durch mehrere Schriften bekannten Vorkämpfers der Idee der kulturellen europäischen Einheit.

Série d'essais et de conférences par un champion de l'idée de l'unité culturelle européenne.

Essays and lectures by a pioneer of the idea of European cultural unity, well-known for his numerous writings on this subject.

PIRRONE, Gianni: **Une tradition européenne dans l'habitation**

A. W. Sijthoff, Leiden 1963, 122 p., ill.

Sous les auspices du Conseil de l'Europe, un professeur d'architecture à l'Université de Palerme étudie un sujet qui touche l'histoire et la sociologie autant que l'art de construire. Concilier l'exigence d'une société organisée avec celle d'une liberté inséparable de la machine et de la ville, en concevant la maison comme moyen de communication, c'est relier notre double tradition gothique et baroque aux recherches de l'architecture moderne.

Under the auspices of the Council of Europe, the professor of architecture at the University of Palermo studies a subject which concerns history and sociology as much as the art of construction. To reconcile the demands of organized society with those of a freedom inseparable from the machine and the city, by regarding the house as a means of communication, is to link our double tradition, Gothic and Baroque, with the aims of modern architecture.

POLITIS, Jacques: **L'Avenir de l'Europe**

La Baconnière, Neuchâtel 1946, 147 p.

D'après les notes rédigées entre 1940 et 1942 par le diplomate et savant grec Nicolas Politis: une esquisse de ce que devra être l'Europe de l'après-guerre, unie d'abord par ses valeurs morales, puis par des institutions de type fédéral, tant économiques que politiques. Vue prophétique nourrie d'une connaissance approfondie de la vie politique.

An outline from notes drafted by the Greek statesman and scholar, Nicolas Politis, between 1940 and 1942, of the future of a post-war Europe united primarily by its sense of moral values, and secondly, by federal institutions, economic as well as political. A far sighted appreciation based on a deep understanding of political life.

POUNDS, Norman J. G.: **Europe and the Mediterranean**

McGraw-Hill Book Company, New York 1953, 437 p., ill.

A systematic, country by country study, concerned primarily with the geography of Europe, the Mediterranean and its border lands. The author completes his work with outlines of the political and cultural positions of the countries.

Etude systématique, pays par pays, portant principalement sur la géographie de l'Europe, de la Méditerranée et de ses pays voisins. L'auteur complète son œuvre par des aperçus sur les aspects politiques et culturels de ces pays.

POUNDS, Norman J. G.: **Historical and political Geography of Europe**

G. Harrap & Co., 1949, 450 p., ill.

Deutsche Ausgabe: **Historische und politische Geographie Europas.** *G. Westermann, Braunschweig 1950, 592 S., ill. — Edition française:* **Géographie historique de l'Europe de l'Antiquité à nos jours.** *Payot, Paris 1950, 480 p., ill.*

The interdependence of geography, history and economics is stressed, starting from the earliest times. Some problems of European colonial policy are taken into consideration, and a large part of the book deals with the birth and vanishing of European states and cultures under the influence of numerous geographic, historical and economic factors.

Partant des temps les plus reculés, l'auteur insiste sur l'interdépendance de la géographie, de l'histoire et de l'économie. Il étudie quelques problèmes de la politique coloniale européenne, et traite de la naissance et de la disparition des Etats et des cultures européens sous l'influence des facteurs géographiques, historiques et économiques.

Présentation de l'Europe

Edit. du Mouvement Européen, Paris 1953, 84 p.

Cette brochure se propose de rassembler et de présenter un certain nombre d'éléments qui intéressent l'ensemble des Européens: l'Europe économique depuis l'Antiquité, avec plusieurs cartes et documents statistiques, puis l'Europe historique. Partiellement dépassé.

This pamphlet assembles and presents a certain number of points which are of interest to Europeans as a whole: economic Europe from ancient times with many maps and statistical documents, then historical Europe. Partly out-of-date.

Problèmes de civilisation européenne

Publ. par le Centre Universitaire des Hautes Etudes Européennes, Strasbourg 1956, 264 p.

Exposés originaux sur 4 problèmes essentiels. F. L'Huillier, professeur à Strasbourg, étudie l'évolution del'esprit européen du XVIIIe siècle à Churchill. F. Sciacca, professeur à Gênes, affirme que seul un humanisme chrétien pourra réincarner l'esprit de l'Europe. R. Mehl, professeur à Strasbourg, traite de l'idée européenne et de la pensée protestante. Enfin, G. Duveau, professeur à Strasbourg, examine la position du socialisme face à l'idée d'une Europe unie.

Original essays on four basic problems of European civilization. F. L'Huillier, professor at Strasbourg, studies the evolution of the European ideal from the 18th century to Churchill. F. Sciacca, professor at Genoa, holds that only Christian humanism can reincarnate the spirit of Europe. R. Mehl, Professor at Strasbourg, deals with the European ideal and protestant thought. G. Duveau, professor at Strasbourg, examines the position of socialism in relation to a united Europe.

Problèmes de population

Publ. par le Centre Universitaire des Hautes Etudes Européennes, Strasbourg 1951, 212 p.

Compte-rendu des conférences de la Quinzaine Universitaire Européenne, du 7 au 19 mai 1957. Des spécialistes éminents analysent le problème de la population en Europe, et les problèmes démographiques nationaux et internationaux, certaines de leurs conséquences et tentatives de solution. Ouvrage intéressant pour les sociologues.

An account of the conferences of the European University Fortnight, May 7 to 19, 1957. Distinguished specialists analyse the population problem of Europe, national and international demographic problems, as well as some of their consequences and attempted solutions. Interesting for sociologists.

PRZYWARA, Erich: **Idee Europa**

Glock und Lutz, Nürnberg 1955, 37 S.

Der durch religiös- und kulturphilosophische Arbeiten bekannt gewordene Jesuit untersucht in diesem gedruckten Rundfunkvortrag die Ursprünge der "Idee Europa", die er in Gegensatz zu den heutigen wirtschaftlichen und politischen Einigungsbestrebungen setzt.

Le célèbre Jésuite recherche dans cette conférence radiodiffusée, puis imprimée, l'origine de l'Idée européenne, qu'il oppose aux tentatives actuelles d'unification économique et politique.

The author, a member of the Society of Jesus, is well known through his work in the philosophical, cultural and religious fields. In this talk, first broadcast, then issued in book form, he looks for the origins of the European Idea, which he sets against the present efforts for economic and political unification.

REIN, G. Adolf: **Europa und Übersee — gesammelte Aufsätze**

Musterschmidt, Göttingen 1961, 347 S.

In dieser Festgabe haben Freunde und Schüler des Hamburger Historikers Aufsätze und Vorträge zusammengestellt, die grösstenteils völkerrechtliche, verfassungsrechtliche, sowie entdeckungs- und kolonialgeschichtliche Themen behandeln. Die Beiträge wurden in der Zeit von 1910 bis 1960 geschrieben.

Dans ces Mélanges en l'honneur de l'historien hambourgeois, ses amis et ses étudiants ont rassemblé des travaux et des conférences, écrits entre 1910 et 1960, traitant de sujets de droit international public, de droit constitutionnel, d'histoire des découvertes, et d'histoire coloniale.

In this "Miscellany" in honour of the historian from Hamburg, his friends and students have brought together essays and lectures, written between 1910 and 1960, dealing with public international law, constitutional law, the history of the discoveries and colonial history.

REYNOLD, Gonzague de: **Europas Einheit — Jerusalem, Griechenland, Rom**

Anton Pustet, München 1961, 77 S.

Weil das Christentum Träger der Kultur war, haben das religiös-geistige Prinzip des Judentums, das Vernunftsprinzip der Griechen und das politische Prinzip Roms Europa formen können. Die Zukunft Europas hängt von derselben Kraft ab.

C'est parce que le Christianisme a été le support de la culture que le principe théocratique juif, le principe de la raison grec, le principe politique romain ont pu former l'Europe: l'avenir de l'Europe dépend de ces forces spirituelles.

It is because Christianity gave support to our culture, that the Jewish theocratic principle, the Greek principle of reason, and the Roman political principle were able to shape Europe: its future depends on these spiritual forces.

RIEBEN, H. — CARDIS, F. — RAHM, W.: **La matière grise et l'Europe**

Centre de recherches européennes, Lausanne, 3e éd. 1960, 103 p.

A l'aide de nombreux tableaux statistiques et en comparant l'effort européen à celui des Etats-Unis et de l'URSS, les auteurs démontrent que l'avenir de l'Europe repose sur la mise en valeur de son potentiel de matière grise.

With the aid of many statistical charts, and by comparing the European efforts with those of the United States and the USSR, the authors show that the future of Europe depends on the effective use of brain-power.

ROSENSTOCK-HUESSY, Eugen: **Das Geheimnis der Universität**

Kohlhammer, Stuttgart 1958, 320 S.

15 Aufsätze und Reden des Rechtshistorikers und Soziologen, die sich grösstenteils mit geschichtlichen und sprachphilosophischen Problemen befassen, unter denen auf den Vortrag über "Die Einheit des europäischen Geistes" hingewiesen werden soll. Im Anhang ein Lebenslauf des Verfassers und ein Verzeichnis seiner Schriften.

Quinze travaux et conférences par un historien du droit et sociologue, sur des problèmes historiques et philosophico-linguistiques. Parmi ceux-ci on notera surtout une conférence sur "L'unité de l'esprit européen". En annexe, un curriculum vitae de l'auteur et la liste de ses publications.

Fifteen essays and lectures by a legal historian and sociologist, the subjects of which principally concern historical and philosophico-linguistic problems. Amongst these, a lecture on "The unity of the European ideal" is outstanding. A description of the author's life and work is given in the appendix.

ROSENSTOCK-HUESSY, Eugen: **Europäische Revolutionen und der Charakter der Nationen**

Europa Verlag, Zürich, 3. Aufl. 1963, 584 S., ill.

Revolutionen sind für den Verfasser keineswegs nur die blutigen Auseinandersetzungen, sondern vor allem geistig-politische Spannungszustände, die zu einer grundlegenden Veränderung der Denkweise und des gesamten Lebensprinzips eines Volkes und in der Folge der europäischen Welt führen. Ein grundlegendes Werk.

Les révolutions ne sont pas seulement des déchirements sanglants, mais surtout des états de tension politico-intellectuels qui conduisent à des changements fondamentaux dans la manière de penser et dans les principes de vie d'un peuple, et par suite du monde européen. Ouvrage fondamental.

According to the author, revolutions are not merely bloody upheavals, but rise mainly from a state of political-intellectual tension which leads to fundamental changes in the way of thinking and in the principles of a people, and consequently, of the European people. A basic work.

ROTKIN, Charles E.: **Europe: an aerial close-up**

J. B. Lippincott Co., Philadelphia 1962, 222 p., 209 photographs

A skilled photojournalist proves his technical mastery in these carefully chosen pictures which seem to give new and fresher views of so many well-known sites, towns and monuments in Europe. Accompanied by concise and informative texts.

Avec une grande maîtrise technique, un journaliste-photographe nous fait découvrir des aspects nouveaux des sites, villes et monuments les plus connus d'Europe. Courtes notices d'information.

ROUGEMONT, Denis de: **L'Aventure occidentale de l'Homme**

Albin Michel, Paris 1957, 276 p.
English edition: **Man's Western Quest.** *Allen & Unwin, London/Harper Bros. New York 1957, 197 p. — Deutsche Ausgabe:* **Das Wagnis Abendland.** *Albert Langen, München 1959, 197 S. — Nederlandse uitgave:* **Het Westers Aventuur van den Mens.** *Uitg. Holland, Amsterdam 1958, 190 p.*

Recherche historico-philosophique du principe de cohérence des grandes créations typiques de l'Occident: le concept de la personne et la machine, le sens de l'histoire et l'exploration de la Terre, la passion, la révolution, la technique. L'aventure occidentale rejoindra-t-elle la "sagesse" des traditions orientales, maintenant que "l'histoire du Monde a commencé"?

A historical and philosophical study of the principle of coherence underlying the great works and ideas which typify the West: the concept of the individual, the machine, the feeling for history and world exploration, passion, revolution, technology. Will the adventure of the Western world finally be in harmony with the wisdom of the Eastern traditions, now that the history of the World has begun?

ROUGEMONT, Denis de: **Les Chances de l'Europe**

La Baconnière, Neuchâtel 1962, 94 p.
Deutsche Ausgabe: **Die Chancen Europas.** *Europa-Verlag Wien/Köln/Zürich 1964, 108 S.*

L'aventure mondiale des Européens, les secrets du dynamisme européen, les trois doctrines d'union, les nouvelles chances de l'Europe dans l'avenir, forment les sujets de ces conférences données à l'Université de Genève.

The world-wide adventure of the Europeans, the secrets of European dynamism, the doctrines of union, the new opportunities for Europe in the future, form the subjects of these lectures given at the University of Geneva.

ROUGEMONT, Denis de: **Vingt-Huit Siècles d'Europe**

Payot, Paris 1961, 427 p.
Deutsche Ausgabe: **Europa: vom Mythos zur Wirklichkeit.** *Prestel, München 1962, 419 S. — Edición española:* **Tres Milenios de Europa.** *Revista de Occidente, Madrid 1963, 417 p.*

Présentation et commentaire des principaux textes définissant l'Europe dans l'Antiquité, puis appelant son union politique, de Dante à Victor Hugo, de Kant à Paul Valéry, de Sully au Marché Commun. 300 auteurs sont analysés et largement cités, parmi lesquels tous ceux qui ont proposé des plans d'union, ou défini les valeurs communes qui sont à la base de la civilisation une et diverse de nos peuples.

Presentation and commentary of the principal texts defining Ancient Europe, then of those preparing its political union from Dante to Victor Hugo, from Kant to Paul Valéry, from Sully to the Common Market. 300 authors are quoted and analysed. Among them, all those who have proposed plans for union, or defined the common values which are at the basis of the single and varied civilization of our peoples.

SANUY, Ignacio Maria: **Europa para la juventud**

Ed. por la Delegación Nacional de Juventudes, Madrid 1962, 220 p.

Una panorámica amplia y matizada de las realidades actuales europeas y de sus perspectivas futuras. Se trata de una obra de divulgación bien documentada.

Panorama ample et nuancé des réalités européennes actuelles ainsi que de leurs perspectives. Ouvrage de vulgarisation bien documenté.

A wide, critical view of modern European realities and their outlook. A well-documented publication for the general reader.

SAUTER, Marc-R.: **Les races de l'Europe**

Payot, Paris 1952, 340 p., ill.

"Qu'est-ce qu'un Européen?" se demande l'auteur — ils sont si divers... Destiné au lecteur cultivé mais non spécialiste de l'anthropologie, cet ouvrage d'une grande rigueur scientifique servira de guide dans la connaissance des évolutions raciales, du paléolithique au XXe siècle (avec ses "personnes déplacées").

"What is a European?" the author asks himself — Europeans are so diverse. Written for the cultured reader, but not for the anthropologist, this work rigorously scientific will serve as a guide to the understanding of social evolution from the paleolithic age to the 20th century (with its "displaced persons").

SAUVY, Alfred: **L'Europe et sa population**

Editions Internationales, Paris 1953, 220 p.

Analyse des problèmes de la population en Europe par un des plus éminents spécialistes en la matière. Il s'agit pour lui de trouver des solutions nouvelles et de faire de cette vieille presqu'île un territoire neuf.

An analysis of Europe's population problems by one of the most eminent specialists in this field. He is concerned with finding new solutions, so as to reinvigorate the old continent.

SCHELTEMA, Adama van: **Die geistige Mitte — Umrisse einer abendländischen Kulturmorphologie**

R. Oldenbourg, München 1950, 187 S.

Für diese Geschichte der abendländischen Kunst und Kultur sind die einzelnen Epochen durch ein Phänomen gekennzeichnet, das sich durch die wechselnde Vorherrschaft der konstruktiv einer Mitte zustrebenden und der auflösend wirkenden, nach aussen drängenden Kräfte auszeichnet.

Selon cette Histoire de l'art et de la culture européenne, chaque époque est caractérisée par la prédominance tantôt de forces constructives qui convergent vers un centre, tantôt de forces d'expansion à tendance dissolvante.

According to this history of European culture and art, each period is characterized by the predominance now of constructive forces which converge towards the centre, now of diverging forces which tend to disperse.

SCHLÜTER-HERMKES, Maria: **Künder des Abendlandes**

Pädagogischer Verlag Schwann, Düsseldorf 1949, 302 S.

Die Verfasserin umreisst in eigenwilliger Auswahl einige Gestalten, die zur Entwicklung und Bereicherung unserer abendländischen Kultur beigetragen haben. Ihr Hauptinteresse gilt der Auffassung und Darstellung des Menschen bei den einzelnen, von ihr behandelten Persönlichkeiten aus neun Jahrhunderten.

Choix original de quelques figures qui ont contribué au développement et à l'enrichissement de notre culture occidentale. L'accent est mis sur la conception de l'homme selon chacun de ces personnages, tirés de neuf siècles d'histoire.

Original choice of a few figures who have contributed to the development and enrichment of our Western culture. The accent is placed on the concept of Man for each of these personalities, drawn from nine centuries of history.

SCHMID, Karl: **Hochmut und Angst — die bedrängte Seele des Europäers**

Artemis-Verlag, Zürich 1958, 186 S.

Eine Psychologie der Seele des heutigen Europäers angesichts des Aufsteigens der beiden Weltmächte im Osten und Westen, auf das er im Gefühl seiner Hilflosigkeit mit Hochmut und Angst reagiert. Den Ausweg aus dieser Krise sieht der Verfasser in einer Art kollektiver Psychoanalyse.

Une psychologie de l'âme de l'Européen actuel, face à la montée de deux puissances mondiales, à l'Est et à l'Ouest. Conscient de son impuissance, il réagit par l'orgueil et l'angoisse. L'auteur voit l'issue de cette crise dans une sorte de psychanalyse collective.

A psychological study of the modern European faced with the rise of two world powers in the East and West. Conscious of his helplessness he reacts with pride and fear. The author sees the solution to this crisis in a kind of collective psychoanalysis.

SCHNEIDER, Reinhold: **Europa als Lebensform**

Jakob Hegner, Köln 1957, 59 S.

Welches sind die Grundkräfte des europäischen Geistes, der europäischen Staatsidee, einiger europäischer Traditionen? Wie sollen sie ihre heutige Aufgabe erfüllen? Diese Fragen stellt sich der Autor in diesem Vortrag, den er im August 1957 im Forum Hohensalzburg hielt.

Quels sont les ressorts fondamentaux de l'esprit européen, de la conception de l'Etat, de certaines traditions européennes? Telles sont les questions que se pose l'auteur dans cette conférence tenue au Forum de Hohensalzburg en août 1957.

What are the fundamental components of the European ideal, of the idea of the state, of certain European traditions? Such are the questions that the author asks himself in this lecture given at the Forum of Hohensalzburg in August 1957.

SCHÖN, Konrad: **Europa — Aufbruch aus der Krise**

Impuls-Verlag, Heidelberg 1961, 86 S.

Thema dieser Vorträge: hat Europa noch Leitideen? Europa hat keine Ideologie und darf auch keine haben, im Namen der Freiheits-und der Menschlichkeitsidee, die ihre kostbarste Erbschaft sind. Für den Verfasser ist die Einheit Europas ein "Ausdruck der Friedensordnung".

Thème de ces conférences: l'Europe a-t-elle encore des idées directrices? Elle n'a pas d'idéologie et ne doit pas non plus en avoir, au nom de la liberté et de l'humanité qui sont son héritage le plus précieux. Selon l'auteur, l'unité de l'Europe est l'expression de "l'ordre dans la paix."

The theme of these lectures is: Does Europe still have any guiding principles? Europe has no ideology, and for the sake of liberty and humanity, her most precious legacy, should not have any. According to the author, European unity is the expression of "order through peace".

SCHREIBER, Thomas: **Le Christianisme en Europe Orientale**

Spes, Paris 1961, 222 p.

Ouvrage bien documenté et objectif sur les conditions faites par les régimes communistes aux "100 millions de chrétiens qui vivent dans les démocraties populaires." L'enquête s'étend de 1945 à 1961.

A well documented and objective work on the conditions imposed by the communist regimes on the 100 million Christians who live in the peoples' democracies. The enquiry covers the years 1945 to 1961.

Sciences Humaines et Intégration Européenne (publ. par le Collège d'Europe)

A. W. Sijthoff, Leiden, 2e édit. 1961, 423 p., ill.

25 historiens, philosophes, sociologues, économistes et juristes du premier rang analysent les réalités européennes d'aujourd'hui. Faits et chiffres en abondance pour les spécialistes, synthèses utiles pour les enseignants et les étudiants.

25 historians, philosophers, sociologists, economists and jurists analyse the realities of the Europe of today. Facts and figures in abundance for specialists. A useful synthesis for teachers and students.

Sciences Humaines et Pensée Occidentale

Centre Economique et Social de Perfectionnement des Cadres de la Fédération Nationale des Syndicats d'Ingénieurs et de Cadres, Paris 1963, 100 p.

Etudes de synthèse ou recherches scientifiques sur le rôle des élites en Europe (H. Brugmans), le rôle des personnes et des groupes (A. Barrère), le rôle des "relations humaines" (A. Grandpierre), et les problèmes d'éducation (J. Capelle) et d'aménagement du territoire (J. Beaujeu-Granier).

Synthetic studies or scientific investigations on the role of the elite in Europe (H. Brugmans), the role of individuals and groups (A. Barrère), the role of "human relations" (A. Grandpierre), and the problems of education (J. Capelle), and land settlement (J. Beaujeu-Granier).

SETTON, K. M. — WINKLER, H. R.: **Great Problems in European Civilization**

Prentice-Hall, Englewood Cliffs, N. J., 9th ed. 1961, 649 p.

In presenting the great problems which, from the democracy of Athens to the results of the Second World War, have determined the configuration of Europe, the book cites the sources and permits the reader to draw his own conclusions. Each subject dealt with is subdivided in such a way as to show the main points of the problem.

Présente les grands problèmes qui, de la démocratie d'Athènes aux séquelles de la deuxième guerre mondiale, ont déterminé la configuration de l'Europe. Cite les sources et veut permettre au lecteur lui-même d'en tirer ses conclusions. Chaque sujet est subdivisé de manière à faire ressortir les grandes lignes du problème.

SNELL, Bruno: **Die Entdeckung des Geistes — Studien zur Entstehung des europäischen Denkens bei den Griechen**

Claasen, Hamburg, 3. erw. Aufl. 1955, 448 p.

Der Rektor der Universität Hamburg bringt hier zu Bewusstsein, wieweit alles europäische Denken, im wahren Sinne dieses Wortes, von den Griechen herkommt und sich durch die Jahrhunderte als die gültige Form des Denkens erwiesen hat, die auch zu einer humanistischen Haltung führt.

Le recteur de l'Université de Hambourg montre dans quelle mesure la pensée européenne (dans le vrai sens du mot) trouve son origine chez les Grecs, et comment elle est restée, à travers les siècles, la forme fondamentale de la vie spirituelle et de l'attitude humaniste européennes.

The Vice-Chancellor of the University of Hamburg shows how European thought (in the true sense of the word) finds its origins with the Greeks, and how it has remained over the ages, the fundamental expression of European spiritual life and the humanist attitude.

SNELL, Bruno — FLEISCHER, Ulrich: **Antike und Abendland**

Marion von Schröder, Hamburg 1961, 180 S., ill.

Neun Beiträge verschiedener Autoren zum besseren Verständnis der griechischen und römischen Kultur und deren Einfluss auf die Kultur des gesamten Abendlandes. Zahlreiche Quellenangaben.

Neuf travaux tendant à une meilleure compréhension de la culture grecque et romaine et son influence sur la civilisation de tout l'Occident. Nombreuses indications de sources.

The work of nine different authors attempting to achieve better understanding of Greek and Roman culture and its influence on all Western civilization. Numerous sources indicated.

SPOERRI, Theophil: **Grundkräfte der europäischen Geschichte**

Furche-Verlag, Hamburg 1952, 45 S.

Betrachtungen über den Wandel der geistigen Grundlagen der europäischen Einheit in verschiedenen Epochen. Die Geschichte und Zukunftserwartung Europas aus einer philosophischen und moralischen Perspektive.

Considérations sur l'évolution des principes fondamentaux de l'unité européenne à différentes époques. Histoire et perspectives d'avenir de l'Europe d'un point de vue philosophique et moral.

Reflections on the evolution of the fundamental spiritual principles of European unity at different periods. The history and future perspectives of Europe from a moral and philosophical point of view.

STAUGAARD, Walter: **Halbinsel Europa — Bedeutungswandel des Abendlandes**

Marienburg-Verlag, Würzburg 1959, 258 S.

Angesichts der Gefahren, die Europa durch den Kommunismus und die europafeindlichen, asiatischen und afrikanischen Völker drohen, drängt der Verfasser in einem leidenschaftlichen, locker gegliederten Gegenwartskommentar auf eine rasche Einigung.

Face aux dangers que font courir à l'Europe le communisme et l'hostilité de certains Etats asiatiques et africains, l'auteur préconise une unification rapide. Commentaire d'actualité passionné, conçu sans plan rigide.

Faced with the dangers to Europe by Communism and unfriendly States in Africa and Asia, the author proposes rapid unification in this impassioned commentary on present times, but without any strict plan.

STEPHAN, Raoul: **L'Occident au carrefour**

Editions du Campanile, Yverdon 1957, 140 p.

Selon l'auteur, la civilisation occidentale fait fausse route parce qu'elle subordonne la culture à la technique, et non pas à la spiritualité chrétienne.

According to the author, Western civilization is making a grave mistake by subordinating culture to technology and not to the Christian ideal.

STOCK, R.: **Het Griekse drama en de westerse mens**

Desclée de Brouwer, Brugge 1959, 337 p.

Door middel van enkele momentopnamen uit de Atheense dramaturgie brengt de auteur gegevens bijeen betreffende de ideëele curve, die in de gecultiveerde Atheense kringen werd waargenomen in de loop van de 5e eeuw v. Chr. en die later in de westerse beschaving is doorgetrokken.

A l'aide d'extraits de la dramaturgie athénienne, l'auteur analyse les idéaux en honneur dans les milieux cultivés athéniens au cinquième siécle av. J.-Chr., idéaux repris plus tard par la civilisation occidentale.

With the help of extracts from Athenian plays, the author assembles the facts relative to the ideals of the Athenian intelligentsia in the 5th century B.C., which were later adopted by the Western civilization.

Die Struktur der europäischen Wirklichkeit (hrsg. von Walter Felix Mueller)

Kohlhammer, Stuttgart 1960, 117 S.

Das Hauptthema dieser Vorträge ist die Struktur der europäischen Wirklichkeit im Christentum, in Kunst und Wissenschaft, in Politik und Handel und schliesslich in Erziehung und Bildung.

Recueil de conférences ayant comme thème central la structure de la réalité européenne, étudiée successivement dans le christianisme, dans l'art, dans les sciences, dans la politique et le commerce, et enfin dans le domaine de l'éducation et de la culture.

A collection of lectures having as its main theme the structure of European reality as studied through Christianity, art, science, politics, commerce, education and culture.

STUCKI, Lorenz: **Gebändigte Macht — gezügelte Freiheit**

Schünemann, Bremen 1960, 314 S.

Eine sachliche Untersuchung über die Art, wie die Demokratien entstanden sind und wie sie in den einzelnen Ländern verwirklicht werden. Der Autor stellt fest, dass wahre Demokratie auf den im Titel gegebenen Grundprinzipien aufgebaut sein muss.

Etude objective sur l'origine des démocraties et leur réalisation dans différents pays. L'auteur constate qu'une véritable démocratie doit se fonder sur les principes indiqués dans le titre.

An objective study on the way democracies have been formed, and how they have been established in various countries. The author says that a true democracy should be founded on the principles indicated in the title.

STULZ, Hugo A.: **Europa am Abgrund — Ost-westliche Kritik des europäischen Zerfalls**

Basilius Presse, Basel 1962, 135 S., ill.

Der erste Band der neuen, von P. Dürrenmatt und Fr. Heer herausgegebenen Reihe "Bibliotheca Europea". Ein Rückblick auf "Europas ungewöhnliche Historie" leitet eine kritische Betrachtung Westeuropas als des Vorfeldes des Kommunismus vom westlichen wie auch vom östlichen Blickpunkt ein.

Premier ouvrage de la série: "Bibliotheca Europea" dirigée par P. Dürrenmatt et Fr. Heer. Un aperçu rétrospectif sur "l'Histoire peu commune de l'Europe" introduit une critique de l'Europe en tant que glacis du communisme, du point de vue de l'Ouest comme de l'Est.

The first book in a new series: "Bibliotheca Europea" edited by P. Dürrenmatt and Fr. Heer. A retrospective survey of the lesser-known history of Europe considered as the outpost of Communism, from the point of view of both East and West.

SZENDE, Stefan: **Europeisk Revolution**

Albert Bonniers, Stockholm 1943, 242 p.

Deutsche Ausgabe: **Europäische Revolutionen.** *Europa-Verlag, Zürich 1945, 396 S.*

Réflexions sur les changements rapides qui ont affecté l'Europe, dans la perspective qu'offrait l'année 1942: il s'agit d'un appel à dépasser le nationalisme et d'une esquisse d'orientation politique et sociale nouvelle de l'Europe.

A study of the rapid changes which affected Europe, from the viewpoint of an observer in the year 1942. An appeal is made to rise above nationalism, and an outline is presented of the new political and social orientation of Europe.

THIESS, Frank: **Die geschichtlichen Grundlagen des Ost-West-Gegensatzes**

Athenäum, Frankfurt 1960, 62 S.

Der Gegensatz zwischen Ost und West beruht auf einer grundsätzlich verschiedenen Auffassung von Staats- und Menschenrecht, die durch die ganze Geschichte hindurch geht.

L'opposition entre l'Est et l'Ouest repose sur des conceptions entièrement différentes du droit public et du droit de l'homme, dont on suit le développement à travers toute l'Histoire.

The opposition between East and West rests on entirely different conceptions of the state and the right of the individual, which have continued throughout the course of History.

TOYNBEE, Arnold J.: **The Present-Day Experiment in Western Civilization**

Oxford University Press, London 1962, 76 p.

Three illuminating lectures by a great historian on what we can expect from the "success of the Western minority of mankind". Today the whole world is bent to be modern, but "modern", in fact, means "Western".

Par un grand historien, trois brillantes conférences sur ce que l'on peut attendre du "succès de la minorité occidentale de l'humanité". Le monde d'aujourd'hui se veut moderne, mais en fait "moderne" signifie "occidental".

TOYNBEE, Arnold J.: **The World and the West**

Oxford University Press, London 1953, 99 p.
Edition française: **Le Monde et l'Occident.** *Desclée de Brouwer & Cie., Paris 1953, 186 p.*

Short essays introducing a comparative study of the course and consequences of the encounters that have taken place between Russia, Islam, India, the Far East on one hand, and the West, on the other.

Brefs essais sur la nature et les conséquences des rencontres de cultures entre la Russie, l'Islam, l'Inde, l'Extrême-Orient d'une part, et l'Occident d'autre part.

TRITSCH, Walther: **Europa und die Nationen**

Holle-Verlag, Darmstadt 1953, 279 S.

Diese zwölf Essays sind unmittelbar nach dem Krieg, zwischen 1946 und 1952 aus der Forschungsarbeit und Lehrtätigkeit des Historikers in Deutschland und den Nachbarländern entstanden. Der Autor stellt die Frage, ob es eine geschichtliche Objektivität gebe und ob sich Kultur wirklich aus *einer* Nation entwickeln kann; er verweist auf die Verwandlung aller Verstehensgrundlagen durch die Wissenschaften und stellt dem Glauben an nationale Dogmen eine "spezifisch abendländische Haltung" entgegen.

Douze essais issus de recherches en Allemagne et dans les pays avoisinants, entre 1946 et 1952. L'auteur se demande s'il existe une objectivité historique et si la culture peut se développer à partir d'une *seule* nation; il se réfère à la transformation des bases de la connaissance par les sciences et oppose à la foi dans le dogme national, "une attitude spécifiquement occidentale".

These 12 essays are the result of the research and the lectures of a historian, in Germany and the neighbouring countries between 1945 and 1952. The author asks if historical objectivity exists, and if culture can develop on the basis of one nation *alone*. He refers to the transformation of fundamental knowledge by science and puts forward a "specifically Western attitude" as against faith in national dogma.

Unitat Espiritual d'Europa

Sarria, Barcelona 1959, 158 p.

Libro publicado en el idioma catalán, en él que se estudia por varios autores la contribución del Santo Padre Pio XII a la unión espiritual y temporal de Europa.

Ce petit ouvrage est publié en catalan. Plusieurs auteurs y étudient la contribution du Pape Pie XII à l'union spirituelle et temporelle de l'Europe.

Published in Catalan. Several authors study the contribution of H.H. Pope Pius XII to the spiritual and temporal union of Europe.

USCATESCU, George: **Profetas de Europa**

Editora Nacional, Madrid 1962, 172 p.

Estudio histórico-filosófico de las obras e ideas de cinco "Profetas de Europa": O. Spengler, H. von Keyserling, H. Bergson, N. Berdiaev y A. Toynbee. Autores que han influido en el actual espíritu europeo.

Etude historique et philosophique sur les idées et les écrits de cinq "Prophètes de l'Europe": O. Spengler, H. v. Keyserling, H. Bergson, N. Berdiaev et A. Toynbee, penseurs et auteurs qui ont influencé l'esprit européen d'aujourd'hui.

Historical and philosophical study of the works and ideas of five "Prophets of Europe": O. Spengler, H. von Keyserling, H. Bergson, N. Berdiaev and A. Toynbee, who have influenced modern European thinking.

VISSER, W. J. A.: **De cultuur van ons Westen**

H. J. Dieben, 's-Gravenhage 1956, 618 p., ill.
Edizione italiana: **La Cultura del nostro Occidente.** *S.A.I.E., Turin 1955, 574 p., ill.*

De auteur vergelijkt in dit boek de stromingen tussen Noord en Zuid van Europa ten aanzien van taal- en letterkunde, muziek, kunst, sport, reizen en trekken. De tekst is populair wetenschappelijk gehouden.

L'auteur compare les particularités du Nord et du Sud de l'Europe en ce qui concerne la langue, la littérature, la musique, les arts, le sport, les voyages et les distractions. Le texte relève de la vulgarisation scientifique.

The author compares the peculiarities of Northern and Southern Europe in language, literature, music, art, sports, travel habits and forms of pleasure and entertainment. The text is intended for the general reader.

VLOEMANS, A.: **Cultuurgeschiedenis van Europa**

Leopold, 's-Gravenhage 1954, 422 p.

Hierin wordt een overzicht gegeven van hetgeen Europa op cultureel gebied is geweest en wat het heeft betekend.

Ce qu'a été et ce qu'a signifié le patrimoine culturel de l'Europe.

This book shows the significance and nature of Europe's cultural patrimony in the past.

VLOEMANS, A.: **Europa in de spiegel**

Leopold, 's-Gravenhage 1957, 176 p.

Een studie van het nationalisme in de wijsbegeerte en wel in hoofdzaak in de wijsbegeerte van de laatste 150 jaar.

Etude du nationalisme en Europe dans la philosophie, et plus particulièrement dans la philosophie des 150 dernières années.

A study of nationalism in Europe as expressed in philosophy, especially during the last 150 years.

Vorträge, gehalten im Rahmen der "Geistigen Begegnungen in der Böttcherstrasse"

Angelsachsen-Verlag, Bremen 1956–1961

Von den 12 Vorträgen der Reihe befassen sich drei mit europäischen Themen: "Aufgaben Europas", in dem Rudolf Pannwitz das Primat des Menschen als die europäische Idee und Aufgabe ansieht; "Europa im Zeitalter der unbewältigten Technik", in dem der Schriftsteller Jürgen Rausch von der besondernen Rolle Europas bei der Überwindung der Gefahren der Technik spricht; und "Der Gemeinsame Europäische Markt", in dem Horst Wagenführ mit statistischen Unterlagen die wirtschaftlichen Vorteile einer europäischen Einigung nachweist.

Sur les douze conférences de cette série, trois portent sur des questions européennes: "Les devoirs de l'Europe" conférence dans laquelle Rudolf Pannwitz considère la suprématie de l'homme comme le devoir et l'idéal de l'Europe; "L'Europe dans l'ère de la technique indomptée" dans laquelle Jürgen Rausch parle du rôle particulier de l'Europe dans le contrôle des dangers de la technique; et "Le Marché Commun européen", conférence dans laquelle Horst Wagenführ présente les avantages économiques de l'unification européenne en partant de bases statistiques.

Of the twelve lectures in this series, three concern European questions: "The duties of Europe", in which Rudolf Pannwitz considers the supremacy of man as the duty and the ideal of Europe; "Europe at the age of untamed technology", in which Jürgen Rausch talks of the particular role of Europe in the control of the dangers of technology; and "The European Common Market", in which Horst Wagenführ puts forward the economic advantages, by means of basic statistics, of European unification.

Vortragsreihe im Institut für Europäische Geschichte, Mainz

(Beiträge von: Asmussen, Betti, Brunschwig, Chaput de Saintonge, Dilschneider, Droz, Friedrich, Fuchs, Gitermann, Göhring, Hampe, Holm, Iserloh, Kuypers, Lindeboom, Lortz, Roos, Salis, Schenk, Schneider, Scholder, Stadtmüller, Toynbee, Valsecchi, Vogt, Wehberg)

Franz Steiner, Wiesbaden 1954-1961, ca. 40 S. pro Bd.

Beiträge zur Idee Europa. Die Vorträge behandeln z.T. grosse Persönlichkeiten aus Geschichte und Gegenwart, die das heutige geistige Europa entscheidend beeinflusst haben, z.T. politische, kirchliche oder kulturelle Ereignisse, die wiederum bewusst unter ihren europäischen Aspekten oder in ihrer allgemeinen Bedeutung interpretiert werden.

Ces conférences constituent une utile contribution à l'idée européenne. D'une part, elles s'attachent aux grandes figures historiques et contemporaines qui ont exercé une influence décisive sur l'Europe spirituelle; d'autre part, elles étudient les grands événements historiques, religieux et culturels européens.

These lectures are a useful contribution to the European idea. On the one hand they treat great historical and contemporary figures who have exerted a decisive influence on the spiritual aspects of the Europe of today; on the other hand they study the great historical, religious and cultural events of Europe.

WALZ, Hans Hermann: **Der politische Auftrag des Protestantismus in Europa**

J. C. B. Mohr, Tübingen 1955, 84 S.

Der Autor beschreibt die politischen Einheiten der Geschichte (Imperium, Ecclesia), die Spaltung zwischen Kirche und Staat nach der Reformation und die heutige Staatskrise; er gibt eine Definition des Zwecks und der Grenzen jeder Politik und zieht daraus den Schluss, dass der politische Auftrag des Protestantismus in Europa unpolitisch und lediglich religiös sein muss.

Après avoir passé en revue les grandes formules politiques du passé (imperium, ecclesia), la séparation de l'Eglise et de l'Etat à partir de la Réforme, la crise actuelle de l'Etat, et après avoir défini le but et les limites de la politique, l'auteur conclut que la mission du protestantisme en Europe doit être a-politique et uniquement religieuse.

Having surveyed the great political formulas of the past (imperium, ecclesia), the separation of Church and State after the Reformation, the present crisis of the State, and having defined the end and limits of politics, the writer concludes that the mission of protestantism should be apolitical and solely religious.

WEIDLÉ, Wladimir: **La Russie absente et présente**

Gallimard, Paris 1949, 238 p.

Deutsche Ausgabe: **Russland — Weg und Abweg.** *Deutsche Verlagsanstalt, Stuttgart 1956, 229 S.*

Der Verfasser ist Gegner der These Toynbees, dass Russland nicht zu Europa gehöre und gibt uns ein Bild von den kulturellen Beziehungen zwischen Russland und Europa, von den Ursprüngen bis zum heutigen Tag.

L'auteur s'oppose à la thèse de Toynbee selon laquelle la Russie n'appartiendrait pas à l'Europe. Il donne un tableau des relations culturelles entre ce pays et l'Europe, des origines à nos jours.

The author is against Toynbee's thesis that Russia does not belong to Europe. He sketches the cultural relations between Russia and the rest of Europe from the beginning to the present day.

WITTRAM, Reinhard: **Das Nationale als europäisches Problem**

Vandenhoeck & Ruprecht, Göttingen 1954, 244 S.

Sieben Aufsätze aus Zeitschriften und Sammelwerken sowie zwei Vorträge behandeln die Frage, wie "das Nationale in einem vereinigten Europa fortleben und fruchtbar sein kann". Drei Beiträge befassen sich mit der allgemeinen Thematik und den Methoden, die anderen mit Einzelproblemen besonders aus dem osteuropäischen Raum.

Sept articles tirés de journaux et de recueils, ainsi que deux conférences, qui traitent la question de savoir si "l'esprit national peut subsister et porter des fruits dans une Europe unifiée". Trois articles traitent des thèmes généraux et des méthodes, les autres concernent surtout des problèmes relatifs à l'Est européen.

Seven articles taken from newspapers and collective works, and two essays on whether "the national spirit can survive and bear fruit in a unified Europe". Three of the articles deal with general ideas and methods, the others mainly with problems concerning eastern Europe.

ZIERER, Otto: **Bild der Jahrhunderte — Frühzeit Europas**

Bertelsmann, Gütersloh, ("Lesering"), 314 S., ill.

In der schönsten Vereinigung von Geschichte und Dichtung werden Bilder aus dem klassischen Griechenland lebendig. Zugleich ein literarischer Genuss und eine lehrreiche Skizzierung des Geisteslebens, der Politik und des Alltags Griechenlands, der Wiege des heutigen Europa.

Entremêlant heureusement histoire et poésie, l'auteur nous présente une esquisse instructive et agréable de la vie quotidienne, politique et culturelle de cette Grèce qui est le berceau de l'Europe d'aujourd'hui.

In this happy blend of history and poetry the author gives us an instructive and pleasantly readable sketch of the political, cultural and everyday life of Greece, which is the cradle of the Europe of today.

ZISCHKA, Anton: **Lebendiges Europa — Leistungen und Aufgaben des "Erdteils der Mitte"**

Bertelsmann, Gütersloh 1957, 287 S., ill.

Der Verfasser verfolgt die wirtschaftliche Entwicklung der letzten Jahrzehnte in ganz Europa. Der schöpferische Geist, der sich in der Arbeit offenbart, ist ihm Beweis für die Lebenskraft der Europäer.

L'auteur retrace le développement économique de l'Europe durant ces quinze dernières années. L'esprit créateur qui s'exprime par le travail est pour lui une preuve de la vitalité de l'Européen.

The author studies the economic development of Europe as a whole during the last few decades. The creative spirit described in the book is for him a proof of the vitality of the European.

ZURLINDEN, Hans: **Zeitgemässe Europäische Betrachtungen**

Eugen Rentsch, Erlenbach b. Zürich 1954, 287 S.

Erinnerungen und Betrachtungen eines schweizerischen Botschafters. Er behandelt kulturelle und politische Themen und widmet 2 Kapitel dem Problem der europäischen Einigung und des heutigen Europäertums.

Souvenirs et considérations d'un ambassadeur suisse. Il traite des thèmes culturels et politiques et consacre deux chapitres au problème de l'unification européenne et à l'européisme d'aujourd'hui.

Reminiscenses and meditations of a Swiss ambassador. The author deals with cultural and political themes, and devotes two chapters to the problems of European unification and the European universe.

IV. ARTS, LETTRES ET PHILOSOPHIE
ARTS, LETTERS AND PHILOSOPHY

ALLEN, John: **Masters of European Drama**

Dennis Dobson, London 1962, 189 p., ill.

Dramatic themes, their origins, modes of expression and exponents are the subject of this short work for the theatre lover and student. The author purposely omits a study of English forms and concentrates on the great ages of French, Spanish, Italian, German and Russian drama.

Destiné aux amateurs de théâtre et aux étudiants d'art dramatique ce bref ouvrage décrit les thèmes dramatiques, leurs origines, leurs modes d'expression, et leurs interprètes. L'auteur laisse de côté le théâtre anglais pour se consacrer aux grands moments du drame en France, en Espagne, en Italie, en Allemagne et en Russie.

BAUMGART, Fritz: **Geschichte der abendländischen Malerei**

Kohlhammer, Stuttgart, 3. erw. Aufl. 1960, 275 S., ill.

Wie ein Kritiker bemerkte, soll hier das wechselvolle Spiel des europäischen Geistes in der Malerei während des langen Zeitraumes von den Karolingern bis zur jüngsten Gegenwart sichtbar gemacht werden. Der Künstler als Individuum sowie alles Biographische treten dabei erst an die zweite Stelle.

Comme le remarque un critique, le but de cet ouvrage est d'illustrer la variété du génie européen dans la peinture, pendant la longue période allant des Carolingiens jusqu'à nos jours. L'individualité de l'artiste et les données biographiques n'occupent que le deuxième rang.

The aim of this book, as a critic pointed out, is to illustrate the variety of the European genius in painting during the long period from the Carolingians to our times. The exposition of painters' personalities and biographical data play only a secondary role in this work.

BAUMGART, Fritz: **Geschichte der abendländischen Plastik, Geschichte der abendländischen Baukunst**

DuMont-Schauberg, Köln 1957/1960, 387/384 S., ill.

Die Bilder veranschaulichen vor allem die im Text dargestellte Entwicklungslinie der Baukunst und Plastik von der nachrömischen Zeit bis zum Bruch der Moderne mit der Tradition der durchlaufenen Stilperioden. Diese Epoche, die der Verfasser als die abendländische bezeichnet, betrachtet er als abgeschlossen.

Les images illustrent un texte qui s'attache à montrer la continuité de l'architecture et de la sculpture depuis la période post-romaine jusqu'à la rupture moderne avec la tradition des grands styles. L'auteur considère cette époque, qu'il appelle occidentale, comme achevée.

The illustrations accompanying the text present the line of development in architecture and sculpture from the post-Roman period to the break-away of the moderns from the traditions of former periods. The author considers that this period, which he calls Western, has reached its final point.

Begegnungen der Völker im Märchen/Rencontre des peuples dans le conte/ Folktale: The Peoples' Meeting-Place (Bearb. Marie-Louise Teneze und Georg Hüllen)

Aschendorff, Münster/Wstf., 1. Band 1961, 336 S.

Diese von der Gesellschaft zur Pflege des Märchengutes der europäischen Völker herausgegebene Serie enthält unveröffentlichte Volkserzählungen (im ersten Band französische und deutsche) in jeweils zwei Sprachen. Sie will beweisen, dass bei aller Unterschiedlichkeit des Ausdrucks die Wesensverwandtschaft unverkennbar bleibt.

Publié par une Société allemande du folklore européen, le présent volume contient des contes populaires inédits, écrits en deux langues (français et allemand). La collection a pour but de dégager l'indéniable parenté d'esprit de ces contes, en dépit de toutes les différences d'expression.

A series published by a German society for European folklore. The present volume contains unpublished folktales written in French and German. The aim of the collection is to emphasize the undeniable relationship of all these tales, in spite of their differences of expression.

BIELER, Ludwig: **Irland — Wegbereiter des Mittelalters**

Urs Graf, Olten 1961, 155 S., ill.

Von Iona bis Tarent, von Aran bis Wien wird die Verbreitung der irischen Zivilisation, durch die ein grosser Teil des europäischen Kontinents christianisiert wurde, geschildert. Dieses wissenschaftliche Kunstbuch bildet eine schöne Ergänzung der Bücher über Griechenland, Jerusalem und Rom, indem es die vierte Quelle der europäischen Kultur — die keltische Quelle — beschreibt.

De Iona à Tarente, d'Aran à Vienne, l'extension de la civilisation irlandaise, qui a christianisé une bonne partie de l'Europe continentale. Cet ouvrage d'art et de science vient ajouter un heureux complément aux livres sur la Grèce, Jerusalem et Rome, en décrivant la quatrième source de la culture européenne — la source celte.

With art and science this book describes the expansion — from Iona to Tarentum, from Aran to Vienna — of Irish civilization, through which a large part of the European continent was christianized. Depicting the fourth source of European culture — the celtic source — it constitutes a valuable complement of existing works on Greece, Jerusalem and Rome.

BLIJSTRA, R.: **Reiziger in Europa**

De Arbeiderspers, Amsterdam 1961, 305 p., ill.

De auteur beschrijft hier de bezielde dingen, waarin mensen van vele landen en uit verscheidene eeuwen zich hebben uitgedrukt. Een boek, zoals dit verwacht mag worden van een bekend novellist en kunstkenner.

Quelles sont les sources d'inspiration qui, au cours des siècles, ont amené les hommes de différents pays à s'exprimer? Un livre tel qu'on était en droit de l'attendre d'un romancier et amateur d'art.

The author describes the sources of inspiration by which, in the course of centuries, men from different countries have been induced to express themselves. A book that justifies the expectations we have of a well known novelist and connoisseur of the Arts.

BOCHENSKI, I. M.: **Europäische Philosophie der Gegenwart**

A. Francke, Bern, 2. Aufl. 1951, 323 S.
Edition française: **La Philosophie contemporaine en Europe.** *Payot, Paris 1962, 316 p. English edition:* **Contemporary European Philosophy.** *University of California Press, Berkeley 1961, 326 p. — Nederlandse uitgave.* **Geschiedenis der hedendaagse europese wijsbegeerte.** *Desclée de Brouwer, Bruges 1952.*

Eine leicht lesbare Einführung in die gesamteuropäische Philosophie der Gegenwart für den gebildeten Laien wie auch den Studenten der Philosophie.

Introduction de lecture facile à l'ensemble de la philosophie européenne contemporaine, utile aussi bien au grand public cultivé qu'à ceux qui se consacrent à l'étude de la philosophie.

This eminently readable introduction to contemporary European thought is intended for the educated layman as well as for the student of philosophy.

BOECK, Urs: **Plastik am Bau**

Ernst Wasmuth, Tübingen 1961, 208 S., ill.

Anhand einer Auswahl von Bildern aus der europäischen Architektur von den Griechen bis Corbusier will der Verfasser im Zusammenwirken von Baukunst und Plastik die Kontinuität des europäischen Schönheitssinnes durch die Jahrhunderte darstellen.

A l'aide d'un choix d'illustrations de l'architecture européenne, des Grecs à Le Corbusier, l'auteur se propose de mettre en relief la continuité de l'esthétique européenne à travers les siècles, telle qu'elle se manifeste par l'harmonie entre architecture et plastique.

Having chosen a certain number of European architectural illustrations from the times of the Greeks to Le Corbusier, the author brings out the continuity of the European aesthetic tradition over the centuries as revealed in the harmony between architecture and plastic arts.

BOURKE, John: **Baroque Churches of Central Europe**

Faber & Faber, London, new ed. 1962, 309 p., ill.

A detailed travellers' handbook to the history, spirit and characteristics of Baroque architecture and statuary in Southern Germany, Switzerland and Austria.

Guide de voyage détaillé sur la statuaire et l'architecture baroques, leur esprit, leur histoire, et leurs caractères spécifiques, en Allemagne du Sud, en Suisse et en Autriche.

BRAUNFELS, Wolfgang: **Meisterwerke europäischer Plastik von der Antike bis zur Gegenwart**

Atlantis-Verlag, Zürich 1958, 247 S., ill.

Eine Auswahl derjenigen Werke europäischer Plastik, die einerseits am besten die geistige Grundhaltung jeder Epoche nahe zu bringen und andrerseits die Gemeinsamkeit des europäischen Geistes im Spiegel seiner Bildwerke festzuhalten vermag. Vor der modernen Kunst steht der Verfasser fragend.

Choix de sculptures européennes qui d'une part représentent le mieux l'esprit de chaque époque, et, d'autre part, reflètent ce qu'il y a de commun au génie européen. L'auteur reste indécis à l'égard de l'art moderne.

The author has chosen examples of European sculpture which on one hand, best represent the spirit of each period, and, on the other, bring out the essential features of the European genius. The author remains undecided on modern art.

BROPHY, John: **The Face in Western Art**

George Harrap & Co., London 1963, 288 p., ill.

A history of face-depicting fashions from Antiquity to the age of Picasso, an absorbing section on the influence exerted by the techniques on the painter's conception of his subject, and over a hundred seldom seen reproductions illustrating the author's often very personal views.

Histoire du portrait, des primitifs à Picasso. Une part importante du livre est consacrée à l'influence des techniques sur la conception du sujet; plus de cent reproductions illustrent les vues très personnelles de l'auteur.

CASSOU, Jean — LANGUI, Emile — PEVSNER, Nikolaus:
Les Sources du Vingtième Siècle

Edit. des Deux Mondes, Paris 1961, 363 p., ill.
English edition: **The Sources of Modern Art.** *Thames & Hudson, London 1962. — Deutsche Ausgabe:* **Durchbruch zum 20. Jahrhundert.** *Georg Callwey, München 1962, 367 S., ill. — Edizione italiana:* **Les origini dell'Arte Moderna.** *Electa Editrice, Milano 1962, 359 p. — Edición española:* **Génesis del Siglo XX.** *Salvat, Barcelona 1962.*

Introduction à la période de 1884 à 1914 (qui vit l'éclosion de l'art contemporain), écrite à la suite de l'exposition organisée par le Conseil de l'Europe à Paris en 1961. Elle comporte trois essais magistraux par J. Cassous, directeur du Musée d'Art Moderne de Paris, sur les interactions politiques, sociales et culturelles de ces années, et par E. Langui et N. Pevsner sur la peinture, la sculpture et l'architecture.

This introduction to the thirty years between 1884 and 1914, which saw the origins of contemporary art, was written as the sequel of the exhibition organized by the Council of Europe in Paris in 1961. Three masterly essays on this period are contributed by the director of the Musée d'Art Moderne in Paris, J. Cassou, who deals with political, social and cultural questions, and by Messrs. E. Langui and N. Pevsner who deal with painting, sculpture and architecture during this period.

Diese Einführung in die dreissig Jahre zwischen 1884 und 1914, in der die Grundlagen zu unserer heutigen Kunst gelegt wurden, ist in der Folge der vom Europarat in Paris 1961 veranstalteten Ausstellung geschaffen worden. Sie enthält glänzende Aufsätze des Direktors des Museums für Moderne Kunst in Paris, Jean Cassou, über Politik, Gesellschaft und geistiges Leben, wie von Emile Langui und Nikolaus Pevsner über Malerei und Plastik, resp. Architektur jener Epoche.

Chantons les vieilles Chansons d'Europe (publ. par Paul Arma)

Editions Ouvrières, Paris 1946.
Deutsche Ausgabe: **Europäische Volkslieder.** *Otto Maier, Ravensburg 1950, 143 S., ill.*

Recueil de chansons de tous les pays européens: du Portugal à la Russie, de l'Islande à la Turquie. Contribution à la connaissance de l'âme des peuples européens.

A collection of folk songs of all European countries: from Portugal to Russia and from Iceland to Turkey. A contribution to the understanding of the spirit of European peoples.

CHASTEL, André — KLEIN, Robert: **Die Welt des Humanismus — Europa 1480-1530**

Georg Callwey, München 1963, 348 S., ill.

Edition française: **L'age de l'Humanisme.** *Editions de la Connaissance, Bruxelles (pour la France: Editions des Deux Mondes) 1963, 432 p., ill. — English edition:* **Age of Humanism.** *Thames & Hudson (in USA: McGraw-Hill Book Co., New York) 1963. — Edizione italiana:* **Il Humanismo.** *Electa Editrice, Milano 1964. — Edición española:* **El Humanismo.** *Salvat, Barcelona 1964, 371 p.*

Als Katalog der vom Europarat in Brüssel 1954 veranstalteten Ausstellung bietet dieses Buch eine grossartige Uberschau über das gesamte geistige und künstlerische Schaffen im Umbruch der Renaissance, und damit der Grundlage des neuzeitlichen Lebens.

Comme catalogue de l'exposition organisée par le Conseil de l'Europe à Bruxelles en 1954, l'ouvrage offre un aperçu magnifique sur la création spirituelle et artistique d'une Europe en pleine évolution, dont naîtra la vie moderne.

This catalogue of the exhibition organized by the Council of Europe in Brussels in 1954 offers a splendid review of the spiritual and artistic creativeness of Renaissance Europe in the midst of radical change, out of which modern life was to develop.

CHRISTENSEN, Erwin O.: **The History of Western Art**

The New American Library, New York, 4th ed. 1962, 320 p., ill.

The Art of Europe, and its origins in Europe and in the Near East are clearly and intelligibly exposed. The author depicts the forms of expression throughout the centuries, ending in the technical era, in Europe as well as in the United States.

L'art en Europe, sa naissance en Europe même comme au Proche Orient, sont présentés clairement et dans un style agréable. L'auteur tient toujours compte des formes d'expression communes à tous les pays et montre comment elles se manifestent au cours des siècles jusqu'à l'ère technique, tant en Europe qu'aux Etats-Unis.

CLAPP, J. G. — PHILIPSON, M. — ROSENTHAL, H. M.: **Foundations of Western Thought**

Alfred A. Knopf, New York 1962, 830 p.

A collective work, intended for beginners, provides not merely extracts but whole writings of Plato and Aristotle as well as Descartes, Berkeley, Hume and Kant as the key figures of all philosophy.

Ce recueil à l'intention des débutans, ne contient pas seulement des extraits, mais des écrits complets de Platon, d'Aristote, ainsi que de Descartes, Berkeley, Hume et Kant en tant que figures-clé de toute philosophie.

COHEN, J. M.: **A History of Western Literature**

Cassell, London, new ed. 1961, 381 p.

A panoramic view on the essence of the themes, styles, and literary forms from the Middle Ages to our time. The outstanding authors of each era and country are named and their work sharply sketched. Good as an introduction.

Vue d'ensemble sur les thèmes, styles et formes littéraires, du Moyen Age à notre époque. Les auteurs marquants de chaque époque et pays sont nommés, et leurs œuvres esquissées en quelques traits saillants. Bonne introduction au sujet.

COLOMBO, Alfredo: **Europäische Malerei vom Impressionismus bis heute**

Süd-West-Verlag, München 1960, 207 S., ill.

Text und Bild verbinden sich zu einer Darstellung des europäischen Geistes, der sich von der Tradition in der Malerei löst, um einen neuen, zeitegmässen Ausdruck zu finden.

Etude illustrée du génie européen, qui se détache, à l'époque moderne, de l'art traditionnel pour chercher de nouvelles formes d'expression.

An illustrated study of the European genius which, in the present era, breaks with traditional art in an effort to discover new forms of expression.

CURTIUS, Ernst Robert: **Europäische Literatur und lateinisches Mittelalter**

A. Francke, Bern, 3 Aufl. 1961, 608 S.
English edition: **European Literature and the Latin Middle Ages.** *Routledge & Kegan Paul, London/Harper & Row, New York 1953, 678 p.*

Studie über die gemeinsamen Quellen der europäischen Kultur in der religiösen und profanen Literatur des Mittelalters. Reich an überraschenden Neuentdeckungen, von hohem wissenschaftlichen Wert mit einer hervorragenden Einleitung über die Einheit in der Vielheit unserer Kultur.

Recherches sur les origines communes de la culture européenne dans la littérature religieuse et profane du haut moyen-âge. Riche en surprises et découvertes, d'une haute valeur scientifique, l'ouvrage s'ouvre par une remarquable introduction sur l'unité dans la diversité de notre culture.

A study on the common origins of European culture in the religious and secular literature of the Middle Ages. Rich in exciting discoveries and of great scientific value, the work contains a remarkable introduction on the unity and diversity of our culture.

CURTIUS, Ernst Robert: **Kritische Essays zur europäischen Literatur**

A. Francke, Bern, 3. Aufl. 1963, 446 S.

Edizione italiana: **Letteratura europea.** *Il Mulino, Bologna 1963, 501 p.*

Wie in seinem früheren Buche geht es dem Verfasser auch in dem vorliegenden Band um das Europabewusstsein und die abendländische Tradition in der europäischen Literatur. Von Virgil ausgehend, über Goethe betrachtet er kritisch die Literatur unseres Jahrhunderts an einigen grossen Beispielen.

Comme dans son ouvrage précédent, l'auteur met l'accent sur la conscience européenne et la tradition occidentale de notre littérature. Analyse critique de la littérature européenne, de Virgile à l'époque contemporaine.

As in his previous work, the author emphasizes the European conscience and the Western tradition of our literature. A critical analysis of contemporary European literature reviewing Virgil, Goethe and many others.

DANCKERT, Ludwig: **Handbuch des europäischen Porzellans**

Prestel, München 1954, 404 S., ill.

Lexikon von über 2000 Stichworten aus der Porzellanmanufaktur sowie Katalog sämtlicher Porzellan-Marken. Unentbehrlich für Sammler und Kenner.

Lexique comprenant plus de 2000 termes relatifs à la manufacture de porcelaine, et catalogue de toutes les marques de porcelaine en Europe. Indispensable pour spécialistes et collectionneurs.

A lexicon comprising more than 2000 clue words on porcelain manufacture, and a catalogue of all brands of European porcelain. Indispensable to specialists and collectors.

DAUZAT, Albert: **L'Europe linguistique**

Payot, Paris 1953, 236 p., ill.

Description des groupes linguistiques composant l'Europe. Discussion des problèmes nationaux et européens que pose la diversité de nos langues. L'auteur conclut son enquête scientifique en préconisant un système fédéral pour l'Europe, respectant la variété et favorisant la convergence des langues.

A description of the linguistic groups in Europe and a discussion of the national and European problems arising from the diversity of languages. The author concludes his scientific investigation by advocating a federal system for Europe; preserving the diversity and promoting a convergence of European languages.

DEUCHLER, Florens: **Vom schönen Wohnen — eine europäische Stilkunde**

Walter Verlag, Olten 1961, 326 S., ill.

Text und Bilder illustrieren den europäischen Lebensstil im Spiegel seiner Wohnkultur.

Texte et photos illustrent, par l'étude de l'habitat, l'art de vivre européen.

Text and photographs illustrating housing and home-making in Europe demonstrate the art of European living.

DIETRICH, Margret: **Europäische Dramaturgie im 19. Jahrhundert**

Hermann Böhlau, Wien 1961, 578 S.

Die Verfasserin betrachtet das gestellte Thema vom Standort der Gegenwart aus und versucht auf diese Weise, das dramatische Schaffen des 19. Jahrhunderts als Massstab in die Diskussion über die Bedeutung der Dramaturgie für unser Kulturleben einzuführen.

Se basant sur la création théâtrale du XIXe siècle, l'auteur se propose de démontrer l'importance de l'art dramatique dans la vie culturelle d'aujourd'hui.

Basing her study on the dramatic creations of the 19th century, the author proposes to demonstrate the importance of dramatic art in our present cultural life.

DONDEYNE, Albert: **Contemporary European Thought and Christian Faith**

E. Nauwelaerts, Louvain 1958, 211 p.

An interesting dialogue between the seemingly contradictory tenets of Existentialist Phenomenology and the Christian Faith.

Dialogue intéressant entre les doctrines en apparence contradictoires de la phénoménologie existentialiste et de la Foi chrétienne.

DUNWELL, Wilfrid: **Music and the European Mind**

Herbert Jenkins, London 1962, 208 p.

The evolution of European culture as a whole and its reflexion in music.

L'évolution de la culture européenne dans son ensemble et ses correspondances dans la musique.

Europa — Eine Zeitschrift

Cotta, Stuttgart 1963, 585 S.

Photomechanischer Nachdruck der von Friedrich Schlegel im Jahre 1803 gegründeten Zeitschrift "Europa". Im Anhang eine kurze Geschichte der Zeitschrift und Darstellung des Geistes, aus dem sie entstand.

Reproduction photo-mécanique du journal "Europe", fondé en 1803 par Friedrich Schlegel. En appendice un court historique sur le journal et un exposé de l'esprit dont il est issu.

A photo-mechanical reproduction of the magazine "Europe" founded in 1803 by Friedrich Schlegel. In the appendix is a short history of the magazine and an outline of the guiding principles which formed it.

Europa um 1700.

Harry von Hoffmann, Hamburg 1963, 112 S., ill.

53 Reproduktionen europäischer Städtebilder des 17. und 18. Jahrhunderts aus einer 1729 von dem Holländischen Verleger Pieter van der Aa in Leiden unter dem Titel "La Galerie agréable du Monde" herausgegebenen Kupferstichsammlung.

53 reproductions de gravures de villes européennes des XVII et XVIIIe siècles, extraites d'un volume de tailles-douces publié à Leide en 1729 par l'éditeur hollandais Pieter van der Aa, sous le titre "La Galerie agréable du Monde".

53 reproductions of engravings of 17th and 18th century European towns taken from a volume of copper plate engravings which were edited in Leyden in 1729 by the Dutch publisher Pieter van der Aa, under the heading of "La Galerie agréable du Monde".

Europa und Russland (hrsg. von Dmitrij Tschizewskij und Dieter Groh)

Wissenschaftliche Buchgesellschaft, Darmstadt 1959, 576 S.

Das Buch enthält Texte grosser Geister (von Leibniz über Herder, Schlegel, Tocqueville, Herzen, Tjutschev, Carlyle, Dostojewskij, Nietzsche, Jacob Burckhardt bis zu Spengler), wo sie sich über das uns heute als "Ost-West-Problem" geläufige Phänomen der Zusammengehörigkeit der gesamteuropäischen Kultur einschliesslich Russland äussern.

Recueil de textes de grands esprits (Leibniz, Herder, Schlegel, Tocqueville, Herzen, Carlyle, Tjutschev, Dostoïewski, Nietzsche, Jacob Burckhardt, Spengler) qui s'expriment sur le problème Est-Ouest, et sur l'appartenance de la Russie à la culture européenne commune.

Contains texts by great intellectuals (Leibniz, Herder, Schlegel, Tocqueville, Herzen, Tjutschev, Carlyle, Dostoiewsky, Nietzsche, Jacob Burckhardt, and Spengler), in which they discuss a current event for us, the "East-West problem" of the existence of a common European culture that includes Russia.

Europäische Allegorie — Ein Meisterwerk des Manierismus (hrsg. von Lode Seghers)

Bruckmann, München 1961, 132 S., 104 Abb.

Ikonographische und historische Deutung des Bildes eines unbekannten Meisters aus dem Prado, das ein allegorisches Zeitbild der Torheiten Europas in der Epoche des Dreissigjährigen Krieges gibt.

Analyse iconographique et historique d'une toile d'un peintre inconnu au Prado, considérée comme représentation allégorique des folies de l'Europe à l'époque de la Guerre de 30 Ans.

A historical and iconographical analysis of a painting in the Prado by an unknown artist, seen as an allegorical representation of the follies of the 30 Years War Europe.

European Music in the Twentieth Century (edit. by Howard Hartog)

Routledge & Kegan Paul, Penguin Books, London 1957, 360 p.

Composers, conductors aud musicologists assess the motives, styles and innovations of composers such as Bartok, Stravinsky, Hindemith, Schoenberg, Webern. The subject not yet being exhausted, the editor includes a critique of the development of musical expression in the major European countries.

Des compositeurs, chefs d'orchestre et musicologues donnent leur appréciation sur le style et les innovations de compositeurs tels que Bartok, Strawinsky, Hindemith, Schoenberg, Webern. Ce sujet n'étant pas encore épuisé, l'éditeur inclut une critique du développement de l'expression musicale dans les principaux pays d'Europe.

FECHTER, Paul: **Das europäische Drama** 3 Bde

Bibliographisches Institut, Mannheim 1956/1957/1958, 509/557/544 S., ill.

Dieses dreibändige Werk ist sowohl eine Geschichte des europäischen Theaters mit Wien und Paris als Zentren, als auch eine Geschichte der dramatischen Literatur von der Antike bis zur Neuzeit, die jedoch nicht chronologisch geordnet ist, sondern von der Wirkung der Werke auf die Zeit, in der sie entstanden oder wiederentdeckt wurden, ausgeht.

On trouvera dans ces 3 volumes une Histoire du Théatre européen, dont les centres sont Vienne et Paris, et une Histoire de la littérature dramatique, de l'Antiquité aux temps modernes; celle-ci ne suit cependant pas un ordre chronologique, mais se base sur l'effet des œuvres sur l'époque de leur naissance ou de leur redécouverte.

This three-volume work is, at the same time a history of the European theatre, centred on Paris and Vienna, and a history of European plays, from antiquity up to the present day; however, the works are not considered in chronological order, but from the influence they had on the period of their writing or their rediscovery.

FOCILLON, Henri: **Art d'Occident — Le Moyen Age roman et gothique**

Armand Colin, Paris 2ème édit. 1958, 362 p., ill.
English edition: **The Art of the West.** *2 vol. Phaidon Press, London 1963, 310/382 p., ill.*

Vue panoramique de l'art médiéval en Europe, présentant les deux styles dominants de l'époque, Roman et Gothique. L'accent est mis sur les éléments historiques qui sont à la base de ces styles.

A panoramic view on European art in the Middle Ages symbolized in two prevailing styles and periods: Romanic and Gothic art. The historical causes and effects within these periods are analyzed in detail.

FRANKL, Paul: **Gothic Architecture**

Penguin Books, London 1962, 315 p., ill.

An exhaustive account of, firstly, the history of Gothic architecture and the evolution of its forms and, secondly, the philosophy and symbolism of its art.

Exposé complet de l'histoire de l'architecture gothique, de l'évolution de ses formes, puis de la philosophie et de la symbolique de son art.

Geistliche Lyrik des Abendlandes (hrsg. von Edgar Hederer)

Otto Müller, Salzburg 1962, 533 S.

Eine Anthologie von Gedichten unter dem Konzept der für ganz Europa gültigen geistlichen Grundhaltung.

Anthologie de poésie religieuse conçue dans un esprit à la fois oecuménique et généralement européen.

An anthology of poetry in which the European religious unanimity of spirit is demonstrated.

GHURYE, G. S.: **Occidental Civilization**

W. D. Tenbroeck, Bombay 1948, 204 p.

The author, an Indian professor, describes the flowering of Western civilization in literature, the fine arts, science and philosophy from the 14th to the 20th century. Brief survey for students.

Un professeur indien décrit l'épanouissement de la civilisation occidentale dans la littérature, les beaux-arts, la science et la philosophie du XIVe au XXe siècle. Brève étude d'ensemble, utile aux étudiants.

GIMPEL, Jean: **Les Bâtisseurs de Cathédrales**

Edit. Du Seuil, Paris 1961, 191 p., ill.
English edition: **The Cathedral Builders,** *Evergreen Books, London, Grove Press, New York, 1961, 192 p., ill.*

La construction des cathédrales fut à son apogée entre 1050 et 1350. L'auteur décrit ce phénomène d'expression artistique et son déclin, les bâtisseurs, l'importance de personnages tels que St. Bernard et l'Abbé Suger, la formation des hauts lieux tels que Reims, Chartres, Notre-Dame de Paris ou Canterbury, les influences diverses qui ont abouti à leur construction.

Cathedral building experienced a remarkable boom in the period 1050-1350, and it is this phenomenon of artistry in stone and its waning that the author describes. The builders, the importance of such characters as St. Bernard and the Abbot Suger, the growth of landmarks such as Rheims, Chartres, Notre Dame, or Canterbury, and the varied influences that led to their construction.

GLOAG, John: **Guide to Western Architecture — From the 6th Century B.C. to the Present Day**

Grove Press, New York 1958, 407 p., ill.

A general guide to the styles of Western architecture throughout the ages. Including 400 illustrations, a copious appendix, historical anecdotes and clear explanations of complex terms, it is of great value to the serious reader.

Guide général des styles de l'architecture occidentale à travers les âges. Comporte 400 illustrations, un index copieux, des anecdotes historiques et des définitions très claires des termes les plus complexes; les lecteurs sérieux en tireront le plus grand profit.

GLOCKNER, Hermann: **Die europäische Philosophie**

Reclam, Stuttgart, 2. Aufl. 1960, 1184 S.

Das Buch wendet sich an den Liebhaber der Philosophie, der sich den Traditionszusammenhang in der europäischen Philosophie von ihren griechischen Ursprüngen bis zur Gegenwart zueignen möchte. Die Anordnung ist übersichtlich und die Darstellung auch dem Nichtfachmann zugänglich.

Met en relief les points communs des principaux courants de la pensée philosophique européenne, des origines grecques à nos jours. Exposé cohérent et bien ordonné, dont les commentaires sont à la portée de tout le monde.

Throws into relief the points common to the principal currents of European philosophical thought, from Greek origins to our times. A coherent and well arranged account with commentaries within the grasp of everyone.

Great Mansions of Europe (ed. by Sacheverell Sitwell)

Weidenfeld & Nicolson, London 1961.

Edition française: **Grandes demeures d'Europe.** *Plon, Paris. — Deutsche Ausgabe:* **Die grossen Schlösser Europas.** *Ullstein, Berlin — Edizione italiana: Mondadori, Milano.*

This book contains a thousand photographs, partly in colour, as well as notes on the history and artistic treasures of forty of the most beautiful mansions in Europe, from Italian palazzi to the Jusupoff castle in Leningrad. De luxe edition with an introductory essay by S. Sitwell.

Un millier de photos, dont beaucoup en couleur, et des notices sur l'histoire et les trésors artistiques de quarante des plus belles demeures de l'Europe, des "Palazzi" italiens au palais Jusupoff à Petersbourg. Ouvrage de luxe, avec un essai introductif de S. Sitwell.

Der grosse Europäer Stefan Zweig (hrsg. von Hanns Arens)

Kindler, München 1957, 384 S., ill.

38 Beiträge von und über Stefan Zweig, die das Leben und Werk des grossen Dichters von vielen Standpunkten aus beleuchten. Eine kurze Lebensbeschreibung ist dem Werk vorangestellt.

38 essais sur Stefan Zweig ou de lui-même, qui éclairent beaucoup d'aspects de sa vie et de son oeuvre. Une courte biographie complète le recueil.

38 articles on Stefan Zweig and writings by himself which illustrate many aspects of his life and work. A short biography completes the collection.

HAFTMANN, Werner: **Malerei im 20. Jahrhundert**

Prestel, München, 2. Aufl. Text- und Tafelband 1955/1957, 517/549 S.

Sowohl eine Ideengeschichte der europäischen Malerei der letzten fünfzig Jahre, als auch der grossangelegte Versuch ihrer Deutung als einer typisch europäischen Erscheinung im Prozess der Technisierung der Welt.

Histoire de la peinture européenne des 50 dernières années et essai d'interprétation de cette dernière comme un phénomène typiquement européen dans un monde de plus en plus technique.

A history of the European painting of the past 50 years, and an attempt to interpret this period as a typically European phenomenon in an increasingly mechanized world.

HOCKE, Gustav R.: **Das europäische Tagebuch**

Limes, Wiesbaden 1963, 1135 S.

Auf der Basis einer eingehenden Untersuchung von Tagebüchern aus ganz Europa, von der Renaissance bis zur Gegenwart, auf Motive bestimmter Daseinserfahrungen hin, zeichnet sich das Bild des europäischen Menschen ab. Dieses reichhaltige Werk ist die erste umfassende Darstellung der Tagebuchliteratur.

Par une analyse minutieuse des journaux intimes de toute l'Europe, de la Renaissance à nos jours, l'auteur découvre l'image de l'Européen à partir de certaines expériences existentielles. Ce travail très riche est la première présentation d'ensemble de la littérature des journaux intimes.

By a detailed study of diaries from all over Europe, starting with the Renaissance and ending with the present day, the author discovers the image of the European through certain experiences of life. This extremely rich work is the first extensive presentation of the diary as a literary form.

HÜRLIMANN, Bettina: **Europäische Kinderbücher in drei Jahrhunderten**

Atlantis-Verlag, Zürich, 2. erw. Aufl. 1963, 228 S., ill.

Ein aufschlussreiches Werk über das europäische Kinderbuch aus drei Jahrhunderten als literarische Gattung und Grundlage der Kultur- und Geistesgeschichte unseres Kontinents.

Ouvrage instructif consacré à la littérature enfantine européenne, qui est un genre littéraire en soi, et qui est à la base de l'histoire culturelle de notre continent.

An instructive work on European literature for children which is a form in itself and is at the base of the cultural history of our continent.

KAEGI, Werner: **Europäische Horizonte im Denken Jacob Burckhardts**

Benno Schwabe & Co., Basel 1962, 187 S., ill.

Ein hervorragender Burckhardt-Kenner zeigt anhand oft unbekannter Literatur, wie stark der Basler Historiker von verschiedensten Polen des "europäischen Kraftfeldes" beeinflusst war. Ein wichtiger Beitrag zur Biographie eines Mannes, der heute mit Recht ein grosser Europäer genannt wird.

Un éminent spécialiste de Burckhardt montre, en se basant sur des textes souvent inédits, combien l'historien bâlois a été influencé par les pôles les plus divers du "champ de force européen". Contribution importante à la biographie d'un homme considéré à juste titre comme un grand Européen.

An eminent authority on Burckhardt shows, with the help of little-known texts, how much the historian from Basel was influenced by the most divergent elements in the "European field of strength". An important contribution to the biography of a man justly considered as a great European.

KIDDER SMITH, G. E.: **The New Architecture of Europe**

Prentice Hall International, London 1962, 351 p., ill. Penguin paperback edition 1962, 351 p., ill.
Deutsche Ausgabe: **Moderne Architektur in Europa.** *Piper & Co., München 1964, 388 S., ill.*

The author describes 225 creations by European and contemporary architects, his descriptions being accompanied by photographs and classified by countries. An excellent guide to modern architecture.

L'auteur décrit 225 œuvres d'architectes européens contemporains; ses descriptions accompagnées de photographies sont classées par pays. Un excellent guide de l'architecture moderne.

KINDERMANN, Heinz: **Theatergeschichte Europas.** 6 Bde.

Otto Müller, Salzburg 1957-1964, pro Bd. ca. 600 S., ill.

Werdegang und stete Wandlung des europäischen Theaterlebens von der Antike bis zur Gegenwart werden geschildert. Der Verfasser ist der Vorstand des theaterwissenschaftlichen Instituts der Universität Wien und als solcher berufen, diese Geschichte zu schreiben, die durch ihre reiche Dokumentation zum Standardwerk erhoben wird.

L'évolution et les transformations du théâtre européen, de l'Antiquité à nos jours. L'auteur, qui dirige l'Institut d'art dramatique de Vienne, était particulièrement qualifié pour écrire cette histoire dont la riche documentation fait un classique.

Describes the evolution and transformation of the European theatre, from Antiquity to the present day. It shows clearly the part played by the theatre in forming a bond between the peoples of Europe, and the influence on the public of dramatic thought. The author directs the Institute of Dramatic Art in Vienna.

KRANZ, Gisbert: **Europas christliche Literatur 1500-1960**

Paul Pattloch, Aschaffenburg 1961, 637 S., ill.

Ein literarisches Nachschlagewerk spezieller Natur. Enthält keine theologisch wissenschaftlichen Werke, sondern nur mehr oder minder schöngeistige Bücher, die besonders von christlicher Gläubigkeit oder christlichen Zweifeln beeinflusst sind.

Lexique littéraire de nature particulière: il contient non pas des oeuvres théologiques, mais des ouvrages appartenant au domaine des belles lettres et inspirés essentiellement par la piété ou le doute chrétien.

A literary lexicon of a particular kind, containing works belonging not to theology but more or less to the Humanities, and inspired mainly by Christian faith or scepticism.

KÜHN, Herbert: **Die Felsbilder Europas**

Kohlhammer, Stuttgart 1954, 323 S., ill.

Behandelt die sich in den Felsbildern offenbarenden frühesten, meist kultischen Quellen entspringenden Regungen künstlerischer Betätigung in Europa, deren Entdeckung vorwiegend unserem Jahrhundert vorbehalten blieb.

Traite des peintures rupestres qui sont les premières manifestations, influencées par les anciens cultes, d'activité artistique en Europe, et dont la découverte n'a été faite que par notre siècle.

The prehistoric cave-drawings as the first signs of artistic activity in Europe which had their origins in the ancient cults. Their discovery has had to wait till our century.

KÜHN, Herbert: **Die Kunst Alteuropas**

Kohlhammer, Stuttgart, 2. Aufl. 1958, 251 S., ill.

Der Verfasser führt uns von der Eiszeit- und frühen Steinzeitkunst über die kretische Formkunst zur Blüte griechischer Kunst und weiter bis ins erste Jahrtausend nach Christi Geburt, als sie sich mit etruskischen, keltischen, germanischen und anderen Stilelementen mischte und sich zur europäischen Kunst des frühen Mittelalters entwickelte.

L'auteur nous conduit de l'époque glaciaire et de l'âge de la pierre taillée, à travers la Crète, jusqu'à l'épanouissement de l'art grec, auquel vont se mêler des éléments étrusques, celtes, germaniques entre autres pour former, au cours du premier millénaire après J.-Chr., l'art européen du Haut Moyen Age.

The author guides us from the ice and stone ages, to the forms of Cretan art, and the development of Greek art with which Etruscan, Celtic and Germanic elements, among others, mingled later on to form the European art of the early Middle Ages during the first millenium after Christ.

Die Kulturen des Abendlandes (Gesamtleitung J. A. Schmoll)

Holle, Baden-Baden, seit 1962, 24 Bde, ill.
Autres langues / other languages: A. Michel, Paris; Methuen, London; Mondadori, Milano; Seix y Barral, Barcelona; Elsevier, Amsterdam; Hassings, København; Allhem, Malmö; Dvir, Tel-Aviv; Crown Publishers, New York.

Mit der Serie "Die aussereuropäischen Kulturen" bildet die zweite der "Kulturen des Abendlandes" zusammen eine 40-bändige Kunstgeschichte in Einzeldarstellungen, die "Kunst der Welt". Von Spezialisten zahlreicher Länder zusammengestellt und bearbeitet.

Partie d'un ouvrage d'histoire de l'art en 40 volumes intitulé "L'Art du Monde", cette série comprend des études isolées sur les "Cultures de l'Occident" en 24 volumes. Composée par des spécialistes de nombreux pays. Il s'agit d'une co-édition pour tous les pays d'Europe ainsi que pour les Etats-Unis.

Part of a 40 volume work "The Art of the World", the abovementioned series on "European Cultures" includes specialized studies in 24 volumes. Specialists from several countries have contributed. A co-edition for all the European countrier and for the United States.

Die Kunst des Abendlandes. 5 Bde. (hrsg. von Frederik Adama van Scheltema)

Kohlhammer, Stuttgart 1953-1960, ca. 400 S. p. Band., ill.

Eine Deutung der abendländischen Kunst aus vorwiegend geistiger Sicht, in des die Bilder ausschliesslich den Text illustrieren. Der Herausgeber hat führende Künstlerpersönlichkeiten in den Mittelpunkt seiner Betrachtungen gestellt und leitet aus ihnen die Entwicklungstendenzen der einzelnen Stilepochen ab.

Une histoire de l'art de l'Occident en 5 volumes, dont les illustrations contribuen à rendre le texte plus compréhensible. Par l'étude de quelques grands artistes, le rédacteur en chef retrace l'évolution des différentes époques.

A history of western art in 5 volumes, in which the illustrations are a great aid to comprehension. The editor traces the development of the different epochs and studies several artists representative of each.

Kunst des Abendlandes. 4 Bde. (hrsg. von Kurt Martin)

G. Braun, Karlsruhe 1957-1963, ca. 150 S. und 350 Abb. p. Band

Ein vor allem für das Studium und den Unterricht der Kunstgeschichte geschaffenes Bildwerk, mit anschliessenden, zum Verständnis unerlässlichen Erläuterungen.

Ouvrage illustré conçu surtout pour l'étude et l'enseignement de l'histoire de l'art, complété par des commentaires indispensables à la compréhension.

An illustrated work conceived above all for the study and teaching of the history of art. Completed by commentaries indispensable to understanding.

LAISTNER, M.L.W.: **Thought and Letters in Western Europe 500-900**

Methuen & Co., London, new ed. 1957, 416 p.

Analyses the lines of the cultural forces of an age whose importance is too often neglected in Europe; that which, after the fall of the Roman Empire, prepared the ground for the cultural splendours of the Middle Ages.

Dégage les lignes de force culturelles d'une époque dont on méconnaît trop souvent l'importance en Europe: celle qui, après la chute de l'Empire romain, devait préparer la voie à l'épanouissement de la culture au Moyen Age.

LOMBARD, Alfred: **Un mythe dans la poésie et dans l'art**

La Baconnière, Neuchâtel 1946, 130 p., ill.

Présentation historique d'un choix de textes littéraires et d'oeuvres d'art de tous les siècles sur le thème de l'Enlèvement d'Europe.

A historical anthology of writings and works of art of all ages, on the theme of the rape of Europe.

LÜTHI, Max: **Das europäische Volksmärchen**

A. Francke, Bern, 2. Aufl. 1960, 132 S.

Der Verfasser bezeichnet seine Schrift als eine Interpretation des Volksmärchens aus der Sicht des Literaturwissenschaftlers. Sie behandelt Form und Wesen des Märchens und ist in der neuen Taschenbuchausgabe um ein Kapitel über Märchenforschung erweitert.

L'auteur présente son ouvrage comme une interprétation littéraire du conte populaire, dont il étudie la forme et le contenu. La nouvelle édition en livre de poche est enrichie d'un chapitre consacré aux recherches entreprises dans ce domaine.

The author presents his work in the form of a literary interpretation of the folk tale which he studies in its form and content. The new paperback edition is enriched by a chapter devoted to research undertaken in this field.

Meisterwerke europäischer Baukunst (hrsg. von Theodor Müller-Alfeld)

Deutsche Buchgemeinschaft, Berlin 1960, 251 S., ill.

Dieser Bildband ist ein Querschnitt durch die europäische Architektur in ihrer geschichtlichen Bedingtheit, als Ausdruck der Gemeinsamkeit der europäischen Kultur.

Etude de l'architecture dans sa nécessité historique, considérée comme expression d'une culture commune à toute l'Europe.

A review of architecture in its historical context, seen as an expression of a culture common to all Europe.

MEYER, Peter: **Europäische Kunstgeschichte.** 2 Bde

Schweizer Spiegel-Verlag, Zürich 1947, 352/373 S., ill.

Eine persönlich gehaltene Deutung des europäischen Geistes im Spiegel der Kunst, insbesondere der Architektur.

Interprétation personnelle du génie européen, basée sur les arts et en particulier sur l'architecture.

A personal interpretation of the European genius based on art and, in particular, on architecture.

Monumente des Abendlandes (hrsg. von Harald Busch und Bernd Lohse)

Umschau-Verlag, Frankfurt — English Edition: Batsford, London.

Baukunst der Romanik in Europa. *5. Aufl. 1964, 224 S., ill.* / **Romanesque Europe.** *1960, 248 p., ill.* — **Baukunst der Gotik in Europa,** *5. Aufl. 1964, 236 S., ill.* / **Gothic Europe.** *1962, 264 p., ill.* — **Baukunst der Renaissance in Europa.** *3. Aufl. 1964, 211 S., ill.*/**Renaissance Europe.** *1959, 206 p., ill.* — **Baukunst des Barock in Europa.** *1961, 279 S., ill.* — **Baroque Europe.** *1962, 264 p., ill.* — **Romanische Plastik in Europa.** *3. Aufl. 1964, 215 S., ill.*/**Romanesque Sculpture.** *1962, 204 p., ill.* **Gotische Plastik in Europa.** *1962, 228 S., ill.*/**Gothic Sculpture.** *1963, 224 p., ill.* **Europäische Plastik der Spätgotik und Renaissance.** *1963, 224 S., ill.* — **Barock-Plastik in Europa.** *1964, 256 S., ill., deutsch/english text.*

In dieser Serie bildet der Text nur eine kurze, jedoch in seiner Straffung sehr klare Einführung in das künstlerische Schaffen in Architektur und Plastik während der verschiedenen Stilepochen und führt den Beschauer von Portugal bis Russland, von Skandinavien bis an die Mittelmeerküsten.

Série de volumes richement illustrés, où des textes brefs et clairs introduisent le lecteur à l'architecture et à la sculpture des différentes grandes époques, du Portugal à la Russie, et des pays scandinaves aux rives de la Méditerranée.

The text of this series offers a short, albeit clear introduction to the architecture and sculpture of different periods, and takes the reader from Portugal to Russia, and from Scandinavia to the shores of the Mediterranean.

MOSER, Hans Joachim: **Die Tonsprachen des Abendlandes**

Merseburger Verlag, Berlin 1960, 307 S.

Eine Reihe von Essays über die Wesenszüge der germanischen, romanischen und slawischen Musik und ihre Gegenüberstellung als abendländische Tonsprache mit der orientalischen und exotischen Musik.

Série d'essais sur les traits principaux de la musique germanique, romane et slave. Comparaison du langage mélodique occidental avec la musique orientale et exotique.

A series of essays on the chief characteristics of Germanic, Romanic and Slavonic music, with a comparison between them, as a melodic language of the West and Oriental and exotic music.

NOACK, Hermann: **Die Philosophie Westeuropas im zwanzigsten Jahrhundert**

Benno Schwabe & Co., Basel 1962, 370 S.

Darstellung der Geschichte der zeitgenössischen Philosophie Westeuropas mit besonderer Berücksichtigung des deutschen Sprachgebietes.

Histoire de la philosophie contemporaine en Europe de l'Ouest, et plus spécialement dans les régions de langue allemande.

An essay on the history of contemporary philosophy in Western Europe, particularly in the German-speaking region.

PEVSNER, Nikolaus: **An Outline of European Architecture**

Penguin Books, London, 7th ed. 1963, 496 p., ill./Jubilee edition: 1960, 739 p., ill. Deutsche Ausgabe: **Europäische Architektur.** *Prestel, München 1957, 550 S. Jubiläumsausgabe: 1957, 740 S., ill. — Edizione italiana:* **Storia dell'architectura europea.** *Laterza, Bari 1959, 407 p., ill.*

The original English edition was a pocket book for teachers and pupils. Contains a brilliant discussion on the unity of European culture. A substantially enlarged edition was published in 1960.

L'édition anglaise originale était un livre de poche pour professeurs et élèves. L'auteur y disserte brillament sur le thème de l'unité de la culture européenne. Une édition sensiblement augmentée a été publiée en 1960.

PFEFFERKORN, Rudolf: **Stilkunde des Abendlandes**
Band 1: Architektur — Band 2: Plastik — Band 3: Malerei

Gebr. Weiss, München 1961, pro Bd. ca. 250 S.

Drei Taschenbücher über die europäische Kunst von der Antike bis zur Neuzeit als Einführung und Übersicht der verschiedenen Stilelemente. Für Laien.

Trois livres de poche d'introduction à l'art européen exposent, pour les non-spécialistes, les éléments d'expression artistique, de l'Antiquité à nos jours.

Three paperbacks providing an introduction to European art, and summarizing for the non-specialist the elements of artistic expression from Antiquity to our times.

PRIESTLEY, J. B.: **Literature and Western Man**

Heinemann, London 1960, 512 p.

Deutsche Ausgabe: **Der Europäer und seine Literatur.** *Kurt Desch, München 1961, 535 S. — Edition française:* **La littérature et l'homme d'Occident.** *Gallimard, Paris 1963, 584 p. — Editions danoise, suédoise, espagnole, portugaise et japonaise.*

The real subject of the book is Western man, and it is by reference to him that Priestley selects the authors who appear in his study. He begins with the period of Montaigne, Cervantes and Elizabeth of England and ends with the novelists, playwrights and poets of modern times.

Il s'agit avant tout de l'homme occidental, et c'est par rapport à lui que Priestley choisit les auteurs qui figurent dans son étude. Il prend comme point de départ l'époque de Montaigne, de Cervantès, d'Elisabeth d'Angleterre, pour aboutir aux romanciers, dramaturges et poètes des temps modernes.

RICE, Talbot: **The Beginning of Christian Art**

Hodder & Stoughton, London 1957, 224 p., ill.

Deutsche Ausgabe: **Kultur und Geschichte — Beginn und Entwicklung christlicher Kunst.** *DuMont Schauberg, Köln 1961, 211 S., ill.*

The author analyses the origin of Christian art and its influence upon later periods, with regard both to Western and to Eastern Europe, Byzantium being taken into special consideration.

Etude analytique des origines de l'art chrétien et de l'influence qu'il a exercée sur les époques ultérieures. L'Europe entière est prise en considération, une attention particulière étant accordée à l'art byzantin.

ROSCI, Mario: **Europäische Malerei von der Renaissance bis zur Romantik**

Süd-West-Verlag, München 1961, 207 S., ill.

Text und Bild legen Zeugnis ab von der Entstehung der nationalen Schulen als Reaktion auf die italienische Vorherrschaft in der Malerei.

Texte et illustrations témoignent de l'évolution des différentes écoles nationales à partir de la peinture italienne, prédominante jusqu'à la Renaissance.

Text and illustrations demonstrate the development of different national schools of art as a reaction against Italian painting which prevailed until the Renaissance.

RYCHNER, Max: **Zur europäischen Literatur zwischen zwei Weltkriegen**

Manesse Verlag, Zürich, 2. Aufl. 1951, 332 S.

Eine Sammlung kritischer Essays über vorwiegend deutsche Beiträge zur europäischen Literatur.

Série d'essais critiques consacrés principalement à la contribution allemande à la littérature européenne.

A series of critical essays mainly devoted to German contributions to European literature.

SCHÖNBERGER — SOEHNER: **Die Welt des Rokoko**

Georg Callwey, München 1959, 320 S., ill.

Edition française: **L'Europe du XVIIIe siècle.** *Edit. des Deux Mondes, Paris 1959, 464 p. — English edition:* **The Age of Rococo.** *Thames & Hudson, London 1960, 394 p. — Edizione italiana:* **Il Rococo. Arte e civiltà del Secolo XVIII.** *Electa Editrice, Milano. — Edición española:* **Rococó.** *En preparación por Salvat Editores Barcelona.*

Das Werk, in der Folge der vom Europarat in München 1959 veranstalteten Ausstellung geschaffen, behandelt nicht nur das Rokoko als kunstgeschichtliche Epoche, sondern auch und vielmehr die gleichzeitige geschichtliche Epoche der Aufklärungszeit. Bringt die ausschlaggebende Bedeutung dieser Zeit eindringlich zu Bewusstsein.

Fait suite à l'exposition organisée par le Conseil de l'Europe en 1959 à Munich, et traite non seulement du Rococo comme époque artistique, mais de son arrière — plan historique: l'Aufklärung ou Siècle des Lumières.

This book, written as a sequel to the exhibition organized by the Council of Europe in Munich in 1959, deals not only with Rococo in the context of the history of art but also, and much more, with the historical aspects of the age of Enlightenment or the Aufklärung.

SCHÖNE, Wolfgang — KOLLWITZ, Johannes — CAMPENHAUSEN, Hans Frh. von: **Das Gottesbild im Abendland**

Eckart-Verlag, Witten, 2. Aufl. 1959, 175 S., ill.

In diesem reich illustrierten Band nehmen Theologen und Kunsthistoriker zu Grundfragen christlicher Kunst Stellung. Für Historiker und Laien.

Des théologiens et des historiens de l'Art prennent position sur des questions fondamentales de l'art chrétien. Pour historiens et profanes. Belles illustrations.

Theologians and art historians state their positions on fundamental questions of Christian art. For historians and lay readers.

SPOERRI, Theophil: **Dante und die europäische Literatur**

Kohlhammer, Stuttgart 1963, 208 S.

Eine sprachstrukturale Analyse der Lyrik Dantes, wie sie vom Verfasser als noch heute für die europäische Literatur vorbildlich empfunden wird.

Etude de métrique linguistique consacrée au lyrisme de Dante. Pour l'auteur, Dante reste le grand modèle européen.

A study of the linguistic metre devoted to the lyricism of Dante. For the author Dante provides the great example for European literature.

STADLER, Wolfgang: **Führer durch die europäische Kunst**

Herder, Freiburg i. Br., 4. Aufl. 1960, 479 S., ill.
English edition: **European Art — A traveller's Guide.** *Herder, Freiburg/Nelson, London 1960, 298 p.*

Der Verfasser gibt zunächst ein summarisches Bild der Schöpfungen Athens und Roms sowie der aus ihrer Verbindung mit dem Christentum entstandenen frühchristlichen, byzantinischen, karolingischen und ottonischen Kunst, um uns dann durch das national gewordene Kunstschaffen der einzelnen Länder zu führen, deren Eigenarten er gegen den Hintergrund der gemeinsamen Stilepochen darstellt, bis zur Moderne, in der die europäische Kunst ihre Einheit wiederfindet.

L'auteur brosse tout d'abord un tableau général des créations d'Athènes et de Rome, ainsi que de l'art issu de leur fusion avec le Christianisme: premier art chrétien, art byzantin, carolingien, othonien; il fait le tour des activités artistiques, devenues nationales, de chaque Etat, dont il présente les particularités qui se distinguent de l'arrière-plan commun des styles, pour arriver à l'époque moderne, où l'art européen a retrouvé son unité.

The author first provides a general picture of the art of Athens and Rome, and describes the results of its fusion with Christian art: early Christian, Byzantine, Carolingian, and early Gothic art; he describes the artistic activities and national evolutions of each State, and he shows the features by which each can be distinguished against the common background of the style of each period, up to contemporary art, through which Europe has regained her artistic unity.

SUIDA, Wilhelm: **Kunst und Geschichte**

Phaidon, Köln 1960, 212 S., 181 Abb.

"Versuch einer Feststellung der Stileinheiten in der Kunsttätigkeit Europas von den Anfängen bis zur Gegenwart". Damit hat der Verfasser eine Art wissenschaftlicher Kunstpsychologie geschaffen.

"Une tentative de détermination de l'unité de style dans l'Art européen, des origines à nos jours". Essai de psychologie scientifique de l'Art.

"An attempt to define the unity of style in European Art, from its beginnings to the present day". The author has undertaken a scientific psychological study of Art.

TIEGHEM, Paul van: **Histoire littéraire de l'Europe et de l'Amérique, de la Renaissance à nos jours**

Armand Colin, Paris, 3ème édit. 1951, 426 p.

L'étude des grands courants de pensée, des filiations internationales, des influences réciproques, caractérise cette histoire de la littérature occidentale — Europe et Amérique mêlées — de la Renaissance à 1939. Près de 1400 auteurs sont analysés ou situés, parfois en une ligne.

An analysis of the great trends of thought, international filiations, reciprocal influences, is what characterizes this history of Western literature — Europe and America mixed — from the Renaissance to 1939. Nearly 1400 authors are analysed or mentioned, sometimes in one line.

TUULSE, Armin: **Burgen des Abendlandes**

Anton Schroll & Co., München 1958, 240 S., ill.

In diesem Werk tritt uns eine Seite mittelalterlicher Geschichte entgegen, die durch Burgen und Wehrbauten verkörpert wird. Der Verfasser zeigt einleitend Beispiele antiker Vorläufer des Burgbaus, die neben den Sakralbauten lebendiges Zeugnis von der Kultur der romanischen und gotischen Stilepoche ablegen.

Un aspect de l'Histoire du Moyen Age: les châteaux-forts et les ouvrages défensifs de cette époque. Décrit les maisons fortifiées qui ont précédé les châteaux et qui, à côté des édifices sacrés, sont un témoignage vivant de la culture de l'époque romane et gothique.

An aspect of the history of the Middle Ages is described in terms of the fortresses and other defensive constructions of the time. The author begins with examples of the ancient fore-runners of these forts which, with consecrated buildings, are a standing witness of romanic and gothic culture.

WEIGERT, Hans: **Geschichte der europäischen Kunst.** 2Bde.

Kohlhammer, Stuttgart, 7. verb. Aufl. 1960, 628/560 S., ill.

Eine Kunstgeschichte, die zeigen will, wie die Kunst überall in Europa von den Menschen ihrer Epoche unter gegenseitiger Befruchtung geformt wird. Das Werk verbindet die Qualitäten anregender Lektüre mit denen des Bildungsbuches.

Une histoire de l'Art qui tend à montrer comment, partout et toujours en Europe, l'art d'une époque a résulté de fécondations mutuelles. Ouvrage de culture générale et d'une lecture stimulante.

A history of Art which shows how far Europeans have always developed their art by mutual inspiration. Some enlightening reading is added to the qualities of a work of cultural formation.

WEIGERT, Hans: **Kleine Kunstgeschichte Europas**

Kohlhammer, Stuttgart, 7. Aufl. 1960, 356 S., ill.

Der Verfasser der grossen, im gleichen Verlag erschienenen zweibändigen Kunstgeschichte bringt hier in starker Kürzung eine reich illustrierte Einführung in zwei Jahrtausende abendländischer Kunst. Im Anhang ein Register über kunstgeschichtliche Fachausdrücke sowie chronologische Tabellen.

L'auteur de la grande Histoire de l'Art en deux volumes publiée chez le même éditeur, en donne ici une version très résumée, introduction richement illustrée à deux mille ans d'art occidental. En annexe, un lexique des expressions techniques d'histoire de l'art, et des tables chronologiques.

The author of the two-volume History of Art, published under the same publisher, here gives us a summarized, but richly illustrated introduction to two thousand years of Western art. In the appendix is a list of the technical expressions used in the history of art, and a chronological table.

WEISGERBER, Leo: **Sprachenrecht und europäische Einheit**

Westdeutscher Verlag, Köln/Opladen 1959, 142 S.

Ausgehend von einer philologischen Wertbestimmung der Sprache zeigt der Verfasser, wie unzureichend das Recht auf Sprache und der Sprachenschutz in unserer Rechtsordnung verankert sind. Der Autor fordert vermehrte Bereitschaft zum Sprachfrieden in Europa, die sich sowohl auf internationaler (UNO), europäischer (europäische Kulturabkommen), als auch auf nationaler Ebene (Verfassung) konkretisieren soll.

L'auteur part d'un jugement de valeur sur les langues en général, puis montre à quel point le droit à la langue et la protection du langage sont mal garantis dans notre système juridique. Préconise une paix linguistique en Europe, qui s'exprimerait sur le plan international (ONU), sur le plan européen (par des conventions culturelles européennes), ainsi que sur le plan national (constitution).

Starting with a philological evaluation of languages in general, the author demonstrates how unsatisfactorily language and the protection of language are guaranteed by our judicial system. The author demands a "language peace" in Europe, to be consolidated at international (UNO), European (cultural agreements) and national (constitutions) levels.

Weltgeschichte der abendländischen Kultur (hrsg. von Hermann Boeckhoff und Fritz Winzer)

G. Westermann, Braunschweig 1963, 588 S., 500 Abb.

Über die Darstellung einzelner Höhepunkte der jeweiligen kulturellen Entwicklungsstufe wird das Buch dank seines Aufbaus als Bildband und Lexikon zu einem umfassenden und übersichtlichen Nachschlagewerk über alle Gebiete der europäischen Kultur, welche in der Folge nach Amerika übergreift und von dort rückstrahlend zur gesamt-abendländischen Kultur wird.

Ouvrage de référence clair et détaillé, conçu à la fois comme livre illustré et comme lexique, sur tous les domaines de la culture européenne. Montre la diffusion vers l'Amérique de la culture européenne, qui devient ainsi culture occidentale.

Conceived both as an illustrated volume and as a lexicon this book deals with all the spheres of European culture viewed from the peaks of each period. Shows the spread of European culture to America, thus becoming the culture of the Western World. A clear and detailed work of reference.

ZÜRCHER, Richard: **Dauer und Wandlung in der europäischen Kunst**

Eugen Rentsch, Stuttgart 1954, 203 S., ill.

Umreisst den geistigen Raum des künstlerischen Schaffens in Europa. Darstellung der schöpferischen Spannungen und Kräfte, die der europäischen Kunstgeschichte von der Antike bis zum Ende des Barock ihren inneren Zusammenhang gaben, und die der Autor heute als bedroht betrachtet.

Pour illustrer le caractère de l'activité artistique en Europe, l'auteur étudie les tensions et forces créatrices qui ont toujours été à la base de l'art européen, de l'Antiquité à la fin du Baroque. Il pense que la cohérence de cet art est en danger aujourd'hui.

To illustrate the nature of European artistic activity, the author examines the creative tensions and powers which have always been, from Antiquity to the end of the Baroque period, the basis of European art. He thinks that today the coherence of this art is in danger.

V. EDUCATION

AIMONETTO, L.: **Europa di ieri e di oggi**

Lattes, Torino, 7a. ed. 1963, 348 p., ill.

Letture per la scuola media di autori italiani e stranieri sulle varie località europee.

Lectures pour les écoles secondaires, tirées d'ouvrages d'écrivains italiens et étrangers, sur les différents pays européens.

A text-book for secondary schools. Extracts from the writings of both Italian and foreign authors, on different European countries.

BINDSCHEDLER, M. — WEBER, L. — MÜLLER-WIELAND, M. — FEHR, K. — SCHORER, F. — LITT, Th.: **Vom Geist abendländischer Erziehung**

Morgarten-Verlag, Zürich 1961, 198 S.

Die sechs Aufsätze behandeln nur das deutsch-sprachige Abendland. Wie das humanistische Erbe Goethes, Pestalozzis u.a. in unsere Zeit übernommen werden kann, erörtert Theodor Litt in dem abschliessenden Kapitel.

Six travaux se limitant à l'Occident de langue allemande. Theodor Litt explique dans le chapitre final comment peut être repris à notre époque l'héritage humaniste d'un Goethe ou d'un Pestalozzi.

Six essays limited to the German speaking part of the West. Theodore Litt explains in the concluding chapter how the humanist legacy of Goethe or Pestalozzi could be taken over into our age.

BONACINA, Franco: **L'Europa diventa un fatto**

U.C.I.I.M., Roma 1960, 174 p.

Manuale destinato agli insegnanti, perchè formino dei cittadini europei, con lezioni di educazione civica più attuali.

Manuel destiné aux enseignants, pour leur permettre de former des citoyens européens en rendant plus actuelles leurs leçons d'instruction civique.

A manual designed for teachers, enabling them to create European citizens by bringing civics lessons up to date.

DANCKWORTT, D.: Die Junge Elite Asiens und Afrikas als Gast und Schüler Europas

Psychologisches Institut der Universität Hamburg, 1959, 100 S.

Im Auftrage der Europäischen Kulturstiftung behandelt der Autor die Frage, wie Europas Institute und Universitäten die zahlreichen Schwierigkeiten überwinden können, die vor der Vermittlung eines europäischen Kulturbildes bei Studenten und Praktikanten aus Entwicklungsländern stehen.

Mandaté par la Fondation Européenne de la Culture, l'auteur examine le problème de savoir comment les Instituts et les Universités peuvent surmonter les nombreuses difficultés qui se présentent pour donner aux étudiants et aux stagiaires en provenance de pays sous-développés une image de la culture européenne.

The author, commissioned by the European Cultural Foundation, examines the problem of how Institutes and Universities can surmount the numerous difficulties facing them, in order to give students and trainees from developing countries an image of European culture.

DAWSON, Christopher: The Crisis of Western Education

Sheed & Ward, London 1961, 246 p., ill.
Edición española: **La crisis de la educación occidental.** *Rialp, Madrid 1962, 208 p.*

Analysing the tradition of liberal education in the West the author points out that the Western civilization of today is living in a spiritual vacuum, and is thus inferior to what are assumed to be less advanced cultures.

Analyse de la tradition occidentale d'éducation libérale, mettant en évidence l'idée que la civilisation actuelle de l'Occident se trouve dans un état de vide spirituel, qui la rend inférieure à des civilisations considérées comme moins évoluées.

DRIESCH-ESTERHUES: Geschichte der Erziehung und Bildung. 2Bde.

Ferdinand Schöningh, Paderborn, 5. Aufl. 1960, 418/379 S., 1961.,

Ein interessantes, reich dokumentiertes Werk, in dem die Autoren für jeden wichtigen Geschichtsabschnitt, von der griechischen Antike bis zur Gegenwart, eine Synthese der geistigen Strömungen geben, welche die Entwicklung Europas auf pädagogischem und kulturellem Gebiet beeinflusst haben.

Œuvre intéressante et bien documentée, dans laquelle les auteurs donnent une synthèse des courants de pensée qui ont influencé le développement pédagogique et culturel de l'Europe pour chaque période importante, de l'Antiquité grecque jusqu'à l'époque actuelle.

Interesting and well-documented work in which the authors correlate the currents of thought which have influenced the pedagogic and cultural development of Europe during every period of importance from Greek antiquity to the present day.

EBERHARD, Otto: **Abendländische Erziehungsweisheit**

Walter de Gruyter, Berlin 1958, 212 S.

Kommentar zu den Ideen über Erziehung bedeutender europäischer Philosophen, Schriftsteller und Pädagogen von Luther über Locke, Comenius, Pestalozzi, Goethe, Dickens und Tolstoi bis Lighthart. Besonders betont wird die einzigartige Rolle der Eltern in der Erziehung.

Commentaire de la pensée pédagogique de plusieurs éminents philosophes, écrivains et pédagogues européens, de Luther à Lighthart en passant par Locke, Comenius, Pestalozzi, Goethe, Dickens et Tolstoï, et en insistant particulièrement sur le rôle que l'éducation familiale est seule à pouvoir jouer.

A commentary on the pedagogic ideas of several eminent European philosophers, writers and pedagogues from Luther to Lighthart, not omitting Locke, Comenius, Pestalozzi, Goethe, Dickens or Tolstoi, and emphasizing particularly the role that home education alone is capable of assuming.

ELLERT, Gerhart: **Das Abenteuer des Forschens**

Österreichischer Bundesverlag, Wien 1963, 227 S., ill.

Ein Buch für die studierende Jugend, das eine geistige Wanderschaft zu den grossen Kulturzentren Europas und zu den berühmten, alten Universitäten schildert. Das Werk endet mit einer Betrachtung über die Gründung einer Europa-Universität in der das Ideal des "Studium generale" wieder aufleben soll.

Livre pour la jeunesse estudiantine. Description des grands centres culturels de l'Europe et des célèbres universités anciennes. L'ouvrage se termine par des considérations sur la fondation d'une université européenne, dans laquelle l'idéal du "studium generale" pourrait revivre.

A book for students, imagining a fictious visit to the great cultural centres of Europe and the famous ancient Universities. The work finishes by considering the foundation of a European University in which the idea of a "Studium Generale" can be resurrected.

Enquête sur l'enseignement civique dans les pays européens

Publ. par le Centre Européen de la Culture, Genève 1963, 96 p.

Réponses de tous les ministères de l'éducation des pays européens de l'Ouest à un questionnaire sur la situation présente de l'instruction civique (programmes et méthodes) et sur les possibilités d'y introduire la question européenne.

The Ministries of Education from all countries in Western Europe have answered to a questionnaire concerning the actual situation of civic instruction (programmes and methods). How can European questions be included therein?

Erziehung zu Europa

Verlag für Jugend und Volk, Wien 1957, 110 S.

Hier sind vier Vorträge vereint, die anlässlich des Seminars europäischer Erzieher in Wien 1957 gehalten wurden. Die Ziele, wie auch die Reaktionen auf die Einführung europäischer Gesichtspunkte in das Erziehungswesen werden untersucht.

Recueil de quatre exposés présentés au séminaire européen destiné aux enseignants, réuni à Vienne en 1957, et examinant les buts et les répercussions de l'insertion de perspectives européennes dans l'éducation.

A collection of four lectures held at the European Conference for teachers, which met in Vienna in 1957, examining the repercussions and results of the insertion of European views into education.

L'Europa e l'educazione europea

U.C.I.I.M., Roma 1961, 276 p.

Atti del Congresso Nazionale dell'Unione Cattolica Italiana degli Insegnanti della Scuola Media, tenutasi a Strasburgo nel 1960, e consacrati ai vari aspetti della cultura europea. E' attraverso una presa di coscienza della loro appartenenza a questa civiltà cristiana che gli insegnanti potranno dare ai loro allievi un'educazione europea.

Travaux du Congrès National de l'Union Catholique Italienne des Enseignants des Ecoles Secondaires réuni à Strasbourg en 1960, et consacré aux divers aspects de la culture européenne. C'est par une prise de conscience de leur appartenance à cette civilisation chrétienne que les enseignants pourront donner à leurs élèves une éducation européenne.

Proceedings of the National Congress of the Italian Catholic Union of Secondary School Teachers held at Strasbourg in 1960, and concerned with different aspects of European culture. It is by realizing that they belong to the Christian civilization of Europe that the teachers will be able to give their pupils a European education.

Der Europa-Gedanke in der Erwachsenenbildung

Selbstverlag des Bundesministeriums für Unterricht, Wien 1959, 223 S.

Referate des Europa-Seminars 1959 über verschiedene Themen des Europagedankens, vor allem in Bezug auf die Erwachsenenbildung.

Recueil de conférences du Séminaire Européen de 1959 consacrées à divers thèmes de la pensée européenne spécialement à l'égard de l'éducation des adultes.

Collection of the lectures of the Europa-Seminar of 1959, devoted to different aspects of the European idea, with special interest given to adult education.

Das europäische Geschichtsbild und die Schule

Europa-Union Verlag, Bonn 1957, 116 S.

Vorträge der Historiker-Tagung der Europa-Union Deutschland in Königswinter, 27. - 29. IX. 1957. Treffende Beispiele aus der Geschichte des Mittelalters und der Gegenwart beweisen, dass man das Bewusstsein eines echten Europäertums und einer europäischen Zivilisation durch den Geschichtsunterricht fördern kann.

Exposés faits à la réunion d'historiens organisée par l'Union européenne à Königswinter du 27 au 29 septembre 1957. Des exemples bien choisis de l'histoire du Moyen Age, comme de l'époque contemporaine, montrent comment on peut, par l'enseignement de l'histoire, accélérer la prise de conscience d'une âme et d'une civilisation européenne.

Lectures given at the meeting of historians organised by the European Union at Königswinter from the 27th to 29th September, 1957. Well-chosen examples from mediaeval as well as contemporary history, show how one may awaken the understanding of the European ideal and civilization by teaching history.

Europäische Universität — ein Gebot der Stunde (hrsg. von Alexander Nikuradse)

Duncker & Humblot, Berlin 1960, 74 S.

Bericht über eine im Kreise der "Münchner Gespräche" geführte Aussprache zur Frage der Europäischen Universität und ihrer prinzipiellen Möglichkeiten.

Compte-rendu d'une conférence prononcée à l'occasion des Colloques de Munich sur le projet d'une Université Européenne, ses principes et ses possibilités.

Report of a lecture on the project of a European University, its principles and possibilities.

FLITNER, Wilhelm: **Die Einheit der europäischen Kultur und Bildung**

Selbstverlag der Universität Hamburg 1952, 22 S.

Der Verfasser verteidigt die These, dass akademische Freiheit und das politische Bemühen um die Einheit Europas nicht unvereinbar sind.

Thèse de l'auteur: la liberté académique n'est pas inconciliable avec l'engagement politique en faveur de l'unité européenne.

The author defends the thesis that academic freedom is not irreconcilable with political commitments in favour of European unity.

FROESE, L. — HAAS, R. — ANWEILER, O.: **Bildungswettlauf zwischen Ost und West — Das pädagogische Gespräch**

Herder, Freiburg i. Br. 1961, 125 S.

Vergleich zwischen den Erziehungssystemen der westlichen und der kommunistischen Welt mit dem Ziel, eine moderne und zugleich konstruktive Methode zu finden, welche die Jugend in der Schule für ein Leben auf demokratischer Grundlage vorbereitet.

Comparaison des systèmes d'éducation en vigueur tant dans le monde occidental que dans le monde communiste, et recherche d'une méthode moderne et réellement constructive qui permette à l'Ecole de préparer les jeunes pour la vie démocratique.

A comparison of the systems of education used in the West and in the Communist countries, and a search for a method, both modern and really constructive, by means of which schools could prepare the young for a democratic life.

GARIN, Eugenio: **L'Educazione in Europa 1400-1600**

Laterza, Bari 1957, 310 p.

Importante contributo alla storia della pedagogia che può chiarire alcuni aspetti dei problemi scolastici che si pongono oggi in Europa.

Importante contribution à l'histoire de la pédagogie, qui peut éclairer certains aspects des problèmes scolaires européens d'aujourd'hui.

An important contribution to the history of pedagogy which can shed light on certain aspects of European educational problems today.

GOOD, H. G.: **A History of Western Education**

Macmillan Co., New York, 2nd ed. 1960, 620 p.

A work of comparative education whose principal chapters are provided with select bibliographies. Having described the development of teaching throughout the ages, the author analyses at great length the education systems of the Western countries, with particular emphasis on the United States. Also describes the characteristic features of teaching methods in the USSR.

Ouvrage d'éducation comparée, dont les principaux chapitres sont enrichis d'une bibliographie sélectionnée. Après avoir décrit le développement de la pédagogie à travers les siècles, l'auteur analyse très longuement les systèmes scolaires des pays occidentaux, en insistant particulièrement sur les Etats-Unis. Contient aussi les caractéristiques des méthodes éducatives de l'URSS.

Grundlagen und Grundfragen europäischer Geschichte

Verlag für Kunst und Wissenschaft, Baden-Baden 1951, 167 S.

Bericht über das IV. Internationale Historiker-Treffen in Speyer, 29.V. - 2.VI. 1950. Beiträge zum Problem der gegenseitigen Anpassung der Lehrbücher der Geschichte mit dem Ziel einer besseren europäischen Zusammenarbeit.

Compte-rendu de la quatrième réunion internationale d'historiens, tenue à Spire du 29 mai au 2 juin de 1950. Plusieurs problèmes d'histoire européenne sont examinés en vue d'améliorer les manuels d'histoire pour arriver à une meilleure compréhension internationale.

An account of the fourth international historians meeting held at Speyer from the 29th May to the 2nd June, 1950. Several problems of European history are examined with the aim of improving history text-books and of achieving better international understanding.

Guide européen de l'enseignant

Publ. par le Centre Européen de la Culture, Genève 1958, 94 p.
Deutsche Ausgabe: **Europa im Unterricht.** *Europa et Schola Editio, Freiburg i. Br. 1961, 143 S. — Edizione italiana:* **Guida europea dell'insegnante.** *CEC, Genève 1958.*

Travaux d'une commission mixte de l'Association européenne des enseignants et du Centre Européen de la Culture réunie dans le but d'indiquer aux maîtres des moyens de présenter les matières habituelles du programme scolaire dans une perspective européenne.

Studies of a mixed commission from the European Association of the Teaching Profession and the European Cultural Centre, convoked with the purpose of suggesting to teachers of secondary schools methods of presenting the subjects which are already included in school programmes in a new, European perspective.

Guide européen de l'enseignement civique

Publ. par le Centre Européen de la Culture, Genève 1960, 96 p.

Douze professeurs définissent l'esprit et les méthodes de l'enseignement civique en France, Grande-Bretagne, Suisse, Belgique, Luxembourg, Autriche, Italie, Allemagne — à l'usage des maîtres du 2e degré. Leçon-type en annexe.

Twelve professors define the spirit and the methods of teaching civics in Great Britain, France, Switzerland, Luxemburg, Belgium, Austria, Italy and Germany. For the use of senior-form teachers. A typical lesson is given in the appendin

Humanisme et éducation en Orient et en Occident

UNESCO, Paris 1953, 245 p.

Compte-rendu des échanges de vues de la première rencontre internationale organisée a New Delhi par l'UNESCO en 1951 sur "l'idéal de l'homme et la philosophie de l'éducation en Orient et en Occident".

An account of the exchanges of opinions at the first meeting organized at New Delhi by UNESCO in 1951 on "the aspirations of man and the philosophy of education in the East and in the West".

JOULIA, Pierre: **La civilisation européenne occidentale et l'école**

Service d'Edition et de Vente des Publications de l'Education Nationale, Paris 1952, 106 p.

Rapport issu des travaux de trois rencontres de professeurs réunis à l'initiative des cinq gouvernements signataires du Traite de Bruxelles (1948), dans le but de dégager les principes d'une civilisation commune aux Européens et de voir comment il serait possible d'en imprégner l'enseignement.

A report of the work of three meetings of teachers organized on the initiative of the five governments, signatories to the Treaty of Brussels in 1948, with the aim of defining the principles of a common European civilization, and seeing how it would be possible to introduce them into schools.

Die junge Generation und Europa

Verlag für Jugend und Volk, Wien 1959, 260 S.

Sammlung der Texte der Vorträge und Diskussionen des "Europa-Gesprächs", das 1959 in Wien stattfand und die Rolle der jungen Generation, ihre Aufgaben und Zukunftspläne im Europa von morgen behandelt.

Recueil contenant les exposés et les discussions de l'"Europa-Gespräch" 1959 or ganisé par la Ville de Vienne sur le rôle de la jeunesse dans l'Europe à construire: ses responsabilités et ses plans d'avenir.

The lectures and discussions of "Europa-Gespräch 1959", organized by the city of Vienna, and dealing with the rôle of youth in the Europe of tomorrow; its responsibilities and its plans for the future.

KERR, Anthony: **Schools of Europe**

Bowes & Bowes, London 1960, 292 p.

Description and comparative analysis of the various school systems current in the countries of Europe (structure, diplomas, etc.), including the USSR and the East European countries.

Description et analyse comparative des divers systèmes scolaires en vigueur dans tous les pays de l'Europe (structures, diplômes, etc.), y compris l'URSS et les pays de l'Est.

KERR, Anthony: **Universities of Europe**

Bowes & Bowes, London 1962, 235 p.

Description and comparative analysis of the universities and university life in different European countries.

Description et analyse comparative des universités et de la vie universitaire dans les divers pays d'Europe.

LATHAM, Peter: **Student's Guide to Europe**

MacGibbon & Kee, London 1962, 267 p.

A country by country guide to the possibilities open to students abroad. Gives outlines of the principles of higher education, entry regulations for foreign students, fees, and the characteristics of the Universities and their faculties in each country. Invaluable for both students and teachers.

Expose, pays par pays, les possibilités données aux étudiants à l'étranger: principes de l'enseignement supérieur, conditions d'admission, droits d'inscription, caractéristiques des universités et de leurs facultés. D'une utilité incontestable.

LATHAM, Peter: **Young Europeans Travel Guide 1961**

MacGibbon & Kee, London 1961, 276 p.

Gives detailed information of the possibilities for working or educational holidays in Europe for young persons, either individually or in groups. Includes addresses, organizations, currency exchanges, customs and recreational activities in each of the countries mentioned.

Donne des informations détaillées sur les possibilités de séjours de travail et d'études en Europe pour les jeunes, individuellement ou en groupe. Adresses, organisations, taux de change, usages et activités récréatives pour chacun des pays mentionnés.

LOCHER, Th. J. G.: **Die Überwindung des europäozentrischen Geschichtsbildes** (hrsg. vom Institut für Europäische Geschichte Mainz)

Franz Steiner, Wiesbaden 1954, 18 S.

Eine Untersuchung der Frage, inwieweit auf Grund von realen Zusammenhängen zwischen den grossen Kulturgruppen von einer Weltgeschichte gesprochen werden kann und wie diese in einer Neuausrichtung des europäischen Geschichtsunterrichtes und -studiums besser berücksichtigt werden kann.

Dans quelle mesure peut-on parler d'une Histoire du Monde en se basant sur les relations réelles entre les grands groupes de culture? L'auteur propose une nouvelle orientation de l'enseignement européen de l'Histoire.

Is it possible to envisage a World History based on the connections between large culture groups? The author explains how this may be better taken into consideration by a new orientation in the teaching and studying of European History.

MALHOTRA, M. K.: **Höhere Bildungsstätten in West-Europa für übernationale Studien**

Stifterverband für die Deutsche Wissenschaft, Essen-Bredeney 1961, 14 S.

Eine synoptische Darstellung der wichtigsten höheren Bildungsstätten in West-Europa für übernationale Studien, welche vor allem über Leitung, Ziele, Tätigkeit und Diplome dieser Einrichtungen Aufschluss gibt. Stand Mitte 1961.

Tableau synoptique des principaux centres d'études internationales en Europe de l'Ouest, donnant notamment des renseignements sur la direction, le but, l'activité et les diplômes de ces établissements. Données de 1961.

Table of the most important centres of international studies in Western Europe. Provides information mainly on the administration, aims, activities and degrees of these establishments. Data given till mid 1961.

MAYER, Max: **Geschichte der abendländischen Erziehung und Bildung**

Herder, Freiburg i. Br. 1955, 210 S.

Kurze Skizze der Hauptströmungen der Pädagogik und ihrer Entfaltung im Laufe der geistigen Entwicklung Europas von der Antike bis zur Gegenwart —, ein Beweis für die ständige Bemühung des Europäers, das Leben auf Erziehung und Bildung aufzubauen.

Brève esquisse des principales tendances pédagogiques qui se sont développées au cours de l'évolution spirituelle de l'Europe de l'Antiquité à nos jours, et qui montrent l'effort continu de l'Européen pour faire de l'éducation un instrument de vie.

Brief outline of the principal tendencies in teaching which have developed during the course of the spiritual evolution of Europe from Antiquity up to the present day, and which show the continual effort of man to make education a tool of life.

NEBELSIEK, Karl: **Der Gemeinde-, Staats- und Weltbürger**

Rudolf Müller, Köln-Braunsfeld 1961, 240 S., ill.

Handbuch der Staatsbürgerkunde, das über die Tätigkeit der Institutionen in der Bundesrepublik Deutschland, sowie der internationalen und europäischen Organisationen Aufschluss gibt. Praktische Übungen werden am Ende der durch Skizzen illustrierten Kapitel vorgeschlagen.

Manuel d'instruction civique décrivant le fonctionnement des institutions en République Fédérale d'Allemagne, ainsi que celui des organisations internationales et européennes. Divers exercices pratiques sont suggérés à la fin des chapitres, illustrés de croquis.

A manual of civic instruction showing the activities of institutions in the German Federal Republic as well as those of international and European organizations. Various practical exercises are suggested at the end of each chapter and illustrated with sketches.

Neuf expériences d'éducation européenne

Publ. par le Centre Européen de la Culture, Genève 1959, 120 p.

Exposé et commentaire critique sur neuf expériences d'enseignement européen menées à l'initiative du CEC dans des écoles de France, de Suisse, et de Belgique; et sur des expériences-pilotes d'animation culturelle en milieu rural et semi-urbain, conduites en Sardaigne, en Provence, à Terracina, et près de Bordeaux.

Summary and critical appreciation of nine experiments in European education, initiated by the European Cultural Centre, in French, Swiss and Belgian schools, as well as of pilot experiments in the awakening of cultural interests in the rural and semi-urban areas of Sardinia, Provence, Terracina, and in the vicinity of Bordeaux.

ODY, Hermann: **Begegnung zwischen Deutschland, England und Frankreich im höheren Schulwesen seit Beginn des 19. Jahrhundert**

Gesellschaft für Bildendes Schrifttum, Saarbrücken 1959, 333 S.

Darstellung der Versuche, die in Deutschland, Grossbritannien und Frankreich seit dem Beginn des 19. Jahrhunderts unternommen wurden, das Universitätsstudium sowie alle vorbereitenden Studien zu vereinheitlichen, durch gleichwertige Programme und internationale Anerkennung der Abschlussprüfungen.

Histoire des efforts poursuivis en Allemagne, en Grande-Bretagne et en France depuis le début du XIXe siècle pour une harmonisation des études universitaires, ainsi que de la préparation à toutes les études supérieures (équivalence des programmes et des diplômes secondaires).

A history of the efforts made in Germany, Great Britain and France since the beginning of the 19th century towards a harmonization of University studies as well as of the preparation for all kinds of higher studies (correlating of programmes and secondary diplomas).

SANUY, Ignacio Maria: **1. Europa: desde el miedo a la esperanza 2. Algunas reflexiones sobre Europa**

Delegación Nacional de Organizaciones del Movimiento, Lérida 1961, 60 p.
Educación y Cultura, Zaragoza 1960, 22 p.

Solamente uniéndose Europa terminará con su auto-destrucción. Una Universidad europea ya podría contribuir a fundar la Europa unida.

L'Europe ne pourra mettre fin à son auto-destruction que par son unification. La fondation d'une Université européenne pourrait être le début d'une telle unification.

Europe can find an end to her self-destruction only in unification. A European University could help in founding a united Europe.

SANUY, Ignacio Maria: **Una Universidad para Europa**

Delegación Nacional de Organizaciones del Movimiento, Madrid 1961, 68 p.

El autor intenta ofrecer una panorámica de lo que será dentro de diez años la Universidad Europea, poniendo de relieve todos los problemas que se tendrán que resolver para construir la Universidad Europea.

L'auteur décrit les perspectives de l'Université européenne pour les prochaines dix années et analyse les multiples problèmes à résoudre pour la construire.

The author attempts to describe the European University as it will be ten years hence, laying stress on the problems which must be solved in order to set it up.

SCHNEIDER, Friedrich: **Europäische Erziehung**

Herder, Freiburg i. Br. 1959, 256 S.

Edición española: **Educación europea.** *Herder, Barcelona 1963, 265 p.*

Wege zur Verwirklichung der Europaidee über den Schulunterricht. Das Buch sollte eher "Erziehung zu Europa" heissen.

Vers la réalisation de l'idée européenne au moyen de l'enseignement scolaire. Ce livre devrait s'intituler plutôt: "Education à l'Europe".

Concerns the realization of the European idea, by means of education in schools. This book should be entitled "Education for Europe".

SCHNEIDER, Heinrich: **Europa in der politischen Erwachsenenbildung**

Europa-Union, Düsseldorf, 2. Aufl. 1962, 20 S.

Objektive und kritische Darstellung der Thesen über die europäische Einheit vom historischen, geographischen und soziologischen Standpunkt. Einem Leserkreis von Erwachsenen soll damit die Idee einer föderativen Organisation Europas nahegebracht werden.

Présentation objective et même critique des thèses de l'unité européenne des points de vue historique, géographique et sociologique afin de familiariser un public d'adultes avec l'idée d'une fédération politique de l Europe.

An objective and even critical presentation of the writings on European unity, from the historical, geographical and sociological points of view, aiming to introduce an adult public to the idea of a political federation of Europe.

SCHRÖDER, Carl August: **Die Schulbuchverbesserung durch internationale geistige Zusammenarbeit**

G. Westermann, Braunschweig 1961, 214 S.

Das Problem der Wiederdurchsicht und der Verbesserung der Schulbücher hat europäische Tragweite, denn die Bemühungen, die zu seiner Lösung unternommen werden, tragen nicht nur dazu bei, nationale Uneinigkeiten zu beseitigen, sondern auch die Möglichkeiten einer Zusammenarbeit auf europäischer und internationaler Ebene genau zu prüfen.

Le problème de la revision, et par conséquent de l'amélioration des manuels scolaires, est un problème d'intérêt européen car tous les efforts déployés pour en faciliter la solution permettent non seulement le règlement des différends nationaux mais l'examen lucide des possibilités de collaboration européenne et internationale.

The problem of the revision, and resulting improvement of school text-books, is a problem of European interest. With all the hard work going into its solution, not only will national disputes be solved, but also a clear examination of the chances for European and international cooperation will be possible.

STADLER, Peter: **Adult Education and European Co-operation**

A. W. Sijthoff, Leiden 1960, 91 p.

The study, a result of an inquiry held in the principal countries of Europe on the different forms of adult education, shows that genuine European co-operation can be brought about by an objective lay-out of general European problems.

Etude résultant d'une enquête effectuée dans les principaux pays d'Europe sur les diverses formes que revêt l'éducation des adultes, et montrant les possibilités de promouvoir par là une véritable coopération européenne grâce à une présentation objective des problèmes européens en général.

STEIDL, Josef: **Europa — Völkerverständigung** (deutsch — english — français)

Pädagogisches Institut, Salzburg 1960, 123 S.

Vorträge, gehalten am 27.VII. 1960 anlässlich des europäischen Seminars in Salzburg, in welchen die verschiedenen Aspekte der europäischen Kultur untersucht und die zum Aufbau Europas notwendigen Etappen aufgezeigt werden.

Exposés donnés lors du séminaire européen de Salzbourg, le 27 juillet 1960, examinant les divers aspects de la culture européenne et montrant les étapes nécessaires à la construction de l'Europe.

Lectures given during the European Conference at Strasbourg on July 27th, 1960, examining the different aspects of European culture and showing the stages of development necessary for the construction of Europe.

Technique et culture dans la société de demain. 2 vol.

Publ. par le Centre Européen de la Culture, Genève, 1958/1959, 64/94 p.

Travaux de trois colloques réunis au CEC, à Genève, pour étudier les conséquences de l'automation et de la cybernétique sur l'éducation et les loisirs. Interventions importantes de G. Boulanger, J. Fourastié, A. Sauvy, L. Couffignal, A. Gros, G. Colonnetti, et autres.

The proceedings of three discussion sessions held at the European Cultural Centre in Geneva, on the consequences of automation and cybernetics on education and leisure. Notable interventions by G. Boulanger, J. Fourastié, A. Sauvy, L. Couffignal, A. Gros, G. Colonetti, and others.

Université Européenne (publ. par le Collège d'Europe)

A. W. Sijthoff, Leiden 1960, 48 p.

Documents et conclusions du Colloque organisé par le Collège d'Europe et le Bureau universitaire du Mouvement européen à Bruges, du 4 au 7 avril 1960. Le Colloque met en évidence les principes fondamentaux de toute vie universitaire, à savoir l'autonomie, la liberté de la recherche et de l'enseignement en face de tout pouvoir politique national ou supranational.

Documents and conclusions of the meeting organised by the College of Europe and the University Bureau of the European Movement at Bruges, from April 4 to 7, 1960. The meeting shows the fundamental principles of autonomy and liberty of research and teaching, in despite of all national or supra-national political power.

L'Université Européenne (publié par l'Institut de Sociologie de l' Université Libre de Bruxelles.)

Dalloz, Paris, 1963, 237 p.

Texte du Colloque des 22 et 23 mars 1962 du Centre National d'Etudes des Problèmes de Sociologie et d'Economie Européennes sur les structures que devrait avoir une université européenne.

Text of a Conference of 22 and 23 March, 1962, by the National Center for the Study of the Problems of European Sociology and Economy, on the structures necessary for a Europan university.

VITO, Francesco: **L'Università Italiana nella Nuova Europa**

Vita e Pensiero, Milano 1961, 58 p.

Ritratto della situazione della università italiane di fronte alle prevedibili conseguenze dei Trattati di Roma, e della necessità di trovare rapidamente un'equivalenza dei corsi di studi e dei diplomi.

Esquisse de la situation actuelle des universités italiennes en présence des conséquences prévisibles du Traité de Rome, et de la nécessité de trouver rapidement une équivalence tant des diplômes que des études préalables.

A sketch of the present position of Italian universities facing the forseeable consequences of the Rome Treaty, and of the necessity to find immediately an equivalent standard for Diplomas as well as earlier studies.

VI. FEDERALISME

AMOUDRUZ, Madeleine: **Proudhon et l'Europe**

Domat Montchrestien, Paris 1945, 160 p.

Etude critique de la doctrine de Proudhon sur l'équilibre européen et le fédéralisme, ses bases politiques et économiques, l'influence qu'elle a exercée et les raisons de son échec historique.

Critical study of the doctrine of Proudhon on European equilibrium and federalism, its political and economic bases, the influence it exerted and the reasons for its failure.

BARETH, Jean: **L'Europe des Communes**

Association française pour le Conseil des Communes d'Europe, Paris 1956, 32 p.

Manifeste du Conseil des Communes d'Europe, dont on relate la fondation et l'activité jusqu'en 1956. Veut contribuer à la création d'un esprit européen et postule la consultation des communautés locales par les organismes européens. Préface de Gaston Defferre.

A proclamation of the Council of Communes of Europe, whose foundation and activities up to 1956 are recounted. Wishes to contribute to the creation of a European spirit and recommends the consultation of local communities by European institutions. Preface by Gaston Defferre.

BOWIE Robert R. — FRIEDRICH, Carl J.: **Etudes sur le fédéralisme.** 2 vol.

Librairie Générale de Droit et de Jurisprudence, Paris 1960, 700p./1962, 678 p.
Edizione italiana: **Studi sul Federalismo.** *Comunità, Milano 1959, 984 p.*

Ouvrage fondamental, dans lequel les auteurs analysent les trois pouvoirs fédéraux: le législatif, l'exécutif et le judiciaire, et donnent un aperçu des systèmes en vigueur en Australie, Canada, Allemagne, Suisse et Etats-Unis; puis ils étudient les mécanismes fédéraux dans les principaux secteurs: la défense nationale, les affaires étrangères, le commerce, les transports et douanes, les pouvoirs économiques, ainsi que les finances et la sécurité sociale.

The authors examine the three federal powers: legislative, executive and judiciary, and survey the existing systems of Australia, Canada, Germany, Switzerland and the USA. Then they study the federal machinery in the principal sectors: national defence, foreign affairs, trade, transport and customs, economic powers, finances, and social security. A monumental and basic work.

BRUGMANS, Henri: **La Cité européenne**

Le Portulan, Paris 1950, 99 p.

Essai dense et plein de verve sur les diverses conséquences de la pensée fédéraliste pour le civisme européen, les pouvoirs démocratiques, les institutions communes que nos peuples devront se donner: bref, un "programme fédéraliste", par l'un des inspirateurs du Congrès de la Haye.

A close and energetic essay on the consequences of federalist thinking for European citizenship, democratic powers and the common institutions with which our peoples will have to provide themselves: in brief, a "federalist programme" by one of the instigators of the Hague Conference.

BRUGMANS, Henri: **Europa en het vaderland — Een culturele benadering**

Europese beweging, 's-Gravenhage 1959, 34 p.

De auteur trekt ten strijde tegen het hoogmoedig nationalisme van de afzonderlijke staten in Europa. Het zal volgens hem nooit mogelijk zijn te federeren, als de "Natie-Staat" niet wordt doorbroken.

L'auteur part en guerre contre le nationalisme orgueilleux des Etats isolés d'Europe. Selon lui, il ne sera jamais possible de se fédérer tant que l'on abandonnera pas la notion d'"Etat-nation".

The author attacks the nationalist pride of seperatist European States. According to him, federation will be impossible, as long as the idea of the "Nation-State" is maintained.

BRUGMANS, Henri: **Panorama de la pensée fédéraliste**

La Colombe, Paris 1956, 155 p.
Edizióne italiana: **Panorama del pensiero federalista.** *Comunità, Milano 1960, 214 p.*

La pensée fédéraliste, ses exigences et ses conséquences dans la vie communale, dans le syndicalisme, dans les organisations professionnelles et dans les systèmes d'éducation.

Federalistic thought as expressed in communal life, trade unionism, professional organizations and educational methods.

BRUGMANS, H. — LÜTHY, H. — HERSCH, J.: L'Europe au delà de l'économie

La Baconnière, Neuchâtel 1961, 84 p.

H. Brugmans définit les éléments de fédéralisme existant dans le Marché Commun. H. Lüthy montre que le Marché Commun ne signifie pas encore union politique. J. Hersch rappelle que chacun de nos pays est dans une "situation exceptionnelle" et se doit donc de vouloir une Europe fédérale.

H. Brugmans defines the elements of federalism existing in the Common Market; H. Lüthy shows that the Common Market does not yet mean political unity; J. Hersch recalls that each of our countries is in a special position and thus requires a federal Europe.

BRUGMANS, H. — DUCLOS, P.: Le fédéralisme contemporain

A.W. Sijthoff, Leiden 1963, 192 p.

Première partie théorique sur les critères: anti-dogmatisme, recherche du compromis, pluralité des pouvoirs, subsidiarité, sens civique. Seconde partie sur le fédéralisme interne, externe, inter-étatique, et sur les théoriciens contemporains du fédéralisme. Essai de systématisation et de sémantique politique.

The first part is theoretical and devoted to the criteria of federalism e.g. anti-dogmatism, the will to compromise, the plurality of powers, subsidiariness, civic mindedness. The second part concerns interior, exterior and interstate federalism, and contemporary federalistic theories. The book is in fact an essay on systematization and political semantics.

DAVIES, Lord David: A Federated Europe

Victor Gollancz, London 1940, 141 p.

A design from 1940 that analyses the doctrines of federalism and at the same time offers a plan of establishing a federated Europe.

Projet datant de 1940 qui contient, outre des considérations de doctrine fédéraliste, un plan pour une Europe fédérée.

DEBRÉ, Michel: Projet de pacte pour une Union d'Etats Européens.

Nagel, Paris 1950, 59 p.

L'auteur propose un projet d'union qu'il souhaite voir réalisé "avec des bottes de sept lieues", avec un arbitre élu au suffrage universel, un Sénat (ministres des Etats, membres et commissaires), une Assemblée des nations européennes (1 député par million d'habitants) et une Cour.

The author proposes a plan for European union, which he would like to see implemented as quickly as possible. There would be an adjudicator, elected by universal suffrage, an Upper House (ministers of state, members and commissioners), a Lower House of European Nations (one representative per million inhabitants), and a Court.

DEROUET, Michel: **Réalités européennes**

Société Européenne d'Etudes et d'Information, Paris 1957, 84 p.

Les institutions nationales européennes sont condamnées. Seule une organisation démocratique de l'Europe peut encore préserver notre civilisation de la déchéance. Elle doit s'effectuer dans le cadre de l'Europe et être fédérale. Essai écrit volontairement sur un ton assez violent.

The national European institutions are condemned. Now only the democratic organization of Europe can preserve our civilization from downfall. It must take place in Europe, and must be federal. An essay written in a deliberately violent style.

EINAUDI, Luigi: **La guerra et l'unità europea**

Comunità, Milano 2a ed. 1950, 202 p.

Raccolta di contributi più o meno recenti, dati dall'ex-presidente italiano, ai problemi che sorgono dal contrasto tra sovranità nazionale e l'idea di unificazione europea.

L'ancien président italien traite des problèmes qui résultent de l'opposition entre la souveraineté nationale et l'idée d'unification européenne.

Contributions by the former Italian President on problems resulting from the opposition between national sovereignty and the idea of European unification.

EINAUDI, L. — LA MALFA, U. — MONNET, J. — MURGIA, J. — ROUGEMONT, D. de — VEDEL, G.: **Piccola antologia federalista**

Giovane Europa, Roma 2a ed. 1957, 170 p.

Introdotta da un messagio di Pio XII nel 1954, l'opera apporta un contributo pieno di vita all'interpretazione di un federalismo realizzabile nell'Europa odierna. In appendice, ampia documentazione e bibliografia.

Vivantes contributions à l'explication d'un fédéralisme à la taille de l'Europe d'aujourd'hui, introduites par un message de Pie XII, de 1954. En annexe, ample documentation et bibliographie.

Contains lively contributions to the interpretation of a federalism that would be capable of realization in present-day Europe. Introduction written in 1954 by Pius XII.

L'Ère des fédérations

Plon, Paris 1958, 237 p.

Ouvrage collectif de collaborateurs de "XXe siècle", organe du mouvement français "La Fédération". Les auteurs s'attachent à définir le fédéralisme ainsi que les principes qui l'animent, pour ensuite en montrer les différentes applications: dans les domaines politique, social, économique. La toile de fond reste l'Europe fédérale. Précieux apport à l'étude du fédéralisme.

A collective work by contributors to "XXe siècle"—mouth piece of the French "La Fédération" movement. The authors define federalism as well as the principles giving it life, and this is followed by a description of its different applications, in the political, social and economic spheres. The basic subject remains federal Europe. A valuable contribution to the study of federalism.

L'Europe de Demain

La Baconnière, Neuchâtel 1945, 154 p.

Documents et travaux pour l'étude de l'union fédérative de l'Europe. Contient entre autres le texte complet d'une proposition de déclaration en faveur d'une Fédération européenne, rédigée à Genève au printemps 1944, au cours d'une séance secrète réunissant les représentants de mouvements de résistance de neuf pays.

Documents and articles on the federal unification of Europe. Contains, among other articles, the complete text of the proposal for a declaration, which was drafted in Geneva in the spring of 1944, during a secret meeting of representatives from the resistance movements of nine countries, in favour of a European federation.

Le fédéralisme

Presses Universitaires de France, Paris 1956, 410 p.

Douze cours ou plans de cours, par des professeurs français, sur la Science du Fédéralisme (données philosophiques, doctrines) et sur sa technique juridique, de la Grèce à l'Europe contemporaine. Introduction indispensable à toute étude du fédéralisme au XXe siècle. D'une haute valeur scientifique et documentaire.

The twelve lecturers and draft lectures which make up this volume are by French professors and concern the science of federalism (philosophy, doctrines) as well as its juridical techniques, from Greek time down to present day Europe. An indispensable introduction of considerable scientific and documentary value to any study of federalism in the twentieth century.

FERRARI AGGRADI, Mario: **Europa — tappe et prospettive di unificazione**

Editrice Studium, Roma 1958, 356 p.

Gli sviluppi dell'idea Europea, le prime tappe dell'unificazione europea (stadio della collaborazione) i successivi sviluppi verso l'integrazione (CECA, CED, UEO) gli inizi dell'unificazione (CEE et Euratom) e i problemi particolari dell'Italia.

Le développement de l'idée europeénne, les premières étapes de l'unification européenne (stade de la collaboration), les essais faits au stade de l'intégration (CECA, CED et UEO), les débuts de l'unification (CEE et Euratom) et la position particulière de l'Italie.

The evolution of the European idea, the first stages of European unification (the period of collaboration), the efforts of the period of integration (ECSC, EDC, WEU), the beginnings of unification (EEC and Euratom) and the special problems of Italy.

Föderalismus in der heutigen Welt

Gesellsch. Schweizer Monatshefte, Zürich 1959, 167 S.

Diese Sondernummer der "Schweizer Monatshefte" bringt 15 Artikel bekannter Föderalisten, die den Föderalismus in der Schweiz und im Ausland beleuchten und sowohl das Integrationsbestreben in unserer Zeit, als auch die föderalistische Tradition in der europäischen Geschichte behandeln.

Numéro spécial groupant 15 articles de fédéralistes de renom. Ce volume éclaire certains aspects du fédéralisme en Suisse et à l'étranger, et traite aussi des tentatives contemporaines d'intégration européenne et de la tradition fédéraliste dans l'histoire européenne.

A special number bringing together 15 articles by eminent federalists. Throws light on some aspects of federalism in Switzerland and abroad; also deals with efforts towards European integration in our days, and with the federalist tradition in European history.

FRIEDLAENDER, Ernst — FOCKE, Katharina: **Europa über den Nationen**

Europa-Union Verlag, Düsseldorf 1963, 108 S.

Bestandaufnahme der europäischen Integration mit einer Untersuchung, wie weit der übernationale Gedanke verwirklicht wurde und wo ihm entscheidender Widerstand erwächst (de Gaulle). Für Laien.

Panorama de l'intégration européenne, avec une étude sur la question de savoir jusqu'à quel point l'idée supranationale a été réalisée et quel est l'obstacle décisif qui se présente à elle (de Gaulle). Pour les profanes.

Panorama of European integration, with an investigation into the question of how far the supranational idea has been achieved and what is the chief obstacle to it (de Gaulle). For the lay reader.

GASSER, Adolf: **Gemeindefreiheit als Rettung Europas**

Verlag "Bücherfreunde", Basel, 2. erw. Aufl. 1947, 266 S.
Edition française: **L'autonomie communale et la reconstruction de l'Europe.**
La Baconnière, Neuchâtel 1946, 240 p.

Solange die Grundstruktur eines Staates nicht auf der festen Basis einer freiheitlichen, dezentralisierten Ordnung beruht, kann eine parlamentarische Regierung — sowohl auf nationaler, wie auch auf kontinentaler Ebene — der Idee einer wahren Demokratie nicht entsprechen. Frankreich, Deutschland und Italien müssen, nach der Meinung des Autors, dezentralisierter werden, um eine europäische Föderation zu ermöglichen.

Aussi longtemps que n'existe pas une solide infrastructure d'unités libres et autonomes, les institutions parlementaires ne peuvent que discréditer l'idée de la démocratie, tant à l'échelle nationale que continentale. La France, l'Allemagne et l'Italie doivent se décentraliser, pour ouvrir la voie au fédéralisme européen.

As long as no solid infrastructure exists, — libertarian, associative, and decentralized —, parliamentary institutions can only discredit the idea of democracy both on national and on continental scale. France, Germany and Italy must decentralize in order to open the way to European federalism.

HENRY, Noël: **Vers une Europe fédérée**

La Baconnière, Neuchâtel 1951, 109 p.

L'auteur retrace les vicissitudes de l'idée européenne jusqu'au plan Schuman et donne quelques idées pour l'Europe nouvelle. Il préconise une Confédération et rejette l'Etat fédéral comme solution immédiate. Le système proposé est cependant plus celui d'un Etat fédéral que d'une Confédération.

The author retraces the vicissitudes of the European idea up to the Schuman-Plan and gives some ideas for a new Europe. He proposes a confederation and rejects the federal State as an immediate solution. The system proposed however, is more that of a federal State than of a confederation.

HÉRAUD, Guy: **L'Europe des Ethnies** (Préf. d'Alexandre Marc)

Presses d'Europe, Paris 1963, 293 p.

Ouvrage consacré aux minorités nationales et linguistiques en Europe. L'auteur s'abstient de tout jugement de valeur mais préconise le règlement du problème ethnique dans le cadre d'une vaste société fédérale européenne. En appendice, figure un répertoire des organisations et des publications ethniques européennes officielles et clandestines.

A study of the nationalist and linguistic minorities of Europe. The author omits value judgements, but he recommends the settlement of the ethnic problem on the lines of a vast European federal society. Appendix: a list of official and clandestine organizations and publications on ethnology.

HÉRAUD — MARC — MOUSKHELY — ORBAN — THIÉRY: **Revendications du Peuple européen**

Centre International de Formation Européenne, Paris 1962, 30 p.

Une équipe d'enseignants du Centre International de Formation Européenne a systématisé les revendications du Peuple européen. Ce document doit contribuer à la prise de conscience de la nécessité d'un ordre nouveau destiné à supplanter les effets anachroniques de l'Europe des Etats-nations.

A team of professors from the International Centre of European Training sets forth the demands of the European people. This document should contribute to the realization of a necessary new order, destined to replace the out-of-date idea of a Europe of nation-States.

KÖNIG, Paul: **Gonzague de Reynold — Die föderalistischen Grundlagen seines europäischen Gedankens**

P. G. Keller, Winterthur 1960, 106 S.

Dieser kleine Band gibt einen ziemlich vollständigen Überblick über Werk und Denken G. de Reynolds, vor allem hinsichtlich seiner Einstellung zur föderalistischen Idee.

Ce petit volume a l'avantage de donner une idée assez complète de l'œuvre et de la pensée de G. de Reynold, en particulier de sa position fédéraliste.

This little book gives the reader a well-rounded idea of the works and thinking of G. de Reynold, and particularly of his standpoint on federalism.

KRAUS, Herbert: **Probleme des europäischen Zusammenschlusses**

Holzner-Verlag, Würzburg 1956, 74 S.

Kurze Aufzeichnung der wichtigsten europäischen Einigungspläne, der Entwicklung der Europaidee seit dem ersten Weltkrieg und der Grundlagen der europäischen Bewegung. Der Autor untersucht die folgenden Alternativen: funktionelle oder konstitutionelle Entwicklung, Überstaatlichkeit oder internationale Organisation.

Bref rappel des principaux plans d'union de l'Europe, du développement de l'idée européenne depuis la première guerre mondiale et des principes du mouvement européen. L'auteur examine les alternatives: développement "fonctionnel" ou développement "constitutionnel", supranationalité ou organisation internationale.

A brief review of the most important plans for European union, the evolution of Europeanism since World War I, and the principles of the European movement. The author studies the alternatives: functional or constitutional development, supranationality or organization on an international scale.

LEDERMANN, László: **Fédération internationale — idées d'hier, possibilités de demain**

La Baconnière, Neuchâtel 1950, 170 p.

Ce court ouvrage éclaire quelques aspects de la fédération pour passer ensuite à trois philosophes du fédéralisme du XIXème siècle: Saint-Simon, Proudhon, Constantin Frantz. Il se termine par un bref rappel des expériences du passé.

This short work sheds light on some aspects of federation, followed by a study of three federalist philosophers of the 19th century: Saint-Simon, Proudhon, Constantin Frantz. He finishes with a brief reminder of past experiments.

MARC, Alexandre: **Civilisation en sursis**

La Colombe, Paris 1955, 314 p.

Partant d'une critique du marxisme et de sa doctrine du prolétariat, l'auteur, militant fédéraliste, préconise une "révolution" qui consisterait à rebâtir la société européenne sur la base des communes et des métiers. Le fédéralisme doit précéder l'union de l'Europe.

Starting with a critique of Marxism and its doctrine of the proletariat, the author, a militant federalist, advocates a "revolution" consisting of the rebuilding of European society on the basis of municipalities and guilds. Federalism should precede European union.

MARC, Alexandre: **Europe — Terre décisive**

La Colombe, Paris 1959, 162 p.

L'auteur est un des pionniers les plus intransigeants du mouvement fédéraliste européen. Selon lui, la mission planétaire de l'Europe est de sauver le monde de la "massification".

The author is one of the most firm pioneers of the federalist movement in Europe. According to him, the mission of Europe is to save the world from "uniformity".

MARINELLO, Lino: **Dal liberalismo al federalismo**

Guanda, Parma 1963, 349 p.

Analisi delle origini e del progressivo affermarsi dell'idea federalista nella storia moderna del continente. Secondo l'autore è la tappa conclusiva dell'evoluzione liberale.

Analyse de l'origine et du progrès de l'idée fédéraliste dans l'histoire moderne de l'Europe. L'auteur la conçoit comme la conclusion logique de l'évolution libérale.

An analysis of the origins and progress of the federalist idea in the history of modern Europe. The author sees it as the logical conclusion of liberal development.

Mission ou démission de l'Europe

Editions Universitaires, Paris 1961, 159 p.

Recueil d'articles sur les aspects actuels, politiques et philosophiques, de l'union, où l'on retrouve toutes les idées familières aux fédéralistes européens.

A collection of articles on the present-day aspects of union, political as well as philosophical, in which one can find all the ideas familiar to the European federalists.

PHILIP, Olivier: **Le Problème de l'Union européenne**

La Baconnière, Neuchâtel 1950, 381 p.

Eine Studie über die Voraussetzungen einer europäischen Föderation auf politischer und wirtschaftlicher Basis.

Etude des conditions d'une fédération européenne, sur des bases politique et économique.

A study of the implications of European federation from the political and economic points of view.

Politische Leitsätze der Europa-Union Deutschland

Europa Union Deutschland, Bonn 1959, 65 S.

Programm der Europa Union so, wie es nach den Sachreferaten deutscher Promotoren der "Vereinigten Staaten von Europa" am 9. Ordentl. Kongress im Jahre 1959 präzisiert wurde. Es bringt u.a. Beiträge von Walter Hallstein, Josef-Hermann Dufhues, Heinrich von Brentano und Willy Brandt.

Programme de l'Union européenne, tel qu'il a été précisé par les promoteurs allemands des "Etats-Unis d'Europe" au 9ème Congrès ordinaire, en 1959. On peut y lire entre autres des travaux de Walter Hallstein, Josef-Hermann Dufhues, Heinrich von Brentano et Willy Brandt.

The programme for European Union such as was laid down by the German originators of "The United States of Europe" at the 9th Congress in 1959. Amongst others, contributions by Walter Hallstein, Joseph-Hermann Dufhues, Heinrich von Brentano and Willy Brandt are included.

Rapport du Premier Congrès annuel de l'U.E.F. (27-31 août 1947, Montreux)

Union Européenne des Fédéralistes, Genève 1947, 141 p.

Publication des principaux rapports, conférences et allocutions présentés au premier Congrès de l'Union européenne des fédéralistes, ainsi que des motions votées. D'intérêt historique.

Publication of the most important reports, discussions and speeches made during the first congress of the European Union of Federalists, and the motions voted upon. Of historical interest.

RENOUVIN, Paul: **L'idée de Fédération européenne dans la pensée politique du XIXe siècle**

Clarendon Press, Oxford 1949, 23 p.

Cette brochure très dense donne un panorama nuancé et précis des vicissitudes de l'idée fédéraliste en Europe au dernier siècle. Bonnes indications de sources.

This pamphlet presents a subtly shaded picture of the vicissitudes of the federalist idea in Europe during the last century.

RIEBEN, Henri: **Le chemin européen**

Centre de recherches européennes, Lausanne 1963, 17 p.

Cette conférence donnée en 1962 est un très bref rappel des mouvements d'union de l'Europe, de leurs idées directrices et leurs promoteurs, depuis la fin de la première guerre mondiale jusqu'en 1962.

This lecture, delivered in 1962 is a brief reminder of the movements for European unity, their guiding ideas and exponents, between the end of World War I and 1962.

ROSSI, Ernesto: **L'Europe de Demain**

L'Unione Europea dei Federalisti, Roma 1948, 53 p.

Ce petit fascicule a été rédigé pendant la dernière guerre par des résistants italiens et constitue un document important sur les mouvements d'unification de l'Europe dans les cercles de résistance. Il préconise la fédération, système qui aura l'avantage de résoudre le problème allemand de manière constructive.

This little book was drafted during the last war by Italian partisans, and constitutes an important document on the currents of European unification within the resistance movements. It recommends federation as a system which would have the advantage of solving the problem of Germany in a constructive manner.

ROUGEMONT, Denis de: **L'Europe en Jeu**

La Baconnière, Neuchâtel 1948, 172 p.
Edizione italiana: Vita o morte dell'Europa. La Comunità, Milano 1949, 154 p.

Recueil d'essais, conférences et articles polémiques, défendant une conception fédéraliste de l'union européenne. Documents de la section culturelle et "Messages aux Européens" du Congrès de l'Europe à La Haye, 1948. Par un des pionniers de l'union européenne et de l'engagement des intellectuels.

In a series of essays, lectures and polemic articles, the author defends a federalistic conception of European unity. The book also contains the documents of the Cultural Section of the Congress of Europe of The Hague, 1948, and the "Message to Europeans" which was delivered at that congress. It is by one of the pioneers of European unification and of the commitment of intellectuals.

SAITTA, Armando: **Dalla Res Publica Christiana agli Stati Uniti di Europa**

Storia e Letteratura, Roma 1948, 185 p.

L'autore commenta per esteso i diversi progetti di unificazione europea, quali sono stati ideati da Crucé a Saint Simon.

L'auteur commente largement les divers projets d'unification européenne, tels qu'ils ont été conçus depuis les temps de Crucé jusqu'à Saint-Simon.

The author comments in detail upon the various projects for European unification from Crucé to Saint-Simon.

SECRETAN, Jacques: **Nations Unies ou Fédéralisme?**

Sirey, Paris 1958, 86 p.

Analyse du rapport entre la souveraineté des Etats et la Société des Nations puis l'ONU, conduisant à la conclusion qu'un véritable ordre juridique entre les nations suppose des institutions de caractère autoritaire et fédératif.

Analysis of the relations between national sovereignty and the League of Nations, later the UNO, with the conclusion that a real legal system between the states calles for authoritarian and federative institutions.

SIDJANSKI, Dusan: **Fédéralisme amphictyonique — Eléments de système et tendance internationale**

A. Pedone, Paris 1956, 99 p.

Un essai de synthèse entre les tentatives des juristes et des doctrinaires. Le fédéralisme est conçu comme un équilibre intégral et dynamique où les unités-membres trouvent leur expression maxima à l'intérieur et au moyen de l'union hyperthétique. Deuxième partie: traits fédératifs de l'ONU et indication concernant l'organisation européenne.

An attempt to synthesize the work of jurists and theorists. Federalism is considered as a state of integral and dynamic equilibrium in which the member units achieve maximum expression within and by means of their hyperthetic union. The second part concerns the federative traits of the UNO and contains notes on the organization of Europe.

SPINELLI, Altiero: **L'Europa non cade dal cielo**

Il Mulino, Bologna 1960, 375 p.

Analisi dei progressi spesso minacciati ed interrotti dell'idea europea, svolta con lo scopo di fornire utili indicazioni sull'azione da svolgere per arrivare a delle realizzazioni concrete.

Analyse des progrès souvent menacés et interrompus de l'idée européenne, dans le but de fournir des indications utiles sur l'action à entreprendre, afin d'arriver à des réalisations concrètes.

The object of this analysis of the progress of Europeanism is to provide useful information as to the manner of obtaining concrete achievements.

SPINELLI, Altiero: **Manifesto dei Federalisti Europei**

Guanda, Parma 1957, 108 p.
Deutsche Ausgabe: **Manifest der europäischen Föderalisten.** *Europäische Verlagsanstalt, Frankfurt 1958, 72 S. — Edition française:* **Manifeste du fédéralisme européen.** *Paris, 1958.*

Dopo aver analizzato gli ostacoli che ancora si oppongono ad una federazione europea, l'autore traccia le linee generali che dovrebbero ispirare in primo luogo l'edificazione, e poi, la politica della federazione.

Après avoir analysé les obstacles qui s'opposent à une fédération européenne, l'auteur expose les idées fondamentales qui devraient inspirer la constitution et la politique d'une telle fédération.

Having analysed the obstacles to a European federation, the author lays forth the fundamental ideas which should inspire the constitution and the policy of such a federation.

VASSENHOVE, Léon van: **L'Europe Helvétique**

La Baconnière, Neuchâtel 1943, 226 p.

Analyse de la formation de la Confédération suisse et de son évolution, mise en parallèle avec l'évolution européenne. L'auteur examine les possibilités d'adapter les institutions et principes régissant la Suisse à une Europe fédérale et propose un projet de constitution. Ouvrage publié pendant la guerre.

Studies the formation of the Swiss Confederation, its evolution and its analogy with European evolution. The author considers the possibilities of adapting the institutions and principles governing Switzerland to a federal Europe. Proposes a draft constitution. Published during the war.

VII. QUESTIONS POLITIQUES ET JURIDIQUES
POLITICS AND LAW

ABEL, W. — ZÖLLNER, D.: **Landarbeiter in Westeuropa** (hrsg. von der Agrarsozialen Gesellschaft, Göttingen)

Schaper, Hannover 1954, 80 S.

Entwicklungsgeschichtliche Darstellung der rechtlichen und sozialen Stellung des Bauernstandes und Vergleich der Landarbeiterlöhne in allen Ländern Westeuropas ohne Spanien. Stand 1951.

Présentation de l'evolution historique de la situation juridique et sociale de la paysannerie et comparaison des gains des ouvriers agricoles de tous les pays de l'Europe de l'Ouest, sauf l'Espagne. Données de 1951.

A history of the development of the legal and social situation of the peasantry and a comparison of the wages of agricultural workers in all Western European countries except Spain. Situation in 1951.

Actes Officiels du Congrès International d'Etudes sur la CECA (publ. par le Centro Italiano di Studi Giuridici)

A. Giuffrè, Milano 1957-1958, 7 vol., environ 450 p. chaque vol.

Des personnalités de la vie économico-politique des pays-membres de la CECA ainsi que de la CEE discutent les nombreux problèmes qui étaient à prévoir à l'époque, le Congrès ayant eu lieu en juin 1957 à Stresa. Les sujets principaux traités sont: 1. La CECA et les Etats membres; 2. La Communauté, les pays tiers et les Organisations internationales; 3. La Communauté et les entreprises; 4. Les interventions de la Haute Autorité; 5. Le système des prix et la concurrence dans le Marché Commun; 6. L'orientation sociale de la Communauté. Annexe riche d'indications utiles.

Personalities in the economic and political life of the member countries of the ECSC and the EEC discuss the numerous problems current at the time of the Congress, which took place in June 1957 at Stresa. Chief subjects dealt with: 1. The ECSC and its member states; 2. The Community, third countries, and international organizations; 3. The Community and private enterprise; 4. Intervention of the High Authority; 5. The price system and competition in the Common Market; 6. The social orientation of the Community. Appendix rich in useful information.

ADAM, H. T.: **L'Organisation Européenne de Coopération Economique**

Librairie Générale de Droit et de Jurisprudence, Paris 1949, 292 p.

Ouvrage dépassé en plusieurs points, mais donnant d'intéressants renseignements historiques et juridiques sur une organisation maintenant appartenant au domaine de l'histoire économique.

A work outdated in several respects, but giving interesting historical and legal information on an organization which is now becoming a part of economic history.

ALBONETTI, Achille: **Preistoria degli Stati Uniti d'Europa**

A. Giuffrè, Milano 1960, 336 p.
Edition française: **Préhistoire des Etats-Unis de l'Europe.** *Sirey, Paris 1963, 312 p.* — *Deutsche Ausgabe:* **Vorgeschichte der Vereinigten Staaten von Europa.** *August Lutzeyer, Baden-Baden 1961, 269 S.*

Una storia completa del processo d'integrazione europea, visto nel suo svolgimento diplomatico, nei suoi sviluppi economici e nelle sue implicazioni politiche, dal discorso di Zurigo al patto franco-tedesco. Ricca di nuove prospettive, la parte dedicata alla politica degli Stati di fronte al processo d'integrazione.

Une histoire complète de l'intégration européenne vue dans ses relations diplomatiques, ses développements économiques et ses implications politiques, du discours de Zurich au Pacte franco-allemand. La partie consacrée aux politiques nationales vis-à-vis de l'Europe est particulièrement riche.

A complete history of European integration seen in its diplomatic relations, its economic developments and its political implications, from the Zürich Speech to the Franco-German Pact. Numerous new perspectives in the part dedicated to national policies vis-à-vis Europe.

ALDER, Claudius: **Die Befugnisse der Organe der Europäischen Wirtschaftsgemeinschaft gegenüber Mitgliedstaaten und Privatunternehmen** (hrsg. i. A. der Juristischen Fakultät der Universität Basel)

Helbing & Lichtenhahn, Basel 1962, 183 S.

Eine gedrängte Übersicht über das Ausmass der Kompetenzen der EWG-Behörden und ihre Anwendungspraktik. Dank der jedem Kapitel angeschlossenen Resumés eine gute Einführung in die Materie.

Aperçu détaillé des compétences des autorités de la CEE et de leur application pratique. Bonne introduction dans la matière par les résumés accompagnant chaque chapitre.

A detailed survey of the extent of the jurisdiction of the EEC authorities, and of its practical application. A good introduction to the subject given by summaries at the end of each chapter.

ALLEN, H. C.: **The Anglo-American Predicament — The British Commonwealth, the United States and European Unity**

Macmillan, London 1960, 241 p.

Through analyses of Anglo-American relations, the British reaction to European unification, and American policy problems, the author proves the necessity of British and European participation in a federal Atlantic union.

En analysant les relations anglo-américaines, la réaction anglaise à l'unification européenne et les problèmes de politique américaine, l'auteur veut prouver la nécessité d'une participation anglaise et européenne à une union fédérative atlantique.

ALTING VON GEUSAU, F. A. M.: **European Organizations and Foreign Relations of States**

A. W. Sijthoff, Leiden 1962, 290 p.

A comparative analysis of the decision-making process, at internal level, of the major European Organization (NATO, OECD, Council of Europe, WEU, and EEC), in the following fields: diplomatic representation, the conclusion of treaties, and the performance of unilateral acts. Important discrepancies are shown in the conclusion.

Analyse comparative des processus de décision dans les organisations européennes (OTAN, OCDE, Conseil de l'Europe, UEO et CEE) et dans les domaines suivants: représentation diplomatique, conclusion de traités et réalisation d'actes unilatéraux. La conclusion révèle d'importantes divergences.

ANCEL, Marc: **Introduction comparative aux codes pénaux européens**

Centre Français du Droit comparé, 1956, 71 p.

En saisissant les Codes pénaux européens dans leur dynamisme social, l'auteur nous présente un tableau d'ensemble de l'évolution du droit pénal européen. Utile contribution à la science comparative et à la crimonologie contemporaine.

Considering the European penal codes in their social dynamism, the author gives a general picture of the evolution of European penal law. Useful contribution to comparative science and to modern criminology.

ANDERSON, Eugene N.: **European Issues in the Twentieth Century**

Holt, Rinehart and Winston, New York 1960, 262 p.

Provides the history student with contrasting views found in documents, great political speeches and editorials on controversial European questions of the period 1915-1953. Included are the author's own provocative commentaries on analogous issues.

Recueil de documents, de discours d'hommes politiques et de publications se rapportant à un large éventail de questions européennes (1915-1953). Les commentaires de l'auteur ouvrent de vastes perspectives de discussion.

ANDREWS, William G.: **European Political Institutions — A Comparative Government Reader**

Van Nostrand, London 1962, 387 p.

British, French, German and Russian political institutions are examined in their governmental systems, political parties, legislatures or executives. Its originality is in that it is largely composed of pertinent extracts from the speeches or writings of notable politicians, representing each shade of national opinion.

Examine les institutions politiques du Royaume-Uni, de la France, de l'Allemagne et de la Russie, leurs modes de gouvernement, leurs partis politiques, leurs pouvoirs législatifs et exécutifs, à l'aide d'extraits de discours ou d'écrits d'hommes politiques représentant des opinions politiques très diverses.

Aspects of European Integration — An Anglo-French Symposium

Political and Economic Planning, London / Institut de Science Economique Appliquée, Paris, 1962, 140 p.

The first of this set of papers, written by British authors and commented on by French authors or vice versa, states the basic problems of integration. The others deal with these different aspects separately: agriculture, overseas territories, competition and finance.

Le premier de cette série de documents écrits par des Anglais et commentés par des Français ou vice-versa traite des problèmes fondamentaux de l'intégration. Ensuite sont examinés séparément les problèmes de l'agriculture, de la concurrence, des finances et des territoires d'outre-mer.

BÄCHLE, Hans-Ulrich: **Die Rechtsstellung der Richter am Gerichtshof der Europäischen Gemeinschaften**

Duncker & Humblot, Berlin 1961, 149 S.

Eine rechtswissenschaftliche Untersuchung der Pflichten und Rechte der Richter und der Voraussetzungen ihrer Ernennung. Besondere Aufmerksamkeit schenkt der Verfasser dem Vergleich mit den Bestimmungen anderer internationaler Gerichtshöfe und hebt damit die Besonderheit des Europäischen Gerichtshofes hervor.

Droits et devoirs du juge, et conditions de sa nomination. L'auteur compare plus particulièrement ces dispositions avec celles d'autres tribunaux internationaux et fait ainsi ressortir les particularités de la Cour de Justice des Communautés européennes.

A juridical study of the duties and privileges of judges and of the conditions of their nomination. In particular, the author compares these provisions with those of other international tribunals, and in doing so points out the characteristics of the Court of Justice of the European Communities.

BACHMANN, Hans: **Europäische Standortsbestimmung in Politik und Wirtschaft**

Polygraphischer Verlag, Zürich 1955, 185 S.

Darlegung der weltpolitischen und weltwirtschaftlichen Lage in der Mitte des Jahrhunderts und ein Ausblick auf die Möglichkeiten Europas. Wenn auch viele Daten überholt sind, bleibt die "Standortbestimmung" von bestehendem Interesse.

Exposé de la situation politique et économique mondiale du milieu du siècle avec un aperçu des perspectives européennes. Malgré la désuétude de beaucoup de données, ce point de la situation conserve son intérêt.

A report on the mid-century political and economic situation in the world, and a review of European prospects. Much of the data is obsolete, but the analysis keeps its interest.

BALL, Margaret: **NATO and the European Union Movement**

Stevens & Sons, London 1959, 486 p.

The establishment, activity, and effectiveness of NATO are the basis for this study of European regionalism. It includes a description of various organizations, their relations to each other and to the Atlantic Community and their influence both in the formation of American policies and in the anti-Communist struggle.

L'établissement, l'activité et l'efficacité de l'OTAN sont à la base de cette étude du régionalisme européen. Elle comprend une description de diverses organisations européennes, des relations entre elles, ainsi qu'entre elles et l'OTAN, et de leur influence sur l'élaboration de la politique américaine et la lutte contre le communisme.

BARENTS, Jan: **Political Science in Western Europe**

Stevens & Sons, London 1961, 121 p.

Report of the discussions organised in Rome in 1958 by the International Association of Political Science and undertaken within the framework of UNESCO. Rapid review of specialized magazines and studies on the following subjects: Parties, pressure groups and public opinion; national and regional government and public administration; comparative government and international relations; political theory. Detailed bibliography.

Entretiens organisés à Rome en 1958 par l'Association Internationale de Science Politique et entrepris dans le cadre des projets de l'UNESCO. Rapide tour d'horizon des périodiques spécialisés et des études courantes dans les domaines suivants: partis, groupes de pression et opinion publique; gouvernement national et régional et administration publique; gouvernement comparé et rapports internationaux; théorie politique. Riche documentation bibliographique.

BARTON, Paul: **Conventions collectives et réalités ouvrières en Europe de l'Est**

Editions Ouvrières, Paris 1957, 284 p.

L'auteur comble avec ce livre les lacunes d'une documentation jusqu'ici parcimonieuse. Il éclaire les contradictions du paternalisme soviétique, l'absence totale de réciprocité entre les parties contractantes dans les conventions collectives d'entreprise et par là toute la distance qui sépare l'Europe de l'Est de celle de l'Ouest.

With this book, the author fills the gaps in a documentation hereto inadequate. He shows the contradictions of Soviet Paternalism, the total absence of reciprocity between the contracting parties to collective business agreements and, consequently, the large distance which separates Western Europe from the East.

BATTIFOL — LAGRANGE — REUTER — SOTO — VIGNES: **Les Problèmes juridiques et économiques du Marché Commun**

Librairies Techniques, Paris 1960, 301 p.

Volume groupant les contributions d'éminents spécialistes au Colloque des Facultés de Droit et des Sciences Economiques tenu à Lille en 1959, et dans lequel le Marché Commun est l'objet d'un examen approfondi sous le double aspect juridique et économique.

A compendium of the contributions of eminent specialists at the Conference of Law and Economic Science Faculties, held at Lille in 1959. The Common Market is made the object of a searching study, from both the economic and legal points of view.

BAUER, Hans — RITZEL, H. G.: **Kampf um Europa — von der Schweiz aus gesehen**

Europa-Verlag, Zürich 1945, 284 S.

Die Verfasser dieses gleich nach dem Krieg erschienenen Buches befassen sich mit der sozialen, wirtschaftlichen und politischen Gestaltung des Nachkrieg-Europa, aus der Sicht der Schweiz. Die wirtschaftlichen Prognosen sind heute überholt; für die politische Einigung Europas jedoch verfechten die Autoren das Bundesstaats-Prinzip nach Schweizer Muster.

Ouvrage paru immédiatement après la guerre et traitant des aspects social, économique et politique de l'Europe d'après-guerre, du point de vue de la Suisse. Les pronostics économiques sont aujourd'hui dépassés; par ailleurs, les auteurs préconisent pour l'Europe une union politique selon le modèle suisse.

The authors of this work which appeared immediately after the war, deal with the social, economic and political aspects of Europe at that time, from the point of view of Switzerland. The economic forecasts are now out of date. The authors favour a political union of Europe based on the Swiss model.

BEBR, Gerhard: **Judicial Control of the European Communities**

Stevens & Sons, London 1962, 268 p.

A systematic reference book examining the nature of the functions of the Court of Justice firstly within the framework of the European Communities such as EEC, ECSC, Euratom, and secondly, in its role of controller of the powers of these organs, and the effect of its decisions on the development of a community law .

Ouvrage de référence qui examine systématiquement la nature des fonctions de la Cour de Justice dans les Communautés européennes, puis son rôle de contrôleur du pouvoir de ses organes, ainsi que les effets de ses décisions sur le développement d'un droit communautaire.

BEER, S. H. — ULAM, A. B. — SPIRO, H. J. — WAHL, N. — ECKSTEIN, H. H.: **Patterns of Government — The Major Political Systems of Europe**

Random House, New York, 5th ed. 1958, 624 p.

The political systems of Great-Britain, France, Germany and the Soviet Union are examined at length, each according to the pattern of its political culture, power system, interests and policy. The economic, historical and structural aspects are also described in many cases. A widely documented textbook with a selected bibliography.

Les systèmes politiques de la Grande-Bretagne, de la France, de l'Allemagne Fédérale et de l'Union Soviétique sont étudiés en détail, chacun selon sa culture politique, son système de pouvoir, ses intérêts et sa politique; les aspects économiques, historiques et structurels sont aussi pris en considération. Vaste documentation, bibliographie choisie.

BEEVER, R. Colin: **European Unity and the Trade Union Movements**

A. W. Sijthoff, Leiden 1960, 303 p.

A trade-unionist appraises the impact of European integration on trade unions and the reciprocal influence of the unions on the Communities and on complementary free trading plans. All major integration projects are described with fuller details on those aspects which most directly concern unions. The author also attempts to estimate future policy and structural developments.

Un syndicaliste évalue les effets de l'intégration européenne sur les unions syndicales, ainsi que l'influence réciproque des syndicats sur les Communautés et sur d'autres projets de libre échange. Tous les grands projets d'intégration sont décrits en détail sur les points qui concernent les unions syndicales. L'auteur tente aussi de prévoir les développements ultérieurs et l'évolution structurelle.

BEIJER, G.: **Rural Migrants in Urban Setting**

Martinus Nijhoff, The Hague 1963, 327 p.

An analysis of the literature on the problems of internal migration from rural to urban areas in twelve European countries (1945-1961). Bibliography of more than 1300 titles.

Analyse des travaux consacrés aux problèmes de l'émigration rurale dans douze pays européens, de 1945 à 1961. La bibliographie réunit plus de 1300 titres.

BELL, C. — BRAMSTED — FLETCHER — MILLER — OWEN — BELL, H.: **Europe without Britain — Six Studies of Britain's Application to Join the Common Market and its Breakdown**

Angus & Robertson, London 1963, 120 p.

The consequences of the collapse of negotiations in January 1963 in Brussels, seen from the Australian point of view. The six studies insist more on the diplomatic and political aspects than on the economic ones.

Les conséquences de la rupture des négociations en janvier 1963 à Bruxelles, considérées d'un point de vue australien. Ces six études insistent sur les aspects diplomatiques et politiques, plutôt qu'économiques.

BELLON, Jacques: **Droit pénal soviétique et droit pénal occidental — leur évolution, leurs tendances**

Editions de Navarre, Paris 1961, 220 p.

Précisions sur les principes qui régissent le droit pénal soviétique, ainsi que sur son évolution et son application depuis la Révolution d'Octobre, en rappelant l'évolution du droit pénal occidental. Ouvrage destiné aux théoriciens et techniciens du droit pénal.

Exact information about the principles which govern Soviet criminal law and its development, and the application of these principles since the October Revolution, with reference to the development of Western criminal law. This work is intended for theoreticians and technicians of criminal law.

BELOFF, Max: **New Dimensions in Foreign Policy**

G. Allen & Unwin, London 1961, 208 p.
Deutsche Ausgabe: **Neue Dimensionen der Aussenpolitik.** *Verlag Wissenschaft und Politik, Hamburg 1961, 240 S.*

Taking Great Britain's membership of supranational organizations as an example, the author examines the effect of such membership on the governmental and administrative systems of individual countries.

Part de l'exemple de la participation de la Grande-Bretagne à des organisations supranationales pour étudier leur influence sur le système gouvernemental et administratif des divers pays membres.

BELOFF, Max: **The United States and the Unity of Europe**

Faber & Faber, London 1963, 124 p.

On the attitude of the United States towards European unity since the last war. The author traces the evolution of the "United States of Europe" idea, the influence it has had on American policy and thinking, and the important consequences it will have in the future.

L'attitude des Etats-Unis envers l'unité européenne depuis la dernière guerre. L'auteur retrace l'évolution de l'idée des Etats-Unis d'Europe, l'influence qu'elle a exercée sur la politique américaine, puis les conséquences importantes qu'elle aura dans l'avenir.

BERNINI, Giorgio: **La tutela della libera concorrenza e i monopoli.** 2 vol.

A. Giuffrè, Milano 1963, 314/556 p.

Dopo aver esaminato le principali disposizioni delle Organizzazioni Internazionali circa le pratiche restrittive ed i monopoli, l'autore analizza le norme in materia contenute nei trattati della CECA, della CEE, e la legislazione dei paesi membri delle Comunità Europee, con particolare attenzione all'Italia.

Après avoir examiné les dispositions principales des Organisations Internationales sur les pratiques restrictives et les monopoles, l'auteur analyse les normes établies en cette matière par les traités de la CECA et de la CEE, ainsi que la législation des pays membres, et en particulier de l'Italie.

After studying the principal provisions of International Organizations on restrictive practices and monopolies, the author analyses the norms contained in the ECSC and EEC treaties and in the legislations of member countries of the European Community, particular attention being paid to Italy.

BIERI, E. — BRUGMANS, H. — DRACHKOVITCH, M. — KOHN, H. — MOULIN, L.: **Valeurs de base de la Communauté Atlantique**

A. W. Sijthoff, Leiden 1961, 108 p.

Recherche des valeurs de base de la civilisation commune aux nations atlantiques, visant à apporter quelques éléments nouveaux aux formulations traditionnelles. Travaux du comité d'études institué par la Conférence de Bruges sur la Communauté Atlantique, dans les domaines de la sociologie, de la civilisation technique et de l'organisation des institutions.

An investigation into the basic values of the civilization common to all Atlantic countries; tries to introduce new elements into traditional definitions. The book is part of the work of the study committee established by the Bruges Conference on the Atlantic Community; contains analyses based on sociology, technological civilization and the organization of institutions.

BIKKAL, Dionisio: **Los Estados Unidos de Europa — precursores y programa**

Graficas Nebrija, Madrid 1955, 158 p.

Presentando la unificación de Europa desde el punto de vista español el autor da un resumen de los proyectos principales de dicha unificación a partir de Pierre Du Bois, así como de lo que se ha realizado en la época actual. Sin embargo, la parte más importante del libro está reservada a un programa de unión elaborado por el autor mismo. A veces un poco simplificador.

L'unification de l'Europe vue d'Espagne. L'auteur donne un bref aperçu des principaux plans d'unification de l'Europe depuis Pierre Du Bois, et des réalisations de l'époque contemporaine. La partie la plus importante cependant est consacrée à un programme d'union proposé par l'auteur. Parfois un peu simpliste.

The unification of Europe from the Spanish point of view. The author gives a brief review of the principal plans for the unification of Europe since Pierre Du Bois, and of the achievements of modern times. The most important part, however, is devoted to the author's own programme of union. At times oversimplified.

BILLOTTE, Pierre: **L'Europe est née**

Fayard, Paris 1955, 158 p.

Rapport sur les Accords de Paris de 1952 fait par le Général Billotte devant l'Assemblée nationale française. Précédé d'un avant-propos sur la conciliation de la solidarité atlantique et de la solidarité occidentale.

A report on the Paris agreements of 1952, made by General Billotte before the French National Assembly. The introduction deals with the conciliation of Atlantic and Western solidarity.

BILLOTTE, Pierre: **Le temps du choix**

Robert Laffont, Paris 1950, 246 p.
Deutsche Ausgabe: **Noch ist es Zeit — ein Kommentar zur verfahrenen Politik der Westmächte gegenüber dem Kreml.** *Verlag für Kunst und Wissenschaft, Baden-Baden 1951, 275 S.*

L'auteur rappelle les rapports entre les Alliés occidentaux et l'URSS pendant et après la guerre. Vu la faiblesse des réponses occidentales aux menaces soviétiques, il propose une communauté atlantique de défense et, déclarant impossible l'unité économique de l'Europe, voit plutôt la solution dans la réunion des espaces économiques de l'Europe, du Commonwealth et des USA.

In analysing the position of the Western Allies and the USSR after the war, the author recalls the contact between them during the war. Considering the weakness of Western responses to the Soviet threat, he proposes an Atlantic Community of defence, and declaring the economic unity of Europe impossible, he sees a more likely solution in the reunion of the economic areas of Europe, the Commonwealth and the USA.

BINDSCHEDLER, Rudolf L.: **Rechtsfragen der europäischen Einigung**

Verlag für Recht und Gesellschaft, Basel 1954, 424 S.

Dieses juristische Standardwerk vermittelt Wesentliches über die völkerrechtliche Standortbestimmung einzelner europäischer Gemeinschaften, namentlich aber über die Übertragung einzelner Hoheitsrechte zur zeitlich und sachlich beschränkten Ausübung an internationale Organe. Es gibt dem europäischen Juristen eine objective Information über die Rechtslage wirtschaftlich integrierter Staaten. Stand 1954.

Cette œuvre fondamentale contient des indications essentielles sur la situation juridique des organisations européennes, du point de vue du droit international public, et notamment sur l'attribution à ces organisations de certains droits souverains limités dans le temps et dans leur objet. Information objective, pour les juristes européens, sur l'état du droit des Etats économiquement intégrés. Données de 1954.

This standard legal work provides essential information on the situation of particular European organizations with respect to international law, and in particular to the transfer to these international bodies of certain sovereign rights, limited in time and in field of application. Gives the European jurist objective information on the legal position (in 1954) of economically integrated states.

BIRKE, Wolfgang: **European Elections by Direct Suffrage**

A. W. Sijthoff, Leiden 1961, 124 p.

After examining the different patterns of the electoral systems used in the fifteen member countries of the Council of Europe, the author proposes a direct election system for a European Parliament capable of serving as an integrating factor.

Après avoir examiné les différents systèmes électoraux en usage dans les quinze pays du Conseil de l'Europe, l'auteur propose un système d'élection directe pour un Parlement européen, pouvant servir d'élément d'intégration.

BLOCH, Roger — LEFEVRE, Jacqueline: **La fonction publique internationale et européenne**

Librairie Générale de Droit et de Jurisprudence, Paris 1963, 319 p.

Présentation de l'ensemble des problèmes de la fonction publique. La première partie est consacrée aux principes juridiques. Dans la deuxième partie, les auteurs analysent les carrières internationales et européennes: possibilités de carrière, conditions de recrutement et de rémunération.

Presentation of all the problems of the civil service. The first part is devoted to juridical principles, in the second book the authors analyse European and international carreers: possibilities for positions, conditions of recruitment and salaries.

BOLDT, G. — DURAND, P. — HORION, P. — KAYSER, A. — MENGONI, L. — MOLENAAR, A. N.: **Das Arbeitsrecht in der Gemeinschaft: Bd. V. Streik und Aussperrung**

Hrsg. von der Hohen Behörde der EGKS, Luxemburg 1961, 386 S.
Edition française: **Grève et lock-out.**

Rechtsvergleichende Studie vom Standpunkt der Gesetzgebung, Rechtslehre und Rechtsprechung über die wichtigsten der sich im Zusammenhang mit Arbeitsstreitigkeiten ergebenden Probleme in den einzelnen Ländern. Eine Synthese der verschiedenen Rechtssysteme der Montanunion-Länder wird herausgearbeitet.

Etude de droit comparé portant sur les conflits de travail dans chaque pays, du point de vue de la loi, de la doctrine et de la jurisprudence. Les auteurs font ensuite une synthèse des différents systèmes juridiques des pays de la CECA.

A study of comparative law on the most important problems concerning labour conflicts of each country, from the point of view of legislation, doctrine and jurisprudence. Followed by a synthesis of the different legal systems of the ECSC countries.

BONNEFOUS, Edouard: **L'Europe en face de son destin**

Ed. du Grand Siècle, Paris 1952, 386 p.

Cet ouvrage dont la préface fut écrite par André Siegfried, décrit les sources et l'évolution de l'idée européenne. Conserve un intérêt historique.

This work with a preface by André Siegfried, describes the sources and evolution of the European idea. Of historical interest.

BOSSUNG, Otto: **Grundfragen einer europäischen Gerichtsbarkeit in Patentsachen**

Wila Verlag für Wirtschaftswerbung Wilhelm Lampl, München 1959, 176 S.

Rechtsvergleich der verschiedenen Systeme der Patentgerichtsbarkeit in Europa und den USA. Die völker- und staatsrechtlichen Probleme werden erörtert, die mit der Errichtung einer supranationalen, vorläufig europäischen Gerichtsbarkeit in Patentsachen verbunden sind. Schliesslich werden Mittel und Wege, wie auch Hindernisse für die Schaffung eines europäischen Patentes aufgezeigt. Für Juristen.

Comparaison juridique des différents systèmes de juridiction des brevets en Europe et aux Etats-Unis. On y décrit les problèmes internes et internationaux en rapport avec l'édification d'une autorité supranationale, ou du moins européenne pour le moment, dans le domaine du droit des brevets. Etude de la possibilité de créer un brevet européen, des moyens et obstacles. Ouvrage pour juristes.

Juridical comparison of the various systems of patent legislation in Europe and the USA. Describes national and international problems concerning the establishment of a supranational authority, or at least a European authority for the present, in the field of patent rights. Examines the possibilities, means and obstacles regarding the creation of a European patent. For jurists.

BROTBECK, Kurt: Die schweizerische Neutralität als Beitrag zu einem freien Europa

Benteli-Verlag, Bern 1963, 90 S.

Der Autor versucht die Neutralität der Schweiz zu rechtfertigen, ohne sie jedoch von einem neuen Standpunkt aus zu betrachten.

L'auteur tente de justifier la neutralité suisse sans y apporter de vues nouvelles.

The author attempts to justify Swiss neutrality, without producing any new points of view.

BUCHAN, Alastair — WINDSOR, Philip: Eine Strategie für Europa

Alfred Metzner, Frankfurt 1963, 224 S.
English edition: **Arms and Stability in Europe.** *Chatto & Windus, London 1963, 236 p. — Edition française en prép. chez "Centre d'Etudes de Politique Etrangère", Paris.*

Zusammenfassender Bericht über die Tätigkeit einer Studiengruppe, die sich aus erstrangigen britischen, französischen und deutschen Experten für militärische Fragen und internationale Beziehungen zusammensetzt. Die Probleme der Verteidigungspolitik vom Ende des Krieges bis zur Konferenz de Gaulles vom 14.I. 1963 werden genau analysiert.

Deux auteurs font une synthèse des travaux effectués par un groupe d'étude franco-anglo-allemand, réunissant d'éminents spécialistes des questions militaires et des relations internationales. Bonne analyse des grands problèmes de la politique de défense depuis la fin de la guerre jusqu'à la Conférence du Général de Gaulle du 14.1.63.

Two authors synthesize the work of a study-group, made up of French, English and German experts in military and international affairs. Good analysis of defence policy problems from the end of the war up to President de Gaulle's press conference of the 14th January 1963.

BUNG, Hubertus: Die Auffassungen der verschiedenen sozialistischen Parteien von den Problemen Europas

Karl Funk, Saarbrücken 1956, 116 S.

Eine rechtssoziologische Arbeit über die sozialistische Haltung zu Europas Wirtschaft, Verteidigung und politischer Einigung. Kritik und Bemühungen werden induktiv erfasst und analysiert und Prognosen für die weitere Entwicklung daran abgeleitet.

Travail de sociologie du droit sur la position socialiste à l'égard de l'économie, de la défense et de l'union politique de l'Europe. Analyse, critique et pronostique.

A work of sociology of law on the socialist position in relation to the economy, defence and political union of Europe. Socialist efforts, and criticisms of them, are analysed and attempts are made to estimate future developments.

CAMPION, Lord — LIDDERDALE, D. W. S.: **European Parliamentary Procedure**

G. Allen & Unwin, London 1953, 270 p.

A description of the common basis underlying West European parliamentary procedure, followed by a set of "national" studies of certain countries associated in the Inter-parliamentary Union. A useful handbook.

Description de la base commune à la procédure parlementaire des pays d'Europe occidentale, suivie d'un ensemble d'études "nationales" sur certains Etats associés à l'Union Interparlementaire. Un manuel utile.

CAMPS, Miriam: **Division in Europe — The Free Trade Area Negotiations — Four Approaches to the European Problem**

Political and Economic Planning, London 1960-1959-1961, 66-50-26 p.

A historical account of negotiations until 1958 and a study of the reasons for their failure and of the problems of future negotiations. A brief description of four possible solutions characterized as 1. a single European market, 2. "United Kingdom join the Six", 3. the Atlantic Community or OECD, and 4. the GATT.

Historique des négociations jusqu'en 1958; examen des raisons de l'échec et du problème des négociations futures; brève description des quatre solutions envisagées, à savoir 1. un seul Marché européen, 2. "U.K. join the Six", 3. Communauté Atlantique ou OCDE, et 4. le GATT.

Canada, the Commonwealth and the Common Market (publ. by W. B. Cunningham)

McGill University Press, Montreal 1962, 142 p.

What will be the effects of the union of the United Kingdom with Europe? Should Canada sponsor this union or a larger Atlantic Free Trade Community? And how should it adapt itself to the changing patterns within the Commonwealth? These questions among others are studied and commented on by participants from different countries in a summer seminar.

Quels seront les effets de l'union du Royaume-Uni avec l'Europe? Le Canada devrait-il favoriser cette union ou plutôt une Communauté atlantique de libre échange? De plus, comment devrait-il s'adapter aux nouveaux systèmes au sein du Commonwealth? Ces questions parmi d'autres sont étudiées et commentées par les participants de différents pays au séminaire d'été.

CARSTENS, Karl: **Das Recht des Europarats**

Duncker & Humblot, Berlin 1956, 243 S.

Eine gründliche rechtswissenschaftliche Untersuchung des Statuts des Europarates und der Praxis der ersten sechs Jahre seines Bestehens.

Etude juridique approfondie du statut du Conseil de l'Europe et de son fonctionnement durant les six premières années.

A fundamental juridical study on the statute of the Council of Europe and its functioning during the first six years.

CARTOU, Louis: **Le Marché Commun et le droit public**

Sirey, Paris 1959, 196 p.
Deutsche Ausgabe: **Der Gemeinsame Markt und das öffentlich Recht.** *A. Lutzeyer, Baden-Baden 1960, 226 S.*

Ouvrage technique dont l'originalité consiste à prouver que le Traité instituant le Marché Commun s'est inspiré du droit public interne, c'est à dire, que "le Traité de Rome s'est efforcé de rendre les institutions de la C.E.E. semblables à celles d'un Etat". Etudie, en particulier, le problème dit de la mutation des compétences des Etats.

A technical work whose originality consists in proving that the treaty setting up the Common Market was inspired by internal public law, that is to say, that "the Treaty of Rome attempted to make the institutions of the EEC similar to those of a State". The author studies, in particular, the problem of the transfer of power from the States.

CATALANO, Nicola: **La Comunità Economica Europea e l'Euratom**

A. Giuffrè, Milano, 2a ed. 1959, 613 p.

Analisi giuridica estremamente dettagliata dei principi generali delle istituzioni comunitarie, delle strutture ed elementi giuridici propri alla CEE e all'Euratome di quelle invece particolari dei ognuna delle due istituzioni.

Analyse juridique très détaillée des principes généraux, des institutions communautaires, des éléments communs à la CEE et à l'Euratom, et des éléments propres à chacune des deux institutions.

A very detailed legal analysis of general principles, Community institutions, elements common to the EEC and Euratom, and those traits characteristic to each of these institutions.

CATALANO, Nicola: **Manuale di diritto delle Comunità europee**

A. Giuffrè, Milano 1962, 543 p.
Edition française: **Manuel de Droit des Communautés Européennes.** *Sirey, Paris 1962, 455 p.*

Il Diritto delle Comunità Europee, benché venga spesso considerato come un ramo del diritto internazionale, costituisce in realtà una nuova disciplina giuridica: il diritto comunitario. Tale nuova disciplina ha certo legami e interferenze con il diritto internazionale, ma ne ha soprattutto con gli ordinamenti interni dei sei Stati membri.

Le droit de la Communauté Européenne, jusqu'à présent considéré plus ou moins comme une branche du droit international, constitue en réalité une nouvelle discipline juridique, le droit communautaire, — ayant certains rapports et points communs avec le droit international, mais surtout avec les règlements internes des Etats-membres.

The law of the European Community, up to now considered more or less as a branch of international law, constitutes in effect a new juridical idea — community law — having certain points in common with international law but, above all, with the internal rules of the member states.

Challenge in Eastern Europe (ed. under the auspices of the Mid-European Studies Center of the National Committee for a Free Europe)

Rutger's University Press, New Jersey 1956.
Edición española: **Europa conquistada.** *Ed. Hispano-Europea, Barcelona 1956, 236 p.*

Collective study of Eastern Europe's transition from the times of agrarian under-development, with reference to the political difficulties within the social scheme and to the endeavour to establish a more productive economic and more stable political system.

Etude collective de l'évolution de l'Europe orientale depuis l'époque du sous-développement agraire, insistant sur les difficultés politiques dans le contexte social et sur les efforts faits pour établir une économie plus productive et un système politique plus stable.

CHAPMAN, Brian: **The Profession of Government**

G. Allen & Unwin, London, 2nd ed. 1963, 352 p.

Against an historical background, this comparative study follows the evolution of public service in Europe, its composition and the conditions of service of the public service officer. The last two parts are concerned with the problems of administration control and of politics versus public administration.

Se basant sur des données historiques, cette étude comparative suit l'évolution de la fonction publique en Europe, sa composition et les conditions de travail des fonctionnaires. Les deux dernières parties portent sur les problèmes du contrôle de l'administration, et des relations entre politique et administration publique.

Che fare per l'Europa? (dir. Altiero Spinelli)

La Comunità, Milano 1963, 204 p.

Contiene gli atti del Convegno degli "Amici del Mondo" tenutosi a Roma il 2 e il 3 Febbraio 1963 sullo stesso tema. Ogni intervento è centrato sull'esclusione dal Mercato Comune, da parte francese, dell'Inghilterra e sulla necessità di aggirarla o opporvisi.

Recueil des actes du congrès des "Amis du Monde", les 2 et 3 février 1963. L'objet principal de toutes les interventions est le refus opposé par la France à l'entrée de la Grande-Bretagne dans la CEE. Comment agir contre ce refus?

Proceedings of the "Amici del Mondo" Congress held on the 2nd and 3rd February 1963. The main object of these discussions was the search for means of opposing France's refusal to British entry into the EEC.

CHILLIDA, Vicente Segrelles: **Introducción al nuevo derecho europeo: CECA, Mercado Común y Euratom**

Instituto Editorial Reus, Madrid 1962, 310 p.

El autor expone ordenadamente la función, las instituciones, las fuentes del Derecho y la competencia de las tres Comunidades. Se termina su estudio con un análisis de la naturaleza jurídica de las mismas, en relación con el principio "supranacional". Para juristas.

L'auteur expose la fonction, les institutions et les sources du droit des trois Communautés ainsi que leur compétence. L'étude se termine par une analyse du caractère juridique de ces Communautés, en rapport avec le principe de la supranationalité Pour spécialistes.

The author describes the functions, institutions and sources of the law of the three Communities, as well as the matters with which they are competent to deal. The study ends with a juridical analysis of the Communities, relative to the supranational principle. For specialists.

CHRIST, Hans: **Die Rolle der Nationen in Europa**

J. Fink, Stuttgart 2. Aufl. 1963, 72 S.

Unter besonderer Berücksichtigung des Falles Deutschland will der Verfasser zeigen, dass die Nationen Europas ein geschichtlicher Tatbestand mit sowohl förderlichen wie auch bremsenden Elementen sind, die sich auf dem Papier nicht zur politischen Gemeinschaft Europa umformen lassen.

Se référant surtout au cas de l'Allemagne, l'auteur montre que les nations européennes constituent un état de fait historique, avec des éléments qui favorisent et d'autres qui freinent la création d'une communauté politique.

With special emphasis on the case of Germany the author shows that the European nations constitute historically one state with both integrating and disingrating tendencies, and that they cannot be transformed into a political community by the means of a simple document.

CLEMENS, Adrian: **Der Europäische Beamte und sein Disziplinarrecht**

A. W. Sijthoff, Leiden 1962, 396 S.

Der Verfasser hat in rechtsvergleichender Methode aus dem materiellen Disziplinarrecht und dem Disziplinarverfahrensrecht der sechs Mitgliedstaaten der EWG, sowie weiterer europäischer und internationaler Organisationen de lege ferenda Grundsätze herauskristallisiert für die Gestaltung eines auf sämtliche europäische Beamte anwendbaren Disziplinarrechts.

En utilisant la méthode du droit comparé, l'auteur a cristallisé, de lege ferenda, les fondements essentiels d'un droit disciplinaire applicable à tous les fonctionnaires européens. Pour cela, l'auteur a examiné les droits et les procédures disciplinaires des six Etats membres de la CEE, ainsi que ceux d'autres organisations européennes et internationales.

Following the method of comparative law, the author has established, from lege ferenda, the bases of a disciplinary law applicable to all European officials. To do this, he studies the laws and disciplinary procedure of the six member States of the EEC as well as those of other European and international organizations.

La Coexistence pacifique est-elle possible?

Centre Européen de Documentation et d'Information, Madrid 1955, 293 p.

Analyse de la coexistence pacifique sous plusieurs aspects, en situant les composantes et leur évolution. Certaines conséquences pour l'Europe et la chrétienté. Les positions défendues varient, mais émanent de chrétiens militants.

An analysis of peaceful coexistence, considered under many aspects of its constituent elements and their evolution. Certain consequences for Europe and Christianity. Positions vary, but all emanate from militant Christians.

COLE, G. D. H.: **Europe, Russia and the Future**

Victor Gollancz, London 1943, 3rd ed., 186 p.

This short essay inspired by the Nazi attack on Russia in 1941 is an appeal to all Socialists in Russia and Western Europe to work for a socialist supra-national state of Europe in which a Germany, disenchanted with Nazism, will play a vital role.

Ce court essai inspiré par l'attaque nazie contre la Russie en 1941, est un appel à tous les socialistes de Russie et d'Europe occidentale, afin qu'ils travaillent à un Etat socialiste supranational d'Europe dans lequel l'Allemagne délivrée du Nazisme, aurait un rôle vital à jouer.

The Commonwealth and Europe

Britain and Europe, Ltd./The Economist Intelligence Unit, London 1960, 606 p.

An economic analysis based on original research, arising from the question of British entry into the Common Market. The Unit has attempted to show which commodities and nations would be critically affected by changes in Imperial preference. Although published in 1960, still of great interest.

Analyse économique basée sur des recherches originales et portant sur l'entrée de la Grande-Bretagne dans le Marché Commun. Tente de montrer quels biens et quels pays seraient affectés par une modification de la préférence impériale. Bien que publié en 1960, conserve un grand intérêt.

Comunità Economica Europea (publ. Unione Italiana delle Camere di Commercio, Industria e Agricoltura, Roma)

A. Giuffrè, Milano 1958, 720 p.

Discorsi e discussioni degli incontri organizzati dalla Camera italiana del Commercio a Roma nell'aprile 1958. Alti funzionari provenienti dai diversi campi economici, sociali e politici d'Italia studiano i problemi e le prospettive del loro paese di fronte all'integrazione e la sua posizione nei riguardi delle organizzazioni europee. Contributo sempre apprezzato agli studi del MEC.

Discours prononcés lors des rencontres organisées à Rome, en avril 1958, par la Chambre de Commerce italienne. De hauts fonctionnaires italiens appartenant aux différents domaines économiques, sociaux et politiques, étudient les perspectives de leur pays face à l'intégration et aux diverses organisations européennes. Contribution appréciable pour l'étude de la CEE.

Speeches and discussions of the meeting organized in Rome in April 1958 by the Italian Chamber of Commerce and Industry. High officials from the various economic, social and political spheres in Italy study the problems and prospects for their country with regard to integration, as well as Italy's position with regard to the European organizations. Precious contribution to the study of the EEC.

Conférence européenne: Progrès technique et Marché commun. Perspectives économiques et sociales de l'application des nouvelles techniques 2 vol.

Communauté Economique Européenne, Bruxelles 1962, 354/736 p.

Ces rapports et conclusions des groupes de travail offrent un intérêt tout particulier, parce qu'ils débordent largement le cadre européen et parce qu'ils sont l'oeuvre de personnalités de premier plan. Parmi les sujets traités, signalons l'emploi, la concurrence, les relations et la formation professionnelles, l'investissement, les secteurs industriels, administratifs, des transports, etc.

These reports and conclusions of work groups offer a special interest, as they do not confine themselves solely to the European field, and because they are the work of first-class men. Among other subjects, employment, competition, professional associations and training, investment, industrial problems, administration, transport are considered.

CORBETT, J. P.: **Europe and the Social Order**

A. W. Sijthoff, Leiden 1959, 188 p.

The necessary revision of some basic concepts underlying European society and the educational way they must fit the new industrialized and scientific Europe compose the subject-matter of this study.

Les deux thèmes de l'étude sont: la révision nécessaire de certains concepts de base caractéristiques de la société européenne, et la façon de les adapter, grâce à l'éducation, à la nouvelle Europe industrialisée et scientifique.

CORDON, José L. R.: **Europa como evasión**

Ed. Nacional, Madrid 1963, 33 p.

El autor considera la integración de España en la comunidad europea como una evasión de los graves problemas estructurales y políticos españoles, proponiendo por contra una unión entre España y los países Iberoamericanos.

L'auteur considère l'intégration de l'Espagne dans la communauté européenne comme une évasion hors de ses graves problèmes politiques et structurels, et propose par contre une union entre l'Espagne et les pays ibéroaméricains.

The author considers Spanish integration into the European community as an evasion of her serious political problems, and suggests instead of this the union between Spain and the Latin American countries.

COUDENHOVE-KALERGI, R. N.: **Eine Idee erobert Europa**

Kurt Desch, München 1958, 366 S., ill.

English edition: **An Idea Conquers the World.** *Hutchinson & Co., London 1953, 310 p.*

Dieses Buch des grossen Vorkämpfers der Pan-Europa-Idee enthält seine Lebenserinnerungen, und man begegnet, wie zu erwarten war, einer langen Reihe grosser Männer unserer Zeit, mit denen der Verfasser befreundet war und die er für seine Idee zu gewinnen vermochte.

Ce livre du grand promoteur de l'idée pan-européenne contient ses mémoires; on y rencontre toute une pléiade de grands hommes de notre temps, avec lesquels l'auteur était lié et qu'il a su gagner à son idée.

Contains the memoirs of a great advocate of the pan-European idea; we meet several great men of our times whom the author knew and whom he was able to win over to his idea.

COUDENHOVE-KALERGI, Richard: **Vom Ewigen Krieg zum Grossen Frieden**

Musterschmidt, Göttingen 1956, 280 S.

Das politische Programm eines der geistigen Vorkämpfer der Einigung Europas. Geschichte der Völker, das Schicksal Europas und der Weltfriede erklären die dringende Notwendigkeit, Europa nicht nur wirtschaftlich, sondern auch politisch zu einigen.

Programme politique d'un des promoteurs spirituels de l'unification européenne. L'histoire des peuples, le destin de l'Europe, et la paix du monde montrent combien il est urgent d'unifier l'Europe, non seulement économiquement, mais aussi politiquement.

The political programme of one of the spiritual fathers of European unity. The history of peoples, the destiny of Europe and world peace show the urgent necessity of uniting Europe not only economically but politically.

La crise du monde atlantique

Centre Européen de Documentation et d'Information, Madrid 1958, 187 p.

Compte-rendu de la VIème réunion internationale du C.E.D.I. à l'Escurial, 16-19 juin 1957. Plusieurs orateurs de premier ordre analysent le malentendu Europe — USA. Encore actuel.

Account of the 6th International Meeting of the European Centre of Documentation and Information (C.E.D.I.) at the Escorial from June 16 to 19, 1957. Many first-class speakers analyse the misunderstanding between Europe and the United States — a problem still with us.

CROCE, Benedetto: **Europa und Deutschland — Bekenntnisse and Betrachtungen**

A. Francke, Bern 1946, 62 S.

Aufsätze aus der unmittelbaren Nachkriegszeit, in denen der italienische Kulturphilosoph einige Grundverwirrungen des Nationalsozialismus energisch verurteilt, die wahren Werte Deutschlands aber unterstreicht. Das italienische Original ist unauffindbar.

Travaux datant des premières années d'après-guerre, dans lesquels le philosophe humaniste italien condamne quelques aberrations fondamentales du nazisme, mais souligne néanmoins les vraies valeurs de l'Allemagne. L'édition orignale italienne est introuvable.

These essays date from the early post-war years; the Italian humanist philosopher strongly condemns some of the fundamental aberrations of nazism, but at the same time emphasises the true worth of Germany. The Italian original cannot be found.

CZERNETZ, Karl: **Österreich und die Einheit Europas**

Verlag des Österreichischen Gewerkschaftsbundes, Wien 1960, 39 S.

Streitschriften des österreichischen Nationalrats gegen ein zentralistisches Kleineuropa und für eine ganz Europa umfassende Freihandelszone.

Ecrits polémiques du Conseil National autrichien contre une Petite Europe centralisatrice et pour une zone de libre-échange englobant toute l'Europe.

Controversial writings of the Austrian National Council against a centralized Little Europe and in favour of a free-trade zone including the whole of Europe.

Dangers sur l'Occident — L'Europe dans la stratégie politique mondiale

Centre Européen de Documentation et d'Information, Madrid 1960, 366 p.

Des professeurs, publicistes, économistes et hommes politiques traitent de la défense de l'Europe contre la menace soviétique, et de nombreux autres problèmes comme l'organisation de l'OTAN ou la nécessité d'une Europe unie. On préconise aussi une action européenne multilatérale et permanente en faveur des pays sous-développés, une conférence Europe-Afrique.

Professors, publicists, economists and politicians consider the defence of Europe against the Soviet menace, and many other problems such as the organization of NATO and the necessity for a united Europe. Permanent multilateral European action in favour of the under-developed countries, and a Euro-African conference, are advocated.

DEHOUSSE, Fernand: **L'Europe et le Monde**

Librairie Générale de Droit et de Jurisprudence, Paris 1960, 618 p.

Recueil d'études, de rapports et de discours du Professeur Dehousse, sénateur belge, mêlé très étroitement aux tentatives d'intégration européenne, ayant trait aux principales institutions européennes projetées ou mises sur pied après la guerre. Pour historiens et étudiants de science politique.

An anthology of essays, reports and speeches by Professor Dehousse, a Belgian senator, who is very active in the attempts for European integration. In this book he discusses the most important European institutions either planned or established after the war. For historians and students of political science.

DELPÉRÉE, Albert: **Politique sociale et intégration européenne**

Georges Thone, Liège 1956, 293 p.

Etudie les problèmes suivants: mobilité de la main-d'œuvre, libre circulation des travailleurs, migrations européennes, chômage technologique, sécurité sociale, salaires, conditions de travail, relations industrielles. Les références sont presque exclusivement belges.

A study of the following problems: mobility of labour, free circulation of workers, European migrations, technological unemployment, social security, salaries, conditions of work and industrial relations. It refers, almost solely, to Belgian problems.

DELVAUX, Louis: La Cour de Justice de la Communauté Européenne du Charbon et de l'Acier

Librairie Générale de Droit et de Jurisprudence, Paris 1956, 334 p.

Recueil de textes relatifs à la Cour de Justice, l'une des quatre institutions fondamentales de la CECA. Sa lecture est grandement facilitée par un exposé sommaire des principes de cette Cour (organisation, compétence et procédure) et par un rapide examen du Droit en vigueur dans la Communauté.

A collection of texts, relative to the Court of Justice, one of the four basic institutions of the ECSC. The reading of this work is greatly facilitated by a summary of the principles of the Court (organization, sphere of action, and procedure) and by a rapid examination of the law in use in the Community.

Dix années de vie du Conseil de l'Europe (préf. par L. Benvenuti)

Publ. par le Conseil de l'Europe, Strasbourg, 1959, 92 p.

Bilan de l'activité et de l'évolution du Conseil de l'Europe pendant les 10 premières années de son existence dans les domaines économique, social, juridique, culturel, des Droits de l'Homme, des réfugiés, et de l'information.

An account of the activity and evolution of the Council of Europe in the first ten years of its existence, in the spheres of economics, sociology, jurisdiction, culture, Human Rights, the refugee problem and information.

DOLLFUS, D. F. — RIVOIRE, J.: A propos de . . EURATOM

Les Productions de Paris, Paris 1959, 221 p.

Histoire de l'énergie nucléaire. Récit détaillé des espoirs et des initiatives qu'elle a fait naître sur le plan de la coopération internationale. Ouvrage de référence et de vulgarisation.

History of nuclear energy and detailed description of the hopes and the initiatives to which it has given rise in the field of international co-operation. Popular reference work.

DRION DU CHAPOIS, François: La vocation européenne des Belges

Editions Universitaires, Bruxelles 1958, 264 p.

L'auteur dégage les constantes européennes de la mission historique des Belges. Mais à cause de sa centralisation à outrance, il refuse à la France la même vocation. La faveur de l'auteur semble se porter sur une Europe fortement décentralisée qui ressemble à l'Europe des Patries gaulliste.

The author reveals the European character of the mission of the Belgians in history. But in the name of total centralization, he refuses to allow that France has the same vocation . The author appears to favour a Europe that is highly decentralized, similar to de Gaulle's "Europe des patries".

DUCLOS, Pierre: **La réforme du Conseil de l'Europe**

Librairie Générale de Droit et de Jurisprudence, Paris 1958, 526 p.

Il existe deux grandes voies de réforme à l'organisation actuelle du Conseil de l'Europe: des procédés d'altération profonde (introduction globale ou sélective de la supranationalité) et des procédés de simple amélioration (meilleure collaboration entre l'Assemblée et le Comité). Pour spécialistes.

There are two main ways of reforming the present organisation of the Council of Europe: radical alteration (introduction of total or selective supranationality), or amelioration (improved collaboration between the Assembly and the Committee). For specialists.

Eastern Europe in the Sixties (edit. by Stephen Fischer-Galati)

Frederick A. Praeger, New York 1963, 242 p.

"Consolidation" being the key to the efforts of Eastern Europe in the 1960's, "The New Social Order", "The Planned Country" and the "Politics of Peaceful Co-existence" are examined. The study is concerned with aspects as they appear in the Block as a whole — an invaluable comparative evaluation.

"Consolidation" étant la clé des efforts de l'Europe de l'Est dans les années 60, on examine successivement: "Le nouvel ordre social", "La planification", et "La politique de coexistence pacifique", ces différents aspects étant analysés dans leur ensemble. Estimation comparative très intéressante.

EASTON, Stewart C.: **The Twilight of European Colonialism**

Methuen & Co., London 1960, 591 p.

This analysis made from official documents, press-cuttings and information received on the spot by the author is full, complete and objective. It is concerned with an analysis of the development of decolonization since the 2nd World War rather than with its history. The systematic presentation as well as the very complete index give the book the value of a work of reference.

Analyse complète et objective à base de documents officiels, coupures de presse et renseignements recueillis sur place par l'auteur. Il s'agit moins de faire l'historique de la décolonisation que d'analyser son développement depuis la deuxième guerre mondiale. La présentation systématique ainsi que l'index alphabétique très complet, donnent à l'étude la valeur d'un ouvrage de référence.

EGERAAT, L. van: **De Europese eenwording**

Nederlandse Uitgeversmaatschappij, Leiden 1954, 2 delen, 64/62 p.

Op eenvoudige wijze wordt een overzicht gegeven van de problematiek bij de Europese integratie.

Aperçu des problèmes posés par l'intégration européenne.

A simply presented study of the problems posed by European integration.

Les élections européennes au suffrage universel direct

Publ. "Centre National d'Etudes des Problèmes de Sociologie et d'Economie Européennes" en collaboration avec l'Institut de Sociologie Solvay, Bruxelles 1960, 325 p.

Rapport introductif de M. F. Dehousse à un colloque tenu les 14 et 15 avril 1960. Ouvrage de science politique qui permet de faire le point sur la position de nombreux partis politiques, groupes de pression idéologiques et personnalités à l'égard d'un problème fondamental pour le processus d'intégration politique de l'Europe.

The introductory report, by F. Dehousse, to a conference held on the 14th and 15th April, 1960. A study in political science which describes the stand taken by many personalities, political parties and ideological pressure groups with reference to a problem fundamental of the political integration of Europe.

ELGOZY, Georges: **L'Europe des Européens**

Flammarion, Paris 1961, 332 p.

La première partie entreprend de défendre "L'Europe des Patries" contre les partisans d'une intégration chimérique; la deuxième partie décrit et critique les institutions politiques, économiques et sociales existantes ou à créer au plan européen. Bon exposé des thèses gaullistes. La troisième partie traite des besoins fondamentaux du Tiers Monde.

The first part undertakes the defence of a "Europe of Nations" against the supporters of an illusory integration; the second part describes and criticises the political, economic and social institutions, created or to be created on the European level. Good description of Gaullist policies. The third part deals with the basic needs of the non-committed world.

EMGE, Carl August: **Einheitsmomente am einheitlichen Europa** (hrsg. von der Akademie der Wissenschaften und der Literatur, Mainz)

Franz Steiner, Wiesbaden 1954, 18 S.

Der Verfasser will die positiven und negativen Symptome der Krise des heutigen Europa aufzeigen, um den richtigen Weg zu ihrer Überwindung finden zu können.

L'auteur veut mettre en évidence les symptomes positifs et négatifs de la crise de l'Europe actuelle, pour y trouver les moyens de la surmonter.

The author shows the positive and negative aspects of the crisis in present-day Europe, and attempts to find a way of solving these problems.

English Law and the Common Market (edited by G. W. Keeton and G. Schwarzenberger)

Stevens & Sons, London 1963, 230 p.

A set of up-to-date lectures concerned with the practical legal problems facing the Common Market (such as labour legislation, free competition, industrial property) as well as the political structure of Europe in the years to come.

Conférences sur les problèmes juridiques et pratiques du Marché Commun (législation du travail, libre concurrence, propriété industrielle, etc.) et sur la structure politique de l'Europe dans les prochaines années.

ERDMENGER, Jürgen: **Die Anwendung des EWG-Vertrages auf Seeschiffahrt und Luftfahrt**

Cram, de Gruyter & Co., Hamburg 1962, 180 S.

Eine rechtswissenschaftliche Dissertation über die Auslegung von Art. 84 Abs. 2 des EWG-Vertrags hinsichtlich der Zusammenführung der See- und Luftfahrtpolitik.

Dissertation juridique sur l'interprétation de l'art. 84, par. 2, du Traité de Rome, du point de vue de la coordination de la politique des transports maritimes et aériens.

A juridical dissertation on the interpretation of art. 84, par. 2, of the Treaty of Rome, concerning the co-ordination of sea and air transport policies.

Essais sur les Droits de l'Homme en Europe (direction et avant-propos par Robert Pelloux), 2 vol.

Librairie Générale de Droit et de Jurisprudence, Paris 1959/1961, 180/107 p.

La première série de ces Essais se compose de monographies consacrées à certains pays européens: Italie, Belgique, Royaume-Uni, Autriche, Suisse; la législation et la jurisprudence de ces pays permettent-elles une efficace protection des Droits de l'Homme ? Dans la deuxième série, trois études traitant le problème des Droits de l'Homme tel qu'il se présente dans le cadre de la République Fédérale d'Allemagne.

The first series of these Essays on Human Rights in Europe is composed of papers dealing with specific European countries: Italy, Belgium, The United Kingdom, Austria and Switzerland; they attempt to discover whether the legislation and the judicial system in these countries give efficient protection to the Human Rights. In the second series, three studies of the problem as it appears particularly in the Federal Republic of Germany.

Etudes de physiologie et de pathologie du travail

Publié par la Haute Autorité de la C.E.C.A., Luxembourg 1961, 630 p., ill.

Important et imposant ouvrage réalisé par une série d'hommes de science et publié sous les auspices de la CECA, complété par de nombreux documents photographiques, statistiques et graphiques. Il analyse plusieurs problèmes spécialisés de la médecine touchant les travailleurs du charbon et de l'acier.

An important and imposing work drawn up by several scientists, published under the auspices of ECSC, and completed by the inclusion of numerous photographic documents, statistics and graphs. It analyses several specialized medical problems concerning coal and steel workers.

Europa en el mundo actual (publ. por la Delegación Nacional de Organizaciones del Movimiento)

Seminario Central de Estudios Europeos, Madrid 1963, 504 p.

En este curso que por la segunda vez se celebró en 1962 en la Universidad Internacional "Menéndez y Pelayo" de Santander, se estudian primero los problemas económicos, sociales y politicos que plantea una posible entrada de España en la C.E.E. En una segunda parte se analizan diversos problemas económicos y jurídicos actuales de la integración europea.

Série de cours donnée pour la deuxième fois en 1962 à l'Université Internationale "Mendez y Pelayo" à Santander sur les problèmes économiques, sociaux et politiques que poserait l'entrée de l'Espagne dans la CEE. Dans la deuxième partie, une analyse d'autres problèmes économiques et juridiques de l'intégration européenne.

This course of lectures, given for the second time in 1962 at the Menendez y Pelayo International University at Santander, is mainly on the economic, social and political problems set by the possible entry of Spain into the EEC. In the second part of the course are analysed some of the economic and legal problems of European integration.

Europa und der Nationalismus

Verlag für Kunst und Wissenschaft, Baden-Baden 1950, 209 S.

Bericht über das III. internationale Historiker-Treffen in Speyer 1949. Vorträge über den deutschen und französischen Nationalismus, von der Wirkung der mittelalterlichen Heldenlieder auf die damalige Zeit bis zum Geschichtsunterricht in Deutschland in den ersten Nachkriegsjahren.

Rapport sur la troisième Rencontre Internationale des Historiens à Speyer en 1949. Exposés sur le nationalisme allemand et français, depuis l'influence au Moyen Age des chansons de geste, jusqu'à l'enseignement de l'histoire en Allemagne dans les premières années d'après-guerre.

Report of the third International Meeting of Historians in Speyer in 1949. Papers on German and French nationalism, from the influence of epic poetry in the Middle Ages to the teaching of history in Germany in the early post-war years.

Europa, Union seiner Völker

Europa Union Deutschland, Bonn 5. Aufl. 1963, 47 S.

Diese programmatische Erklärung gibt einen zusammenfassenden Überblick über Idee, Organisation, Arbeitsweise und Veröffentlichungen der Europa Union Deutschland sowie ihrer übergeordneten und affilierten Institutionen.

Cet exposé-programme donne un aperçu de l'idée, de l'organisation, des méthodes de travail et des publications de l'Union Européenne d'Allemagne, ainsi que des institutions supérieures et affiliées.

This document gives a concise view of the idea, the organization, the method of work, and the publications of the "European Union of Germany", and also of its superior and affiliated institutions.

Europa — Weg und Aufgabe. Ein Handbuch für die politische Bildung

Hrsg. von der Europäischen Aktionsgemeinschaft, Bad Godesberg 1961, 237 S.

Dieses mit zahlreichen Texten und Dokumenten versehene Handbuch vermittelt einen instruktiven Überblick über Geschichte und gegenwärtigen (1961) Stand der europäischen Einigung.

Manuel enrichi de nombreux textes et documents sur l'histoire et l'état actuel (1961) de l'unification européenne.

This text-book containing many articles and documents, gives an instructive sketch of the history and actual state (1961) of European unification.

L'Europe à l'ère atomique

Centre Européen de Documentation et d'Information, Madrid 1958, 156 p.

Compte-rendu de la Vème réunion internationale du C.E.D.I. à l'Escurial, 3-7 juin 1956. Trois aspects du problème font l'objet d'un rapport: "Perspectives et problèmes de l'ère atomique" par M. M. Yver, "Crise et possibilités futures de la démocratie" par M. H. J. von Merkatz et "Aspects sociaux de l'Europe à l'heure atomique" par M. J. Solis Ruiz.

Report of the fifth international meeting of the European Centre of Documentation and Information at the Escorial, from June 3 to 7, 1956: Three aspects of the problem receive special attention: "Prospects and problems of the atomic age" by M. Yver, "The crisis and future potential of democracy" par H. J. von Merkatz and "Social questions in the Europe of the atomic age" by J. Solis Ruiz.

European Integration (edit. by C. Grove Haines)

John Hopkins Press, Baltimore 1957, 310 p.
Deutsche Ausgabe: **Europäische Integration.** *Otto Schwarz & Co., Göttingen 1958, 272 S. — Edizione italiana:* **L'Integrazione Europea.** *Il Mulino, Bologna 1957, 393 p.*

A series of papers by European statesmen and professors on the historical setting and principal problems of European unification. Attempts are made to analyse the components of unity, to discuss its political and economic aspects, and to determine the significance of European integration for the non-Communist world.

Conférences faites par des hommes politiques et des professeurs européens sur le fondement historique et les problèmes principaux de l'unification de l'Europe. Analyses des composantes de l'unité, évaluations de ses aspects économiques et politiques et de l'importance de l'intégration européenne pour le monde non-communiste.

European Movement and the Council of Europe

Hutchinson & Co., London, 203 p., ill.

Study of the historical background of the European idea, and the evolution of its political, economic, legal and cultural aspects. The last section is a contribution by Lord Russell.

Etude des fondements historiques de l'idée européenne, ainsi que de l'évolution de ses aspects politiques, économiques, juridiques et culturels. La dernière partie est due à Lord Russell.

European Organizations — an objective survey

Political and Economic Planning / G. Allen & Unwin, London 1959, 327 p.

Analyses the work of the eight principal European organizations and examines how far they have contributed, individually and collectively, to the development of European unity. With a selected bibliography.

Examen des huit organisations européennes principales et de la façon dont elles ont contribué, individuellement et collectivement, au développement de l'unité européenne. Bibliographie choisie en annexe.

European Regional Communities (edited by M. G. Shimm, H. W. Baade, O. R. Everett)

Oceana Publications, New York 1962, 242 p.

A symposium treating contemporary problems pertinent to the Communities, in the economic, legal and political fields. Fifteen contributions by specialists; informative footnotes.

Recueil de quinze articles dûs à des spécialistes sur les problèmes relatifs aux Communautés dans les domaines économique, juridique et politique.

Europese toenadering — Een bundel opstellen betreffende de Europese integratie (redactie van B. V. A. Röling)

Bohn, Haarlem 1959, 295 p.

Overzicht van de feiten en problemen van de na-oorlogse Europese integratie. De geschiedenis van de Europabeweging is hierbij buiten beschouwing gelaten. Dat de auteurs het politiek gezien niet altijd met elkaar eens zijn, is een garantie voor de objectiviteit van het gehele werk.

Les faits et les problèmes de l'intégration européenne de l'après-guerre. Le fait que les auteurs ne soient pas toujours d'accord entre eux concernant les aspects politiques, constitue une garantie de l'objectivité de l'ensemble de cet ouvrage.

A brief glance at the realities and problems of post-war European integration. Its objectivity is guaranteed by the fact that the authors do not always agree on the political aspects.

EVERLING, Ulrich: **Das Niederlassungsrecht im Gemeinsamen Markt**

Franz Vahlen, Berlin 1963, 144 S.

Diese für Fachleute geschriebene Studie untersucht nicht nur das Niederlassungsrecht im engeren Sinne, sondern auch die Liberalisierung des Dienstleistungs- und Kapitalverkehrs sowie die Freizügigkeit der Arbeitnehmer. Der Verfasser zeigt, wie die Anwendung des allgemeinen Diskriminierungsverbotes des EWG-Vertrages zum Ansatzpunkt eines künftigen, allgemeinen europäischen Staatsbürgerrechts werden kann.

Cette étude destinée aux spécialistes ne traite pas seulement le droit d'établissement au sens étroit, mais encore la libéralisation des services et du mouvement de capitaux ainsi que la libre circulation des travailleurs. L'auteur montre comment l'interdiction de la discrimination établi par le Traité de la CEE peut devenir le point de départ d'un futur droit de cité européen.

This study meant for specialists, deals not only with the right to settle in the narrow sense of the word, but also with the freeing of services and movements of capital, and the employee's right to travel. The author shows how the application of the ban on discrimination in the EEC Treaty, can become the starting point of a future European right of citizenship.

EWG-Kartellrecht — Texte mit Verweisungen und Merkblatt der EWG-Kommission (bearb. W. Chr. Schlieder)

Verlag für Recht und Wirtschaft, Heidelberg 1962, 170 S.

Enthält die in Hinblick auf das Kartell- und Wettbewerbsrecht wichtigen Artikel 85-90 des EWG-Vertrages in vier Sprachen, sowie die wichtigsten einschlägigen Verordnungen der EWG-Kommission und einige vorgedruckte Formblätter für Anträge von Unternehmen an die EWG-Kommission. Hilfsmittel für den in der Praxis stehenden Unternehmer und Wirtschaftsjuristen.

Contient les articles 85-90 du Traité de la CEE en quatre langues, articles importants pour la législation en matière d'ententes et de concurrence; de plus, les règlements de la Commission de la CEE s'y rapportant ainsi que quelques formulaires imprimés destinés aux demandes que des entreprises adressent à la Commission de la CEE. Auxiliaire précieux pour les chefs d'entreprises et les juristes du secteur économique.

Gives, in four languages, Articles 85-90 of the EEC Treaty, important with regard to legislation on monopoly and economic competition, also the main relevant provisions of the EEC Commission and some preprinted forms for enterprises making representations to the Commission. Useful for company directors and for economic jurists.

FEICKERT, Andreas: **Die politische Entwicklung der europäischen Einigung**

Hrsg. von der Niedersächsischen Landeszentrale für Politische Bildung, Hannover 1962, 68 S.

Geschichte der europäischen Einigung mit Einschluss von EWG und EFTA unter besonderer Berücksichtigung des Problems England-Frankreich, wie es sich Ende 1962 stellte. Für Laien.

Histoire de l'unification européenne, y compris la CEE et l'AELE, insistant particulièrement sur le problème franco-anglais tel qu'il se présentait fin 1962. Pour les non spécialistes.

History of European unification including EEC and EFTA, with particular consideration of the English-French problem as it became evident at the end of 1962. For non expert readers.

FINER, Herman: **The Major Governments of Modern Europe**

Row, Peterson & Co., New York 1962, 810 p.

Study of the many facets of government including the likings and moods of the governed, a history of political tradition and ideas mentally associated with them to the present day, as well as a hard core of facts on the organs and methods of government in the four countries studied: England, France, Germany and the USSR.

Etude des nombreux aspects du gouvernement et des diverses attitudes des gouvernés, cet ouvrage trace l'histoire de la tradition politique et des idées qui lui sont mentalement associées jusqu'à nos jours; il fournit également un noyau solide de faits sur les organes et les méthodes de gouvernement dans quatre pays: L'Angleterre, la France, l'Allemagne, et l'URSS.

FISCHER, Per: **Europarat und parlamentarische Aussenpolitik**

R. Oldenbourg, München 1962, 134 S.

Die Entstehungsgeschichte des Europarats von seinen Vorläufern bis zur Gründung und Darlegung seiner Tätigkeit, der Stellungnahmen zur europäischen Einigung und zur Ostpolitik. Ein Anhang enthält die Satzung sowie einige Entschliessungen und Empfehlungen des Europarats.

Histoire de la naissance du Conseil de l'Europe, des précurseurs jusqu'à la fondation; exposé de son activité, de ses prises de position à l'égard de l'unification européenne et de la politique vis-à-vis de l'Est. Un appendice contient les statuts ainsi que quelques décisions et recommendations du Conseil de l'Europe.

A history of the foundation of the Council of Europe and of its precursors; report of its activities, its standpoint concerning the unification of Europe, and its Eastern policy. An appendix contains the statutes and some decisions and recommendations of the Council of Europe.

FLORINSKY, Michael T.: **Integrated Europe?**

The Macmillan Company, New York 1955, 182 p.

After examining the issue of European integration and its important role in American foreign policy, the author proceeds to study the achievements made in the last years in the economic, military and political fields. He concludes with reflexions on the actual fragmentation and fragility of "Europe".

Après un examen du débat sur l'intégration européenne et de son importance dans la politique extérieure américaine, l'auteur examine les réussites des dernières années dans les domaines économique, militaire et politique. Il conclut par des réflexions sur la fragmentation actuelle et la fragilité de l'Europe.

FLORIO, F. — CATALANO, N. — STEFANI, G. — QUARONI, P.: **Le Comunità Europee**

A. Giuffrè, Milano 1961, 117 p.

Esame degli organi et delle funzioni della CECA, CEE e Euratom, dei problemi dell'inserzione delle norme comunitarie negli ordinamenti giuridici statali, dei problemi dell'organizzazione tributaria e delle origini e prospettive politiche delle Comunità.

Examen des organes et des fonctions de la CECA, de la CEE et de l'Euratom, du problème de l'introduction des normes communautaires dans l'ordre juridique et étatique, des problèmes d'organisation fiscale, et des origines et perspectives politiques des Communautés Européennes.

Study of the organisms and functions of the ECSC, EEC and Euratom; of the problems of inserting community norms into national juridicial systems; the problems of fiscal organization; the origins and political prospects of the European Communities.

FOGARTY, Michael P.: **Christian Democracy in Western Europe 1820-1953**

Routledge & Kegan Paul, London 1957, 461 p.
Deutsche Ausgabe: **Christliche Demokratie in Westeuropa 1820 1953.**
Herder, Freiburg i. Br. 1959, 526 S.

A methodical examination of the activity and effectiveness in Europe of "one of the most important social movements of our time". The author lays particular stress on the development of christian democracy since 1820 and its history in relation to the history of the Church. An important work with complete statistics and documentation.

Examen méthodique de l'activité et de l'efficacité en Europe d'un des "mouvements sociaux les plus importants de notre temps". L'auteur insiste plus particulièrement sur le développement de la démocratie chrétienne depuis 1820 et sur son histoire en relation avec l'histoire de l'Eglise. Ouvrage fondamental enrichi de statistiques et d'une documentation complète.

FONTAINE, François: **Jean Monnet**

Centre de recherches européennes, Lausanne 1963, 18 p.

Brève étude sur le père de la CECA, sa formation, sa carrière, sa méthode de travail et d'action, son attitude vis-à-vis de ce qu'il appelle "ses affaires", son idéal.

A brief study of the father of the ECSC, the moulding of his character, his career, method of work and action, and his attitude towards what he calls "his business", his ideal.

FREDERICIA, Walter: **Europa — Traum oder Drohung**

Verlag für Wissenschaft und Politik, Köln 1962, 128 S.

Kurze Analysen von Idee und Institution der EWG, dem Verhältnis von Gemeinschaft und Staatsinteresse, der Probleme, die der Integration im Wege stehen und die in der Englandkrise vom Januar 1963 deutlich zutage getreten sind.

Brèves analyses des idées qui ont conduit à l'institution de la CEE, des rapports entre elle et les Etats membres, et des obstacles à l'intégration, et dont la crise de janvier 1963 est un exemple.

Brief analyses of the idea and the institution of the EEC, the relations between community and national interest, and the problems hindering integration which were clearly demonstrated during the English crisis in January 1963.

FRÖHLER, Ludwig: **Handwerksrecht der EWG-Staaten**

Handwerksrechtinstitut München 1960, 364 S.

Behandelt in einem darstellenden und einem rechtsvergleichenden Teil das Wesentliche des Handwerksrechts der EWG-Staaten. Ein Anhang enthält die Gesetzestexte, ein zweiter eine vergleichende Darstellung des Handwerksrechts Norwegens, Oesterreichs und der Schweiz.

Essentiel du droit artisanal des pays-membres de la CEE, traité également en droit comparé. Un appendice contient les textes de loi, et un autre un exposé comparatif de ce droit en Norvège, en Autriche et en Suisse.

Main points of the handicrafts law in the member States of the EEC, treated comparatively. One appendix contains the texts of the laws and another has a report comparing this legislation of Norway, Austria and Switzerland.

FURLER, Hans: **Im Neuen Europa — Erlebnisse und Erfahrungen im Europäischen Parlament**

Societäts-Verlag, Frankfurt 1963, 272 S.

Reden und Artikel eines ehemaligen Präsidenten der Gemeinsamen Versammlung der EGKS und des Europäischen Parlaments über die Rolle dieses Parlaments und darüber, wie es sich den grossen Problemen der Integration gegenüber verhält.

Discours et articles d'un ex-président de l'Assemblée commune de la CECA et du Parlement européen, sur le rôle de ce Parlement et son attitude vis-à-vis des principaux problèmes que pose l'intégration de l'Europe.

Speeches and articles by an ex-president of the General Assembly of ECSC and of the European Parliament, on the role of the Parliament and its attitude with regard to the main problems of European integration.

GALENSON, Walter: **Trade Union Democracy in Western Europe**

University of California Press, Berkeley 1962, 96 p.

In its survey of the development of the Trade Union Movement in Europe, of the merits and disadvantages of dual unionism this short and succinct study should be of particular interest to American readers.

Etude succinte du mouvement syndicaliste européen, ainsi que des mérites et des désavantages du syndicalisme divisé en deux tendances; intéressera particulièrement le lecteur américain.

GAMM, Otto-Friedrich Frhr. von: **Das Kartellrecht im EWG-Bereich**

Carl Heymanns, Köln 1961, 157 S. (Schriftenreihe für Kartell- und Konzernrecht des In- und Auslandes, Heft 3.)

Eine Spezialstudie über die mit dem Kartellrecht zusammenhängenden Wettbewerbsregeln und die Frage ihrer Rechtsangleichung. Im Anhang sind die in den betreffenden Staaten bestehenden Gesetze zum Zweck von vergleichenden Studien zusammengefasst.

Etude spécialisée sur les règles de concurrence et les droits cartellaires ainsi que sur la question de leur harmonisation. En annexe: des résumés du droit des pays intéressés pour une étude comparative.

A specialized study on the rules of competition with reference to the monopoly law and on their conformity with the legal system. In appendix, summaries of existing rules in the countries concerned, in view of comparative study.

GEBAUER, Siegfried: **Familie und Staat — Handbuch zur Familienpolitik**

Impuls Verlag Heinz Moos, Heidelberg 1961, 144 S., ill.

Überblick über Bevölkerungsstruktur, Familienschutzverbände, gesetzlichen Familienschutz, Familienpolitik und Massnahmen für die Jugend in West- und Osteuropa. Die zahlreichen statistischen Angaben sollen in einer zweiten Auflage bis Ende 1962 nachgeführt werden.

Aperçu sur la structure de la population, les associations de protection de la famille, la protection juridique de la famille, la politique de la famille, et sur les mesures en faveur de la jeunesse en Europe de l'Est et de l'Ouest. Nombreux renseignements statistiques.

A review of population structure, associations for the protection of the family, legal protection of the family, and measures concerning young people in East and West Europe. A great deal of statistical information is provided.

Vom Gemeinsamen Markt zur Politischen Gemeinschaft

Europa Union Deutschland, Bonn 1962, 72 p.

Beiträge von 13. Ordtl. Kongress, 22.-23. Oktober 1962 in Bad Godesberg, u.a. von Walter Hallstein und Heinrich von Brentano über die Entwicklung Europas von der wirtschaftlichen zur politischen Gemeinschaft und ihre Bedeutung in Gegenwart und Zukunft.

Travaux présentés au treizième Congrès des 22 et 23 octobre 1962 à Bad Godesberg, entre autres par Walter Hallstein et Heinrich von Brentano, sur le passage de la communauté économique à une communauté politique et sur son importance à l'heure actuelle et dans l'avenir.

Papers presented at the thirteenth Congress on October 22-23, 1962 at Bad Godesberg, by Walter Hallstein, Heinrich von Brentano a.o., on the development of Europe from an economic community to a political one, and on its importance in the present and in the future.

GERBET, Pierre: **La Genèse du Plan Schuman**

Centre de recherches européennes, Lausanne 1962, 40 p.

Etude de science politique retraçant les origines historiques de la CECA et analysant le mécanisme de son élaboration.

Study in political science, retracing the historical origins of the ECSC, and analysing the way in which it was elaborated.

GERVEN, Walter van: **Het toegeven van premies in het Klein-Europees handelsverkeer**

Emile Bruylant, Brussel 1960, 280 p.

Van de tot de Europese Gemeenschap behorende landen worden in dit boek de wetten op het cadeaustelsel vergeleken.

Comparaison des lois relatives aux donations, dans les pays appartenant à la Communauté européenne.

A comparison of the laws concerning donations in the countries of the Common Market.

Gesetz gegen Wettbewerbsbeschränkungen und europäisches Kartellrecht (hrsg. von Hans Müller-Henneberg und Gustav Schwartz)

Carl Heymans, Köln, 2. Aufl. 1963, 1508 S.

Im vorliegenden Gemeinschaftskommentar, der grösstenteils deutsche Rechtsfragen behandelt, ist ein Kapitel von Albrecht Spengler dem Kartellrecht der EWG gewidmet. Seine Erläuterungen zu den Wettbewerbsbeschränkungen des EWG-Vertrags gehören zur Standardliteratur über das Recht der Gemeinschaft. Mit Auszügen aus dem EWG-Vertrag und umfangreiche Dokumentation.

Dans ce commentaire collectif qui traite principalement des questions juridiques allemandes, Albert Spengler consacre un chapitre au droit cartellaire de la CEE. Ses explications des restrictions de la concurrence dans le Traité de Rome sont un texte classique sur le droit de la Communauté. Extraits du Traité et documentation exhaustive.

In this joint commentary, dealing mainly with German legal questions, Albert Spengler has written a chapter on monopoly law in the EEC. His explanations of the restriction on competition in the Treaty of Rome belong to the standard literature on the legislation of the Community. Excerpts from the Treaty and exhaustive documentation.

GINESTET, Pierre: **L'Assemblée Parlementaire Européenne**

Presses Universitaires de France, Paris 1959, 126 p.

Le développement du processus d'intégration européenne vu sous l'angle de l'Assemblée parlementaire. Aperçu de l'évolution et du passage de l'Assemblée commune de la CECA à l'Assemblée parlementaire européenne.

The author describes the development of the process of European integration, from the standpoint of the Parliamentary Assembly, and gives a summary of the evolution and transition of the Common Assembly of the ECSC into the European Parliamentary Assembly.

GIOLITTI, Antonio: **Il Comunismo in Europa, Stalin à Krusciov**

Garzanti, Milano 1960, 290 p.

Cronistoria concisa del movimento comunista in Europa, partendo dalla "Dittatura del Proletariato" di Lenin. Vi si trovano documenti di base, brevi analisi storico-economiche e studi sull'evoluzione del comunismo nei vari paesi europei.

Historique du mouvement communiste en Europe, à partir de la "Dictature du Prolétariat" de Lénine. On y trouve des documents de base, de brèves analyses historico-économiques, ainsi que des études consacrées à l'évolution du communisme dans les différents pays européens.

Concise history of the Communist movement in Europe, beginning with the "Dictatorship of the Proletariat" by Lenin. Includes basic documents, brief analyses of economic history, and studies of Communism as it has evolved in the various countries of Europe.

GIORDANO, Renato: **La nuova frontiera — la coalizione occidentale e la politica di potenza**

Il Mulino, Bologna 1959, 273 p.

L'autore esprime la sua speranza in una Federazione Europea, mostrando tuttavia tutti gli ostacoli che vi si oppongono, tra cui spesso la politica europea dei vari Stati.

Tout en exprimant son espoir dans une Fédération européenne, l'auteur analyse les obstacles qui s'y opposent, y compris la politique européenne des différents Etats.

The author expresses his hope in a European Federation, while pointing out the obstacles in its way, which include the European policies of various countries.

Eine grosse Idee wird Wirklichkeit: Europa

Hrsg. von der Hohen Behörde der EGKS, Luxemburg 1960, 60 S., ill.

Dieses Heft gibt die anlässlich des 10. Jahrestages der Erklärung Robert Schumans (9. Mai 1950) gehaltenen Ansprachen von Malvestiti, Westrick, Donner, Fohrmann, Schuman und Wehrer wieder.

Allocutions de Malvestiti, Westrick, Donner, Fohrmann, Schuman et Wehrer, prononcées à l'occasion du 10e anniversaire de la déclaration de Robert Schuman (9 mai 1950).

Addresses by Malvestiti, Westrick, Donner, Fohrmann, Schuman and Wehrer, given on the occasion of the 10th anniversary of Robert Schuman's declaration (9th May 1950).

Guide de la législation sur les pratiques commerciales restrictives en Europe et en Amérique du Nord. 3 vol.

Publié par l'Agence Européenne de Productivité de l'Organisation Européenne de Coopération Economique, Paris 2e éd. 1962, ca. 800 p.

Textes législatifs accompagnés d'un bref commentaire, de décisions jurisprudentielles importantes et d'une bibliographie succincte. Ouvrage destiné aux juristes et aux praticiens. Des suppléments sont prévus.

Legislative texts are accompanied by a brief commentary, texts of important decisions of jurisprudence and a succinct bibliography. A work intended for jurists and practising lawyers. Supplements are expected.

HAAS, Ernst B.: Consensus Formation in the Council of Europe

University of California Press, Berkeley/Los Angeles 1960, 69 p.

A critical study of legislative procedures in the Council of Europe analysing the lack of real parliamentary powers that have rendered it an ineffective spokesman in the European movement. Conditions are described under which the body could increase its present powers.

Etude critique des procédures législatives dans le Conseil de l'Europe. Le manque de pouvoirs parlementaires réels ont fait du Conseil de l'Europe un acteur inefficace dans le cadre du mouvement européen. L'auteur décrit les moyens grâce auxquels cette Organisation pourrait accroître ses pouvoirs actuels.

HAAS, Ernst B.: The Uniting of Europe — Political, Social and Economic Forces 1950-1957

Stevens & Sons, London 1958, 552 p.

The author first defines his terms — community, integration, supranationality — and goes on to analyse integration at national level, as reflected in political parties, trade associations, unions and governments, and finally supranational integration in each of these fields.

L'auteur commence par définir ses termes: Communauté, intégration, supranationalité — puis analyse l'intégration au niveau national telle qu'elle est reflétée par les partis politiques, les associations professionnelles, les syndicats et les gouvernements, et enfin l'intégration supranationale dans chacun de ces domaines.

HABSBURG, Otto von: Entscheidung für Europa

Tyrolia Verlag, Innsbruck, 2. Aufl. 1958, 161 S.

Sehr allgemeine Ausführung über Europas politische Lage und über den Rechtsstaat.

Considérations très générales sur la situation politique de l'Europe et sur l'Etat de Droit.

A very general book on the political situation in Europe, and the constitutional State.

HAESELE, Kurt W.: **Europas letzter Weg — Montan-Union und EWG**

Fritz Knapp, Frankfurt 1958, 352 S.

Nach einer knappen Geschichte der europäischen Einigungsidee und -bewegung folgt eine populäre Darstellung der Problematik der EWG und der Montanunion. Die Trennung Europas in Nationalstaaten hat seinen Niedergang herbeigeführt; das 19. Jh. aber beweist, dass es auf Grund einer freien und koordinierten Wirtschaft Weltmacht sein kann, falls ihm auch die politische Einigung gelingt.

Une présentation populaire de l'ensemble des problèmes de la CEE et de la CECA fait suite à une histoire concise de l'idée et du mouvement d'union européenne. La division de l'Europe en Etats nationaux l'a amenée à l'effondrement. Elle peut être une puissance mondiale si elle se fonde sur une économie libre et coordonnée, comme le prouve l'histoire du XIXe siècle, et si elle peut s'unifier politiquement.

A description for the general reader of the problems of the EEC and the ECSC follows a concise history of the idea and movement for European unification. The division of Europe into national States has led to her decline, but Europe could be a world power if her foundations were on a free and co-ordinated economy, as proved by the history of the 19th century, and if she can achieve political unity.

HAGEMANN, Max: **Die europäische Wirtschaftsintegration und die Neutralität und Souveränität der Schweiz**

Helbing & Lichtenhahn, Basel 1957, 68 S.

Diese völkerrechtliche Studie konfrontiert den internationalen Status der Schweiz mit dem Gemeinsamen Markt und der EFTA. Der Verfasser bejaht die rein rechtliche Frage der Vereinbarkeit für beide Organisationen, meldet aber unter dem neutralitätspolitischen Gesichtspunkt der Schweiz einen Vorbehalt im Hinblick auf die EWG an.

Cette étude de droit des gens confronte le statut international de la Suisse avec le Marché Commun et l'AELE. L'auteur répond affirmativement à la question purement juridique de l'adhésion aux deux organisations, mais fait une réserve quant à la CEE, du point de vue de la politique de neutralité de la Suisse.

This study of international law considers the international status of Switzerland in connection with the Common Market and EFTA. The author gives an affirmative response to the purely juridical aspect of joining the two organizations; but he has reservations about the EEC from the point of view of Switzerland's policy of neutrality.

HAHN, Carl Horst: **Der Schuman-Plan**

Richard Pflaum, München 1953, 158 S.

Kritische, im Anfangsstadium der EGKS erschienene wissenschaftliche Studie über die Möglichkeiten eines Zusammenschlusses der Montan-Industrien auf der Basis der Marktwirtschaft. Heute eher von historischem Interesse.

Etude critique et scientifique publiée au début de la CECA, sur les possibilités d'un accord des industries minières sur la base de l'économie de marché. D'un intérêt aujourd'hui plutôt historique.

A critical, scientific study, published at the very beginning of the ECSC, of the possibilities of agreement between the mining industries on the basis of a market economy. To-day the work is mainly of historical interest.

HALLSTEIN, Walter: **Gross- und Klein-Europa**

Stifterverband für die deutsche Wissenschaft, Essen-Bredeney 1959, 23 S.

Gross- und Kleineuropa sind keine Alternativen sondern Lösungsformen der europäischen Einigungsbewegung, die einander bedingen. Die Integration im engeren Rahmen findet ihre Legitimation in Grosseuropa, solange sie nicht exklusiv, sondern europäisch bleibt.

La Petite et la Grande Europe ne sont pas une alternative, mais deux solutions proposées pour l'unification de l'Europe, conditionnées l'une par l'autre. L'intégration, au sens étroit, trouve sa légitimation dans la Grande Europe aussi longtemps qu'elle restera non exclusive.

Little and Greater Europe are not alternatives, but two mutually conditioned solutions for European unification. Integration in the strict sense, finds its justification in a Greater Europe which, however, must remain non-exclusive.

HALLSTEIN, Walter: **United Europe — Challenge and Opportunity**

Oxford University Press, London 1962, 110 p., ill.

Three lectures of the President of the EEC about the history, economics and politics of European integration. The great challenges of today appear as opportunities for tomorrow. At the end of the book a chronology and a bibliography.

Trois conférences du Président de la CEE sur l'histoire, l'économie et la politique de l'intégration européenne: les grands défis d'aujourd'hui constituent autant de chances pour demain. A la fin du livre, une chronologie et une bibliographie.

HALLSTEIN, Walter: **Wirtschaftliche Integration als Faktor politischer Einigung** (Festschrift aus Anlass des 60. Geburtstages von Prof. Dr. Alfred Müller-Armack am 28. Juni 1961)

Hrsg. von den Europäischen Gemeinschaften, Brüssel 1961, 18 S.

Jede wirtschaftliche Integration hat politischen Charakter, indem sie das Gemeinschaftsbewusstsein des Einzelnen fördert; der Wille zu ihr muss immer neu bestätigt werden.

Toute intégration économique présente un caractère politique, car elle réclame de l'individu le sens de la communauté; cette volonté d'intégration doit être sans cesse raffermie.

Economic integration always presents a political character, because it calls forth the sense of community of the individual; the will to integrate must constantly be strengthened.

HAMPEL, Gustav: **Die Bedeutung der Sozialpolitik für die Europäische Integration**

Hrsg. vom Institut für Weltwirtschaft an der Universität Kiel, 1955, 170 S.

Darstellung der einzelstaatlichen Systeme sozialer Sicherheit und deren Bedeutung für die wirtschaftliche Integration. Grundsätze für eine koordinierte Sozialpolitik — Prinzipien, die heute, da sich die EWG, nach Meinung des Autors, mit Autarkiebestrebungen aus Europa "hinauseinigt", umso beherzigenswerter sind.

La rôle de la sécurité sociale dans l'intégration européenne. Partant d'une description des systèmes nationaux, l'auteur définit les fondements d'une politique sociale coordonnée, d'autant plus souhaitable que, selon lui, la CEE s'isole de l'Europe par ses velléités d'autarcie.

Starting with a description of national systems, the author emphasizes the role of social security in European integration. He develops the principles of a coordinated social policy, all the more desirable since the EEC with its autarkical tendencies is isolating itself from Europe.

HAUSSMANN, Frederick: **Der Schuman-Plan im europäischen Zwielicht**

C. H. Beck, München 1952, 266 S.

Eine frühe Studie über Aufgaben und Zielsetzung der Montanunion, die sich sowohl gegen eine Vertragsauslegung im Dienste wirtschaftlicher und politischer Interessenpolitik als auch gegen eine aus dem Neoliberalismus abgeleitete Argumentation wendet. Von vorwiegend historischem Interesse.

Une des premières études sur les tâches et les buts de la CECA. S'oppose à la fois à une interprétation du Traité en faveur d'intérêts économiques et politiques, et à une argumentation dérivée du néo-libéralisme. D'intérêt surtout historique.

This early study of the tasks and aims of the ECSC is opposed to an interpretation of the Treaty in the sense of economic and political interests, and to an argument derived from neo-liberalism. Mainly of historical interest.

HEIDELBERG, Franz C.: **Das Europäische Parlament — Entstehung, Aufbau, Erfahrungen und Erwartungen**

A. Lutzeyer, Baden-Baden, neub. Aufl. 1963, 68 S.

Knappe Monographie über Geschichte, Aufbau und Tätigkeit des Parlaments der Sechs. Im Anhang die Geschäftsordnung.

Aperçu clair de l'histoire, de l'élaboration et de l'activité du Parlement des Six. En annexe: le règlement du Parlement Européen.

A clear picture of the history, development and work of the Parliament of the Six. In appendix: the rules of organization of the European Parliament.

HEINRICHS, Armin: **Die auswärtigen Beziehungen der Europäischen Gemeinschaft für Kohle und Stahl, insbesondere ihr Verhältnis zur OEEC**

H. Bouvier & Co., Bonn 1961, 172 S.

Eine völkerrechtliche Studie, die sich vorwiegend mit der Praxis der EGKS im Rahmen des im Untertitel angegebenen Teilproblems befasst. Setzt die theoretischen Grundlagen weitgehend voraus. Enthält eingehende Ausführungen zur Verteilung der einschlägigen Kompetenzen, sowie zum Begriff der Assoziation (Abkommen mit Grossbritannien).

Etude de droit des gens portant principalement sur la pratique de la CECA dans ses relations avec l'OCEE. Elle analyse les fondements historiques ainsi que la répartition des compétences relatives aux relations extérieures et sur la notion d'association (convention avec la Grande-Bretagne).

A study of international law dealing mainly with the line of conduct of the ECSC in its relations with the OEEC. The author analyzes the historical background, spheres of competence, and the idea of association (convention with Great Britain).

HEISER, Hans Joachim: **British Policy with Regard to the Unification Efforts on the European Continent**

A. W. Sijthoff, Leiden 1959, 121 p.

The motives underlying Britain's attitude towards continental unification movements until 1957. The author shows her political willingness, despite certain hesitations, and hopes are expressed for the future participation.

Les motifs de l'attitude britannique envers les tentatives d'union européenne depuis 1957. L'auteur montre la bonne volonté politique de la Grande Bretagne, malgré certaines hésitations, et exprime des voeux pour sa participation future.

HELDRICH, Andreas: **Die allgemeinen Rechtsgrundsätze der ausservertraglichen Schadenshaftung im Bereich der Europäischen Wirtschaftsgemeinschaft**

Alfred Metzner, Frankfurt 1961, 166 S.

Diese Dissertation vergleicht das Recht der Mitgliedstaaten der EWG mit Hinblick auf die Bestimmungen im Vertrag von Rom, wonach die ausservertragliche Schadenshaftung sich nach den allgemeinen Rechtsgrundsätzen der Mitgliedstaaten richten soll. Die Untersuchung zeigt, dass diese Normen juristisch veraltet sind.

Etude comparée du droit des Etats membres de la CEE, en rapport avec les dispositions du Traité de Rome selon lesquelles la réparation de dommages en vertu de la responsabilité non contractuelle doit être fixée selon les normes juridiques des Etats membres. Montre que ces normes sont juridiquement désuètes.

A comparative study of the law of the member States of the E.E.C. with reference to the provisions of the Treaty of Rome by which reparation for damages not stipulated in the Treaty shall be settled according to the legal norms of the member States. This studys hows that these legal norms are obsolete.

HERSCH, J. — FRENAY, H. — RIEBEN, H. — BONDY, F. — Général GALLOIS — PHILIP, A.: **L'Europe au défi**

Plon, Paris 1959, 240 p.

Six essais sur les valeurs morales communes de l'Europe, sur le nationalisme, sur les perspectives économiques, sur les pays de l'Est, sur la défense militaire, et sur l'aide aux pays en voie de développement.

Six essays on a Europe with common ethical values, on nationalism, economic prospects, East European countries, military defence, and aid to developing countries.

HESBERG, Walter: **Die Freihandelszone als Mittel der Integrationspolitik**

Fritz Knapp, Frankfurt 1960, 190 S.

Auf der Grundlage historischer Beispiele (Vorzeit des Zollvereins, Schweden-Norwegen, Lateinamerika, Verhandlungen um die Grosse Europäische Freihandelszone, EFTA) unterbreitet der Verfasser eine Theorie der Freihandelszone im Rahmen der Definition des GATT.

Expose une théorie de la zone de libre-échange dans le cadre de la définition du GATT, sur la base d'exemples historiques (Zollverein, Suède-Norvège, Amérique latine, négociations en vue d'une Grande Zone de Libre-Echange, AELE).

The author puts forward a theory of free-trade zone within the definition of GATT, based on examples taken from history: Zollverein, Sweden-Norway, Latin America, negotiations in view of a greater Europe free-trade zone, EFTA.

HEUVEL, H. van den: **Prejudiciële vragen en bevoegdheidsproblemen in het Europese recht**

Kluwer, Deventer 1962, 86 p.

Een verhandeling veor de verhouding van het nationale tot het communautaire recht, de rol, welke de zogenaamde verwijzingsprocedure daarin vervult, het begrip "prejudiciële kwestie", de regelingen van de gemeenschapsverdragen en het wordend recht. Samenvattingen in de Engelse, Franse en Duitse taal zijn toegevoegd.

Traité concernant la relation entre le droit national et le droit communautaire, le rôle rempli à cet égard par la "procédure de renvoi", la notion de "question préjudicielle", les règlements des traités communautaires et le droit en cours d'élaboration. L'ouvrage comprend des résumés en anglais, en français et en allemand.

A treatise on the relation between national and community law, on the "procedure of prorogation" and its significance in this context, on the term of "presettled questions", on the regulations in the community treaties and on the legislation at present coming into being. This book includes summaries in English, French and German.

HILBERT, Lothar: **Deutscher Zollverein — Historisches Vorbild für EWG oder EFTA?**

Faculte internationale de droit comparé, Luxembourg 1961, 31 S.

Anhand der Geschichte des Zollvereins zeigt der Verfasser, dass aus der Gestaltung der politischen Institutionen und ökonomischen Mechanismen keine allgemeinen Schlüsse gezogen werden können.

Se basant sur l'exemple historique du Zollverein, l'auteur démontre qu'il n'est pas possible de tirer des conclusions générales à partir de la structure des institutions politiques et des mécanismes économiques.

Referring to the history of the Zollverein, the author shows that it is not possible to draw generalized conclusions from the structure of political institutions and economic mechanisms.

HOCHBAUM, M.: **Das Diskriminierungs- und Subventionsverbot in der EGKS und EWG**

A. Lutzeyer, Baden-Baden 1962, 230 S.

Auf reicher Literatur und den einschlägigen Entscheidungen der Vertragsorgane gründende Auslegung der Vertragsbestimmungen im Hinblick auf eine möglichst wirtschaftsadäquate, einheitliche Rechtsanwendung. Ein Beitrag zur europäischen Rechtsintegration; für Juristen und Wirtschaftspraktiker.

Interprétation des dispositions des Traités de la CECA et de la CEE, fondée sur une littérature abondante et sur les décisions de leurs organes, en vue d'une application homogène et économiquement adéquate. Contribution au droit européen de l'intégration; pour juristes et économistes.

An interpretation of the provisions of the ECSC and EEC Treaties, based on extensive reading and on the decisions of the organs concerned, in view of the most adequate, economic and unified application possible. A contribution to European legal integration; for the use of jurists and economists.

HOLT, Robert T.: **Radio Free Europe**

University of Minnesota Press, Minneapolis 1958, 249 p.

A critical analysis of the organization and operational techniques of Radio Free Europe. The author has evaluated the effectiveness of its propaganda campaigns as an instrument in the Cold War. Sections treating the Berlin Riots of 1953 and the Hungarian uprising of 1956 are of particular interest.

Analyse critique de l'organisation et des techniques opérationnelles de "Radio Free Europe". L'auteur évalue l'efficacité de ses campagnes de propagande et leur rôle dans la guerre froide. Les parties traitant des soulèvements de Berlin en 1953 et de la révolution hongroise en 1956 sont d'un intérêt particulier.

HUVELIN - GRAEDEL - BOTHEREAU - GUIGOZ: **L'Occident à la recherche d'une doctrine sociale**

La Baconnière, Neuchâtel 1959, 106 p.

Conférences prononcées par 2 représentants du patronat et 2 représentants de syndicats ouvriers sur le rôle des sciences humaines dans la vie industrielle, la nécessité d'une organisation syndicale au courant de la marche générale de l'économie, et l'obligation de former des hommes libres.

Four lectures given by two representatives of the employers' and two representatives of the workers' unions on the role of the humanities in industrial life, the necessity of union organization, which should consider the general trends of the economy, and the obligation to train free men.

IMBODEN, Max: **Die Verfassung einer europäischen Gemeinschaft**

Helbing & Lichenhahn, Basel 1963, 14 S.

Ein Professor für allgemeines Staatsrecht in Basel definiert die theoretischen Grundlagen einer europäischen Union anhand der Verfassungen Deutschlands, der Vereinigten Staaten und der Schweiz.

Un professeur de droit public général à Bâle définit les bases théoriques d'une union européenne, en s'inspirant des constitutions des Etats-Unis, de la Suisse et de l'Allemagne.

With the help of the constitutions of USA, Switzerland and West Germany, the author, a professor of general public law at Basle, tries to give a theoretical framework for a European Union.

Iniziativa giovanile e "rilancio europeo" (Organizzazioni Giovanili Democratiche dal Segretariato Italiano della "Campagna Europea della Gioventù")

Giovane Europa, Roma 1956, 168 p.

Raccolta delle relazioni dei dirigenti delle organizzazioni giovanili democratiche italiane, presentate alla Conferenza organizzata nel giugno 1956 a Roma. Vi si trovano le reazioni e i programmi dei movimenti studenteschi, dei movimenti giovanili dei partiti, delle sezioni giovanili dei sindacati, di fronte al "rilancio" delle iniziative di unificazione europea.

Rapports présentés par des dirigeants d'organisations de jeunesses démocratiques italiennes, lors d'une conférence organisée en 1956 à Rome, sur les attitudes adoptées par les mouvements d'étudiants, les organisations de jeunesse des partis, et les sections de jeunesse des syndicats, vis-à-vis des projets de relance de l'unification européenne.

Reports presented by leaders of democratic youth organizations in Italy, at a conference organized in 1956 at Rome. Deals with the attitude taken by student movements, youth organizations in the parties, and youth sections of trade unions, towards further plans for achieving European integration.

Les institutions internationales européennes

Publ. par le Centre Universitaire des Hautes Etudes Européennes, Strasbourg, avec le concours du Conseil de l'Europe 1952, 177 p.

Recueil de conférences (23 mai-3 juin 1952) consacrées à la civilisation européenne, suivi de trois exposés sur les institutions européennes. Ouvrage d'intérêt historique.

A collection of conferences (May 23 — June 3, 1952) on European civilization, followed by three reports on international European institutions. Of historical interest.

Die Integration des europäischen Westens

Polygraphischer Verlag, St. Gallen 1954, 157 S.

Eine Reihe von 1953 an der Handelshochschule St. Gallen gehaltenen Vorträge. Ludwig Erhard, Alcide de Gasperi, Robert Schuman sprechen über die verschiedenen Aspekte, und die Schweizer Karl Brunner, Paul Rüegger und Jean R. von Salis über die besondere Lage der Schweiz.

Série de conférences données en 1953 à l'Ecole des Hautes Etudes Economiques et Sociales de St. Gall. Ludwig Erhard, Alcide de Gasperi, Robert Schuman parlent de différents aspects de l'intégration, tandis que les Suisses Karl Brunner, Paul Rüegger et Jean R. von Salis traitent de la position particulière de la Suisse.

A series of lectures given in 1953 at the St. Gallen School of Economic and Social Sciences. Ludwig Erhard, Alcide de Gasperi, Robert Schuman speak on various aspects of European integration, and the Swiss Karl Brunner, Paul Rüegger and Jean R. von Salis deal with the particular position of Switzerland.

JANNE, Henri — MORSA, Jean: **Sociologie et politique sociale dans les pays occidentaux**

Université Libre de Bruxelles 1962, 105 p.

Dans un style volontairement concis et simple, l'ouvrage s'adresse à un large public ouvert aux préoccupations sociologiques. Comparaison de la "problématique de l'action sociale" de nos pays occidentaux: notamment dans les domaines du logement, de l'enseignement, de l'urbanisme, de l'aménagement du territoire, du niveau de vie des familles, des problèmes humains du travail industriel, etc....

Concise and clear in its style, this work opens sociological problems to a large public. Comparison of the problems of social action in the Western countries: chiefly in the spheres of living accomodation, education, urban development, utilization of land, family standard of living, human problems in industry, etc.

JESERICH, Wolfgang: **Der Konflikt zwischen EWG und EFTA — Ein Kapitel aus Grossbritanniens Europapolitik**

G. Grote, Köln/Berlin 1963, 343 S. (roneographiert).

Wissenschaftliche Darstellung des Hauptproblems der europäischen Einigung in den Jahren 1958 bis 1962. Der Verfasser führt den Methodenstreit über die zu wählende Form der Integration sowohl auf wirtschaftliche Interessengegensätze als auch auf politische Konfliktgründe zurück.

Présentation méthodique des principaux problèmes de l'unification européenne, durant les années 1958 à 1962. L'auteur montre que le conflit entre les diverses méthodes d'intégration résulte d'oppositions d'ordre économique et de motifs politiques.

Expert presentation of the main problems of European unification, in the years 1958 to 1962. The author shows that the polemics concerning the various methods of integration arise from the opposition of economic interests and political conflicts.

JONG, J. J. de: **Politieke organisatie in West-Europa na 1800**

Martinus Nijhoff, 's-Gravenhage 1951, 516 p.

Beschreven wordt de politieke structuur van Engeland, Frankrijk, België en Nederland. Aan de politieke partijen en haar organisatorische ontwikkeling is bijzondere aandacht besteed. Tevens worden 10 structuurtekeningen van de voornaamste Westeuropese politieke partijen gegeven.

Décrit la structure politique de l'Angleterre, de la France, de la Belgique et des Pays-Bas, en insistant sur les partis et leur organisation. En outre, dix schémas de structure des principaux partis politiques de l'Europe occidentale.

Describes the political structures of Britain, France, Belgium and the Netherlands. Particular attention is drawn to the political parties and to the development of their organization. In addition, ten plans describing the structures of the principal political parties of Western Europe. With a summary in English.

JUIN, Maréchal H. — MASSIS, H.: **L'Europe en question**

Plon, Paris 1958, 111 p.

Devant la menace soviétique et pleins de méfiance envers l'aide américaine, les auteurs se refusent à toute idée de fédération européenne, qui ne serait qu'un "magma informe". Ils ne voient d'espoir que dans "la conjonction des forces nationales existantes" ou "l'Europe des Patries".

Against the Soviet menace and full of distrust for American aid, the authors reject the very idea of a European federation. They see hope only in "the combining of existing national forces", or in a "Europe of nations".

KAPTEYN, P. J. G.: **L'Assemblée commune de la Communauté Européenne du Charbon et de l'Acier**

A. W. Sijthoff, Leiden 1962, 270 p.

Etude juridique et politique tout à la fois, l'ouvrage est véritablement un "essai de parlementarisme européen", comme le dit le sous-titre. Il décrit la naissance, la nature et les buts de l'Assemblée Commune de la CECA, dont la connaissance est indispensable à la compréhension des institutions actuelles de l'Europe en devenir.

A study at once juridical and political, the work is indeed the essay on European parliamentarialism announced in the sub-title. It describes the birth, the nature and the aims of the Common Assembly of the ECSC, knowledge of which is indispensable for the understanding of the institutions of Europe today.

KAUTTER, Eberhard: **Paneuropa als Problem der Wirtschafts- und Sozialgestaltung**

Richard Pflaum, München 1950, 48 S.

Sozialphilosophische Untersuchung der Europa-Ideologie. Paneuropa wird gedeutet als geistiges Konzept, welches das Prinzip der Entfaltung der freien Persönlichkeit durch ein ausgeprägtes Gemeinschaftsgefühl ergänzen soll.

Examen socio-philosophique de l'idéologie européenne. L'idée pan-européenne est interprétée comme principe d'épanouissement de la personne dans la liberté, combiné avec un sentiment communautaire prononcé.

A social and philosophical study of European ideology. The pan-European idea is interpreted as a concept which must complement the principles of individual development in freedom by a pronounced community spirit.

KITZINGER, U. W.: **The Challenge of the Common Market**

Basil Blackwell, Oxford 1961, 153 p.

Deutsche Ausgabe: **Wohin treibt die EWG? Europa mit oder ohne England?**
R. v. Decker's Verlag, Hamburg/G. Schenck, Berlin 1964, 136 S.

After examining in detail the historical and economic aspects of the EEC Treaty and its implications inside and outside Europe, the author carefully considers the many arguments for and against British union with the Continent, underlining the challenge implied in this joint adventure.

Après avoir examiné en détail les aspects historiques et économiques du Traité de Rome et sa portée à l'intérieur et à l'extérieur de l'Europe, l'auteur examine soigneusement les nombreux arguments pour et contre l'union de la Grande-Bretagne avec le Continent, en soulignant l'élément d'aventure qui est impliqué dans une telle association.

KITZINGER, U. W.: **The Politics and Economics of European Integration: Britain, Europe, and the United States**

Frederick A. Praeger, New York/Basil Blackwell & Mott, London 1963, 245 p.

Against the historical background of the European movement since the last war, the author examines the existing treaties, the future of supranationalism and the particular situation of Britain after the failure of the Brussels negotiations. The closing chapter proposes patterns for the future.

Se fondant sur l'histoire du mouvement européen depuis la dernière guerre, l'auteur examine les traités existant actuellement, l'avenir du supranationalisme et la situation particulière de la Grande-Bretagne à la suite de l'échec des négociations de Bruxelles. Le dernier chapitre propose des projets pour l'avenir.

KOPPENSTEINER, Hans Georg: **Die europäische Integration und das Souveränitätsproblem**

A. Lutzeyer, Baden-Baden 1963, 74 S.

Nach einer Untersuchung der Grundlagen der Souveränität, wobei zwischen dem rechtlichen und dem politischen Aspekt unterschieden wird, stellt der Autor fest, dass die europäische Integration die rechtliche Souveränität nicht beeinträchtige, mit der traditionellen Auffassung der politischen Souveränität aber unvereinbar sei.

Examinant tout d'abord les fondements juridiques et politiques de la notion de souveraineté, l'auteur conclut que l'intégration ne porte pas préjudice à la souveraineté juridique mais se heurte en revanche, au concept traditionnel de souveraineté politique.

Examining the legal and political aspects of the concept of sovereignty the author concludes that integration is not prejudicial to legal sovereignty, but on the other hand, it goes against the traditional idea of political sovereignty.

KOSCHAKER, Paul: **Europa und das Römische Recht**

C. H. Beck, München, 3. Aufl. 1958, 378 S.

1945 erstmals erschienen, vermittelt das Werk ein umfassendes Bild von der Rolle, die das Römische Recht in Lehre und Wissenschaft, als Juristenrecht und nicht zuletzt als geltendes Gesetz in einzelnen Ländern Europas gespielt hat. Von fachlichem sowie geistesgeschichtlichem Interesse.

Cet ouvrage, publié pour la première fois en 1945, offre une image complète du rôle joué par le Droit Romain dans l'enseignement et la science du droit, ainsi que de son rôle passé en tant que Droit en vigueur dans certains Etats d'Europe. Intéressant pour les juristes et pour l'histoire des idées.

First published in 1945, this book offers a complete picture of the role that Roman Law, in so far as jurisprudence and the law in force in certain European countries, has played in teaching and in science. Of historical and juridical interest.

KÖVER, J. -F.: **Le Plan Schuman — ses mérites, ses risques**

Nouvelles Editions Latines, Paris 1952, 232 p.

Ouvrage d'information décrivant les trois aspects du Plan Schuman: l'aspect politique (liquidation définitive de l'antagonisme franco-allemand), l'aspect économique (création d'un marché commun du charbon et de l'acier) et l'aspect social (garantie du niveau de vie des ouvriers et continuité de l'emploi).

Describes the three aspects of the Schuman Plan: the political (final destruction of Franco-German enmity), the economic (the creation of a common coal and steel market), and the social (guarantee of the standard of living of the workers and of uninterrupted work).

KRISAM, Raymund: **Die Beteiligung der Arbeitnehmer an der Öffentlichen Gewalt**

A. W. Sijthoff, Leiden 1963, 344 S.

Untersucht die soziologische Struktur der organisierten Arbeitnehmerschaft als pressure group und als integrierter Bestandteil unserer Wirtschaftsordnung. Die breit angelegte Studie behandelt ausführlich historische Entwicklung, Aufbau und Tätigkeit der Arbeitnehmerkammern in den Ländern der EWG und in Österreich, sowie der Wirtschafts- und Sozialausschüsse der Gemeinschaften, des Europarats und des IAA.

La structure sociologique des groupements organisés d'employés en tant que groupes de pression et en tant que partie intégrante de notre ordre économique. Cette vaste étude traite de façon détaillée du développement historique et de l'activité des syndicats ouvriers dans les pays de la CEE et en Autriche, ainsi que des commissions économiques et sociales des Communautés, du Conseil de l'Europe et du BIT.

Analyzes the social structure of organized employee groups considered as pressure groups and as an integral part of our economic order. This comprehensive study deals in detail with the historical development and activities of the workers unions in the EEC countries and in Austria; also discusses the economic and social commissions of the Communities, the Council of Europe and the ILO.

Kultur zwischen Organisation und Politik

Bund-Verlag, Köln-Deutz 1961, 306 S.

Der Begriff der Kultur, verstanden als individuelle und soziale Forderung unserer Zeit, wird von Jeanne Hersch aus philosophischer und erzieherischer Schau eingehend bestimmt. Ihr grundlegender Vortrag, gehalten im "Neunten Europäischen Gespräch" (1960 in Recklinghausen), mündet in eine fruchtbare Diskussion unter Gewerkschaftlern, Industriellen, Erziehern und Wissenschaftlern.

Le concept de culture, considérée comme une exigence individuelle et sociale de notre temps, est analysé de façon approfondie par Jeanne Hersch d'un point de vue philosophique et didactique. Cette conférence fondamentale, donnée au "Neuvième Colloque Européen" (Recklinghausen, 1960) se termine par une discussion fructueuse entre syndicalistes, industriels, éducateurs et hommes de science.

The concept of culture, understood as an individual and social need of our time, is analysed in a thorough manner by Jeanne Hersch from a philosophical and didactic point of view. This basic lecture, given at the "Ninth European Colloquy" (Recklinghausen, 1960) ends with a profitable discussion between trade unionists, industrialists, educators and scientists.

LANGEN, Eugen: **Marktbeherrschung und ihr Missbrauch nach Artikel 86 des EWG-Vertrages**

A. Lutzeyer, Baden-Baden 1959, 67 S.

Aus internationaler Zusammenarbeit hervorgegangene, knappe juristische Monographie zur Interpretation und Anwendung eines für die Schaffung eines einheitlichen Wirtschaftsrechts zentralen Artikels des Vertrages. Bringt eine von den Vertragsstaaten bis zu den USA reichende Rechtsvergleichung.

Monographie juridique concise, issue d'une collaboration internationale concernant l'interprétation et l'application d'un article du Traité instituant la CEE, essentiel pour l'élaboration d'un droit économique commun. Etude de droit comparé des Etats membres et des Etats-Unis.

International collaboration produced this concise legal work on the interpretation and application of the most important article of the EEC Treaty for elaborating a common economic law. A study in comparative law of the member States and the USA.

LAPIE, Pierre-Olivier: **Les trois communautés**

Fayard, Paris 1960, 222 p.

Examen détaillé des Communautés. Une courte analyse historique et politique des éléments et du climat qui ont conduit à leur création est suivie d'une étude des mécanismes institutionnels communs. Ouvrage de vulgarisation.

Detailed examination of the Communities. A short historical and political analysis of the elements and conditions which led to their creation is followed by a study of the common institutional procedures. A work for the general reader.

LAYTON, Christopher: **La Grande-Bretagne, la Suisse et l'Europe**

Centre de recherches européennes, Lausanne 1960, 15 p.

Texte d'une conférence donnée à Zurich en 1959. L'auteur explique l'attitude commune de la Grande-Bretagne et de la Suisse face au problème de l'intégration européenne et s'attache au rôle historique de la CEE dont la vraie signification, selon lui, n'apparaîtra qu'au jour de la réunification de l'Allemagne.

Text of a lecture held in Zürich in 1959. The author explains the common attitude of Great Britain and Switzerland towards the Common Market, whose historic part will only be seen in its full significance when Germany is reunited.

LAZITCH, Branko: **Los partidos comunistas de Europa 1919-1955**

Instituto de Estudios Políticos, Madrid 1961, 361 p.

Se trata de una obra ampliamente documentada sobre la historia de los Partidos comunistas de Europa, sus jefes, sus efectivos y sus resultados electorales desde 1920.

Ouvrage amplement documenté sur l'histoire des Partis communistes en Europe, leurs chefs, leurs effectifs et leurs résultats électoraux depuis 1920.

A well-documented work on the history of communist parties in Europe, their leaders, their strength and electoral results since 1920.

LEARNED, E. P. — AGUILAR, F. J. — VALTZ, R. C. K.: **European Problems in General Management**

Richard D. Irwin, Homewood, Illinois 1963, 810 p.

Case studies of management and business policy problems arising in European enterprises such as Jacquier S.A., Bayer and KLM. The study of these cases is the result of many years of research and the vast practical information is of immediate interest to the businessman as well as the student.

Les problèmes de gestion et de politique commerciale tels qu'ils apparaissent dans certaines grandes entreprises européennes: Jacquier S.A., Bayer, et KLM. L'étude, résultant de plusieurs années de recherches, fournit de nombreux renseignements et présente un intérêt certain pour l'homme d'affaires comme pour l'étudiant.

LEFRANC, Georges: **Histoire des doctrines sociales dans l'Europe contemporaine**

Editions Montaigne, Paris 1960, 333 p.

Manuel à l'intention des étudiants et de tous ceux qu'intéresse l'histoire des doctrines sociales en Europe. Son point central est le Marxisme, précédé d'un chapitre consacré aux pionniers du début du XVIIIème siècle. L'ouvrage donne une vue d'ensemble des principaux représentants du socialisme et de leurs théories, ne traitant qu'incidemment des autres doctrines sociales.

Text book intended for students and all those interested in the history of social doctrines in Europe. Its central point is Marxism, preceded by a chapter devoted to the pioneers at the beginning of the 18th century. The work gives a general view of the principal representatives of socialism and their theories. Only dealing incidentally with other social doctrines.

Legal Problems of the European Economic Community and the European Free Trade Association

Stevens & Sons, London 1961, 110 p.

A report of a conference concerned with the contrasting structures of the EEC and EFTA from the legal aspect, and tending to find an accommodation between the Six and the Seven. Contributions by professors and technicians.

Compte-rendu d'une conférence traitant des différences de structure juridique entre la CEE et l'AELE, et tendant à trouver un compromis entre les Six et les Sept. Contributions de professeurs et de techniciens.

LEMBERG, Eugen: **Osteuropa und die Sowjetunion**

Otto Müller, Salzburg, 2. Aufl. 1956, 301 S.

Der Verfasser will vor allem den Leser überzeugen, dass man Osteuropa nicht einfach mit westlichen Augen betrachten und beurteilen darf, sondern seinen eigenen Charakter innerhalb der Gemeinschaft erkennen und anerkennen muss.

L'auteur veut avant tout persuader le lecteur que l'on ne peut pas considérer ni juger l'Europe de l'Est d'un point de vue occidental, mais qu'il faut reconnaître et accepter son caractère propre à l'intérieur de la communauté.

The author wishes mainly to persuade the reader that we can neither criticise nor judge Eastern Europe from a western point of view, but we must recognise and accept its particular character within the community.

LICHTHEIM, George: **Europe and America — The Future of the Atlantic Community**

Thames & Hudson, London 1963, 256 p.

From a mid-atlantic point of view, the author examines the way an autonomous Western Europe can fit into the Atlantic Community, with special attention paid to the British position and to the Paris-Bonn axis. An original contribution to a well-worn subject.

Se situant à mi-chemin entre l'Europe et l'Amérique, l'auteur examine comment une Europe occidentale autonome pourrait s'intégrer à la Communauté Atlantique. La situation de la Grande-Bretagne et l'axe Paris-Bonn reçoivent une attention particulière. Apport original à un sujet très discuté.

LICHTHEIM, George: **The New Europe, Today and Tomorrow**

Frederick A. Praeger, New York 1963, 232 p.

A study of political development in Western Europe since the Second World War. Against a background of declining influence, with the weakening of the nation-state and of the balance of power system, an attempt is made to define Europe's role in a nuclear age.

Etude des événements politiques survenus en Europe occidentale depuis la seconde guerre mondiale. L'auteur tente de définir le rôle de l'Europe dans l'ère atomique, tenant compte de son influence en déclin, de l'affaiblissement de l'Etat-nation et du système de l'équilibre des pouvoirs.

LINDBERG, Leon N.: **The Political Dynamics of European Economic Integration**

Oxford University Press, London 1963, 367 p.

After briefly describing the existing relations between the EEC and political integration, the author studies the European leaders, official and private, who participate in the formation of communal decisions. The last and most important part consists of an analysis of some decisions which include acceleration and common agriculture. Statistics of the various types of procedure in the EEC. Bibliography.

Après avoir esquissé le rapport existant entre la CEE et l'intégration politique, l'auteur étudie les dirigeants européens, officiels et privés, qui participent à la formation des décisions communautaires. La dernière partie, la plus importante, est consacrée à l'analyse de quelques cas de décision, dont l'accélération et l'agriculture commune. Statistique des divers types de procédures de la CEE. Bibliographie.

LINDSAY, Kenneth: **European Assemblies — The Experimental Period 1949-1959**

Stevens & Sons, London 1960.
Edition française: **Vers un Parlement Européen.** *Librairie Générale de Droit et de Jurisprudence, Paris 1958, 188 p.*

Written in 1958 by an ardent European, it is a stirring and scholarly study of the Council of Europe and its participants, its aims, difficulties and constitutional problems of that period.

Ecrit en 1958 par un ardent Européen, c'est une étude savante et prenante du Conseil de l'Europe et de ses participants, de ses buts, des difficultés et des problèmes constitutionnels de cette période.

LINTHORST, Homan, J.: **Europese integratie — De spanningen tussen economische en politieke factoren**

Martinus Nijhoff, 's-Gravenhage 1955, 256 p.

Geeft een overzicht van de gegevens over "integratie" in de historie en in het actuele Europese leven. De auteur belicht hierin de spanningen, die optreden tussen politiek en economie in de nationale en internationale samenleving.

Les données relatives à l'"intégration" dans l'histoire et dans la vie européenne actuelle. Met en lumière les tensions entre la politique et l'économie dans la société nationale et dans la société internationale.

Data relative to integration in history and in modern European life. Stresses the differences existing between politics and economics, in the national as well as international spheres.

LJUBISAVLJEVIC, Bora: **Les problèmes de la pondération dans les institutions européennes**

A. W. Sijthoff, Leiden 1959, 199 p.

La première partie étudie la pondération et les problèmes qu'elle soulève du point de vue théorique, la seconde examine l'application pratique dans les Communautés européennes. Analyse effectuée sous l'angle de la science juridique et politique.

The first part is a theoretical study of the balance of powers and the resulting problems; the second part examines its practical application in the European Communities. Studied from the point of view of legal and political sciences.

LYONS, F. S. L.: **Internationalism in Europe 1815-1914**

A. W. Sijthoff, Leiden 1963, 412 p.

The historical trends examined cover a wide field: economic cooperation, the international world of labour, religious collaboration and the development of international law, the humanitarian crusades of the century, and finally a survey of the peace movements.

Examen du développement historique dans des domaines divers: la coopération économique, le monde international des travailleurs, la collaboration religieuse et l'évolution du droit international, les croisades humanitaires du siècle et enfin une vue d'ensemble des mouvements pacifistes.

MACKAY, R. W. G.: **Towards a United States of Europe — An Analysis of Britain's Role in European Union**

Hutchinson & Co., London 1961, 160 p.

A convinced advocate of British union with continental Europe, the author examines in detail the arguments in favour of Britain's immediate participation in the Common Market and the fatal issue awaiting her in case of failure. Written before the Brussels negotiations.

Convaincu des avantages d'une union entre la Grande-Bretagne et l'Europe continentale, l'auteur examine en détail les arguments en faveur de la participation immédiate de la Grande-Bretagne au Marché Commun. Il prédit une issue fatale en cas d'échec. Ecrit avant les négociations de Bruxelles.

MAHOTIÈRE, Stuart R. de la: **The Common Market**

Hodder & Stoughton, London 1961, 192 p., ill.

A convinced promoter of Great Britain's union with the Common Market presents an analysis of the reasons for joining, with emphasis on the internal situation of the Commonwealth and the political situation in Great Britain. Treaty texts in appendix.

Un partisan convaincu de l'entrée de la Grande-Bretagne dans le Marché Commun analyse les raisons en faveur de cette association, la situation intérieure du Commonwealth et la situation politique de la Grande-Bretagne. Textes du Traité en appendice.

Marché Commun — institutions communes (Avant-propos de Arangio-Ruiz)

Librairie Générale de Droit et de Jurisprudence, Paris 1960, 369 p.

Rapport in extenso du Deuxième Congrès de l'Association des Universitaires d'Europe qui avait pour but de promouvoir et diffuser l'esprit européen dans le monde des idées et dans les milieux universitaires et scientifiques. Les débats ont essentiellement été de nature économique, juridique et culturelle. Ouvrage de référence.

A detailed report of the Second Congress of the "Association of European University Graduates," intended to promote the European spirit in intellectual and particularly in university circles. The debates are essentially of an economic, legal and cultural nature. Work of reference.

MARTELL, Bernhard: **Aufstand des Abendlandes**

Neues Forum, Schweinfurt, 3. Aufl. 1964, 414 S.

"Eine politische Provokation" nennt der Verfasser sein Buch. Er unterstreicht die Gefährlichkeit des Kommunismus und befürwortet eine Politik des Westens im Sinne McCarthys.

L'auteur considère son livre comme "une provocation politique". Il souligne le danger du Communisme et préconise une politique McCarthiste pour l'Ouest.

The author considers this book as a "political provocation". He stresses the danger of Communism and recommends a McCarthy policy in the West.

MASSIP, Roger: **Voici l'Europe**

Fayard, Paris 1958, 190 p.

Historique concis, alerte et exact de l'action européenne entreprise par R. Schuman et Jean Monnet, et de ses prolongements jusqu'au Marché Commun. Chronologie des progrès vers l'union de 1923 à 1958.

Concise account, interesting and exact, of the European action taken by R. Schuman and Jean Monnet, and its extension up to the Common Market. Chronology of the progress towards union from 1923 to 1958.

MATHIJSEN, Pierre: **Le droit de la Communauté Européenne du Charbon et de l'Acier**

Martinus Nijhoff, 's-Gravenhage 1958, 208 p.

L'auteur examine successivement: le droit écrit propre à la CECA, les recours au droit international et au droit interne ainsi que le droit non écrit de la CECA; il souligne l'originalité de ces phénomènes juridiques, pour terminer par un essai de définition de la nature du droit de la CECA. Ouvrage purement juridique avec bibliographie détaillée et un résumé en anglais.

The author examines in turn: the written law of the ECSC, the appeal to international law and to internal law, and the unwritten ECSC law; he emphasizes the originality of these juridical phenomena and finishes with an essay defining the nature of law in the ECSC. A purely juridical work with a detailed bibliography, and a summary in English.

MAURY, René: **L'intégration européenne**

Sirey, Paris 1958, 330 p.

L'auteur milite en faveur d'une Europe étroitement unie qui deviendrait le "lieu de mesure entre l'Est et l'Ouest". Il étudie le problème du triple point de vue des facteurs d'intégration, de l'espace d'intégration et de la procédure d'intégration. L'ouvrage qui ne s'adresse nullement aux spécialistes, se trouve déjà quelque peu dépassé.

The author fights for a closely united Europe which should become a yardstick for comparisons between East and West. He deals with the problem under three heads, that of the factors of integration, that of the range of integration and that of the process of integration. A little out-of-date.

MAYNE, Richard: **The Community of Europe**

Victor Gollancz, London/ W.W. Norton & Co., New York 1962, 192 p.
Deutsche Ausgabe: **Die Einheit Europas.** *Prestel, München 1963, 196 S.* — *Edizione italiana:* **La Comunità Europea.** *Garzanti, Milano 1963, 224 p.* — *Nederlandse uitgave:* **De Gemeenschappelijke markt verleden, heden en toekomst.** *Het Spektrum, Utrecht 1963, 192 p.*

The establishment of the Coal and Steel Community, of the Common Market, and of other organizations is described in a political narrative of postwar developments; the position of Great Britain vis-à-vis the European Continent gets special attention.

La formation de la Communauté Européenne du Charbon et de l'Acier, du Marché Commun et d'autres organisations est expliquée dans le cadre des événements d'après-guerre. La position de la Grande-Bretagne vis-à-vis du continent européen est examinée en particulier.

MAYR, Kaspar: **Der andere Weg — Dokumente und Materialien zur europäisch-christlichen Friedenspolitik**

Glock und Lutz, Nürnberg 1957, 384 S.

Der Autor verfolgt die christliche Friedensarbeit in Gegenwart und Vergangenheit und stellt abschliessend fest, dass im Atomzeitalter die gewaltlose Politik die einzig mögliche Haltung der Christen ist.

L'auteur examine les efforts chrétiens en faveur de la paix dans le présent et dans le passé. En conclusion, il constate que la politique de non-violence est la seule attitude possible pour le Chrétien à l'ère atomique.

The author studies the efforts of Christians towards peace now and in the past. In conclusion he states that a policy of non-violence is the only attitude possible for the Christian of the atomic age.

McCRENSKY, Edward: **Scientific Manpower in Europe — A comparative study of scientific manpower in the public service of Great Britain and selected European countries**

Pergamon Press, London 1958, 188 p., ill.

Analysis of the social position and the functions of technologists in modern Europe. Personnel systems in different countries, the degree of national control over scientific activity and the impact of science on governmental operations are compared and contrasted.

Analyse de la position sociale et des fonctions des technologues dans l'Europe moderne. L'organisation du personnel dans les différents pays, le degré du contrôle national sur l'activité scientifique et l'influence de la science sur les opérations gouvernementales sont comparés et discutés.

MEIER, E. W.: **De Europese economische integratie**

Stenfert Kroese, Leiden 1958, 347 p.

Geeft een overzicht van de problematiek van de integratie. Naast de uitvoerige bespreking van het E.E.G.-verdrag, worden ook de problemen nog besproken van Euratom en het Vrijhandelsgebied.

Les problèmes posés par l'intégration. Outre un exposé critique détaillé du Traité de la CEE, l'ouvrage traite également des problèmes de l'Euratom et de la zone de libre échange.

Describes the problems of integration. As well as giving a detailed critical description of the Treaty of the Common Market, the work deals with the problems of Euratom and EFTA.

MEYNAUD, Jean: **L'Action syndicale et la Communauté Economique Européenne**

Centre de recherches européennes, Lausanne 1962, 70 p.

Examine successivement le mode d'organisation des groupements syndicaux, leurs positions en face des problèmes communautaires, et les moyens à leur disposition pour promouvoir leurs idées.

The author studies the way in which trade unions are organized, their position within the Community problems, and the methods at their disposal for promoting their ideas.

MIDDLETON, Drew: **The Supreme Choice — Britain and the European Community**

Secker & Warburg, London 1963, 287 p.

After an analysis of Britain's political decline since World War II which has led to a decisive moment for her future, the author, famous head of the New York Times' European Bureau, comes to the conclusion that union with Europe is her last chance of regaining power, even against the interests of the Commonwealth, and Europe's only real possibility for strength.

Après avoir analysé le déclin politique de la Grande-Bretagne à la suite de la deuxième guerre mondiale, déclin qui est décisif pour son avenir, le directeur du Bureau Européen du New York Times en arrive à la conclusion que l'union avec l'Europe est pour la Grande-Bretagne la seule chance de retrouver sa force, même si ce choix doit se réaliser au détriment des intérêts du Commonwealth; de plus, cette union constituerait pour l'Europe sa seule chance de puissance.

MILLET Y BEL, Salvador: **Acercamiento a Europa**

Instituto de Estudios Europeos, Barcelona 1960, 124 p.

Problemas y soluciones de la integración de España a Europa. Se trata especialmente el problema de la industria española ante el Mercado Común. Libro de actualidad.

Problèmes et solutions concernant l'intégration de l'Espagne à l'Europe. Difficultés de l'industrie espagnole devant le Marché Commun. Ouvrage d'actualité.

Problems and solutions of Spanish integration with Europe. Emphasizes the problem of Spanish industry faced with the Common Market. Of topical interest.

Mitbestimmung und Miteigentum in Europa (hrsg. von Wilhelm Kunz)

Rombach, Freiburg i. Br. 1960, 180 S.

Tagungsbericht der Internationalen Begegnung europäischer christlicher Arbeitnehmer vom Frühling 1960 in Konstanz. Christlich-soziale Gewerkschaftsfunktionäre aus acht Ländern berichten über den Stand der Mitbestimmung und des Miteigentums in ihren Staaten.

Au cours de la Rencontre internationale des employés chrétiens européens, en 1960 à Constance, les secrétaires chrétiens-sociaux de huit Etats rapportent sur la cogestion et la copropriété dans leur pays.

Report of the Spring 1960 session at Constance of the International Meeting of European Christian Workers. The representatives of the Christian-Social unions of eight countries report on the position of joint control and joint ownership in their countries.

MOESSINGER, Mario: **Zweifel an Europa**

Carl Seewald, Stuttgart 1961, 205 S.

Kritische Betrachtung der Ziele und der bisherigen Bemühungen um die europäische Integration. Der Verfasser verwirft die Hallstein'sche Europa-ideologie als illusorisch.

Examen critique des buts et des efforts accomplis jusqu'ici en faveur de l'intégration européenne. L'auteur rejette l'idéologie européenne de M. Hallstein, qu'il estime illusoire.

Critical study of the aims and efforts hitherto undertaken in favour of European integration. The author denounces Mr. Hallstein's European ideology as illusory.

MONACO, Riccardo: **Primi lineamenti di diritto pubblico europeo**

A. Giuffrè, Milano 1962, 107 p.

Esposizione dei primi elementi di diritto pubblico europeo, delle fonti, della rappresentanza politica e del governo europeo, dell'organizzazione della produzione normativa comunitaria e statale, e della tutela dei diritti individuali della Comunità.

Exposé des premiers éléments de droit public européen, de ses sources, de la représentation politique et du gouvernement européen. L'organisation de la production normative communautaire et étatique ainsi que la protection des droits individuels dans la Communauté sont également étudiées.

Study of the early elements of European public law and of its sources, of political representation and European government, the organization of State and community normative production and the protection of individual laws in the Community.

MONNET, Jean: **La Communauté Européenne et l'Unité de l'Occident**

Centre de recherches européennes, Lausanne 1961, 10 p.

Allocution prononcée en 1961 aux USA par le père du plan Schuman. C'est un acte de foi dans la construction d'une Europe ouverte à la communauté atlantique.

Lecture by the "father of the Schuman Plan", given in the USA in 1961. It is an act of faith in the formation of a Europe open to the Atlantic Community.

MONNET, Jean: **Europe — Amérique. Relations de partenaire s nécessaires à la paix**

Centre de recherches européennes, Lausanne 1963, 13 p.

Allocution prononcée à l'occasion de la remise du "prix de la liberté" à New York par le père de la CECA. Il préconise une union complète de l'Europe, incluant l Grande-Bretagne, et une association Europe — USA sur pied d'égalité.

An address given in New York by the father of the ECSC on the occasion of the award of the "prize of liberty". He advocates a complete union of Europe including Great Britain, and an association of equal partners between Europe and the USA

MORET, Claude: **L'Allemagne et la réorganisation de l'Europe**

La Baconnière, Neuchâtel 1944, 253 p.

Analyse objective et minutieuse des projets et méthodes selon lesquels l'Allemagne hitlérienne a tenté de poser les fondements d'une Europe organisée sous son hégémonie. Source abondante de citations d'auteurs nazis, aujourd'hui introuvables.

Objective and detailed analysis of the aims and methods by which Hitler's Germany tried to lay the foundations of a Europe united under its hegemony. Source full of quotations from Nazi writers which today cannot be found.

MÜNCH, Fritz — EYNERN, Gert von: **Internationale Organisationen und Regionalpakte**

Westdeutscher Verlag, Köln/Opladen 1962, 268 S.

Ein Völkerrechtler und ein Sozialwissenschaftler befassen sich mit der Entstehung und Rechtfertigung internationaler Organisationen, insbesondere mit der Internationalen Arbeitsorganisation, dem Weizenrat und dem Währungsfonds. Reich dokumentiert.

Un spécialiste du droit des gens et un sociologue examinent la formation et la justification des diverses organisations internationales, principalement de l'OIT, du Conseil du Blé et du Fonds Monétaire. Bien documenté.

An expert in international law and a sociologist examine the formation and justification of international organizations, particularly the International Labour Organization, the Wheat Council and the International Monetary Fund. Well documented.

NAGEL, Heinrich: **Auf dem Wege zu einem europäischen Prozessrecht**

A. Lutzeyer, Baden-Baden 1963, 112 S.

Der Autor untersucht hier Fragen des internationalen Prozessrechts vom Standpunkt der deutschen Zivilprozessordnung, insbesonders aber die aus den beiden Haager Verträgen von 1905 und 1954 und die aus Art. 7, 100 und 220 des EWG-Vertrags fliessenden Forderungen für ein europäisches Verfahrensrecht.

Etude, dans l'optique du droit allemand, des questions de procédure et des exigences d'un code de procédure européen découlant des deux Conventions de la Haye de 1905 et de 1954, et des art. 7, 100 et 220 du Traité de la CEE.

The author examines international law of procedure from the point of view of German civil law, and determines to what extent the creation of a European code of procedure is conditioned by the two Hague Conventions of 1905 and 1954, and by articles 7, 100 and 220 of the EEC Treaty.

NATHAN, Roger: **Vers l'Europe des réalités**

Plon, Paris 1963, 193 p.

Si l'on veut construire une Europe politique, sur quelles données faut-il s'appuyer? Les aspects financiers dans le cadre de l'AELE sont étudiés par l'auteur qui analyse également la situation des organisations intégrationnistes européennes et les raisons de leur création.

What data should be used to organize a political Europe? The author studies the financial aspects of EFTA and the position of the integrationist organizations of Europe and the reasons for their formation.

Das nationale Kartellrecht im Blickpunkt der europäischen Integration

Europa-Union, Bonn 1962, 90 S.

Auf Grund der Vorträge von Eberhard Günther, André Clément und R. L. Sich werden die nationalen Kartellrechte von Deutschland, Frankreich und Grossbritannien im Hinblick auf die Vereinbarkeit mit Art. 85 des EWG-Vertrages kritisch beleuchtet, im Bemühen um die Gestaltung eines fairen Wettbewerbs.

Dans le cadre des efforts entrepris pour réglementer et contrôler la concurrence, on examine de façon critique les droits cartellaires de l'Allemagne, de la France et de la Grande-Bretagne et leur compatibilité avec l'art. 85 du Traité de Rome, sur la base d'exposés d'Eberhard Günther, d'André Clément et de R. L. Sich.

As part of a general effort to control competition, the cartel laws of Germany, France and Great Britain are studied critically with reference to their compatibility with art. 85 of the Treaty of Rome, on the basis of speeches by Eberhard Günther, André Clément and R. L. Sich.

NEBOLSINE, George: **Die Verteidigungsrechte gegenüber der Kontrolle auf wettbewerbsbeschränkendes Verhalten nach dem Vertrag der EWG** (Auszug aus: "American Journal of Comparative Law", Bd. 53, Nr. 4, hrsg. von American Association of the Comparative Study of Law, Legal Research Building, University of Michigan, USA)

A. Lutzeyer, Baden-Baden 1959, 49 S.

Kommentar zu den einschlägigen Bestimmungen der internationalen und namentlich der europäischen Gesetzgebung betreffs der Wettbewerbsbeschränkungen. Besonders berücksichtigt werden Verfahrensvorschriften, Rechtsstellung und Rechtsmittel gegenüber der Kontrollinstanz, sowie verwaltungsrechtliche Grundsätze der einzelnen Länder.

Commentaire des dispositions internationales et en particulier européennes, relatives aux restrictions de la concurrence économique. On a examiné plus soigneusement les questions de procédure, la situation juridique et les moyens de recours à la Cour de Justice de la C.E.E. ainsi que les principes administratifs des Etats.

Commentary on international and particularly European legislation with respect to restrictions on competition. Special attention is paid to problems of procedure, the legal position and methods of appeal to the EEC court of justice and to the bases of administration of the law in the individual countries.

NEUMANN, Robert C.: **European and Comparative Government**

McGraw-Hill, New York, 3rd ed. 1960, 886 p.

The first four parts of this text-book deal with the Governments of Great Britain, France, the German Federal Republic and the Soviet Union; the fifth part contains a comparative analysis of Government, political concepts and institutions. Implemented by appendixes with the constitutional law of the countrics concerned and a vast bibliography. Useful for students.

Les quatre premières parties de ce manuel traitent des gouvernements de la Grande-Bretagne, de la France, de la République Fédérale et de l'Union Soviétique; la cinquième partie contient une analyse comparative des gouvernements, des concepts politiques et des institutions. Les constitutions sont données en appendice, ainsi qu'une vaste bibliographie. Utile pour étudiants.

NIKURADSE, Alexander: **Zur Frage der Europa-Forschung**

R. Oldenbourg, München 1955, 39 S.

Im Bemühen um eine Neuorientierung der Wissenschaft fordert der Autor das Erkennen der europäischen Probleme und ruft nach Gründung von Forschungsinstituten, in deren Mittelpunkt ein europäisches Problem in seiner ganzen Komplexheit stände.

Préconise une prise de conscience des problèmes européens en vue d'une nouvelle orientation de la Science. L'auteur souhaite la création d'Instituts de recherches qui auraient pour objet principal l'étude d'un problème européen déterminé dans toute sa complexité.

The author advocates the recognition of the problems of Europe, with the aim of re-orientating science. He recommends the foundation of research institutes in order to study particular European problems in all their complexity.

NYSTROM, J. Warren — MALOF, Peter: **The Common Market: European Community in Action**

D. van Nostrand, New York 1963, 134 p.

The political and economic significance of the Common Market, with particular regard to Europe's position vis-à-vis the United States, and to the American-Soviet struggle.

L'importance économique et politique du Marché Commun et la position de l'Europe vis-à-vis des Etats-Unis et de l'antagonisme USA-URSS.

ORSINI DI CAMEROTA, Paolo d'Agostino: **I problemi economici dell'Africa e l'Europa**

Cinque Lune, Roma 1961, 426 p.

Dopo aver mostrato i problemi economici e geografici dell'Africa, l'autore sviluppa il concetto di Eurafrica, visto come "spazio economico" destinato a risolvere i problemi dei due continenti.

Après avoir défini les problèmes économiques et géographiques de l'Afrique, l'auteur développe le concept de "l'Eurafrique", espace économique où pourraient être résolus les problèmes des deux continents.

After exposing the economic and geographical problems of Africa, the author develops the concept of "Euro-Africa" as an economic area, which can solve the problems of the two continents.

OUDEMANS, G.: **The Draft European Patent Convention**

Stevens & Sons, London 1963, 247 p.

The text of the Draft is laid out in French and English and the author provides an English commentary on its origins, the working group for Patents, and the aims of the Convention.

Le texte de ce projet de Convention Européenne des Brevets est présenté en français et en anglais. L'auteur donne un commentaire anglais sur ses origines, sur la commission des brevets, et sur les buts de la Convention.

PARKINSON, C. Northcote: **East and West**

John Murray, London 1963, 290 p.
Deutsche Ausgabe: **Asien und Europa.** *Econ, Düsseldorf 1963, 335 S.*

Renowned for his directness, the author pursues the neglected theme of the dynamic relationship between East and West, his own theory on their alternating periods of aggressiveness by one and defence by other. He concludes that Russia, however reluctant, belongs to the Western camp.

Connu pour sa franchise, l'auteur reprend le thème souvent négligé de la relation dynamique entre l'Est et l'Ouest, et sa propre théorie selon laquelle chacun passe par des phases alternativement agressive et défensive. Il conclut que la Russie appartient bon gré mal gré au camp occidental.

PINTO, Roger: **Les organisations européennes**

Payot, Paris 1963, 443 p.

L'auteur classe les organisations européennes d'après leur appartenance à l'une des trois Europes: L'Europe de l'Occident, l'Europe soviétique, et l'Europe des Nations Unies, et les étudie à la fois sur les plans juridique et institutionnel.

The author classifies the European organizations according to the Europe to which they belong: Western Europe, Soviet-Europe, or the Europe of the United Nations, and studies them both on the juridical and institutional level.

POINTET, Pierre: **La Convenzione Europea sull'Arbitrato Commerciale Internazionale**

A. Giuffrè, Milano 1962, 48 p.

Analisi e commento della Convenzione Europea sull'arbitraggio commerciale internazionale del 21 Aprile 1961, il cui testo è riportato in appendice.

Analyse et commentaire de la Convention Européenne sur l'arbitrage commercial international du 21 avril 1961 dont le texte est reproduit en annexe.

Analysis and explanation of the European Convention of April 21, 1961, on international trade arbitration. Full text in appendix.

La position de certains pays européens autres que les six en cas d'adhésion du Royaume-Uni à la Communauté Economique Européenne

Publié par le Conseil de l'Europe, Strasbourg, Nov. 1961, 67 p.

Elaborée pendant les négociations de Bruxelles de 1961, cette étude a pour but d'analyser les problèmes que l'adhésion du Royaume-Uni à la CEE poserait aux pays membres de l'AELE, aux autres pays membres du Conseil de l'Europe, et aux autres pays membres de l'OECE.

Elaborated during the Brussels negotiations of 1961, this study analyses the problems that the entry of the United Kingdom into the EEC would pose to the member-countries of EFTA, to other countries, members of the Council of Europe, and to other member-countries of the OEEC.

PRAT BALLESTER, Jorge: **La lucha por Europa**

Luis Miracle, Barcelona 1952, 303 p.

Uno de los primeros libros españoles que hayan tratado de los problemas de la unión europea así como de sus perspectivas, observándolas desde el punto de vista español.

Un des premiers livres espagnols traitant du problème de l'unification de l'Europe. Les perspectives de l'union sont présentées du point de vue espagnol.

One of the first Spanish books to deal with the problems and prospects of European union, presented from a Spanish point of view.

Die Presse im Dienste der Einheit Europas

Verlag für Jugend und Volk, Wien 1958, 123 S., ill.

In den auf der Tagung der europäischen Presse in Wien im Jahre 1958 gehaltenen Vorträgen bemühen sich Wissenschaftler und Journalisten um eine Klärung der Frage, welche Aufgaben dem Presse- und Zeitungswesen heute zufallen, da auch auf diesen Gebieten ein Beitrag zur Einigung Europas geleistet werden kann und muss.

Dans les conférences prononcées pendant la session de la Presse Européenne à Vienne en 1958, des hommes de science et des journalistes tentent de préciser quels sont les devoirs qui incombent à la Presse à l'heure actuelle et quelle peut être sa contribution à l'union de l'Europe.

In the lectures delivered during the European Press Session at Vienna in 1958, scientists and journalists attempt to define the task of the Press at the present time, and to determine how the Press can contribute to the unification of Europe.

PRIEUR, Raymond: **La Communauté Européenne du Charbon et de l'Acier — Activité et évolution**

Editions Montchrestien, Paris 1962, 496 p.

Ouvrage consacré à l'organisation de la CECA et à ses activités. Essentiellement juridique, il contient de nombreuses références et citations des arrêts de la Cour faisant jurisprudence. On peut regretter son manque d'ouverture sur la science politique.

Solely concerned with the organization and work of the ECSC. Of juridical character, the book contains many references and quotations of Court decisions which have created precedents. Lacks views on political science.

Probleme der Einigung Europas

Hermes Verlag, Düsseldorf 1958, 221 S.

Sammlung von Vorträgen, die 1957 anlässlich einer "europäischen Woche" im Europa-Kolleg, Hamburg gehalten wurden. Professoren und Persönlichkeiten des öffentlichen Lebens analysieren gewisse Aspekte der europäischen Integration vom rechtlichen, politischen und institutionellen Standpunkt.

Recueil de conférences prononcées au Collège d'Europe à Hambourg à l'occasion d'une "semaine européenne" en 1957. Plusieurs professeurs et hautes personnalités analysent quelques aspects de l'intégration européenne sous l'angle juridique, politique et institutionnel.

Collection of lectures given at the College of Europe at Hamburg during the "Europe Week" in 1957. Several professors and other eminent men examine some aspects of European integration from legal, political and institutional points of view.

La protection des travailleurs en cas de perte de l'emploi

Dalloz et Sirey, Paris 1961, 489 p.
Deutsche Ausgabe: **Der Schutz der Arbeitnehmer bei Verlust des Arbeitsplatzes.** *A. Lutzeyer, Baden-Baden, 1961, 530 S. — Edizione italiana:* **La tutela dei lavoratori contro la disoccupazione.** *A. Giuffrè, Milano 1961, 600 p. — Nederlandse uitgave:* **De Bescherming van de Werknemers in geval van Werkloosheid.** *Stenfert Kroese, Leiden 1961, 462 S.*

Etude comparative portant sur le droit des Six (définition du chômage, différents systèmes d'assurance-chômage et d'aide aux chômeurs, placement des salariés, etc.) précédée d'un important rapport de synthèse par le Prof. L. Mengoni, de l'Université de Milan. Fait partie de la série "Droit du Travail dans la Communauté" patronnée par la Haute Autorité de la CECA.

A comparative study on the law of the Six (definition of unemployment; systems of unemployment insurance and relief; the placing of wage earners, etc.) is preceded by an important report by Professor L. Mengoni of Milan University. This book belongs to the series "Labour Legislation in the Community" published under the auspices of the High Authority of the European Coal and Steel Community.

Auf den bedeutenden Bericht von Professor L. Mengoni (Universität Mailand) folgt eine vergleichende Studie über das Recht der sechs EWG-Staaten (Definition der Arbeitslosigkeit, verschiedene Systeme der Arbeitslosenunterstützung, Anstellung der Lohnempfänger etc.). Ein Buch aus der Serie "Das Arbeitsrecht in der Gemeinschaft", welche im Auftrage der Hohen Behörde der EGKS veröffentlicht wurde.

La protection internationale des Droits de l'Homme dans le cadre européen (publ. par la Faculté de Droit et des Sciences Politiques et Economiques de Strasbourg, Direction des Droits de l'Homme du Conseil de l'Europe)

Dalloz, Paris 1961, 430 p.

Rapports de MM. Mouskhély, Héraud, Eustathiades, Süsterhenn et Modinos. Ouvrage essentiellement juridique, avec une analyse du problème théorique, puis de sa portée et de ses limites pratiques. Nombreuses communications complémentaires situant la Convention par rapport à différentes branches du Droit.

Reports by Messrs. Mouskhély, Héraud, Eustathiades, Süsterhenn and Modinos on the protection of Human Rights. An essentially legal work, with an analysis of the theoretical problem, and then a study of its scope and practical limits. Several complementary studies assigning a place to the Convention in relation to various branches of Law.

PRYCE, Roy: **The political future of the European Community**

John Marshbank, London 1962, 107 p.

A survey of the achievements of the Common Market up to 1962, its methods of operation and problems confronting the Community. The author has attempted to determine the general implications of British entry into the Common Market.

Les succès du Marché Commun jusqu'en 1962, ses méthodes et les problèmes qu'il affronte. L'auteur a tenté de préciser les suites probables de l'entrée de la Grande-Bretagne dans le Marché Commun.

QUARONI, Pietro: **Die Stunde Europas**

Heinrich Scheffler, Frankfurt, 2. Aufl. 1959, 108 S.

Kurze Betrachtungen eines italienischen Diplomaten zu zahlreichen aktuellen politischen Problemen, welche die Ost-West Beziehungen und — besonders eindringlich — die europäische Integration betreffen.

Considérations d'un diplomate italien sur de nombreuses questions de politique actuelle concernant les relations Est-Ouest, et surtout l'intégration européenne.

Short dissertations by an Italian diplomat on various political problems of to-day, concerning East-West relations and, in particular, European integration.

RACINE, Raymond: **Vers une Europe nouvelle par le Plan Schuman**

La Baconnière, Neuchâtel 1954, 242 p.

Cet ouvrage publié en 1954 retrace de manière très précise la genèse du plan Schuman qui allait conduire à la CECA.

This work, published in 1954, retraces in a very exact manner the birth of the Schuman plan which was to lead to the ECSC.

RAESTAD, Arnold: **Europe and the Atlantic World**

H. Aschehoug & Co., Oslo 1958, 114 p.

A philosophical essay by a venerated Norwegian patriot, written in 1942 and published posthumously in 1958, on the need for democracies, non-aggressive by nature, to form an Atlantic Community with the participation of the USA, and on the special role of the smaller powers, in view of their mutual protection, and cultural, spiritual and economic progress.

Essai philosophique dû à un grand patriote norvégien, écrit en 1942 et publié après sa mort en 1958, sur la nécessité pour les démocraties — non-agressives par nature — de former une Communauté Atlantique avec la participation des Etats-Unis, et sur le rôle particulier des petites puissances, leur protection réciproque et leurs progrès culturel, spirituel et économique.

RAJANI, Giorgio: **La disciplina normativa della Comunità Economica Europea in materia sociale**

A. Giuffrè, Milano 1963, 170 p.

Dopo aver esaminato la Comunità Economica Europea comme ordinamento giuridico, l'Autore espone i principi generali che ispirano l'azione della Comunità in materia sociale e dà poi una classificazione delle materie sociali e delle relative disposizioni comunitarie.

Après avoir examiné les objectifs, la nature, les sources et les instruments juridiques de la CEE, l'auteur analyse les principes directeurs de l'action de la Communauté en matière sociale, et les dispositions relatives à chaque secteur particulier.

Having studied the aims, the sources and the legal instruments of the EEC, the writer analyses the principles inspiring the Community's actions in social matters as well as the provisions concerning each particular sector.

RAPPARD, William: **La Suisse et l'Organisation de l'Europe**

La Baconnière, Neuchâtel 1950, 81 p.

Partant d'un aperçu critique des projets d'organisation européenne en 1950, l'auteur présente au citoyen suisse les alternatives qui s'offrent à son pays, et propose une politique conforme à la tradition helvétique.

Describes the projects of European organization in 1950 and then goes on to inform the Swiss of the alternatives open to his country. Proposes a policy in conformity with Helvetic traditions.

La recherche sociale et l'industrie en Europe, problèmes et perspectives

Publ. par l'OECE, Paris 1960, 100 p.
English edition: **Social Research and Industry in Europe, Problems and Perspectives.** *96 p.*

Cette étude s'attache d'abord à définir la contribution de la psychologie et de la sociologie à l'industrie et, ensuite, à cerner les principales difficultés que rencontre dans ce domaine social la recherche. Enfin, sous forme de "Rapports nationaux", sept pays fournissent une contribution appréciable.

Defines the contribution of psychology and sociology to industry, then points out the main difficulties encountered by social research in this field. Seven countries by their "National Reports" present valuable contributions.

REEPINGEN, Charles Van — ORIANNE, Paul: **La procédure devant la Cour de Justice des Communautés Européennes**

Ferdinand Larcier, Bruxelles/Dalloz, Paris 1961, 181 p.

Ouvrage destiné aux praticiens. Comprend un commentaire des règles de procédure, avec renvois à certaines législations nationales. Complété par les textes des règlements intéressant la Cour. Bibliographie détaillée.

Intended for practising lawyers. Includes a commentary on the rules of procedure, referring back to certain national legislations. Completed by texts of rules relative to the Court. Detailed bibliography.

Regional Development in the European Economic Community (publ. by Political and Economic Planning)

G. Allen & Unwin, London 1962, 95 p.

Beginning with an analysis of the basic principles behind regional policies in general, followed by a discussion of two less developed regions, i.e. Southern Italy and South West France, an account is given finally of the EEC's methods.

Analyse des principes de base des politiques régionales, suivie d'une discussion sur deux régions moins développées, le Sud de l'Italie et le Sud-Ouest de la France; enfin description des méthodes de la CEE.

REIF, Hans: **Europäische Integration**

Westdeutscher Verlag, Köln/Opladen 1962, 228 S.

Eine genau belegte Darstellung des Aufbaus und der Bedeutung der europäischen Organisationen mit einer reichen Auswahl von Dokumenten des europäischen Zusammenschlusses zum Studium der Integrationsprobleme.

Exposé très bien documenté sur la construction et la signification des organisations européennes. Grand choix de documents utiles pour l'étude des problèmes d'intégration.

Well documented report on the construction and significance of European organizations. Wide choice of documents on European union for the study of the problems of integration.

REMME, Irmgard: **Paul-Henri Spaak**

Colloquium-Verlag, Berlin 1957, 96 S.

Eine kurze Darstellung des Lebens und Wirkens des belgischen Staatsmannes, der sich mit besonderer Tatkraft für die Idee eines vereinigten Europas eingesetzt hat.

Courte présentation de la vie et de l'action de l'homme d'Etat belge qui s'est voué avec une énergie exceptionnelle à la cause d'une Europe unie.

Short description of the life and work of this Belgian statesman who has devoted himself with extraordinary energy to the idea of a united Europe.

RENCKI, Georges: **L'Assemblée consultative du Conseil de l'Europe — Essai de définition de sa nature juridique**

Union Fédéraliste Inter-Universitaire, Paris 1956, 124 p.

Analyse de l'organisation de l'Assemblée et de ses pouvoirs, avec la conclusion que le Conseil de l'Europe demeure essentiellement une institution interétatique où le Conseil des Ministres occupe une place prépondérante. L'ouvrage ne porte que sur les années de 1949 à 1952.

Analysis of the organization of the Consultative Assembly of the Council of Europe and of its powers, with the conclusion that the Council of Europe remains essentially an inter-state institution in which the Council of Ministers occupies a predominant place. The work only deals with the years from 1949 to 1952.

RENTIER, J.: **L'activité du Conseil de l'Europe dans le domaine social**

A. Pedone, Paris 1954, 206 p.

Premier en date des ouvrages consacrés à la politique sociale du Conseil de l'Europe, ce livre brosse un vaste panorama de toutes les questions sociales (études, projets, actions) envisagées durant les quatre premières années de son existence (de 1949 à 1953). Imposante documentation jamais rassemblée auparavant.

The first of the works dedicated to the social policy of the Council of Europe. It sketches a wide picture of all the social questions (studies, projects, and activities) envisaged during the first four years (from 1949 to 1953) of its existence. Important documentation never before assembled.

REUTER, Paul: **La Communauté Européenne du Charbon et de l'Acier**

Librairie Générale de Droit et de Jurisprudence, Paris 1953, 320 p.

Ouvrage essentiel sur la CECA, écrit par le principal expert qui ait participé à la rédaction du Traité instituant cette Communauté. L'auteur examine dans une première partie les institutions de la CECA, et dans une seconde partie le régime du charbon et de l'acier.

An important work on the ECSC written by the principal expert who participated in the drafting of the treaty drawing up this Community. The author examines in the first part the institutions of the ECSC, and in the second part, the coal and steel industries.

REYNAUD, Paul: **S'unir ou périr**

Flammarion, Paris 1951, 300 p.

Commentaire des événements et des problèmes contemporains par un des principaux hommes politiques français de l'époque. Analyse des problèmes européens suivants: OECE, Conseil de l'Europe, plan Schuman, armée européenne, etc.. L'auteur préconise une Confédération de l'Europe occidentale analogue à l'ancienne Confédération germanique. D'intérêt historique.

A commentary on contemporary problems and events by a leading French politician of the time. European problems considered here are: the OEEC, the Council of Europe, the Schuman Plan, the European army, etc. The author suggests a Confederation of Western Europe on the lines of the old German Confederation. Of historical interest.

REYNOLDS, Robert L.: **Europe Emerges — Transition toward an Industrial World-Wide Society 600-1750**

The University of Wisconsin Press, Madison 1961, 529 p.

After a study in detail of mediaeval civilization the author traces the growth of European influence in the commercial expansion of the Renaissance, the growth of urban life, of banking and of trade patterns in individual nations.

Après avoir étudié en détail la civilisation médiévale, l'auteur suit l'évolution de l'influence européenne sur l'expansion commerciale de la Renaissance, et sur la croissance de la vie urbaine, du système bancaire et des systèmes d'échange dans les Etats individuels.

RICH, Arthur — DÖBELI, Arthur: **Integration Europas im Horizont der Kirche**

EVZ-Verlag, Zürich 1962, 52 S.

Die Bedeutung der europäischen Integration für die Kirche vom dogmatischen und praktischen Standpunkt.

Examen de la signification de l'intégration européenne pour l'Eglise, d'un point de vue dogmatique et pratique.

Examination of the significance of European integration for the Church, from the point of view of dogma and practice.

RIDEAU, Emile: **Euratom, Marché Commun et C.E.C.A.**

Editions Ouvrières, Paris 1957, 158 p.

Bilan des quatre premières années d'activité de la CECA et analyse des risques spirituels créés par ces nouvelles institutions européennes. L'auteur, un ecclésiastique, confronte ces problèmes avec les grands principes chrétiens. En partie dépassé par les événements.

A general survey of the first four working years of the ECSC and analysis of the risks posed by the new European institutions as Common Market and Euratom. The author, a churchman, opposes these problems to the spirit of the great Christian principles. In some parts out-dated.

RIERA CLAVILLÉ, Manuel: **Acción Europeista — Cultura, economía, política**

Barna, Barcelona 1963, 134 p.

Los fundamentos de la ideología del movimiento europeísta español y el camino a seguir que conduzca hacia la unidad europea, marcando las nuevas etapas en el proceso constituyente de Europa.

Les bases idéologiques du mouvement européen espagnol et le chemin à suivre pour arriver à l'union européenne, ainsi que les nouvelles étapes du processus d'édification de l'Europe.

The ideological principles of the Spanish Europeanist movement, the road which leads to European unity, and the new milestones in the construction of Europe.

RIERA CLAVILLÉ, Manuel: **Noticia de Europa**

Barna, Barcelona 1961, 126 p.

Recopilación de noticias sobre la empresa de la construcción política y económica de Europa situándolas en el contexto internacional y considerando Europa como una de las grandes integraciones supranacionales. Se dedica un capítulo a la base de concordia que el europeísmo aporta a España.

Recueil de notes sur l'édification de l'Europe économique et politique vue dans son contexte international; l'Europe est considérée ici comme une des grandes intégrations supra-nationales. Un chapitre est consacré à la réconciliation nationale que l'idée européenne apporte à l'Espagne.

Compilation of notes on the political and economic construction of Europe, in an international context, considering Europe as one of the great examples of supranational integration. One chapter is devoted to the national reconciliation which the European idea has suggested to Spain.

The Rights of the European Citizen (edited by the Directorate of Information of the Council of Europe)

Conseil de l'Europe, Strasbourg 1961, 87 p., ill.

Readable and informative for both laymen and young jurists on the development, essence, effect and machinery of the law of Human Rights. The appendix to this booklet includes the text of the European Convention for the Protection of Human Rights and Fundamental Freedoms.

Ouvrage facile à lire et riche en informations pour les profanes et pour les jeunes juristes sur l'évolution, la nature, les effets et le mécanisme des Droits de l'Homme. En appendice, texte de la Convention Européenne pour la Protection des Droits de l'Homme et des Libertés Fondamentales.

ROBERTSON, A. H.: **The Council of Europe — Its Structure, Functions and Achievements**

Stevens & Sons, London 1961, 288 p.

Edition française: **Le Conseil de l'Europe — sa structure, ses fonctions et ses réalisations.** *A. W. Sijthoff, Leiden 1962, 355 p.*

A comprehensive and well documented account on what the Council is and what it is trying to do. Describes the workings of the Consultative Assembly and the interaction between it and the traditional organ of intergovernmental co-operation, the Committee of foreign ministers.

Exposé détaillé et bien documenté des travaux et des objectifs du Conseil de l'Europe. Explique le fonctionnement de l'Assemblée consultative ainsi que de ses interactions avec l'organisme traditionnel de la coopération intergouvernementale: le Comité des ministres des affaires étrangères.

ROBERTSON, A. H.: **European Institutions — Co-operation, Integration, Unification**

Stevens & Sons, London 1959, 372 p.

A juridical study of post-war European organizations until 1959. Among the groups discussed are OEEC, the Council of Europe, EEC, and WEU, as well as more technical organizations like the European Civil Aviation Conference, the European Organization for Nuclear Research, or the smaller organizations like the Rhine Commission or the Balkan Pacts. Studies are made comparing intergovernmental and supranational powers, and the differing significance of European and Atlantic organizations.

Etude juridique des organisations européennes créées après la guerre, et de leur évolution jusqu'en 1959. L'OECE, le Conseil de l'Europe, la CEE et l'UEO, ainsi que les organisations plus spécialisées telles que la Conférence Européenne d'Aviation Civile et le Centre Européen pour la Recherche Nucléaire ou des organisations plus petites comme la Commission du Rhin ou les Pactes Balcaniques sont parmi les sujets traités; l'étude comprend aussi des recherches comparatives sur les pouvoirs intergouvernementaux et supranationaux et sur la différence entre les organisations européennes et atlantiques.

ROBERTSON, A. H.: **Human Rights in Europe**

Manchester University Press, Manchester, 1963, 280 p.

Account of the development and functioning of the European Convention on Human Rights, and of the major decisions of the European Commission of Human Rights and of the European Court. An indispensable text-book for students or a reference work for practicioners.

Manuel indispensable pour les étudiants et ouvrage de référence pour les professionnels. Expose le développement et le fonctionnement de la Convention Européenne des Droits de l'Homme et les principales décisions de la Commission Européenne des Droits de l'Homme et de la Cour Européenne.

ROBERTSON, A. H.: **The Law of International Institutions in Europe**

Manchester University Press, Manchester 1961, 140 p.

A study of new developments in international law resulting from the establishment of supranational European Communities in the 1950's. In five lectures, the author discusses the growth and expressions of the "European idea" in economic and political fields and particularly in that of Human Rights.

L'évolution du droit international à la suite de l'établissement des Communautés Européennes supranationales depuis 1950. Au cours de cinq conférences l'auteur discute la croissance et les expressions de l'"idée européenne" dans les domaines économiques et politiques et en particulier dans celui des Droits de l'Homme.

ROHAN, Karl Anton: **Heisse Eisen — Deutschland, Europa, der Westen**

Glock und Lutz, Nürnberg 1963, 304 S.

Die Beziehungen der europäischen Völker untereinander und zu den USA, der USA zur Sowjetunion und der Deutschen zu den Slawen sind die Hauptprobleme des Buches. Besondere Beachtung wird Deutschland und seiner Aufgabe in Europa geschenkt.

Les relations des peuples européens entre eux et avec les Etats-Unis, les relations russo-américaines et celles des Allemands avec les Slaves constituent les points principaux du livre. Une importance particulière est donnée à l'Allemagne et au rôle qu'elle doit jouer en Europe.

The relations of European peoples between themselves and with the USA, between the Soviet Union and the USA, and between the Germans and the Slavs, are the main points considered. Particular importance is given to Germany and the role she should play in Europe.

ROHN, Walter E.: **Europa organisiert sich**

Erich Schmidt, Berlin, 5. erg. Aufl. 1963, 128 S.

Allgemein verständliche, umfassende "politische Europakunde". Reiches graphisches Material in Zahlenbildern.

Guide de l'organisation politique et économique des pays membres de la Communauté Européenne. Riche documentation, avec graphiques.

A guide to the political and economic organization of the member countries of the EEC. Thorough and well documented; with graphs.

RUYSSEN, Théodore: **Les Sources Doctrinales de l'Internationalisme** 3 vol.

Presses Universitaires de France, Paris 1954/1958/1961, 504 p. / 648 p. / 596 p.

L'éminent professeur français prend la relève de Chr. Lange et prolonge son œuvre notamment en ce qui concerne les sources religieuses des doctrines pacifistes, dans l'Antiquité, au Moyen-Age, enfin au XIXe siècle. Plus synthétique que ter Meulen, bénéficiant des travaux récents que Lange n'a pu connaître, il est aussi le plus rigoureusement critique et le plus riche des trois en références bibliographiques, sinon en textes, car il préfère la paraphrase aux citations, et ne donne ces dernières qu'en français. Plus nettement que ses prédécesseurs, l'auteur défend et illustre un point de vue européen ou tout au moins occidental. Le problème central de son œuvre paraît bien être de répondre à la question: "Comment l'homme d'Occident a-t-il été amené à se faire le théoricien et le propagateur de l'idée de l'unification de l'humanité?"

This book by a French professor continues the work of Chr. Lange, particularly with regard to the religious sources of pacifist doctrines, to be found in Antiquity, in the Middle Ages, and in the 19th century. More synthetic than ter Meulen, and making use of recent works which Lange could not have known, the author is also the most critical and the most generous of the three with bibliographical references, if not with texts, as he prefers paraphrase to quotation; and when he quotes, he does so only in French. The author, more precisely than his predecessors, defends and illustrates a point of view which is European or at least Western. The central problem of his book apparently is to find an answer to the question "How has Western man come to be the theoretician and the propagator of the idea of the unification of humanity?"

SANSÓN-TERÁN, José: **Universalismo y regionalismo en la sociedad interestatal contemporánea**

Editorial Hispano Europea, Barcelona 1960, 297 p.

Análisis de los dos sistemas de seguridad que están en vigor, encuadrados en el marco del Capítulo VII de la Carta de San Francisco. El autor consacra cuatro capítulos al estudio de los acuerdos regionales inter-europeos.

Analyse des systèmes de sécurité actuellement en vigueur, tels qu'ils se présentent dans le cadre de l'art. VII de la Charte de San Francisco. L'auteur réserve quatre chapitres à l'étude des accords régionaux inter-européens.

Analysis of the existing systems of security within the limits defined by art. 7 of the San Francisco Charter. Four chapters are devoted to the study of inter-European regional agreements.

SCHAFFSTEIN, Friedrich: **La ciencia europea del derecho penal en la época del humanismo**

Instituto de Estudios Políticos, Madrid 1957, 185 p. (Original allemand introuvable)

El autor estudia la metodología y la sistemática de los criminalistas del siglo XVI, poniendo en relieve la significación que les corresponde en el nacimiento del actual Derecho penal. Obra destinada a los jurístas.

L'auteur étudie les méthodes et systèmes élaborés par les criminalistes du XVIe siècle pour ensuite mettre en relief leur influence sur les origines du Droit pénal actuel. Pour les juristes.

The author studies the methods and systems devised by the criminologists of the 16th century, in order to show the influence they had on the origins of present-day penal law. For lawyers.

SCHIERWATER, Hans-Viktor: **Parlament und Hohe Behörde der Montanunion**

Quelle & Meyer, Heidelberg 1961, 139 S.

Der Verfasser widmet seine besondere Aufmerksamkeit der Rolle der Staatszugehörigkeit und jener der politischen Gruppierungen in der gemeinsamen Versammlung. Dabei stützt er sich sowohl auf Dokumente wie auf persönliche Aussagen über die Atmosphäre der Sitzungen.

L'auteur porte une attention particulière au rôle de l'esprit national et à celui des groupes politiques au sein de l'Assemblée Commune de la CECA, en se basant sur des documents et sur des enquêtes directes.

The author's attention is focussed mainly on the role of nationality and affiliation to political groupings within the Common Assembly of the ECSC, using documents and the results of personal enquiry.

SCHMID—MARTINO—LAYTON: **Europa — Was wir sind, wo wir stehen, wohin wir gehen**

Flamberg, Zürich 1960, 130 S.

Aussagen drei kompetenter Politiker zur Entwicklung der europäischen Einigung. Die Stellung der Schweiz wird im hier veröffentlichten Memorandum der Europa-Union aus dem Jahre 1959 näher bestimmt.

Déclarations de trois hommes politiques compétents sur le développment de l'unification européenne. La position de la Suisse est précisée dans le mémorandum de l'Union Européenne, publié en 1959.

Lectures by three politicians, competent on the subject of the development of European unification. The position of Switzerland is stressed in this memorandum of the European Union, published in 1959.

SCHMITT, Hans A.: **The Path to European Union — From the Marshall Plan to the Common Market**

Louisiana State University Press, Baton Rouge 1962, 272 p.

The rapid growth of the European integration movement since the Marshall Plan and the abortive European Defence Community, the development of the ECSC, and the final success of the Common Market are steps towards the Western European Union of the future.

La croissance rapide du mouvement vers l'intégration européenne depuis le plan Marshall et l'échec de la Communauté Européenne de Défense. Le développement de la CECA et la réussite finale du Marché Commun sont des étapes vers l'union de l'Europe occidentale de demain.

SCHMITT, Walther E.: **Zwischenrufe von der Seine — Die Entwicklung der Europa-Politik und das deutsch-französische Verhältnis**

Kohlhammer, Stuttgart 1958, 207 S.

Eine kritische Betrachtung des wirtschaftlichen, politischen und militärischen Entstehens des Neuen Europas vor allem in der Sicht Frankreichs und Deutschlands als seinen "Urzellen", mit der Empfehlung, bei der erhofften Integration die nationalen Verschiedenheiten nicht einzu-ebnen.

Examen critique de la formation économique, politique et militaire de la Nouvelle Europe, principalement des points de vue de la France et de l'Allemagne, "noyaux originels". L'auteur souhaite que dans cette intégration désirable les particularismes nationaux ne soient pas nivelés.

A critical analysis of the economic, political and military formation of New Europe, mainly from the point of view of its original "nuclei", France and Germany. The author hopes that national dissimilarities will not be effaced during this desirable integration.

SCHÖNKE, Adolf: **Die Schiedsgerichtsbarkeit in Zivil- und Handelssachen in Europa** (unveränd. fotomech. Nachdruck der 1944 erschienenen ersten Auflage) 3 Bde.

Carl Heymanns, Köln 1944-1948-1956, 507-312-201 S.

Dieses Standardwerk — entstanden unter der Mitwirkung zahlreicher Juristen — enthält eingehende Darstellungen sowohl der zwischenstaatlichen Institutionen zur schiedsrichterlichen Erledigung von Zivilrechts-Streitigkeiten, als auch der Schiedsgerichtssysteme der europäischen Länder. Eine reiche Quelle für Studium und Forschung. In einem dritten Band sind vergleichsweise auch einige südamerikanische Staaten eingeführt.

Cette œuvre fondamentale parue avec la collaboration de nombreux juristes, contient des descriptions détaillées des institutions interétatiques d'arbitrage pour les conflits de droit civil, ainsi que des systèmes de tribunaux d'arbitrage des pays européens. Source importante pour les études et les recherches. Dans un troisième tome, on présente, à titre comparatif, les institutions de quelques Etats sud-américains.

This fundamental work edited with the collaboration of numerous jurists, contains detailed descriptions of the interstate institutions of arbitration, for litigations of civil law, as well as of the systems of the courts of arbitration in European countries. An important source for study and research. In a third volume, a comparative presentation of the institutions of some South-American States.

SCHREGLE, Johannes: **Europäische Sozialpolitik — Erfolge und Möglichkeiten**

Bund-Verlag, Köln-Deutz 1954, 107 S.

Eine summarische Darstellung des europäischen internationalen Arbeits- und Sozialversicherungsrechtes acht Jahre nach dem Krieg. Das Buch hat heute noch entwicklungsgeschichtliches Interesse.

Exposé sommaire du droit international européen du travail et des assurances sociales, huit ans après la guerre. Ce livre garde un intérêt historique.

A brief review of International European Law on work and social security, eight years after the war. To-day the book is of historical interest.

SCHULZE, Erich: **Europarat und Urheberrecht**

Franz Vahlen, Berlin 1960, 54 S.

Kritische Untersuchung des Europarat-Abkommens über den Austausch von Fernsehprogrammen sowie der Kompetenz des Europarates in Urheberrechtsfragen. Der Autor fordert eine Neuregelung des internationalen Filmrechts. Ausführliche Dokumentation. Für den Spezialisten.

Etude critique de l'Accord du Conseil de l'Europe sur l'échange de programmes de télévision, ainsi que sur la compétence du Conseil dans les questions de droit d'auteur. L'auteur réclame une nouvelle réglementation du droit international du film. Documentation complète. Ouvrage pour spécialistes.

Critical study of the Agreement of the Council of Europe on the exchange of television programmes, and on the competence of this body in the question of authors' rights. The author demands a new ruling on international film rights. Full documentation. For specialists.

SCHUMAN, Robert: **Pour l'Europe**

Nagel, Genève/Paris 1963, 209 p., ill.
Deutsche Ausgabe: **Für Europa.** *Nagel Verlag, Hamburg 1963, 234 S., ill.*

La construction de l'Europe racontée par un de ses fondateurs. L'auteur n'écrit pas ses mémoires, mais développe les idées essentielles qui ont guidé ses efforts et son action politique en faveur de l'Europe unie. Ouvrage essentiel pour l'étude des problèmes européens actuels.

The construction of Europe described by one of its originators. The author does not write his memoirs, but explains the essential ideas which have guided his political life in the cause of a united Europe. An essential work for the study of the European problems of today.

Die Schweiz vor der Frage der Assoziation mit der EWG

Polygraphischer Verlag, Zürich/St. Gallen 1962, 233 S.

Mitarbeiter des Schweizerischen Instituts für Aussenwirtschafts- und Markforschung an der Handels-Hochschule St. Gallen analysieren die wichtigsten Kapitel des Römischen Vertrages im Hinblick auf eine Assoziation der Schweiz mit der EWG. Von allgemeinem, politischem und wirtschaftlichem Interesse.

L'Institut suisse pour l'Etude des Relations économiques internationales et des Marchés de St. Gall analyse les chapitres du Traité de Rome qui sont les plus importants pour une association de la Suisse au Marché Commun. D'un intérêt politique et économique.

Members of the Institute for International Economic and Market Research at the Swiss School of Economics and Public Administration, St. Gallen, analyse the important chapters of the Treaty of Rome from the point of view of an association of Switzerland with the Common Market. Of general, economic and political interest.

SEGNI, Antonio: **Le autonomie locali nel quadro dell'integrazione europea; la distribuzione des potere nell'ordinamento democratico**

Giovane Europa, Roma 1958, 22 p.

La necessità del decentramente regionale in Italia è vista ed esaminata anche in rapporto alle istituzioni europee, considerate dall'autore come premessa ad un'associazione politica dei pacsi della Comunità Europea.

La nécessité de la décentralisation régionale en Italie est examinée en rapport avec les institutions européennes, que l'auteur voit comme le point de départ d'une association politique entre les pays de la CEE.

The need for regional decentralization in Italy is studied in relation to the European institutions, considered by the author as the first step toward a political association of the EEC countries.

SEGNI, Antonio: **Europa, oggi e domani**

Giovane Europa, Roma 1962, 46 p.

Rapporto commemorativo al quinto anniversario dei trattati di Roma: la realizzazione del MEC vi è vista non solo sotto il profilo economico, ma come premessa ad uno sviluppo del processo di unificazione su terreno politico.

Rapport commémoratif du cinquième anniversaire des Traités de Rome: Le Marché Commun n'est pas seulement un instrument d'intégration économique, mais le premier pas vers une intégration politique.

The commemorative report of the fifth aniversary of the Treaty of Rome. The Common Market is not only an instrument of economic integration but the first step towards political integration.

SENNHOLZ, Hans F.: **How can Europe Survive?**

van Nostrand, New York 1955, 335 p.

After posing the conditions for a valid ideology, the author procedes to examine the doctrines, plans and institutions necessary for its promotion. In the conclusion he describes an ideal world based on peaceful co-operation.

Après avoir posé les conditions nécessaires à une idéologie valable, l'auteur examine les doctrines, plans et institutions que requiert son développement. En conclusion, il décrit un monde idéal basé sur la coopération pacifique.

SERRARENS, P. J. S.: **Un témoignage sur la Communauté Européenne**

Centre de recherches européennes, Lausanne 1961, 30 p.

L'auteur est un ancien juge à la Cour de Justice de la CECA. Selon lui, l'ONU n'a pas répondu aux espoirs de ceux qui défendent un ordre international basé sur le droit. Vu que l'instauration de la fraternité mondiale passe par l'organisation de l'Europe, les Six ont prévu la juridiction obligatoire inconditionnelle, qui peut servir d'exemple à un ordre juridique international.

The author was formerly a judge at the Court of Justice of the ECSC. According to him, the UNO has not fulfilled the hopes of the partisans of an international order, founded on law. Because setting up a world brotherhood must be preceded by the organization of Europe, the Six have provided for a compulsory and unconditional jurisdiction, which could serve as a model for an international legal system.

Sessioni di studio sui problemi del Mercato Comune — Il Mercato Comune e la circolazione delle persone

Ed. del Levante, Bari 1957, 231, 147 p.

Vi sono esaminati tutti i problemi che hanno relazione con la circolazione delle persone: dai fenomeni della migrazione interna, alla circolazione delle forze di lavoro e alla loro assistenza.

Examen des problèmes relatifs à la circulation des personnes à l'intérieur de la CEE: phénomènes de migrations internes, déplacements de la main d'œuvre et assistance.

Examines all problems of the mobility of persons within the EEC, from the phenomena of internal migrations to the movement and relief of the labour force.

SETON-WATSON, Hugh: **The East European Revolution**

Methuen & Co., London, 3rd ed. 1961, 435 p.

A definitive study of Soviet domination in Eastern Europe since World War II analysing its economic and political effects in a region whose culture was closely linked to that of the West. Particular attention is given to the Soviet seizure of power, to the industrial drive and political transformation of the dependent nations. Implications of this "imposed revolution", for the Communist World and for the West, are also discussed.

Etude de la domination soviétique en Europe orientale depuis la seconde guerre mondiale, analysant ses effets économiques et politiques dans une région du monde dont la culture était étroitement liée à celle de l'Occident. Une attention particulière est portée à la prise de pouvoir soviétique, l'essor industriel et la transformation politique des Etats dépendants. On y discute aussi les suites de cette révolution imposée — pour le monde communiste et pour l'Occident.

SHANKS, Michael — LAMBERT, John: **Britain and the New Europe — The Future of the Common Market**

Chatto & Windus, London 1962, 253 p.

Traces in the first part the history of Anglo European relations since the war and then presents a detailed description of the EEC and other European institutions and their influence. Finally the authors attempt an analysis of Britain's part in future developments, firmly advocating rapid union with the continent.

Une première partie retrace l'histoire des relations anglo-européennes depuis la guerre et présente une description détaillée de la CEE et d'autres institutions européennes ainsi que de leur influence. Puis les auteurs analysent la contribution de la Grande-Bretagne à l'évolution future et recommandent son union rapide avec le Continent.

SIDJANSKI, Dusan: **Aspects matériels des Communautés européennes**

Librairie Générale de Droit et de Jurisprudence, Paris 1961, 45 p.

La supranationalité n'est pas seulement le fait de facteurs institutionnels, mais la "résultante des forces politiques, économiques et sociales qui agissent dans le cadre communautaire". L'étude dégage, en particulier, le contenu économique de la supranationalité, qui constitue le support fondamental des Communautés européennes.

Supranationality does not only imply institutional factors, but is the "outcome of political, economic and social forces acting in the framework of the Community". The study particularly shows the economic substance of supranationality, which constitutes the basic support for the European Communities.

SIDJANSKI, Dusan: **Dimensions européennes de la science politique**

Librairie Générale de Droit et de Jurisprudence, Paris 1963, 187 p.

En examinant les possibilités d'adapter les méthodes de la science politique à l'intégration européenne, l'auteur propose des définitions de quatre termes fondamentaux: Communauté, Marché Commun, intégration et supranationalité. Puis il passe en revue les méthodes des professeurs Deutsch et Haas pour ensuite examiner les diverses pistes de recherches. En conclusion une esquisse d'une théorie du processus de l'intégration.

Study of the possibilities of adapting the methods of political science to European integration. The author puts forward definitions of four fundamental terms: Community, Common Market, Integration and Supranationality. Before examining the different fields of research, he reviews the methods of the Profs. Deutsch and Haas. In conclusion, an outline of a theory of the process of integration.

SIEGLER, Heinrich von: **Kennedy oder de Gaulle? — Probleme der Atlantik- und Europapolitik**

Siegler & Co., Bonn/Wien/Zürich 1963, 161 S.

Gestützt auf eine reiche Auswahl von Dokumenten über die wichtigsten Entscheidungen, Pressekonferenzen und Kommentare, werden die Gegensätze innerhalb der westlichen Allianz dargelegt.

Sur la base des décisions, conférences de presse et commentaires les plus importants, on présente les oppositions au sein de l'alliance occidentale.

Opposition within the Western alliance is described on the basis of the most important decisions, press conferences and commentaries.

SIERRA NAVA, José Maria: **El Consejo de Europa**

Instituto de Estudios Políticos, Madrid 1957, 335 p.

Tras una amplia reseña histórica, se analiza la estructura del Consejo de Europa en la primera parte del libro, mientras que en la segunda se estudian sus actividades, con especial atención a su aspecto político.

Dans la première partie du livre, une étude historique de la structure du Conseil de l'Europe. Dans la deuxième, ses activités sont examinées en prenant spécialement en considération son aspect politique

By means of a comprehensive historical review the author studies the structure of the Council of Europe in the first part of the book, while in the second he examines its work, with emphasis on the political aspect.

SILLETTI, Duilio: **La libera circolazione della manodopera fra gli stati membri della Comunità Economica Europea**

A. Giuffrè, Milano 1962, 158 p.

Esame dei precedenti storici delle lettera degli accordi della CEE riguardanti la libera circolazione della mano d'opera, con un'analisi dettagliata della natura e dei poteri degli organi della comunità circa questo problema.

Examen des précédents historiques et de la lettre des actes de la CEE qui concernent la libre circulation de la main d'œuvre. Analyse juridique détaillée de la nature et des pouvoirs des organes de la Communauté.

A study of the historical precedents and the details of the acts of the EEC concerning the free movement of labour. A detailed legal analysis of the nature and powers of the various organs of the Community.

SOCINI, Robert: **Rapports et conflits entre organisations européennes**

A. W. Sijthoff, Leiden 1960, 168 p.

Un professeur de droit international définit les organisations existantes et projetées en Europe occidentale, et montre une solution aux problèmes de coordination de leurs activités.

A professor of international law enumerates and gives a general definition of the existing and future organizations in Western Europe; in conclusion he shows a solution to the problem of co-ordinating their work.

La solidarité européenne à l'épreuve

Centre Européen de Documentation et d'Information, Madrid 1960, 262 p.

Compte-rendu de la VIIIème réunion internationale du C.E.D.I. à L'Escurial, 28-30 septembre 1959. Un chapitre entier est consacré au problème allemand, un autre s'occupe des changements s'opérant dans l'Europe en voie d'intégration, et des difficultés qu'ils font naître. Pour terminer, l'analyse porte sur les effets sociaux de ces transformations.

Report of the 8th International Meeting of the European Centre of Documentation and Information (C.E.D.I.) at the Escorial, from September 28 to 30, 1959. A whole chapter is devoted to the problem of Germany, while in another, the changes and difficulties arising in Europe as a result of integration are considered. Finally, the analysis deals with the social effects of these changes.

Les sources du droit du travail (éd. pour la C.E.C.A. et la Haute Autorité)

Dalloz et Sirey, Paris 1962, 192 p.

Deutsche Ausgabe: **Die Quellen des Arbeitsrechts.** *A. Lutzeyer, Baden-Baden 1962, 199 S. — Edizione italiana:* **Le fonti del diritto de lavoro.** *A. Giuffrè, Milano 1962, 204 p. — Nederlandse uitgave:* **De bronnen van het arbeidsrecht.** *Stenfert Kroese, Leiden 1962, 187 p.*

Etude comparative des sources du droit du travail chez les Six, précédée d'un rapport de synthèse de M. A. Kayser, président de l'Office des Assurances sociales du Luxembourg. Premier ouvrage faisant partie de la série "Droit du Travail dans la Communauté" publiée sous le patronage de la Haute Autorité de la CECA. Ouvrage essentiellement juridique.

Comparative study of the sources of labour legislation in the countries of the Six, preceded by a report by Mr. A. Kayser, President of the Social Insurance Office in Luxemburg. The first book of the series "Labour Legislation in the Community" published under the auspices of the High Authority of the European Coal and Steel Community. An essentially legal work.

Auf einen Bericht von A. Kayser, Präsident des Sozialversicherungsamtes in Luxemburg, folgt eine vergleichende Studie der Quellen des Arbeitsrechts. Erster Band der Serie "Das Arbeitsrecht in der Gemeinschaft", welche unter den Auspizien der Hohen Behörde der EGKS veröffentlicht wurde. Ein zum Grossteil juristisches Hohen Behörde der EGKS veröffentlicht wurde. Ein vornehmlich juristisches Werk.

Soziale Sicherung im Europa von morgen durch Sozial- und Privatversicherung

Erich Schmidt, Bielefeld 1960, 190 S.

Beiträge namhafter europäischer Versicherungsfachleute. Behandelt werden hauptsächlich Fragen der sozialen Sicherung im Rahmen der EWG und das Zusammenwirken der nationalen Renten-, Privat-, Sach- und Haftpflichtversicherungen. Für Spezialisten.

Travaux d'éminents spécialistes européens en matière d'assurances. Questions relatives aux assurances sociales dans le cadre de la CEE. Analyse des effets conjugués des assurances nationales: assurances viagères, privées, responsabilité civile. Pour spécialistes.

Contributions of eminent European insurance specialists. They discuss questions on social insurance in the framework of the EEC, and the interconnecting effects of national insurances: annuities, private and property insurance, civil liability. For specialists.

Die Soziallasten in den Mitgliedstaaten der Europäischen Wirtschaftsgemeinschaft (hrsg. von F. W. Schlenkhoff)

Verlag Neue Wirtschaftsbriefe, Herne 1963, 52 S.
Edition française parue chez "Société Juridique et Fiscale de France", Paris.

Übersichtliche Tabellen über die noch zu überwindenden Schwierigkeiten bei der Angleichung der Arbeitsbedingungen in den EWG-Staaten.

Tableaux et informations sur les difficultés qui restent à surmonter pour égaliser les conditions de travail dans les pays du Marché Commun.

Tabulated material concerning the difficulties which must be overcome if the working conditions in the countries of the Common Market are to be brought to the same level.

SPERLING, Dietrich: **Der parlamentarische Charakter europäischer Versammlungen**

A. W. Sijthoff, Leiden 1961, 79 S.

Die Studie behandelt sowohl die juristischen Grundlagen wie auch die politische Entwicklung der europäischen Parlamente und ihrer Wirtschafts- und Sozialausschüsse.

Traite à la fois les fondements juridiques et les développements politiques des Parlements en Europe et de leurs commissions économiques et sociales.

Deals with the legal foundations and political developments of the European Parliaments and their economic and social commissions.

Die Stabilität des Arbeitsverhältnisses nach dem Recht der Mitgliedstaaten der EGKS (hrsg. Hohe Behörde der EGKS, Luxemburg)

Carl Heymanns, Köln 1958, 327 S.
Edition française: **La stabilité de l'emploi dans le droit des pays membres de la C.E.C.A.,** *312 p. (également en italien et néerlandais)*

Diese rechtsvergleichende Gemeinschaftsarbeit untersucht in sechs Ländern die gesetzlichen und tarifvertraglichen Bestimmungen, welche den Arbeitnehmern die Stabilität des Arbeitsverhältnisses sichern. Zeigt insbesondere, unter welchen Umständen die Gründe für die Beendigung des Arbeitsverhältnisses wegfallen, inwiefern das Kündigungsrecht des Arbeitgebers beschränkt ist, und welche Entschädigungen die verschiedenen Gesetze für den Verlust des Arbeitsplatzes vorsehen.

Ce travail collectif de droit comparé examine les dispositions légales et tarifaires de six pays, qui assurent aux ouvriers la stabilité des conditions de travail. Examine en particulier dans quelles circonstances les raisons de cesser les relations de travail ne sont pas valables, dans quelle mesure les droits de l'employeur sont restreints, et quels sont les indemnisations prévues dans les différents pays pour la perte d'emploi.

This joint study in comparative law examines the legal and tariff provisions, in six countries, for ensuring the stability of working conditions. Examines in particular under what conditions the reasons for ending working relations become invalid, to what extent the right of employers to dismiss workers is limited, and what compensation is provided in the various countries for loss of employment.

STAUFFER, Paul: **Die Idee des europäischen Gleichgewichts im politischen Denken Johannes von Müllers**

Helbing & Lichtenhahn, Basel 1960, 78 S.

Der Verfasser präzisiert den Begriff der "Balance von Europa" als der Forderung nach einer möglichst ausgewogenen Verteilung der politischen Macht, die die Entfaltung kulturellen Lebens garantieren soll.

Précise la notion de "l'équilibre européen": c'est l'exigence d'une répartition du pouvoir politique; cet équilibre serait la garantie d'un épanouissement culturel.

The author specifies the notion of the "European balance" as the demand for a repartition of political power. This balance would be the guarantee of cultural development.

STRANNER, Henri: **Neutralité suisse et solidarité européenne**

Payot, Lausanne 1960, 295 p.

Commençant par un aperçu des réalisations européennes jusqu'en 1959 et une discussion des principaux problèmes politiques et économiques de l'intégration européene, l'auteur examine, dans la partie consacrée à la Suisse, la position officielle et les réactions de l'opinion publique à l'égard de ces réalisations. Très riche bibliographie.

Beginning with a sketch of the achievements in Europe up to 1959 and a discussion of the main political and economic problems of European integration, the author examines, in the part on Switzerland, the official position and the reactions of public opinion with regard to these achievements. Detailed bibliography.

STRAUB, E.: **Die Kleinen vor der wirtschaftlichen Integration Europas**

Arbeitsgemeinschaft der Inlandindustrie, Zürich 1961, 76 S.

Eine Analyse der wirtschaftlichen, politischen und gesellschaftlichen Probleme, die den kleineren Staaten aus der westeuropäischen Integration erwachsen. Die für den Wirtschaftler oder Politiker nützliche Untersuchung berücksichtigt in erster Linie die Probleme der Schweiz.

Analyse des problèmes économiques, politiques et sociaux que pose aux petits Etats l'intégration de l'Europe. Etude utile à l'économiste et à l'homme politique, tenant particulièrement compte des problèmes de la Suisse.

Analysis of the economic, political and social problems posed for smaller States by West European integration. Useful study for politicians or economists, mainly concerned with the problems of Switzerland.

SÜSTERHENN, Adolf: **Der supranationale Schutz der Menschenrechte in Europa** (hrsg. vom Forschungsinstitut für Politische Wissenschaft der Universität Köln)

Athenäum, Frankfurt 1962, 40 S.

Eine staatsbürgerliche Schrift über die europäische Konvention zum Schutz der Menschenrechte und Grundfreiheiten, über die Tätigkeit sowohl des Europäischen Gerichtshofes wie auch der Europäischen Kommission für Menschenrechte.

Etude sur la Convention Européenne des Droits de l'Homme et des Libertés Fondamentales ainsi que sur l'activité de la Cour Européenne de Justice et de la Commission Européenne pour les Droits de l'Homme.

A civic treatise on the European Convention for the Protection of Human Rights and Fundamental Freedoms, on the activities of the European Court of Justice and of the Commission for Human Rights.

TAGLIAMONTE, Francesco: **Questo è il Mercato Comune**
Arti Grafiche "Federico Cappelli", Rocca San Cassciano 1959, 170 p.

Nascita e organizzazione del MEC: motivi delle speranze ripostevi dai paesi aderenti e in particolare dall'Italia.

Naissance et organisation du Marché Commun: raisons des espoirs que les pays membres mettent dans l'intégration. L'attitude de l'Italie est spécialement étudiée.

Origin and organization of the Common Market: motives of the hopes set by the member countries on integration. Special consideration is given to the attitude of Italy.

TAVIANI, Paolo Emilio: **Solidarietà atlantica e Comunità Europea**
Le Monnier, 3a ed. Firenze 1957, 382 p.

L'autore, ministro a più riprese nei governi del dopoguerra e imminente esponente della Democrazia Cristiana difende l'interpretazione dell'unificazione europea come primo passo verso una maggiore integrazione del mondo atlantico.

L'auteur, plusieurs fois ministre dans les gouvernements de l'après-guerre, représentant éminent de la Démocratie Chrétienne, défend l'intégration européenne comme un premier pas vers l'intégration du monde atlantique.

The author, several times minister in post-war governments, is an eminent representative of Christian Democracy. He upholds European integration as the first step towards the integration of the Atlantic world.

TILBURG, A. van: **Euromarkt voor iedereen**
Samsom, Alphen aan den Rijn 1961, 75 p.

Dit boekje geeft een beknopt, zakelijk overzicht van de wordingsgeschiedenis, de grondbeginselen en de inhoud van het EEG-verdrag en van de Europese Vrijhandels Associatie.

Aperçu succinct mais substantiel de l'histoire et de l'élaboration des principes fondamentaux, et du contenu des Traités de la CEE et de l'Association Européenne de Libre Echange.

This pamphlet outlines, in a suscinct but substantial manner, the history of the Treaties of the EEC and EFTA and their final elaboration, fundamental principles and contents.

TIMOFEJEW, Timur: **Das Programm der KPdSU und der Westen**

Europa-Verlag, Wien 1963, 208 S.

Aus östlicher Sicht wird das neue Programm der Kommunistischen Partei der Sowjetunion vom Jahre 1961 dargestellt und die in ihm enthaltenen Gedanken zum Verhältnis zwischen Ost und West auf ideologischer und wirtschaftlicher Ebene besonders eingehend erörtert.

Présentation dans l'optique de l'Est, du nouveau programme du Parti Communiste russe de 1961; l'auteur étudie également de façon détaillée les dispositions du programme en vue des relations Est-Ouest, sur les plans idéologique et économique.

Presentation, from the point of view of the East, of the new programme of the Russian Communist Party in 1961: the author studies in detail the provisions of the programme with regard to East-West relations, from the ideological and economic aspects.

TORRES MARTINEZ, M.—MARTINEZ DE CAMPOS, C. —YANGUAS MESSIA, J.: **España ante la Unidad Europea**

Gráficas Valera, Madrid 1959, 73 p.

Libro publicado por la Asociación Española de Cooperación Europea que da una idea clara y concisa de las nuevas corrientes ideológicas europeístas de la actual generación española.

L'Association Espagnole de Coopération Européenne décrit les nouveaux courants idéologiques de l'idée européenne dans la pensée de la génération espagnole actuelle.

The Spanish Association for European Co-operation gives a clear idea of new ideological currents of Europeanism in the present generation in Spain.

TREMPONT, Jacques: **L'Unification de l'Europe**

Editions Scientifiques et Littéraires, Amiens/Baude, Bruxelles 1955, 418 p.

L'ouvrage part d'une analyse des crises et des atouts de l'Europe pour en arriver aux principaux événements qui ont conduit à la fondation de la CECA. L'auteur met à la disposition du lecteur un résumé des principaux événements politiques et économiques depuis la fin de la 2ème guerre jusqu'à l'échec de la CED.

Opens with a study of the crises and the assets of Europe, and leads to the principal events which resulted in the formation of the ECSC. The author gives a summary of political and economic events from the end of the 2nd war till the failure of the EDC.

TROCLET, Léon-Éli: **Éléments de Droit Social Européen**

Institut de Sociologie, Université Libre de Bruxelles 1963, 358 p.

L'auteur s'est proposé le rassemblement des textes épars de droit social européen, leur regroupement, leur comparaison et leur synthèse en vue d'une unification minimum. Il donne une brève analyse des cadres institutionnels (CECA, CEE, UEO, Bénélux, Union Nordique, Comecon, etc.), de leurs instruments juridiques, mais consacre le plus gros de l'ouvrage aux problèmes sociaux et à leur solution.

The author has gathered scattered texts on social law in Europe, put them together, compared and synthesized them with a view to their unification. He gives a brief comparison of the institutional authorities (ECSC, EEC, WEU, Benelux, the Nordic Union, Comecon, etc.) and of their juridical methods, but he devotes the larger part of the work to social problems and their solution.

USCHAKOW, Alexander: **Der Rat für gegenseitige Wirtschaftshilfe**

Verlag für Wissenschaft und Politik, Köln 1962, 200 S.

Im Vergleich zur Montanunion und der EWG untersucht der Autor die Rechtsnatur des Comecon anhand der Satzung des Rates, seiner Beschlüsse und der bedeutendsten multilateralen Abkommen. Im Anhang Dokumente über den behandelten Stoff.

L'auteur examine la nature juridique du Comécon, en comparaison avec la CECA et la CEE. Examen du statut du Conseil, de ses décisions, et des conventions multilatérales les plus importantes. Documentation en annexe.

The author examines the juridical nature of the Comecon by comparing it with the ECSC and the EEC. Study of the rules and regulations of the Council, of its decisions and of the most important multilateral conventions. Relevant documentation in appendix.

VALDECASAS, Alfonso Garcia — YANGUAS MESSIA, José de: **La unidad de Europa y el derecho común**

Real Académica de Jurisprudencia y Legislación, Madrid 1963, 56 p.

Estudio del influjo del Derecho Común en la idea de Europa que señala la tarea concreta que a los juristas incumbe en la empresa de la integración europea.

Etude de l'influence du droit commun sur l'idée européenne; on y indique les tâches concrètes qui incombent aux juristes dans la réalisation de l'intégration européenne.

A study of the influence of common law on the European idea. Indicates a concrete task for jurists in the achievement of European integration.

VALENTI, Angelo: **La tutela degli interessi nelle Comunità Europee**

A. Giuffrè, Milano 1963, 214 p.

Esame della tutela data nelle strutture e nelle norme delle Comunità Europee agl interessi delle Comunità stesse, in quanto Istituzioni, agli interessi degli Stati membri e agli interessi dei soggetti di diritto interno degli Stati.

Examen de la structure et des normes des Communautés Européennes ainsi que de la protection accordée aux intérêts des Communautés en tant qu'institutions, aux intérêts des Etats membres, et aux intérêts des sujets de droit interne des Etats.

A study of the structure and principles of the European Community, and of the protection granted to the special interests of the Community as an institution, to the interests of the member States, and to the objects of the internal law of different States.

VALK, W. de: **La signification de l'intégration européenne pour le développement du droit international moderne**

A. W. Sijthoff, Leiden 1962, 142 p.

Premier bilan de l'apport de l'intégration européenne au droit international. L'auteur définit d'abord les caractéristiques du droit international moderne pour ensuite faire ressortir les aspects originaux du droit communautaire européen.

An appreciation of the importance of European integration for international law. The author defines first of all the characteristics of modern international law, and then gives a description of the original aspects of European community law.

Die Vertretung der Arbeitnehmer auf Betriebsebene nach dem Recht der Mitgliedstaaten der EGKS

Hrsg. von der Hohen Behörde der EGKS, Luxemburg 1959, 332 S.

Edition française: **La représentation des travailleurs sur le plan de l'entreprise dans le droit des pays membres de la C.E.C.A.** *(également en italien et néerlandais)*

Untersucht zunächst in sechs Länderberichten und sodann in einer Synthese der gewonnenen Erkenntnisse jene Institutionen, die zum Schutz der Arbeitnehmerinteressen auf Betriebsebene geschaffen wurden. Gibt Aufschluss über die verschiedenen Organisationsformen der Betriebsvertretungen, ihre Kompetenzen hinsichtlich Organisation, Produktion und Massnahmen des Arbeiterschutzes.

Six rapports nationaux et un document de synthèse sur les institutions créées pour protéger les intérêts des employés, au plan de l'entreprise. Indications sur les différentes formes et systèmes de la représentation ouvrière dans l'entreprise, et sur leurs compétences dans le domaine de l'organisation, de la production et des mesures de protection ouvrière.

Six national reports and a document summarizing their conclusions deal with the organization of institutions created to protect the interests of employees at company level. Details on the various forms in which worker representation is organized in the company, and on their competence in production, organization, and on measures for workers' protection.

VIGNES, Daniel: **La Communauté Européenne du Charbon et de l'Acier**

Librairie Générale de Droit et de Jurisprudence, Paris 1956, 196 p.
Edición española: **La Comunidad Europea del Carbón y del Acero.** *Editorial Hispano Europea, Barcelona 1963, 202 p.*

D'après le prof. Guggenheim qui la préface, cette monographie présente "le grand avantage de tenir compte des différents courants politiques et économiques qui ont été à la base de la CECA, et de donner une interprétation judicieuse de son statut fondamental, interprétation basée sur les premières expériences dans son application".

According to Prof. Guggenheim who writes the preface, this work presents "the great advantage of taking into account the different political and economic tendencies of the ECSC, and of offering a judicious interpretation of its fundamental status — an interpretation based on the ECSC's initial experiences".

VITTA, Edoardo: **L'integrazione europea — Studio sulle analogie ed influenze di Diritto Pubblico interno negli Istituti di integrazione europea**

A. Giuffrè, Milano 1962, 236 p.

I legami e i rapporti fra il diritto pubblico interno e il diritto pubblico europeo sono esaminati nel settore dei diritti dell'uomo, et in quello delle organizzazione e istituzioni europee.

Les liens et les rapports entre le droit public interne et le droit public européen sont examinés d'abord dans le domaine des Droits de l'Homme, puis dans les organisations et les institutions européennes.

The links and relations between internal public law and European public law are studied first in the field of Human Rights and then in European organizations and institutions.

Vom Deutschen zum Europäischen Recht — Festschrift für Hans Dölle (Red. Hans Peter des Coudres)

J. C. B. Mohr, Tübingen 1963, 537 S.

Enthält 23 Studien zu Einzelfragen des deutschen Kollisionsrechts und des internationalen Zivilprozessrechts, sowie zu Problemen der Rechtsangleichung im europäischen Raum.

Vingt-trois études sur des problèmes particuliers des conflits des lois en droit allemand et de la procédure civile internationale, ainsi que sur des problèmes d'harmonisation juridique en Europe.

Twenty-three studies on specific problems of conflict of laws in Germany, and of international civil practice and procedure, also on the problem of promoting uniformity of legislation within Europe.

W A L E S, Peter: **Europe is my Country — The Story of West European Co-operation since 1945**

Methuen & Co., London 1963, 117 p., ill.

The author who was awarded a Council of Europe Fellowship, presents an elementary study of European unification, its political and social origins, and its development since World War II. Especially recommended to students.

L'auteur, qui a bénéficié d'une bourse du Conseil de l'Europe, présente une étude élémentaire de l'unification européenne, de ses origines politiques et sociales et de son développement depuis la seconde guerre mondiale. Recommandé particulièrement aux étudiants.

W A R T M A N N, Urs: **Wege und Institutionen zur Integration Europas 1945-1961**

Westdeutscher Verlag, Köln-Opladen 1961, 172 S.
Edition française parue chez Sirey, Paris.

Geschichte der Bestrebungen, die aus dem geographischen Begriff Europa einen wirtschafts organisatorischen Begriff aufbauen helfen. Im Anhang eine umfangreiche Europastatistik.

Histoire des efforts qui ont contribué à faire de la notion géographique de l'Europe une notion de communauté économique. Nombreuses statistiques sur l'Europe.

A history of the efforts which have served to turn the geographical idea of Europe into an economic community. Numerous statistics on Europe.

W A T S O N, George: **The British Constitution and Europe**

A. W. Sijthoff, Leiden 1959, 79 p.

A European, but very British view point on the conditions of British entry into Europe, emphasizing the Windsor Monarchy's ceremonial position. The Commonwealth is envisaged as a pole of attraction for new and therefore insecure and socialist prone States.

Point de vue européen mais très britannique sur les conditions de l'adhésion de la Grande-Bretagne à l'Europe, soulignant la position de la monarchie des Windsor, symbole et trait d'union du Commonwealth, envisagé comme pôle d'attraction pour des Etats nouveaux, instables et ouverts au socialisme.

Der Weg zur europäischen Integration (hrsg. vom Donaueuropäischen Institut)

Jupiter-Verlag, Wien 1960, 128 S.

Eine vollständige Wiedergabe von neun Vorträgen, die 1960 in Graz anlässlich der XII Internationalen Wirtschaftstagung des Donaueuropäischen Instituts von namhaften Persönlichkeiten gehalten wurden. Beiträge zur Lösung der politischen und wirtschaftlichen Probleme der europäischen Integration.

Texte complet de neuf exposés prononcés à Graz en 1960, à l'occasion du XIIème Congrès économique international du "Donaueuropäisches Institut", contribution intéressante à l'étude des problèmes politiques et économiques posés par l'intégration européenne.

Complete texts of nine speeches delivered by well-known personalities at the 12th International Economic Conference of the Danube European Institute, held at Graz in 1960. Contributions to the solution of political and economic problems of European integration.

WEIDES, Nikolaus P.: **Das Finanzrecht der Europäischen Gemeinschaft für Kohle und Stahl**

Alfred Metzner, Frankfurt 1960, 271 S.

Die Rechtsgrundlagen der Finanzwirtschaft in der Montanunion werden untersucht. Der Verfasser zeigt, nach welchen Grundsätzen die formelle Ordnung der Verwaltungsausgaben aufgestellt wird und in welcher Hinsicht die Montanunion als autonomes Steuerhoheitsgebiet zu gelten habe.

Examen des fondements juridiques de l'économie financière de la CECA. L'auteur indique selon quels principes on organise les dépenses d'administration, et dans quelle mesure la CECA peut être considérée comme un organisme ayant une autonomie souveraine dans le domaine de l'impôt.

Examines the legal bases of the financial economy of the ECSC. The author explains the formal principles applied to administrative expenditure, and how far the ECSC may be considered an autonomous sovereign body in the matter of taxes.

WEIL, Gordon L.: **The European Convention on Human Rights**

A. W. Sijthoff, Leiden 1963, 260 p.

A short history of the development of the Convention, a detailed commentary of its articles and their application, and finally an evaluation of its accomplishments and future prospects.

Historique du développement de la Convention des Droits de l'Homme, commentaire détaillé de ses articles et de leur application, et enfin, ses réalisations et ses projets.

WENTHOLT, W.: **De confederale staten van Europa of wereld-revolutie?**

Buyten en Schipperheyn, Amsterdam 1962, 136 p.
English edition: **Confederate Europe or World Revolution?** *1962, 136 p.*

Het werk geeft enkele beschouwingen over de internationale samenwerking en wel met name over de Europese Gemeenschap voor Kolen en Staal. 12 bijlagen completeren dit interessante werk.

Some reflections on co-operation on an international level are exposed, in particular on the European Coal and Steel Community. This interesting work is provided with 12 appendixes.

Considérations sur la coopération à l'échelon international et, en particulier, sur la Communauté Européenne du Charbon et de l'Acier. Cet intéressant ouvrage est complété par 12 annexes.

WIGNY, Pierre: **L'expérience belge et l'Europe**

Centre de recherches européennes, Lausanne 1962, 45 p.

L'auteur, ancien Ministre des affaires étrangères de la Belgique, schématise les arguments des partisans et des adversaires des Communautés, analyse les conséquences de l'adhésion belge et les problèmes d'avenir. C'est un plaidoyer en faveur des Communautés destiné à ceux qui hésitent à y participer, en particulier la Suisse.

The author, former Belgian foreign minister, classifies the arguments of the supporters and opponents of the Communities, analyses the consequences of Belgian participation and the problems of the future. It is a plea in favour of the Communities intended for those who are hesitating about joining, particularly Switzerland.

WSZELAKI, Jan: **Communist Economic Strategy: The Role of East-Central Europe**

The National Planning Association, Washington 1959, 132 p.

A study of the economic position of the European satellites within the Soviet bloc, particularly of their contribution to the Communist trade drive in Africa and Asia in the 1950's. Using data published until 1958 by the countries concerned the author has attempted to show the effects of industrialization on their trade patterns.

Position économique des satellites européens à l'intérieur du bloc soviétique; leur contribution à l'effort commercial communiste en Afrique et en Asie autour de 1950. L'auteur s'est servi des statistiques publiées jusqu'en 1958 par les pays en question et a tenté de montrer l'effet de l'industrialisation sur leurs systèmes commerciaux.

WYNENDAELE, Jacques van: **Principes de droit fiscal des sociétés dans les pays de la Communauté Economique Européenne**

Emile Bruylant, Bruxelles/Dalloz, Paris 1963, 148 p.

Bref ouvrage de vulgarisation sur les droits fiscaux nationaux des sociétés, en l'absence d'une unification (possible) à l'échelle de la Communauté. L'auteur analyse successivement les impôts sur lc chiffre d'affaires, sur les revenus, et ceux perçus à l'occasion de certains actes juridiques.

A brief study for non specialized readers of the national fiscal company laws in the absence of possible unification at Community level. The author analyses in turn the duties on turnover and income, and those imposed on the occasion of particular legal acts.

WYNENDAELE, Jacques van — WOUTERS, Hippolyte: **Le Droit des sociétés anonymes dans les pays de la Communauté Economique Européenne**

Emile Bruylant, Bruxelles 1961, 383 p.

Chaque partie du livre est consacrée à l'étude du droit commercial d'un des six pays de la CEE relatif aux sociétés anonymes. Les différentes législations nationales sont étudiées selon le même schéma pour les six pays.

Each part of this book is devoted to the study of commercial law on limited companies in one of the six countries of the EEC. The same method is used in the study of all the national legislations.

YASARGIL, Gazi M.: **Die Aufgabe des Westens**

Eugen Rentsch, Zürich 1962, 92 S.

Kritik eines türkischen Arztes an der westlichen Entwicklungshilfe in der Türkei. Das Abendland kann diesen östlichen Pfeiler seines Systems nur halten, wenn es neben den materiellen auch alle seine geistigen Potenzen einsetzt.

Critique de l'aide occidentale au développement de la Turquie, par un médicin de ce pays. L'Occident ne peut conserver ce pilier oriental de son système qu'à la condition d'y consacrer, outre ses ressources matérielles, toutes ses énergies spirituelles.

A Turkish doctor criticises Western aid for the development of his country. The West cannot keep this Eastern pillar of its system unless it devotes to it all its spiritual forces as well as its material resources.

Young Europeans in England

Political and Economic Planning, London 1962, 36 p.

Based mostly on statistical results, this broadsheet contains a detailed description of working conditions awaiting young Europeans, mostly "au pair" girls, and of their reactions, difficulties, and of the way they spend their leisure time.

Basé avant tout sur des résultats statistiques. Décrit en détail les conditions de travail qui attendent les jeunes Européens, en grande partie les jeunes filles "au pair", ainsi que leurs réactions, difficultés et façons d'occuper leurs loisirs.

ZELLENTIN, Gerda: **Der Wirtschafts- und Sozialausschuss der EWG und EURATOM**

A. W. Sijthoff, Leiden 1962, 209 S., ill.

Die Autorin untersucht die Bedeutung der einzelnen Interessegruppen auf europäischer Ebene und ihre verfassungsrechtliche Stellung in den Gemeinschaften. Sie prüft das Verhältnis zwischen den Gruppen und dem Wirtschafts- und Sozialausschuss der EWG und Euratom, wobei der Dualismus zwischen supranationaler und intergouvernementaler Organisation und der Repräsentation organisierter Interessen herausgearbeitet wird. Für Theoretiker.

Cet ouvrage pour théoriciens examine la signification des groupes d'intérêts en Europe, ainsi que leur position constitutionnelle dans les Communautés. L'analyse des relations entre ces groupes et le Comité économique et social de la CEE et de l'Euratom montre le dualisme entre l'organisation supranationale et intergouvernementale d'une part, et la représentation d'intérêts organisés d'autre part.

The author examines the significance of interest-groups on a European level, as well as their constitutional position within the Communities of EEC and Euratom. An analysis of the relations between these groups and the economic and social Committee of the EEC and Euratom brings out the dualism between supranational and intergovernmental organization on the one hand, and the representation of organized interests on the other. For theoreticians.

ZIMMERMANN, Werner: **Warum die Welt Frieden braucht — Aufbauprojekte in fünf Kontinenten**

Econ, Düsseldorf 1959, 518 S.

Überblick über grosse Aufbauprojekte in allen Ländern der Welt, woraus sich interessante Vergleichsmöglichkeiten zwischen Europa und den übrigen Kontinenten ergeben. Eine mit Zahlen und Statistiken versehene nüchterne Bestandaufnahme.

Aperçu des "grands projets" dans tous les pays du monde, dont résultent d'intéressantes comparaisons entre l'Europe et les autres continents. Tableau d'ensemble sobre, avec chiffres et statistiques.

This work gives an insight into great plans for construction in all the countries of the world. Interesting comparisons can be drawn between Europe and other continents. A sober overall picture with figures and statistics.

ZISCHKA, Anton: **Auch das ist Europa**

Sigbert Mohn, Gütersloh 1960, 335 S., ill.
Edición española: **También esto es Europa.** *Noguer, Barcelona 1961, 400 p.*
Edition française: **C'est aussi l'Europe.** *Robert Laffont, Paris 1962, 398 p.*

Der Autor gibt ein Bild der kommunistischen Länder Osteuropas, mit Ausnahme der UdSSR. Ihre geschichtliche Entwicklung, der Übergang zum Kommunismus und ihre gegenwärtige Lage werden auf fachkundige und objektive Weise dargestellt.

Panorama des pays communistes de l'Est européen, l'URSS exceptée. L'histoire de ces Etats, comment ils passèrent au communisme, quel est leur état actuel. L'auteur est un spécialiste de ces pays et présente une étude objective.

A panoramic view of East European communist countries, excluding the USSR, their history, how they went over to Communism, and their present condition. The author is a specialist in these countries and gives an objective study.

ZURCHER, Arnold J.: **The Struggle to Unite Europe 1940-1958**

New York University Press, New York 1958, 254 p.

The author traces the evolution of the concept of European unity, from its origin in the Pan-European Union to the drafting of the Euratom and EEC Treaties. He concludes with a searching examination of the present plans for European union. Draft constitution for the United States of Europe at the end.

L'évolution du concept d'unité européenne depuis son origine dans l'Union Paneuropéenne jusqu'à la préparation des Traités de l'Euratom et de la CEE. Examen approfondi de quelques projets d'union européenne. Projet de constitution des Etats Unis d'Europe à la fin de l'ouvrage.

VIII. ECONOMIE - ECONOMICS

ABEL, W. — HOWALD, O. — LAGLER, E. — SERAPHIM, H. J.: **Probleme der europäischen Agrarintegration**

R. Oldenbourg, München 1951, 95 S.

Vier Studien über die Grundlagen der europäischen Agrarstruktur und die sich aus der Raumordnung der europäischen Landwirtschaft ergebenden Folgerungen für die Integration. Zwei Beiträge sind aus der Sicht der schweizerischen und österreichischen Wirtschaftspolitik geschrieben.

Quatre études sur les bases de la structure agraire européenne et les conséquences pour l'intégration de la disposition géographique de l'agriculture européenne. Deux travaux traitent des politiques économiques suisse et autrichienne.

Four studies on the bases of the European agrarian structure and the consequences of the geographical disposition of European agricultural activities from the point o view of integration. Two parts deal with the economic policies of Switzerland and Austria.

ABELN, G. H. J.: **De Vrijhandelszone als economische Integratievorm voor West-Europa**

Stenfert Kroese, Leiden 1958, 160 p.

De aandacht is in deze studie hoofdzakelijk gericht op de kern van de problematiek ten aanzien van de integratie op industriëel gebied.

Les problèmes cruciaux de l'intégration dans le domaine industriel.

This work emphasizes the crucial points in the problems of industrial integration.

Acht Europäische Zentralbanken — eine Darstellung ihres Aufbaus und ihrer Tätigkeit

Fritz Knapp, Frankfurt 1963, 460 S.
English edition: **Eight European Central Banks — their organization and activities.** *G. Allen & Unwin, London 1963, 356 p. — Edition française:* **Huit banques centrales européennes.** *Presses Universitaires de France, Paris 1963, 392 p.*

Diese interessante Untersuchung, herausgegeben unter den Auspizien der Bank für Internationalen Zahlungsausgleich in Basel, sollte dem Studenten der Wirtschaft und des Finanzwesens zur Beurteilung von Integrationsmöglichkeiten der europäischen Zentralbanken von Nutzen sein.

Cette étude intéressante publiée sous les auspices de la Banque des Règlements Internationaux à Bâle pourrait aider l'étudiant en sciences économiques et financières à évaluer les possibilités d'intégration des Banques centrales européennes.

This interesting study, published under the auspices of the Bank for International Settlements in Basle, might help the student of finance and economics to determine the integration possibilities of European Central Banks.

Agrarsoziale Probleme in der Europäischen Wirtschaftsgemeinschaft (hrsg. von der Agrarsozialen Gesellschaft, Göttingen, u. Leitung von W. Abel)

M. & H. Schaper, Hannover 1959, 137 S.

Referate und Diskussionsbeiträge der Frühjahrstagung 1959 umreissen die Probleme der bäuerlichen Lebensverhältnisse, der Agrarstrukturverbesserung und der Industrialisierung ländlicher Räume aus überwiegend deutscher Sicht.

Rapports et discussions de la session du printemps 1959 sur la situation du paysan, l'amélioration de la structure agraire, et l'industrialisation des espaces ruraux; tout cela surtout du point de vue allemand.

Reports and debates of the spring 1959 session on the living conditions in the country, improvement of the agrarian structure, and industrialization of rural areas. Principally from the German point of view.

L'agricoltura italiana nella Comunità Europea (pubbl. Centro d'Informazione e di Studio)

Giovane Europa, Roma 1963, 132 p.

Aspetti e conseguenze derivanti dalla realizzazione del MEC nel campo dell'agricoltura italiana, con un'analisi dettagliata del Piano Mansholt e delle sue convergenze col Piano Verde e con le più recenti tendenze dell'agricoltura.

Problèmes posés par le Marché Commun à l'agriculture italienne, avec un examen du Plan Mansholt et de ses rapports avec le "Piano Verde" italien.

The various aspects of, and consequences to Italian agriculture arising from the achievements of the Common Market, with a detailed analysis of the Mansholt Plan and its similarities with the Italian "Piano Verde" and with the most recent trends in agriculture.

Agricultural Policy in the Economic Community — Agriculture, the Commonwealth and EEC — Agricultural integration in Western Europe

Political and Economic Planning, London 1958, 26 p.; 1961, 61 p.; 1963, 48 p.

Three PEP publications on basic agricultural problems in the six countries of the EEC dealing with agriculture as an obstacle to European integration, offering suggestions of how to approach a reconciliation between the United Kingdom and the EEC, and discussing the adoption of a common agricultural policy in an enlarged EEC.

Trois publications PEP sur des problèmes fondamentaux que pose l'agriculture aux six pays de la CEE. Traitent de l'agriculture comme obstacle à l'intégration européenne, suggèrent des voies de réconciliation entre le Royaume-Uni et la CEE, examinent les possibilités d'adopter une politique commune dans une CEE élargie.

ÅKERMAN, Johan: **Theory of Industrialism**

C. W. K. Gleerup, Lund 1960, 332 p.

The latest book of the reputed economist contains a causal analysis of the cumulative process of industrialism, of cycles and structures, and an exposition of the principles of economic planning. Historical description and abundant statistical data are met with a precise mathematical approach.

Le dernier ouvrage de cet économiste réputé contient une analyse des causes du développement croissant de l'industrialisme, des cycles et des structures, ainsi qu'une énumération des principes régissant la planification économique. Il comprend une description historique et nombreuses statistiques.

D'ALBERGO, E. — FRANCO, G. — DELLA PORTA, G. — CARON, G.: **Lo sviluppo economico delle Comunità Europee Politica economica e consuntivo della C.E.E.**

A. Giuffrè, Milano 1963, 77 p.

La politica economica della Comunità Europea, specialmente in rapporto ai problemi degli strumenti fiscali della liberalizzazione, ai problemi delle regioni meno sviluppate del MEC, o alla regolamentazione del movimento di capitali e dei mercati finanziari.

La politique économique de la Communauté Européenne, en particulier face au problème des instruments fiscaux de la libéralisation du commerce, aux problèmes des régions moins développées de la Communauté, et à la règlementation du mouvement des capitaux et des marchés financiers.

The economic policy of the European Community with special reference to the problems of fiscal machinery in the freeing of trade, the difficulties of the less developed areas of the EEC and the regulations of capital movements and money markets.

ALBERS, Willi — WEISE, Herbert — BINDER, Rudolf: **Wettbewerbsverschiebungen durch die unterschiedliche Steuerbelastung von Produktionsmitteln in der europäischen Integration**

Hrsg. vom Institut für Weltwirtschaft an der Universität Kiel 1960, 403 S., ill.

Erstmalige gesonderte Untersuchung der Produktionsmittelsteuer, ihrer quantitativen Bedeutung und ihrer Auswirkung auf den Markt. Zugleich umfassende, vergleichende Darstellung der Mineralöl-, Branntwein-, Zucker- und Salzsteuern in den Ländern der EWG, in Österreich, der Schweiz und England. Reiche Statistik (Stand Mitte 1958). Grundlagenstudie für die Fragen der Steuerharmonisierung.

Première étude approfondie de l'impôt sur les moyens de production, leur importance quantitative et leur influence sur le marché. Par ailleurs, présentation comparative et étendue des impôts sur l'huile minérale, l'eau-de-vie, le sucre, et le sel dans les pays de la CEE, en Autriche, en Suisse et en Angleterre. Statistiques très fournies (données de 1958). Etude fondamentale pour les questions d'harmonisation des impôts.

First detailed study of the tax on production goods, their quantitative importance and their influence on the market. Also a comparative and extensive description of the taxes on mineral oil, spirits, sugar and salt in the countries of the EEC, Austria, Switzerland and Great Britain. Detailed statistics (1958). Essential work for the question of harmonization of duties.

ALEXANDER, Joyce: **Scientific Manpower**

Hilger & Watts, London 1959, 135 p.

An easy and concise study of the training and shortage of experienced scientists in the industrial and teaching fields in Great Britain, with a brief description of the situation in other European countries.

Etude accessible et précise de la formation et du manque de spécialistes expérimentés dans les domaines industriels et éducatifs en Grande-Bretagne, accompagnée d'une brève description de la situation dans d'autres pays européens.

ALLAIS, Maurice: **L'Europe unie — route de la prospérité**

Calmann-Lévy, Paris 1960, 368 p.

L'auteur pense que l'Europe élevera son niveau de vie en réalisant son unité, si la libéralisation des facteurs de production est poursuivie sans relâche dans le cadre de l'intégration économique du Continent, mais aussi de son intégration politique.

The author thinks that Europe will double its standard of living by uniting, if the liberalization of the factors of production is kept up efficiently, in the framework of the economic integration of the continent, but also in that of its political integration.

ANDRESEN, Reimer: **Europäische Wirtschaftsgemeinschaft und Verkehrsintegration**

Ministerium für Wirtschaft und Verkehr Nord-Rhein-Westfalen 1960, 203 S.

Amtliche Studie über Ziele, Ausgangslage und Möglichkeiten einer EWG-Verkehrsintegration. Der Verfasser schlägt als optimale Lösung eine institutionalisierte, gemeinsame Verkehrspolitik vor. Literaturangaben und Statistik vom Stand 1957.

Etude officielle sur les buts, la situation initiale et les possibilités d'une intégration des transports dans la CEE. L'auteur propose comme solution optimale une politique institutionalisée commune des transports. Références et statistiques arrêtées en 1957.

An official study of the aims, initial position and the perspectives of transport integration in the EEC. The author proposes as the best solution a common and institutionalized policy of communication. References and statistics until 1957.

Die Aufgaben der öffentlichen Unternehmen in der Wirtschaft des Gemeinsamen Marktes (hrsg. von der Gesellschaft für Öffentl. Wirtschaft, Leitung von Heinz Milbrandt)

Allgemeine Verlagsgesellschaft, Berlin 1963, 120 S.

Ergebnisse der Internationalen Studientagung in Rom über die ökonomischen und strukturellen Probleme, welche die Entwicklung der EWG für den öffentlichen Sektor aufwirft, sowie über die Formen einer Beteiligung der öffentlichen Unternehmen an der Integration.

Résultats de la session internationale d'études à Rome sur les problèmes économiques et structurels que pose au secteur public le développement de la CEE, ainsi que sur les modalités d'une participation de l'entreprise publique à l'intégration.

Conclusions drawn by the International Study Conference at Rome on the economic and structural problems of the public sector in consequence of the development of the EEC, and on the methods of participation by public enterprise in integration.

AUST, Eberhard: **Währungsordnung und Zahlungsbilanz im Gemeinsamen Markt Europas**

Fritz Knapp, Frankfurt 1959, 143 S.

Die wissenschaftliche Untersuchung will anhand der europäischen Währungsordnung zeigen, dass die EWG in ihrer politischen Gestaltung zwar den Tendenzen zur Blockbildung entgegenkommt, in ihrem wirtschaftlichen Kern jedoch einen echten Schritt zur Deblockierung und zum freien Markt darstellt.

A propos du système monétaire européen, l'auteur montre que si dans son aspect politique, la CEE se rapproche des tendances à former des blocs, en revanche, dans son aspect économique, elle constitue un premier pas vers le déblocage et vers la libéralisation du marché.

On the subject of the European monetary system, the author shows that if, in its political aspects, the EEC tends towards the formation of blocs, in its economic aspect, it makes a first step towards the clearing and liberalization of the market. Of general economic interest.

AUSTRUY, J. — CLUSEAU, M. et al.: **Le financement des entreprises et le Marché Commun**

Dunod, Paris 1963, 150 p.

Plusieurs universitaires et banquiers comparent les problèmes, les institutions et les moyens de financement des entreprises des différents pays intéressés. Destiné surtout aux spécialistes.

A number of academicians and bankers have tried to compare the problems, the institutions and the means of financing of the firms in the different countries concerned. Particularly intended for experts.

BAADE, Fritz: **Die deutsche Landwirtschaft im Gemeinsamen Markt**

A. Lutzeyer, Baden-Baden 2. Aufl. 1963, 197 S.

Die Analyse des EWG-Vertrags, der Entwicklungskräfte der europäischen Landwirtschaft und der Märkte der wichtigsten Agrarprodukte soll beweisen, dass die deutsche Landwirtschaft in der EWG keinen Nachfrageüberschuss mehr vorfinden wird und somit die Voraussetzung für eine Politik der hohen Preise hinfällig ist.

Analyse du Traité de la CEE, des forces d'expansion de l'agriculture européenne et des marchés des plus importants produits agricoles cherchant à prouver que l'agriculture allemande dans le Marché Commun n'aura plus à faire face à des excès de la demande et qu'ainsi une politique de prix élevés deviendra inutile.

An analysis of the Treaty of Rome, of the forces of development of European agriculture and of the markets for the most important agricultural products. It attempts to prove that, in the Common Market, German agriculture will no longer meet an excess of demand, and that a policy of increased prices will therefore prove to be useless.

BACHMANN, Hans: **Westeuropäische Wirtschaftsunion oder wirtschaftliche Zusammenarbeit?**

Polygraphischer Verlag, Zürich/St. Gallen 1950, 48 S.

Erweiterte Fassung eines im Auftrag des Schweizerischen Bundesrates im Jahre 1950 erstatteten Gutachtens zur Frage der Ausgestaltung der europäischen Wirtschaftsbeziehungen im Rahmen der OEEC. Lehnt die institutionelle Lösung ab. Von historischem Interesse.

Edition complétée d'un rapport écrit en 1950 à la demande du Conseil fédéral suisse sur la structure des relations économiques européennes dans le cadre de l'OECE. On y rejette la solution institutionnelle. D'intérêt historique.

An enlarged edition of a report on the structure of economic relations in Europe within the OEEC, published by order of the Swiss Federal Council in 1950. The institutional solution is rejected. Of historical interest.

BAGIOTTI, T. — BANDINI, M. — FERRO, O. — MERLINI, G.: **Lo sviluppo economico delle Comunità Europee. Prospettive e problemi economici italiani**

A. Giuffrè, Milano 1963, 96 p.

Le prospettive dell'industria privata e pubblica, e dell'agricoltura con particolare attenzione alla frutticoltura e all'economia della regione emiliano-romagnola, di fronte alle esigenze di concorrenza e di modernizzazione poste dal M.E.C.

Les perspectives des industries des secteurs privé et public et de l'agriculture italienne face aux exigences de concurrence et de modernisation des structures productives au sein du Marché Commun.

The outlook for the private and public sectors of industry, and for agriculture, —particularly fruit-growing and the economy of the emiliano-romagnola region. These sections are faced with competition and with the need for modernization in the Common Market.

BAILEY, Richard: **L'Intégration économique en Europe — de la CECA à l'AELE**

Librairie Générale de Droit et de Jurisprudence, Paris 1960, 98 p.

Huit leçons données à l'Institut d'Etudes Européennes de Turin. Origines et objectifs de l'Union Européenne. Bilan de la CECA et de la CEE. Obstacles qui subsistent entre les Six et les Septs surtout en ce qui concerne l'adhésion de la Grande-Bretagne au Marché Commun.

Eight lectures given at the Institute of European Studies, Turin. Survey of the origins and the aims of European union, and results hitherto obtained by the ECSC and the EEC. The obstacles between the Six and the Seven are also examined, with particular attention to Great Britain's entry into the Common Market.

BAILEY, Richard: **Tarifs et commerce en Europe occidentale — les Six et les Sept**

Librairie Générale de Droit et de Jurisprudence, Paris/G. Giapichelli, Torino, 1961, 100 p.

Sept leçons données à l'Institut d'Etudes Européennes de Turin en janvier 1961. L'auteur étudie les progrès de la coordination de l'économie européenne jusqu'à la fin de 1960, le Commonwealth faisant part de ses considérations. Les problèmes de l'industrie automobile tiennent une large place.

Seven lectures given at the Institute of European Studies at Turin in January, 1961. The author studies the progress made in the co-ordination of the European economy up to the end of 1960, the Commonwealth being included in his considerations. The problems facing the car industry figure largely in this work.

BALASSA, Bela: **The Theory of Economic Integration**

Richard D. Irwin, Homewood, Illinois 1961, 304 p.

A detailed analysis of the theoretical problems in the integration of independent national economies. The author presents a general theory of economic integration with special attention to the dynamic aspects of various forms of integration as well as to the problems involved in coordination policies. Contains a select bibliography, for economists and students.

Analyse détaillée des problèmes théoriques résultant de l'intégration des économies nationales indépendantes. Théorie générale de l'intégration économique, s'attachant plus spécialement à ses aspects dynamiques et aux problèmes de la politique de coordination. Bibliographie importante. A l'usage des économistes et des étudiants.

BECKERATH, Gerhard von: **Ordnungspolitik in der Montanunion, erläutert am Beispiel der Kohlenwirtschaft**

Westdeutscher Verlag, Köln-Opladen 1960, 125 S.

Klar und knapp abgefasste Studie der besonderen Struktur des Steinkohlenmarktes und dessen Ordnungsprinzipien. Erläuterung der ordnungspolitischen Grundprinzipien eines sinnvollen und leistungsfähingen Wettbewerbs im Rahmen der Montanunion gemäss Art. 2 des Vertrages.

Etude claire et concise de la structure particulière du marché de la houille et de ses principes d'organisation. Commentaires sur les principes fondamentaux d'une concurrence raisonnable et rentable dans le cadre de l'art. 2 de la Convention de la CECA.

Clear and concise study of the structure of the coal market and its principles of organization. Comments on the general policy of organization for reasonable and profitable competition within the limits of art. 2 of the ECSC Convention.

BELOW, Fritz: **Wirtschaftsintegrationen und Integrationsstatistik**

Duncker & Humblot, Berlin 1957, 144 S.

Diese Habilitationsschrift unterbreitet neben einer theoretischen und methodologischen Analyse der Aufgaben der Statistik in der Vorbereitung und Durchführung integrations-politischer Massnahmen zusätzlich eine generelle Theorie der Integration. Allgemein interessierende Grundlagenstudie.

Cette thèse présente une analyse théorique et méthodologique de la tâche qui incombe à la statistique dans la préparation et l'exécution des mesures politiques d'intégration, ainsi qu'une théorie générale de l'intégration. Etude fondamentale d'intérêt général.

This thesis presents a theoretical and methodological analysis of the role of statistics in the preparation and application of integration policy, and to begin with, a general theory of integration. A fundamental work of general interest.

BENOIT, Emile: **Europe at Sixes and Sevens — The Common Market, the Free Trade Association and the United States**

Columbia University Press, New York 1961, 275 p.

A detailed analysis of the different approaches to Free Trade taken by the Common Market and by EFTA until 1961. The principal theme is the effects of these two organizations on their respective economies and on world trade as well as the effects of European integration on the United States. With a foreword by Prof. Hallstein.

Analyse détaillée de l'attitude du Marché Commun et de l'AELE envers le libre-échange, jusqu'en 1961. Les effets de ces deux organisations sur les économies de leurs membres et sur le commerce mondial, ainsi que les effets de l'intégration européenne sur les Etats-Unis forment le thème principal de cet ouvrage. Avant-propos du Prof. Hallstein.

BERGMANN, Hellmuth: **Arbeitsteilung und Spezialisierung in der Landwirtschaft**

W. Girardet, Essen 1962, 277 S.

Zu der für den Fachmann und Leiter landwirtschaftlicher Betriebe bestimmten Studie unterbreitet der Autor detaillierte Organisationpläne zur Anpassung der Landwirstchaft an die wirtschaftlichen Notwendigkeiten (Arbeitsteilung und Mechanisierung) der EWG.

Etude destinée aux spécialistes et au dirigeants d'entreprises agricoles. L'auteur expose des plans d'organisation détaillés pour l'adaptation de l'agriculture aux nécessités économiques (division du travail et mécanisation) de la CEE.

In this work destined for specialists and directors of agricultural concerns, the author puts forward detailed plans of organization for the adaption of agriculture to the economic necessities (division of labour and mechanization) of the EEC.

BERGMANN, G. — GIORDANO, R. — DE VITA, A. — MADIA, L. — DI NARDI, G.: **Europa senza dogane**

Laterza, Bari 1956, 237 p.

Problemi politici ed economici dell'integrazione europea. Risultati dell'inchiesta svolta fra i produttori industriali e agricoli sulle loro opinioni verso l'integrazione.

Problèmes politiques et économiques de l'intégration européenne; résultats d'une enquête entreprise auprès des producteurs industriels et agricoles pour connaître leurs opinions sur l'intégration.

Political and economic problems of European integration; results of an enquiry made among industrial and agricultural producers to find out their opinion on integration.

BERINGE, Harald von: **Handelsvertreterverträge in der Europäischen Wirtschaftsgemeinschaft**

Verlag Handelsblatt, Düsseldorf 1960, 36 S.

Die juristische Studie vergleicht die einschlägigen Rechtsvorschriften der EWG-Staaten und klärt damit die Frage der Rechtswahl für Handelsvertretungen im Europamarkt.

Compare les règles juridiques en vigueur dans les Etats de la CEE et examine la question du choix du droit applicable pour les représentations commerciales dans le marché européen.

This comparison of the legal regulations of the EEC countries clarifies the problem of the choice of laws applicable to commercial agencies in the European market.

BERNHAUER, Ernst: **Der Fremdenverkehr im Gemeinsamen Markt**

Duncker & Humblot, Berlin 1963, 177 S.

Diese wissenschaftliche Untersuchung weist anhand eines reichhaltigen Zahlenmaterials auf die Wechselwirkung zwischen Integration und Fremdenverkehr hin. Auf Grund der Integrationsbewegung wird die Entwicklung des Fremdenverkehrs innerhalb der EWG kritisch gewürdigt und bis 1970 vorausberechnet.

Etude scientifique de l'influence réciproque de l'intégration et du tourisme. Sur la base du mouvement d'intégration, l'auteur donne une appréciation critique du développement du tourisme au sein de la CEE et en fait une estimation numérique jusqu'en 1970.

This scientific study, rich in statistics, deals with the reciprocal influence of integration and tourism. On the basis of the integration movement, the author gives a critical appreciation of the development of tourism in the EEC, and attempts to predict its evolution up to 1970.

BICKENDORF, Otto: **Die Harmonisierung der Arbeitskosten im Gemeinsamen Markt**

Bund-Verlag, Köln 1962, 122 S.

Analyse der die Arbeitskosten bestimmenden Faktoren im Hinblick auf die Frage, ob und wie die im EWG-Vertrag vorgesehene Harmonisierung möglich ist. Wendet sich gegen eine dirigistische Angleichung von Wettbewerbsunterschieden. Für Fachleute.

Analyse des facteurs déterminant les coûts de production, en fonction de la question si et comment l'harmonisation prévue par le Traité de la CEE serait possible. On s'y oppose à une égalisation dirigiste des conditions différentes de concurrence. Pour spécialistes.

An analysis of factors determining labour cost in order to study whether and how the harmonization planned in the EEC Treaty would be possible. It opposes the gradual elimination, through "dirigisme", of the differences between various types of competition. For specialists.

BIRNIE, Arthur: **An Economic History of Europe, 1760-1939**

Methuen & Co., London 7th rev. ed. 1962, 281 p.
Edición española: **Historia Económica de Europa 1760-1939.** *Luis Miracle, Barcelona 1957, 335 p.*

Omitting facts and episodes which do not fall within the main currents of change, the author concentrates almost exclusively on the new industrial countries of Western Europe.

Laissant de côté les faits et événements qui ne cadrent pas nécessairement avec les courants principaux, l'auteur concentre son attention sur les nouveaux pays industrialisés de l'Europe occidentale.

BJERVE, P. — BOBROWSKI, C. — CAIRNCROSS, A. — GROSSMAN, G. — JELIC, B. — TINBERGEN, J.: **La planification en cinq pays de l'Europe occidentale et orientale**

Librairie de Droit et de Jurisprudence, Paris/G. Giappichelli, Torino 1962, 137 p.

Série de "leçons" sur les plans en cours d'exécution et les expériences concrètes réalisées dans cinq pays; par des spécialistes, pour des spécialistes.

A series of "lectures" on the planification projects at present being carried out in certain European countries, and on the concrete results obtained in five countries. A work by specialists for specialists.

BLOCH, Marc: **Esquisse d'une histoire monétaire de l'Europe**

Armand Colin, Paris 1954, 96 p.

Conçue comme introduction à l'histoire économique, cette esquisse présente un exposé vivant des transformations historiques de la monnaie. Elle reste inachevée à cause de la disparition de son auteur.

Conceived as an introduction to economic history, this outline presents a vivid picture of the historic transformations of money. It remains unfinished owing to the disappearance of the author.

BOER, P. de: **De belastingheffing in de Euromarktlanden**

Kluwer, Deventer 1959, 152 p.

Een overzicht van de fiscale wetgeving in de zes Euromarkt-landen. Bij de behandeling is steeds hetzelfde schema aangehouden, waardoor onderlinge vergelijking mogelijk is.

Tableau des législations fiscales dans les six pays du Marché Commun. Il est toujours fait emploi du même canevas, ce qui permet de procéder à des comparaisons.

A summary of fiscal legislation as practised in the six countries of the Common Market. There is occasion for comparisons since the same method of presentation is always used.

BOGART, Ernest Lodlow: **Storia Economica dell'Europa 1760-1939**

U.T.E.T., Torino 1953, 829 p.

Esposizione in ordine cronologico delle principale attività economiche della Francia, Inghilterra e Germania dalla rivoluzione industriale fino al 1939. L'ultimo capitolo è dedicato al movimento sovietico in Russia et ai fascicmi italiano e tedesco.

Exposé chronologique des principales activités économiques de la France, de l'Angleterre et de l'Allemagne, de la révolution industrielle jusqu'en 1939. Le dernier chapitre est consacré au mouvement soviétique en Russie et aux fascismes italien et allemand.

The chronological development of the main economic activities of France, England and Germany from the industrial revolution to 1939. The last chapter deals with the Soviet movement in Russia and fascism in Italy and Germany.

BRÉMOND, Jean: **La coordination énergétique en Europe: Idées et réalisations dans l'Europe des Six**

Droz, Genève 1961, 123 p.

Ce mémoire de diplôme présenté à l'Institut des Hautes Etudes Internationales à Genève, étudie les besoins et les ressources énergétiques de l'Europe des Six, l'évolution des prix du charbon à l'intérieur et à l'extérieur de la Communauté Européenne, et enfin, les instruments de coordination des politiques énergétiques des Six et les difficultés de leur mise en œuvre.

This paper, prepared for the diploma of the Graduate Institute of International Studies at Geneva, deals with the needs and energy resources of the Six, the evolution of coal prices inside and outside the EEC, and finally, the means of co-ordinating the energy policies of the Six, and the difficulties attendant on their being put into effect.

Britain and Europe — A Study of the Effects on British Manufacturing Industry of a Free Trade Area and the Common Market

The Economist Intelligence Unit, London repr. 1958, 288 p., ill.

Important analyses are made of British manufacturing potential in relation to European industry, of the problems of Free Trade, and of the nature of existing trade barriers. Valid until 1958.

Analyse détaillée du potentiel de fabrication de la Grande-Bretagne comparé à l'industrie européenne, aux problèmes du libre échange, en relation avec les barrières tarifaires existantes. Valable jusqu'en 1958.

BROICHER, Claus: **Europa im Aufbau**

Westdeutscher Verlag, Köln/Opladen 1960, 142 S.

Knappes Nachschlagewerk über Struktur und Tätigkeit der Europäischen Organisationen (von OEEC bis EFTA) sowie über die europäische Beteiligung in den Weltorganisationen und in der NATO. Für Journalisten, Lehrer und Praktiker in Wirtschaft, Verbänden und Administration.

Ouvrage de référence concis sur la structure et l'œuvre des organisations européennes depuis l'OECE jusqu'à l'AELE, ainsi que sur la participation européenne aux organisations mondiales et à l'OTAN. Pour journalistes, enseignants, économistes, associations et administrations.

Concise reference work on the structure and the work of the European organizations from the OEEC to the EFTA, as well as on the European participation in the world organizations and in NATO. Destined for journalists, teachers, economists, associations and administrations.

BURCKHARDT, Helmuth: **Der Energiemarkt in Europa**

J. C. B. Mohr, Tübingen 1963, 180 S.

Der Autor, Präsident des Beratenden Ausschusses der Montanunion, unterbreitet Ansichten und Forderungen eines Praktikers und nimmt aus der Sicht der Kohleninteressen Stellung zu den neuesten Entscheidungen im Rahmen der europäischen Energiepolitik.

L'auteur, président de la commission consultative de la CECA, présente les vues et les vœux d'un praticien; à partir des intérêts du charbon, il prend position en faveur des décisions les plus récentes prises dans le cadre de la politique européenne en matière d'énergie.

Based on a wide experience, the author, president of the consultative commission of the ECSC, puts forward his opinions and hopes for the future. Starting with a consideration of coal interests, he favours the most recent decisions made on the subject of energy policy in Europe.

CARMOY, Guy de: **L'economie européenne contemporaine** (Cours donné à l'Université de Paris en 1959/60), 3 fascicules

Les Cours de Droit, Paris 1960, total 420 p.

Une brève introduction historique accompagnée de données statistiques, décrit tout le siècle dernier. Après avoir résumé le développement économique en Europe jusqu'à la fin de la deuxième guerre mondiale, l'auteur traite, dans la deuxième partie, des questions commerciales, financières et économiques de l'agriculture, de l'énergie, de la sidérurgie et des transports, pour enfin étudier, dans la troisième partie, la politique monétaire, les investissements et les mouvements de capitaux sur le plan international. Statistiques et tableaux valables jusqu'en 1959. Polycopié.

Brief historical introduction to contemporary economics in Europe, accompanied by statistical data covering the whole of the last century. After summarizing the economic development of Europe up to the end of the Second World War, in the second part, the author deals with the commercial, financial and economic questions of agriculture, energy, the iron and steel industry, and transport. In the third part he studies monetary policy, investments and the movement of capital on the international plane. Statistics and tables valid up to 1959. Duplicated.

CARMOY, Guy de: **L'économie européenne contemporaine** (Cours donné à l'Université de Paris en 1961/1962)

Les Cours de Droit, Paris 1962, 212 p.

Ouvrage dense et systématique propre à offrir aux étudiants un tableau complet du problème. L'évolution constante et rapide de l'intégration européenne demanderait la mise à jour de certains chapitres. Polycopié.

A dense and systematic work on contemporary European economy offering students a complete picture of contemporary economics in Europe. The constant and rapid evolution of European integration requires the bringing up to date of certain chapters. Duplicated.

Challenge and Change — The Market for Coal

Political and Economic Planning, London 1960, 36 p. — 1960, 28 p.

A set of four CED conferences each concerned with a particular aspect of the new political balance and the economic prospects of the Western World.

Quatre conférences traitant chacune d'un aspect particulier de la nouvelle politique d'équilibre et des perspectives économiques pour le monde occidental.

CHARDONNET, Jean: **Les grandes puissances — Etude économique**
Tome I: L'Europe

Dalloz, Paris 1960, 650 p.

Manuel de géographie économique à l'intention des étudiants et qui vise à donner un tableau de la situation économique des différentes régions du monde actuel. Le tome I est entièrement consacré à l'Europe. L'auteur traite les éléments dominants de la structure économique de l'Europe occidentale en groupant les pays de l'ouest du continent, la Grande Bretagne et l'Irlande, et, enfin, l'Europe de l'Est sans la Russie.

Textbook of economic geography intended for students, which aims at giving a picture of the economic situation of different regions of the world of today. Vol. 1 is entirely devoted to Europe. The author deals with the dominant characteristics of the economic structure of Western Europe grouping the countries of the Western part of the continent, Great-Britain and Ireland, and then deals with Eastern Europe minus Russia.

CHARDONNET, Jean: **Métropoles économiques — Londres, Amsterdam, Anvers, Liège, Francfort, Mannheim, Nuremberg, Linz, Barcelone, Gênes, Naples, New York**

Armand Colin, Paris 1959, 270 p.

L'auteur situe chaque ville dans son contexte historique et géographique, reliant les facteurs politico-économiques aux facteurs de développement. Le chapitre sur New York permet une comparaison aisée entre les conditions de formation du complexe industriel européen et sa transposition au Nouveau Monde.

The author describes each city in its historic and geographical context, linking the politico-economic factors to those of development. The chapter on New York permits a simple comparison between the conditions of formation of the European industrial complex and its transposition to the New World.

La circulation des Capitaux dans le Marché Commun

Publ. par le Crédit du Nord, Lille/Paris, rééd. 1963, 60 p.

Traite de la réglementation applicable chez les Six en matière de circulation des capitaux, face aux exigences du Traité de Rome et aux dispositions communautaires prises par la suite. Mouvements des capitaux, paiements courants (transactions visibles et invisibles). Un chapitre est consacré à la circulation de l'or.

Emphasizes the rules on the circulation of capital applicable to the Six, given the requirements of the Treaty of Rome and community decisions subsequently taken. Deals mainly with movements of capital and current payments (visible and invisible transactions). One chapter is concerned with the circulation of gold currency.

CLARK, Colin: **British Trade in the Common Market — Plain Facts about the Common Market**

Stevens & Sons, Lonaon / Praeger, New York 1962, 149 p.

The case for Britain joining the Common Market is discussed from an objective point of view. The author attempts to present to the industrialist and the informed layman a wide view of the advantages and disadvantages of an economic and political union. Written just after August 1961.

L'entrée de la Grande-Bretagne dans le Marché Commun est discutée de manière objective. L'auteur tente de présenter aux industriels et aux profanes une vue générale des avantages et des inconvénients de l'union politique et économique. Ecrit en août 1961.

CLOUGH, S. B. — COLE, Ch. W.: **Economic History of Europe**

Heath & Co., Boston, 3rd ed. 1952, 917 p., ill.

A useful and accessible textbook, with many charts and abundant reading lists. In an effort to make apparent the long term trends in the economic life of Europe, the authors have insisted particularly on the role of the money economy, agriculture, commerce, the development of state intervention, and the shift of economic primacy since the Middle Ages.

Manuel utile et accessible avec beaucoup de tableaux et une bibliographie abondante. En dégageant les tendances à long terme de la vie économique européenne, les auteurs insistent sur le rôle de la monnaie, de l'agriculture, du commerce, du développement de l'intervention étatique et du déplacement de la primauté économique depuis le Moyen-Age.

COKKINOS, Théodore: **Théorie économique et coordination des investissements dans la C.E.C.A.**

Droz, Genève 1963, 158 p.

Une première partie, théorique et historique, met en relief le rôle et l'importance de l'investissement dans l'économie contemporaine; une seconde partie, pratique, dégage l'esprit qui a présidé à la réalisation et à l'application des règles qui régissent la CECA en cette matière.

The first part, theory and history, highlights the role and importance of investments in contemporary economy; the second and practical part emphasizes the spirit in which the rules of the ECSC have been carried out and applied in this matter.

COMMER, Heinz: **Leitfaden für Europäische Märkte 1963/1964**

A. Lutzeyer, Baden-Baden 1963, 230 S.

Von der deutschen Situation innerhalb der Integration ausgehend gibt der Verfasser eine detaillierte Aufstellung der praktischen Erfahrungen auf dem Gebiet der nationalen und übernationalen Wirtschaft. Zugleich weist er auf die künftigen Aufgaben hin, die es zum Ausbau eines echt europäischen Marktes zu erfüllen gilt. Ein Viertel des Werkes enthält Übersichten, Tabellen, statistisches Material, Anschriften übernationaler Verbände und Organisationen sowie ein Repertoire europäischer Fachzeitschriften.

Partant de la situation de l'Allemagne dans l'intégration européenne, l'auteur fait un relevé détaillé des expériences pratiques dans le domaine de l'économie nationale et supranationale. Il indique en même temps les tâches à réaliser à l'avenir pour former un véritable marché européen. Les aperçus, tableaux, données statistiques, adresses de groupements et d'organisations internationaux constituent un quart de l'ouvrage, qui contient également un répertoire des journaux techniques européens.

Starting from the German position in the integration of Europe, the author gives a detailed account of practical experiences in the field of national and supranational economics. At the same time he points out the tasks to be accomplished in the future if a real European market is to be established. A quarter of the book consists of surveys, tables, statistics, addresses of international organizations and a list of European professional publications.

COMMER, Heinz: **Praxis des Europa-Marktes**

Europa-Union Verlag, Düsseldorf 1962, 160 S.
English edition: **Business Practice in the Common Market.** *Pall Mall, London/ Praeger, New York 1963, 192 p.*

Dieser Leitfaden für den Wirtschaftspraktiker vermittelt auf Grund der bisherigen Initiativen in Westdeutschland, Belgien und Frankreich Anregungen für alle Formen der Unternehmenspolitik im grösseren Binnenmarkt der EWG.

Guide pour praticiens. Fournit des indications sur toutes les formes de la politique d'entreprise dans le marché intérieur agrandi de la CEE, sur la base des initiatives prises jusqu'ici en Allemagne, en Belgique et en France.

Guide for practising economists, drawn up on the basis of the initiatives made until today in West Germany, Belgium and France. Gives suggestions for all forms of company policies in the internal market of the EEC.

COMPAGNA, Francesco: **Mezzogiorno d'Europa**

Opere Nuove, Roma 1958, 84 p.

Breve sunto dei proggetti agricoli e finanziari da realizzare affinchè le grandi organizzazioni europee possano raggiungere i loro scopi politici. Presentato piuttosto dal punto di vista italiano.

Bref aperçu des projets agricoles et financiers nécessaires à la réalisation des buts politiques des organisations européennes. Présenté du point de vue italien.

Brief survey of the agricultural and financial programmes to be accomplished before the European organizations can attain their political ends. Presented mainly from the Italian viewpoint.

Comparative Banking (edited by H. W. Auburn)

Waterlow & Sons, London, 2nd ed. 1963, 179 p.

Twenty-four short comparative studies of banking practices throughout the world, fourteen of which concern European countries. Contains lists of principal banks, and appendixes concerning constitutions, reserves and deposits. A useful handbook for bankers.

Vingt-quatre brèves études comparatives des pratiques bancaires en usage dans le monde, dont quatorze concernent des pays européens. Elles contiennent des listes des principales banques et des appendices concernant les statuts, réserves et dépôts. Manuel utile aux banquiers.

La Comunità Economica Europa (pubbl. Centro Internazionale di Studi e Documentazione sulle Comunità Europee, Cicli di Conversazioni I)

A. Giuffrè, Milano 1960, 339 p.

Testo originale e traduzione (italiana e francese) di conferenze svoltesi a Milano allo scopo d'illustrare le strutture, l'organizzazione e l'attività delle varie sezioni della C.E.E., e la realizzazione practica degli scopi istituzionali del Mercato Comune.

Texte original et traduction française des conférences données à Milan sur la structure, l'organisation et l'activité des différentes sections de la C.E.E. et la réalisation pratique des buts institutionnels du Marché Commun.

Original text and translations (French only) of lectures given at Milan illustrating the structure, organization and work of the various sections of the EEC, and discussing the practical achievements of the institutional aims of the Common Market.

La conduite sur place des opérations de conversion industrielle

Dalloz et Sirey, Paris 1963, 352 p.

Deutsche Ausgabe: **Die Durchführung von Umstellungsmassnahmen an Ort und Stelle.** *A. Lutzeyer, Baden-Baden 1963, 368 S. — Edizione italiana:* **L'attuazione "in loco" delle operazioni di riconversione industriale.** *A. Giuffrè, Milano 1963, 360 p. — Nederlandse uitgave:* **Het ter plaatse uitvoeren van industriële omschakelingen.** *E. Kluwer, Deventer 1963, 368 p.*

Rapports et comptes-rendus rédigés par un groupe de travail de la Conférence gouvernementale réunie par le Conseil des Ministres et la Haute Autorité de la CECA, au sujet de la reconversion industrielle des régions touchées par la fermeture de charbonnages (Luxembourg 1960). En annexe, cinq exemples de mesures concrètes de reconversion.

Reports and discussions of a working team set up by the Governments Conference on Industrial Reconversion in areas affected by closure of mines, called by the Council of Ministers and the High Authority of the ECSC and held in Luxemburg in 1960. The appendix gives five concrete examples of conversion measures.

Berichte und Referate einer Arbeitsgruppe der vom Ministerrat und der Hohen Behörde der EGKS einberufenen Regierungskonferenz über die industrielle Umstellung der von Zechenstillegungen betroffenen Gebiete (Luxemburg 1960). Im Anhang fünf Beispiele konkreter Umstellungsmassnahmen.

Conférences économiques

A. Giuffrè, Milano 1962, 158 p.

Dix conférences prononcées à l'Institut d'Economie et de Finance de Rome. Deux d'entre elles intéressent l'intégration européenne: "L'unification monétaire de l'Europe" par E. James, et "Progrès technique et concurrence dans la CEE" par A. Marchal.

Ten lectures given at the Institute of Economics and Finance at Rome. Two of them only deal with European integration: "The monetary unification of Europe" by E. James and "Technical progress and competition in the EEC" by A. Marchal.

La congiuntura agricola — Il "Piano Mansholt" — Le difficoltà alla realizzazione di una politica agraria comune — Le prospettive dell'agricoltura italiana in relazione alla politica agraria comune

Giovane Europa, Roma 1961, 69 p.

Studio del Piano Mansholt, visto nel contesto dei problemi agricoli dei sei Paesi del Mercato Economico Comune, e delle caratteristiche particolari delle strutture agricole italiane.

Etude du Plan Mansholt, vu dans le contexte des problèmes agricoles des six pays du Marché Commun et des caractéristiques particulières des structures agricoles italiennes.

A paper on the Mansholt Plan in the context of the agricultural problems of the Common Market countries, and the special characteristics of the Italian agricultural system.

Cooperazione ed integrazione agricola europea: elevazione umana e civile nel mondo contadino

Giovane Europa, Roma 1955, 31 p.

Breve esame, di un certo interesse storico, dei problemi sociali che l'integrazione europea offerta alle campagne italiane.

Bref aperçu des problèmes sociaux posés à la paysannerie italienne par l'intégration européenne. D'un intérêt historique.

A brief review of the social problems of the Italian peasantry caused by European integration. Of historical interest.

Coordination des transports en Europe — Politique générale des transports en Europe

1960/1958, 22/24 p.
English edition: **Coordination of Transport in Europe. General Transport Policy in Europe.** *1960/1958, 12/24 p. — Deutsche Ausgabe:* **Europäische Verkehrspolitik.** *1958, 27 S. Publié par la "Chambre de Commerce Internationale", Paris.*

Le premier rapport préconise les quatre points suivants: libre choix de l'usager sur son mode de transport, liberté de transport pour son compte propre, régime de saine concurrence entre les divers modes de transport et enfin, coordination des investissements. Le deuxième rapport présente les résultats d'une confrontation de vues entre usagers er transporteurs.

In the first report the following four points are recommended: the freedom of the user to employ the transport method of his choice, the freedom of the user to transport his own goods, atmosphere of healthy competition between different transport methods, and finally, co-ordination of investments. The second report gives the results of a discussion between users and carriers.

COSTON, Henry: **L'Europe des Banquiers**

Librairie Française, Paris 1963, 383 p.

L'auteur nous présente l'image d'une Europe dominée par la puissance des oligarchies financières. Style journalistique.

In a journalistic style, the author gives an image of a Europe, dominated by financial oligarchies.

COUSTÉ, Pierre-Bernard: **L'association des pays d'outre-mer à la Communauté Economique Européenne** (préf. Maurice Bye)

Librairies Techniques, Paris 1959, 287 p.

Le président national des Jeunes Patrons français nous donne un vaste panorama de la situation des pays associés, dans leurs rapports passés et présents, avec les anciennes métropoles, des problèmes soulevés et des perspectives de développement offertes par le lien avec la CEE. Ouvrage scientifique et essentiellement économique.

The President of the French "Jeunes Patrons" (young employers), here depicts the situation in the overseas countries associated to the EEC, in their past and present relations with the former mother-countries, and studies the problems and opportunities for development offered by the link with the EEC. Scientific and essentially economic book.

DEGOIS, Georges — SEMINI, Antoine: **Le Marché Commun — ses techniques douanières**

Hachette, Paris 1958, 228 p.

Commentaire du système douanier du Traité de la CEE; sur de nombreux points dépassé par les événements.

Customs commentary of the Treaty of the EEC. In many details superseded by events.

DELL'AMORE, Giordano: **La politica monetaria della Comunità Economica Europea**

A. Giuffrè, Milano 1960, 22 p.

L'autore, Presidente di uno dei più importanti Istituti del Credito pubblico italiano, prospetta un sistema bancario europeo retto da une banca centrale cui andrebbero gradualmente affidate le più importanti misure di coordinamento monetario e finanziario.

Le président d'une des plus grandes banques publiques italiennes envisage un système bancaire européen dirigé par une banque centrale à laquelle on devrait graduellement confier les plus urgentes mesures de coordination monétaire et financière.

The president of one of Italy's largest public banks envisages a European banking system directed by a central bank to which the most urgent measures of monetary and financial co-ordination gradually would be delegated.

Demain l'Europe sans frontières? (recherches dirigées par Raymond Racine)

Plon, Paris 1958, 229 p.

Deutsche Ausgabe: **Europas Wirtschaftseinheit von morgen.** *A. Lutzeyer, Baden-Baden 1960, 268 S. — Edición española:* **Hacia una Europa sin fronteras.** *Fomento de Cultura, Valencia 1962, 381 p.*

Une vingtaine d'économistes de sept pays européens répondent à une question posée par le Centre Européen de la Culture en 1955: que se passerait-il si les frontières économiques de l'Europe étaient supprimées? Un optimisme européen tempéré se dégage de l'ensemble des études. En guise de conclusion, M. Raymond Racine entreprend la réfutation de treize objections courantes contre l'Europe.

Twenty economists from seven European countries reply to a question asked by the European Centre of Culture, in 1955: "What would happen if the economic frontiers of Europe were suppressed?" A cautious European optimism can be detected in the replies, as a whole. In the form of a conclusion, Raymond Racine undertakes the refutation of thirteen current objections against Europe.

DERMITZEL — DAMM — RICHEBÄCHER — BÖSEL — BRÖKER: **Das Bankwesen im Gemeinsamen Markt**

A. Lutzeyer, Baden-Baden 1962, 448 S.

Vergleichende Untersuchung der Banksysteme aller EWG-Staaten sowie der Währungspolitik und des kredit-politischen Instrumentarismus der EWG-Notenbanken. Das Werk zeigt künftige Lösungsmöglichkeiten der Zusammenarbeit auf. Von allgemeinem, wirtschaftlichem Interesse, besonders für Bankpraktiker und Verwaltungsbeamte.

Etude comparative des systèmes bancaires de tous les pays du Marché Commun et de la politique monétaire et de crédit des banques d'émission de la CEE. Cet ouvrage voit une possibilité de solution par la collaboration. D'un intérêt économique général, surtout pour la banque et l'administration.

Comparative study of banking systems in the Common Market countries, the mechanism of monetary and credit policies of banks of issue in the EEC. Shows the possibilities of solution by collaboration. Of general economic interest, especially in banking and administration.

Dialogue des continents — un programme économique (rédigé par P. Uri)

Plon, Paris 1963, 185 p.
English edition: **Partnership for Progress.** *Harper & Row, New York 1963, 126 p.*
Deutsche Ausgabe: **Dialog der Kontinente.** *Kiepenheuer & Witsch, Köln 1964, 208 S.*
Edicion española: **Diálogo de los continentes.** *Fondo de Cultura económica, Mexico 1964.*

Sous les auspices de l'Institut Atlantique, cinquante spécialistes de 8 pays tentent d'élaborer un programme d'action économique commune entre l'Europe et l'Amérique concernant principalement les domaines commercial, agricole, monétaire et institutionnel.

Under the auspices of the Atlantic Institute, 50 specialists from eight countries try to draw up a programme of common economic action between Europe and America, principally concerning the spheres of commercial, agricultural, monetary and institutional problems.

DIEBOLD, William: **Trade and Payments in Western Europe — A Study in Economic Co-operation 1947-51** (publ. for the Council on Foreign Relations)

Harper & Brothers, New York 1952, 488 p.

The task facing Western Europe in 1952 of re-weaving the web of trade and payments which had created the unity of this area, and the efforts undertaken to promote it, form the subject of this book. With a vast bibliography.

La tâche de l'Europe occidentale en 1952, qui consistait à reformer le réseau du commerce et des paiements qui avait uni cette région, et les efforts entrepris pour faciliter cette tâche. Importante bibliographie.

DOEHRING, C. — RAAB, G. — STEINER, K.: **Koordinierte Bankenstatistik als Grundlage europäischer Währungspolitik** (hrsg. v. d. Österr. Bankwissenschaftl. Ges.)

Manz'sche Verlagsbuchhdlg., Wien 1963, 66 S.

Versuch einer synoptischen Darstellung der Organe, Grundbegriffe und Methoden der Bankenstatistik internationaler Organistationen und ausgewählter Länder. Vorschläge zur institutionellen und methodischen Koordination. Für Fachleute.

Essai de présentation synoptique des organes, des conceptions fondamentales et des méthodes de statistique bancaire d'organisations internationales et de pays choisis. Les auteurs proposent une coordination institutionnelle et méthodique. Pour spécialistes.

A conspectus of the institutions, basic principles, and methods of banking statistics in international organizations and a number of different countries. The authors suggest institutional and methodical co-ordination. For specialists.

DOVRING, Folke: **Land and Labour in Europe, 1900-1950**

Martinus Nijhoff, The Hague, 2nd ed. 1960, 480 p.

The results of a long sociological survey undertaken from Iceland to Greece, and from Spain to the Urals, on the state of agriculture in Europe and the effects of half a century of different reforms.

Résultats d'une longue recherche sociologique, entreprise de l'Islande à la Grèce et de l'Espagne à l'Oural, sur la situation de l'agriculture en Europe et les effets des différentes reformes effectuées pendant un demi siècle.

DROUIN, Pierre: **L'Europe du Marché Commun**

Juillard, Paris 1963, 350 p.

Ouvrage de documentation très complet sur l'Europe du Marché Commun à sa cinquième année d'existence. L'accent est mis sur les relations internes et les difficultés surmontées, ainsi que sur les réactions des pays tiers et des pays ayant demandé l'adhésion ou l'association, à l'heure où la CEE est devenue irreversible. Ouvrage qui rend sensible "l'aventure" de l'intégration européenne.

A comprehensive documentary work on the Europe of the Common Market in its fifth year of existence. Particular emphasis is given to internal relations and to the difficulties which have been overcome, as well as to the reactions of third countries and of countries having applied for accession to, or association with the EEC at the moment when it has reached the point of no return. A work describing "the adventure" of European integration.

DURAND, Paul: **La participation des travailleurs à l'organisation de la vie économique et sociale en France**

Dalloz et Sirey, Paris 1962, 62 p.

Deutsche Ausgabe: **Die Beteiligung der Arbeitnehmer an der Gestaltung des wirtschaftlichen und sozialen Lebens in Frankreich.** *A. Lutzeyer, Baden-Baden 1962, 71 S. - Edizione italiana:* **La partezipazione dei lavoratori all'organizzazione della vita economica e sociale in Francia.** *A. Giuffrè, Milano 1962, 65 p. — Nederlandse uitgave:* **De Medezeggenschap van de werknemers met betrekking tot de organisatie van het economisch en sociaal leven in Frankrijk.** *Stenfert Kroese N.V., Leiden 1962, 72 p.*

Cette étude due au regretté professeur à la Faculté de Droit et des Sciences Economiques à Paris joint à la rigueur de l'analyse propre aux ouvrages de droit, l'analyse attentive de la situation de fait et des données sociologiques liées aux aspects les plus strictement juridiques.

A study by the late professor at the faculty of law and economic sciences at Paris, which combines the rigour of analysis proper to works of law with an attentive consideration of the existing situation and of relevant sociological data. Of juridical interest.

Der verstorbene Pariser Professor für Jura und Volkswirtschaft vereint die für die Analyse juristischer Studien übliche Strenge mit einer aufmerksamen Untersuchung der soziologischen Bedingungen, die dem behandelten Problem zu Grunde liegen.

DUTOIT, Bernard: **L'aviation et l'Europe**

Centre de recherches européennes, Lausanne 1959, 58 p.

Etudiant le développement du transport aérien européen à la lumière de l'évolution économique actuelle, l'auteur montre les vastes perspectives qu'une action communautaire ouvrirait à l'Europe sur le double plan du trafic commercial et de la production aéronautique.

The author studies the development of European air transport in the light of present economic evolution. He describes the immense perspectives that common action would open up to Europe, from both the point of view of commercial traffic and of aeronautic production.

L'economia cartaria nella politica di integrazione europea

Pubb. per "Ente nazionale per la cellulosa e per la carta", Roma 1961, 415 p.

Esame dei trattati della CEE e dell'EFTA e delle reciproche previsioni per la regolamentazione del settore cartario, e raccolta dei dati sulla produzione, sul consumo e sullo scambio dei prodotti cartari nei paesi di ognuna delle due zone e fra di essi.

Analyse des traités institutifs de la CEE et de l'AELE et de leurs conséquences pour la réglementation du secteur des produits de papier. On y trouve aussi des données exhaustives sur la production, la consommation et l'échange de ces produits dans les pays de la CEE et de l'AELE, et entre les deux zones.

An analysis of the Treaties setting up the EEC and EFTA, and of their consequences on the regulation of paper production. Exhaustive data on production, consumption and trade in these products within the EEC and EFTA countries and between them.

L'économie occidentale

Fédération Nationale des Syndicats d'Ingénieurs et de Cadres, Paris 1963, 90 p.

Cinq auteurs discutent la coordination de la politique monétaire, des transports et de l'agriculture, ainsi que l'harmonisation des législations sociales et la nécessité d'une programmation, le tout sur un plan européen.

Five authors discuss the co-ordination of monetary policy, transports and agriculture, the harmonization of social legislations and the necessity of programming, all on a European scale.

Energiepolitik im Gemeinsamen Markt

Friedrich-Ebert-Stiftung, Bonn 1963, 110 S.

Im Mittelpunkt der Ergebnisse der Tagung der Friedrich-Ebert-Stiftung vom Dezember 1962 stehen die Probleme der Kohle und das Dilemma zwischen Wirtschaftlichkeit und Sicherheit der europäischen Energieversorgung. In der Frage der Energiepolitik wird eine gewisse Neigung zu supranationaler Planung deutlich.

Les problèmes du charbon et le dilemme entre la rentabilité et la sécurité de l'approvisionnement en énergie constituent le point central des débats de la session de la Fondation Friedrich Ebert, en décembre 1962. On distingue une certaine tendance à une planification supranationale en matière de politique énergétique.

The main point discussed at the meeting of the Friedrich Ebert Foundation in December 1962 was the problem of coal, and the dilemma between profitableness and security in the provision of energy in Europe. A certain tendency towards supranational planning can be observed in the field of energy policy.

Die Energiewirtschaft im Gemeinsamen Markt (hrsg. von Fritz Burgbacher und Theodor Wessels)

A. Lutzeyer, Baden-Baden 1963, 300 S., ill.

Der umfassende Überblick über den Aufbau der Energiesektoren und den Wandel der Produktions- und Absatzstrukturen in den EWG-Ländern ermöglicht das Verständnis der Probleme einer koordinierten europäischen Energiepolitik.

Vaste panorama de l'organisation des différents secteurs de l'énergie, du changement des structures de la production et des débouchés dans les pays du Marché Commun, facilitant la compréhension des problèmes posés par une coordination de la politique européenne de l'énergie.

This comprehensive review of the organization of the various energy sectors and the changing structures of production and markets in the EEC countries facilitates understanding of the problems arising from co-ordination of European energy policy.

Energie-Wirtschaftspolitik im Gemeinsamen Markt

Europa-Union Verlag, Bonn 1960, 75 S.

Vorträge und Diskussionsbeiträge hoher europäischer und deutscher Beamter über Voraussetzungen und Ziele der Energiepolitik in OEEC, EGKS, EWG und Euratom.

Exposés et discussions de hauts fonctionnaires européens et allemands sur les conditions et les buts de la politique de l'énergie dans l'OECE, la CECA, la CEE et l'Euratom.

Lectures and discussions of high European and German officials on the conditions and aims of the energy policy of OEEC, ECSC, EEC and Euratom.

An Energy Policy for EEC? — Trade Unions and the Common Market

Political and Economic Planning, London 1963, 38 p. — 1962, 109 p.

The problems arising from the increasing dependence on imported energy within the various EEC countries are making necessary the realization of a co-ordinated energy policy within the next few years.

Les problèmes que pose la dépendance toujours plus grande des pays de la CEE envers l'énergie importée, exigent la réalisation d'une politique coordonnée de l'énergie dans les prochaines années.

ENGEL, Ernst — DANSMANN, Heinrich: **Agrarpolitik und Agrarmärkte in der EWG**

Paul Parey, Hamburg/Berlin 1959, 110 S., ill.

Die Autoren stellen im ersten Teil des Werkes die internationalen Wirtschaftszusammenschlüsse dar, die in immer stärkerem Masse die Agrarpolitik beeinflussen. Der zweite Teil befasst sich mit der Lage und den Aussichten der wichtigen europäischen Agrarmärkte und deren Mengen- und Preisproblemen.

La première partie décrit les associations économiques internationales qui influencent de plus en plus la politique agraire. La seconde partie traite de la situation et des perspectives d'avenir des plus importants marchés agraires européens, ainsi que leurs problèmes de prix et de quantité.

The first part presents the international economic associations which more and more influence agricultural policy. The second part deals with the situation and future prospects of the most important European agricultural markets as well as their price and quantity problems.

Enquête sur les problèmes relatifs aux mesures de stabilisation des prix agricoles et de soutien de l'agriculture

Publ. par FAO, Rome 1960, 271 p.

Contient deux rapports dont le premier, daté de 1956, établit une classification des principaux systèmes de soutien des prix et des revenus, et analyse leurs effets sur la production, la consommation et le commerce international des produits de base. Le second, en grande partie basé sur la classification précédente, ne constitue qu'un élargissement de l'analyse du premier groupe d'experts.

Two reports of which the first one, written in 1956, draws up a classification of the main systems of price and revenue maintenance and analyses their effects on production, consumption and international trade in primary products. The second report, based largely on the preceding classification, gives a more detailed analysis of the work of the first group of experts.

ERDMAN, Paul — ROGGE, Peter: **Die Europäische Wirtschaftsgemeinschaft und die Drittländer**

C. B. Mohr, Tübingen/Kyklos-Verlag, Basel 1960, 337 S.

Die Autoren führen zunächst eine theoretische Untersuchung anhand von Wirtschaftsmodellen durch, um auf die Frage antworten zu können, wie sich die europäische Integration auf die Drittländer auswirken wird.

Les auteurs examinent tout d'abord des modèles économiques théoriques pour répondre à la question de savoir comment l'intégration européenne influencera les pays du Tiers-Monde.

The authors study theoretical economic models to find out how the integration of Europe will influence the "Third World" countries.

ESCHE, Ernst — DREWS, Manfred: **Der Europäische Milchmarkt**

Paul Parey, Hamburg/Berlin 1963, 472 S., ill.

Die im Auftrag der OECD durchgeführte Untersuchung bietet eine vergleichende Darstellung der Milchmärkte in den Mitgliedstaaten dieser Organisation und deckt ihre gemeinsamen Organisations- und Strukturprobleme auf.

Etude comparative du marché du lait dans les Etats membres de l'OCDE, faite à la demande de cette organisation et présentant leurs problèmes communs d'organisation et de structure.

Study, undertaken at the request of the OECD, of the milk market in the member countries of the organization, showing the common organizational and structural problems.

Etude cartographique de la structure économique et démographique de l'Europe occidentale

Van Gorcum & Co., Assen (Pays-Bas) 1955, 16 cartes.

Ensemble de documents cartographiques et statistiques de très grande utilité pour l'analyse des structures économiques et démographiques de l'Europe de l'Ouest, ainsi que de leur évolution jusqu'en 1954.

Cartographic documents and statistics useful for the analysis of European economic and demographic structures, as well as of their evolution up to 1954.

Europa und die Entwicklungsländer (hrsg. von der Friedrich-Naumann-Stiftung, u. Ltg. von Walter Erbe)

Deutsche Verlags-Anstalt, Stuttgart 1960, 231 S.

Beiträge namhafter Fachleute aus liberaler Weltsicht. Betonung handelspolitischer Methoden, Kritik an der Tendenz der Blockbildung. Von allgemeinem Interesse.

Contributions de spécialistes de renom, tous de tendance libérale. On y insiste sur les méthodes de politique commerciale dans les pays en voie de développement, et on critique la tendance à la formation de blocs. D'un intérêt général.

Essays by famous specialists with liberal tendencies. They insist on the importance of methods of trade policy in emerging countries, and criticise the inclination to form blocs. Of general interest.

Die europäische Wirtschaftsintegration im Banne des Gemeinsamen Marktes

Polygraphischer Verlag, Zürich/St. Gallen 1959, 197 S.

Die Beiträge von Mitarbeitern des Schweizerischen Instituts für Aussenwirtschafts- und Marktforschung an der Handels-Hochschule St. Gallen behandeln Zollschutz-, Zahlungsbilanz-, Währungs- und Entwicklungsprobleme der Europäischen Integration unter einem allgemein wirtschaftlichen Gesichtspunkt und auf Grund der Überzeugung, dass die EWG auf alle OEEC-Staaten ausgedehnt werden müsse. Ein interessanter Beitrag zur Diskussion um die Gründung der EFTA.

Des collaborateurs de l'Institut suisse pour l'Etude des Relations économiques internationales et des Marchés de St. Gall traitent de la protection douanière, de la balance des paiements, des problèmes monétaires et du développement de l'intégration européenne d'un point de vue économique, en partant de la conviction que la CEE doit être étendue à tous les Etats membres de l'OECE. Contribution intéressante à la discussion sur la création de l'AELE.

These studies by members of the Swiss Institute for International Economic and Market research at the School of Economics and Public Administration of St. Gallen deal with customs protection, balance of payments, monetary problems and European integration development from an economic point of view. A basic opinion is that the EEC must be extended to all the member States of the OEEC. Interesting work for a discussion on the formation of EFTA.

Die europäische Zusammenarbeit auf dem Gebiet der Landwirtschaft

Hrsg. vom Forschungsinstitut der Deutschen Gesellschaft für Auswärtige Politik, Frankfurt 1957, 88 S.

Verzeichnis der internationalen Organisationen, an deren Arbeit der Agrarsektor beteiligt ist, und z.T. analytische Bibliographie der Dokumente internationaler Organisationen und des einschlägigen Schrifttums. In der Einleitung kurze Geschichte der europäischen Zusammenarbeit im Agrarsektor.

Index des organisations internationales qui s'occupent du secteur agricole; bibliographie analytique partielle des documents d'organisations internationales, et des travaux relatifs à la collaboration européenne en matière d'agriculture, dont un bref histoirique présenté en introduction.

A guide to the international organizations concerned with the agricultural sector, partly an analytical bibliography of the documents of international organizations and of other relevant works. A short history of European collaboration in the agricultural sector is presented in the introduction.

Europas Märkte wachsen zusammen

Forkel Verlag, Stuttgart 1961, 280 S.

13 Wirtschaftswissenschaftler schreiben hier über verschiedene, mit der wirtschaftlichen Integration Europas zusammenhängende Probleme und die Möglichkeiten für die Unternehmerpraxis.

13 économistes traitent de divers problèmes relatifs à l'intégration économique de l'Europe, et des possibilités offertes aux entrepreneurs.

13 economists deal with various problems arising from the economic integration of Europe, and the possibilities open to entrepreneurs.

The European Common Market — New Frontier for American Business

Bailey Bros., New York 1958, 220 p.

A study of the Common Market as a new concept in economic liberalism, written with a particular view to informing the American businessman on the possibilities which existed in 1958. Foreword by Prof. Hallstein.

Une étude du Marché Commun en tant que conception nouvelle du libéralisme économique, tendant à informer l'homme d'affaires américain sur les possibilités existantes, ceci en 1958. Avant-propos du Prof. Hallstein.

The European Economic Community — A Case Study of the New Economic Regionalism

Bureau of Business and Economic Research, University of Maryland 1959, 12 p.

Second part of a case study concerned with the structure of the Community and its various institutions. Attention is also given to the relationship between national and supranational authorities and the situation of non-member States.

Seconde partie d'une étude concernant la structure de la CEE et ses différentes institutions. Traite aussi des relations entre les autorités nationales et supra-nationales, et de la situation des Etats non-membres.

L'Europe et l'économie mondiale

Publ. par l'OECE, Paris 1960, 146 p.
English edition: **Europe and the World Economy.** *OEEC, Paris 1960, 138 p.*

Etude statistique qui, à l'aide de très nombreux tableaux et graphiques, dresse un bilan de la situation de l'économie européenne en 1959. Publiée chaque année.

With the aid of tables and graphs, this statistical enquiry gives a survey of the economic situation of Europe in 1959. Published every year.

Europe's Future in Figures (ed by R.C. Geary)

North-Holland Company, Amsterdam 1962, 343 p.

An extensive series of technical studies prepared by ASEPELT on long-term European GNP economic forecasting for 1970-75, with comparative figures for 1959-60. Some are written in English and some in French, eight display results in form of figures; two other contributions are purely theoretical projections. For specialists only.

Importante série d'études, préparées par ASEPELT, spécialisées dans la prévision économique à long terme des PNB en Europe pour les années 1970-75, avec des chiffres comparatifs pour 1959-60. Certaines de ces études sont écrites en français, d'autres en anglais dont huit présentent les résultats en chiffres, les deux autres étant des projections purement théoriques. Destiné uniquement aux spécialistes.

Europe's Needs and Resources

Twentieth Century Fund, New York 1961, 1198 p.
Edition française: **Besoins et moyens de l'Europe.** *Berger-Levrault, Paris 1962, 661 p.*

A monumental work, undertaken by the Twentieth Century Fund. Nearly seven-hundred pages of detailed analyses with four-hundred figures and statistical tables. The result of five years of research (carried out in Geneva) and of collaboration between nineteen Americans and nine Europeans, this is probably the most complete exposé ever made of the European economy and one of the first to consider Western Europe as an economic unit without, however, neglecting structural differences from country to country. Of particular interest is the "anticipated development" which covers the period from 1955 — the basic year — to 1970.

Ouvrage monumental entrepris par le "Twentieth Century Fund". Résultat de cinq ans de recherches (poursuivies à Genève) et de la collaboration de 19 Américains et de 9 Européens, c'est sans doute la présentation la plus complète qui ait jamais été faite de l'économie européenne, et l'une des premières qui considèrent l'Europe de l'Ouest en tant qu'unité économique, sans négliger toutefois les différences structurelles entre les pays. On lira avec intérêt les "pronostics de développement" qui s'étendent — en partant de l'année de base 1955 —jusqu'à 1970.

EUROPEUS: **La crise de la Zone de Libre-Echange**

Plon, Paris 1959, 112 p.

Ouvrage impartial d'information du Centre d'Etudes Politiques. L'auteur explique l'échec de la négotiation de 1958 sur la création d'une grande zone de libre-échange par la méthode de travail, les arrières-pensées politiques des négociateurs et, enfin, les difficultés techniques qui découlent de la conception d'une zone de libre échange appliquant à l'agriculture un traitement à part.

An impartial work of information from the "Centre of Political Studies". The author explains the failure of the 1958 negotiations for a large trade area by reason of the method of work adopted, the hidden political motives of the negotiators and finally the technical difficulties which come from the concept of a free trade area, treating agriculture separately.

L'évaluation des entreprises et parts d'entreprises

Dunod, Paris 1961, 104 p.

Deutsche Ausgabe: **Die Bewertung von Unternehmungen und Unternehmungsanteilen.** *Institut der Wirtschaftführer, Düsseldorf 1961, 88 S.*

Les auteurs, membres de l'Union Européenne des Experts-Comptables, fixent un certain nombre de règles pour le recensement et l'estimation des éléments indispensables à la marche normale de l'entreprise. Ils montrent également l'intérêt que présente l'application de formules mathématiques à l'évaluation des entreprises. Pour experts et chefs d'entreprise.

The authors, members of the European Union of chartered accountants, lay down a certain number of rules for the enumeration and evaluation of the elements necessary for the normal pursuit of business. They also show the interest which is presented by the use of mathematical formula for the evaluation of business. For experts and heads of business.

EWG und EFTA in wissenschaftlicher Diskussion (hrsg. von Ernst Lagler)

Duncker & Humblot, Berlin 1961, 164 S.

Vorträge und Diskussionen der Wirtschaftswissenschaftlichen Gesellschaft für Österreich. Soziale, politische und wirtschaftliche Probleme der europäischen Integration werden behandelt und die Frage des Brückenschlags zwischen EWG und EFTA erörtert.

Conférences et discussions de la Société des Sciences économiques d'Autriche. On y traite des problèmes sociaux, politiques et économiques de l'intégration européenne et notamment de la question d'un "pont" entre l'AELE et la CEE.

Lectures and discussions of the Society of Economic Science of Austria. Social, political and economic problems of European integration, particularly the question of a "bridge" between EFTA and EEC.

FABRE, Francis-Charles: **La politique céréalière en Europe au seuil de l'unification**

A. W. Sijthoff, Leiden 1960, 231 p.

Essai sur l'organisation du marché céréalier à l'échelle européenne supranationale. La diversité des politiques nationales est analysée ici par produit et non par pays.

Essay on the organization of the cereal market on a European super-national scale. The diversity of national policies is analysed by commodities, and not by country.

FANTINI, Oddone: **L'integrazione economica europea e il Mercato Comune**

Antonio Milani, Padua, 4a ed. 1962, 192 p.

Testi delle lezioni tenutesi all'Università di Roma, sui precedenti immediati e sulle tappe del processo di integrazione economica europea, con capitoli particolareggiati su alcuni dei settori di integrazione economica più importanti nel MEC.

Texte d'un cours donné à l'Université de Rome. L'auteur examine l'évolution et les étapes du processus d'intégration européenne. Quelques chapitres sont consacrés aux problèmes particuliers des plus importants secteurs d'intégration dans le Marché Commun.

Lectures given at Rome University. The author examines the evolution and stages in the progress of European integration. Several chapters are devoted to the particular problems of the most important sectors of integration in the Common Market.

FERRARA, Reno: **Problemi e prospettive dei trasporti urbani in Europa**

Nuova Mercurio, Milano 1959, 319 p.

L'Autore, che ha una lunga esperienza nella direzione di aziende pubbliche di trasporto, traccia una valutazione aggiornata dei problemi posti dall'evoluzione e dall'economia dei trasporti pubblici, e della loro gestione, con numerosi riferimenti alla situazione degli altri paesi europei.

L'auteur, qui dispose d'une longue expérience dans la direction des entreprises de transports publics, énumère les problèmes posés par l'évolution et l'économie des transports publics et par leur gestion. Nombreuses références à la situation des divers pays européens.

The author, well experienced in the running of public transport concerns, reviews the problems raised by the development, economics and management of public transport. Numerous references to the situation in various European countries.

FIGUEROA, Emilio de: **Hegemonía y declinación económica de Europa**

Aguilar, Madrid 1958, 188 p.

Historia económica de Europa a partir del siglo XIX. El autor hace una comparación de la hegemonía europea entre 1815 y 1914 y de su declinación económica a partir de 1914. Obra my documentada.

Histoire économique de l'Europe, depuis le XIXe siècle. L'auteur compare l'hégémonie européenne entre 1815 et 1914, avec son déclin économique depuis 1914. Ouvrage bien documenté.

An economic history of Europe since the 19th century. The author compares European hegemony between 1815 and 1914 and its economic decline since 1914. A well documented work.

Le financement des investissements et les aspects sociaux de la reconversion

Dalloz et Sirey, Paris 1963, 255 p.

Deutsche Ausgabe: **Die Finanzierung der Investitionen und die sozialen Aspekte der Umstellung.** *A. Lutzeyer, Baden-Baden 1963, 272 S. — Edizione italiana:* **Il finaziamento degli investimenti e gli aspetti sociali della riconversione.** *A. Giuffrè, Milano 1963, 267 p. — Nederlandse uitgave:* **De financiering van de investeringen en de sociale aspecten van de omschakeling.** *E. Kluwer, Deventer 1963, 274 p.*

Rapports et comptes-rendus rédigés par deux groupes de travail de la Conférence gouvernementale réunie par le Conseil des Ministres et la Haute Autorité de la CECA au sujet de la reconversion industrielle des régions touchées par la fermeture de charbonnages (Luxembourg 1960). Les auteurs ont été choisis surtout parmi les hauts fonctionnaires de l'Administration des pays membres, ainsi que de la CECA.

Reports and discussions of two working teams set up by the Governments Conference on Industrial Reconversion in areas affected by closure of mines, called by the Council of Ministers and the High Authority of the ECSC and held in Luxemburg in 1960. The authors are mainly high administrative officials of the member States and of the ECSC.

Berichte und Referate von zwei Arbeitsgruppen der vom Ministerrat und der Hohen Behörde der EGKS einberufenen Regierungskonferenz über die industrielle Umstellung der von Zechenstillegungen betroffenen Gebiete (Luxemburg 1960). Verfasser sind vorwiegend hohe Verwaltungsbeamte der Mitgliedstaaten sowie der EGKS.

FRANK, Isaiah: **The European Common Market**

Frederick A. Praeger, New York 1961, 324 p.
Edición española: **El Mercado Común Europeo.** *Edición Hispano Europea, Barcelona 1962, 372 p.*

Can the question of the trade implications of the Common Market be reconciled with the principles of American commercial policy? The book is intended mainly for businessmen, government officials, scholars and teachers.

Les conséquences commerciales du Marché Commun peuvent-elles s'accorder avec les principes de la politique commerciale américaine? Ouvrage destiné principalement aux hommes d'affaires, aux représentants gouvernementaux, aux étudiants et aux professeurs.

GANSER, Carl — WILHELMI, Helmut: **Harmonisierung der Steuersysteme in der Europäischen Wirtschaftsgemeinschaft**

Joh. Heider, Bergisch Gladbach 1958, 47 S.

Die Verfasser legen die Notwendigkeit der Harmonisierung dar und stellen Grundsätze und Vorschläge zu ihrer Verwirklichung auf, ohne auf Einzelheiten einzugehen.

Les auteurs démontrent la nécessité d'une harmonisation des législations fiscales et proposent des principes de base pour sa réalisation, sans entrer dans les détails.

The authors point out the need for a certain harmonization of taxation, and propose some fundamental principles to carry it out, but do not go into detail.

Gemeinwirtschaft in Westeuropa (hrsg. von Wilhelm Weber)

Vandenhoeck & Ruprecht, Göttingen 1962, 498 S.

Vier Beiträge österreichischer Wirtschaftskenner zu Umfang, Organisation und Praxis der öffentlichen Wirtschaft in Grossbritannien, Frankreich, Italien und der Bundesrepublik Deutschland. Im Anhang jeden Beitrages sind Literaturverzeichnisse angeführt. Enthält auch eine wertvolle Liste der öffentlichen Wirtschaftsunternehmen Italiens. Für Spezialisten in Wissenschaft und Praxis.

Quatre travaux d'économistes autrichiens sur l'étendue, l'organisation et la pratique de l'économie publique en Angleterre, France, Italie et Allemagne de l'Ouest. Index bibliographique à la fin de chaque étude. Précieuse liste des entreprises publiques italiennes. Pour théoriciens et praticiens.

Four essays by Austrian economists on the extent, organization and practice of public economy in England, France, Italy and West Germany. Bibliographies at the end of each chapter. Also contains a useful list of public enterprises in Italy. For specialists, in theory or practice.

GIORDANO, Renato: **Il Mercato Comune e i suoi problemi**

Opere Nuove, Roma 1958, 84 p.

Vi si esaminano le motivazioni dell'Europeismo in Italia e in Europa, le critiche economiche e politiche ai trattati di Roma, e la posizione dell'Inghilterra, chiusa tra la politica di salvaguardia del potere imperiale e quella di adesione al Mercato Comune.

Examen des motifs de l'action d'union européenne en Italie et en Europe, accompagné d'une analyse économique et politique des Traités de Rome, ainsi que de la position de l'Angleterre, prise entre sa politique impériale et celle de l'adhésion au Marché Commun.

A study of the motives of Europeanism in Italy and Europe, of economic and political criticisms of the Treaty of Rome and of the position of England caught between the Imperial policy and that of adhering to the Common Market.

GISCARD D'ESTAING, Edmond: **La France et l'unification économique de l'Europe**

Génin, Paris 1953, 370 p.

L'auteur est partisan d'une unification économique de l'Europe, mais foncièrement opposé "à tout ce qui serait l'uniformiser": il soutient donc la thèse de l'unification contre celle de l'intégration.

The author is a supporter of an economic unification of Europe but is opposed to anything which might tend towards uniformity. He thus supports the principle of unification as opposed to that of integration.

GOETZ-GIREY, Robert: **La politique des salaires dans les pays de la Communauté Economique Européenne** (Cours donné à l'Université de Paris en 1961/1962)

Les Cours de Droit, Paris 1962, 272 p.

Commençant par une étude analytique de l'aspect social du sujet, l'auteur passe ensuite aux questions politico-économiques que pose la fixation des salaires dans les six pays. Nombreux tableaux, statistiques et références. Polycopié.

Beginning with an analytical study of the social aspect of the subject, the author then deals with questions of political economy raised by the fixing of wages in the six countries of the EEC. Numerous tables, statistics and references. Duplicated.

GÖTZ, Hans Herbert: **Europäische Agrarpolitik auf neuen Wegen**

A. Lutzeyer, Baden-Baden 1959, 80 S.

Die zu Beginn der europäischen Agrardebatte erschienene Schrift wendet sich gegen die frühere, vorwiegend protektionistische Agrarpolitik der europäischen Staaten und sieht im Vertrag von Rom und in den Ergebnissen der Konferenz von Stresa (Juli 1958) eine Chance zum Umdenken im Hinblick auf neue agrarpolitische Leitideen.

Cette publication, qui a paru lors des premiers temps du débat agricole européen, critique la politique agricole antérieure des Etats européens, qui était surtout protectionniste; l'auteur voit dans le Traité de Rome et dans les résultats de la conférence de Stresa (juillet 1958) une occasion de changer d'opinion en faveur de nouvelles conceptions de politique agricole.

This book, published in the early days of the discussions on European agriculture, is a criticism of the former protectionist agricultural policies of European countries. In the Treaty of Rome and in the outcome of the Stresa conference (July 1958), we see the opportunity for a change of opinion in favour of new concepts of agricultural policy.

GRANICK, David: **The European Executive**

Doubleday & Co., New York 1962, 348 p.

Deutsche Ausgabe: **Der europäische Manager.** *Econ, Düsseldorf 1962, 418 S.* — *Edition française:* **Les entreprises européennes.** *Editions de l'Organisation, Paris 1964.*

Suggestions and tips on hiring, training and building the incentive of various types of staff, on company management and external relations, on planning in different branches of the economy, on the significance of financial groups, on the influence of the parties and trade unions of the Left.

Suggestions et conseils concernant l'engagement, la formation et la composition du personnel pour la gestion d'une entreprise et ses relations extérieures, dans divers secteurs de l'économie. Observations sur l'importance de certains groupes financiers, et sur l'influence des partis et des syndicats de gauche.

Guest Lectures in Economics (edit. by E. Henderson, and L. Spaventa,)

A. Giuffrè, Milano 1962, 280 p.

A set of lectures concerned with economic history and theory, monetary policy, development and planning within and outside Europe.

Ensemble de conférences traitant de l'histoire et de la théorie économiques, de la politique monétaire, du développement et de la planification à l'intérieur et à l'extérieur de l'Europe.

GÜNTHER, H. E.: **Die Zuckerwirtschaft in EWG und EFTA**

A. Lutzeyer, Baden-Baden 1962, 244 S.

Eine statistisch reich belegte Studie über den gesamten Weltzuckermarkt und seine Konfrontation mit demjenigen der EWG- und EFTA-Länder. Als Beispiel von allgemein wirtschaftlichem Interesse.

Etude complétée de nombreuses statistiques sur le marché mondial du sucre et sa confrontation avec celui de la CEE et des pays de l'AELE. Exemple d'un intérêt économique général.

Study with many statistics of the world sugar market and its relations with that of the EEC and of the countries of EFTA. Of general economic interest.

HAGMANN, Hermann-Michel: **Le Marché Commun et les Pays Tiers**

Centre de recherches européennes, Lausanne 1963, 105 p.

L'intensification du commerce intracommunautaire européen a une double incidence sur les relations commerciales des pays tiers avec la CEE: d'une part, une nouvelle division du travail s'opère entre les Six; d'autre part, la croissance accélérée des revenus nationaux étend les débouchés offerts par le Marché Commun aux fournisseurs extérieurs.

Intensification of trade within the European communities has a double effect on the relations of the uncommitted nations with the EEC: on one hand, a new division of làbour operating between the Six; and on the other hand, more openings offered by the Common Market to external suppliers as a result of the rapid increase in national incomes.

HAHN, Albert: **Über monetäre Integration**

J. C. B. Mohr, Tübingen 1961, 23 S.

Kurze Kritik der währungspolitischen Bestimmungen des Vertrages von Rom. Der Verfasser fordert eine Rückkehr zu den Regeln der Goldwährung, ohne welche die Bemühungen der EWG bloss zur Schaffung neuer bürokratischer Institutionen führten.

Critique concise des dispositions du Traité de Rome en matière de politique monétaire. L'auteur préconise un retour aux règles de l'étalon-or, sans lesquelles les efforts de la CEE n'aboutiront qu'à la création de nouvelles institutions bureaucratiques.

Brief criticism of the provisions concerning monetary policy in the Treaty of Rome. The author suggests a return to the gold standard, without which the efforts of the EEC will achieve only the creation of new bureaucratic institutions.

HANEL, Alfred: **Die Einkaufsgenossenschaften des Handwerks in den Ländern der Europäischen Wirtschaftsgemeinschaft**

Michael Triltsch, Düsseldorf 1962, 262 S.

Der nach Gewerbearten gegliederten Darstellung der Einkaufsorganisationen der EWG-Länder (ausser Italien, das sie nicht kennt) ist eine Analyse der Struktur und der Organisation des Handwerks in diesen Ländern vorangestellt. Statistisches Material. Für Fachleute.

Présentation, classée par métiers, des organisations d'achats dans les pays-membres de la CEE (sauf l'Italie, qui ne les connaît pas), précédée d'une analyse de la structure et de l'organisation de l'artisanat dans ces Etats. Documentation statistique. Pour spécialistes.

An account, classified according to trades, of buying organizations in the member countries of the EEC (excepting Italy, where they do not exist), is preceded by an analysis of the structure and organization of handicrafts in these countries. Statistics given. For specialists.

HARTMANN, Hans-Joachim — WESTPHALEN, Jürgen: **Europa auf falschem Kurs? Lateinamerikanische EWG-Sorgen**

Übersee-Verlag, Hamburg 1963, 92 S.

Die Verfasser beschreiben am Beispiel Lateinamerikas die Probleme der wirtschaftlichen und politischen Auswirkungen der EWG und fordern eine offene europäische Handelspolitik sowie eine koordinierte Entwicklungshilfe. Von allgemeinem Interesse.

Les auteurs étudient les effets politiques et économiques du Marché Commun, en prenant comme exemple l'Amérique Latine: ils préconisent une politique européenne du commerce ouverte, ainsi qu'une aide au développement coordonnée. D'un intérêt général.

The authors discuss the effects, both political and economic, of the Common Market, taking the example of Latin America. They recommend an open trade policy for Europe, and co-ordinated aid for development. Of general interest.

HARTOG, F.: **European Trade Cycle Policy**

A. W. Sijthoff, Leiden 1959, 55 p.

The work analyses the effects of national stabilization policies in Europe and determines whether a wider co-ordinated policy is needed for permanent prosperity. In discussing postwar economic co-operation in the OEEC and the Common Market until 1959, the author proves the inadequacy of independent national policies.

L'ouvrage analyse les politiques de stabilisation nationale en Europe. En discutant la coopération économique dans le cadre de l'OECE et du Marché Commun jusqu'en 1959, l'auteur démontre l'inefficacité des politiques nationales indépendantes.

HAUSER, Rita E. — HAUSER, Gustave M.: **A Guide to Doing Business in The European Common Market**
Vol. I: France and Belgium

Stevens & Sons, London 1960, 271 p.

Intended to acquaint the reader with the origin, content and function of the EEC, and with the framework in which business may be conducted. Basic information rather than a set of rules. Treaty texts in the appendix.

Tente de familiariser le lecteur avec l'origine, le contenu et le fonctionnement du Marché Commun et avec le cadre des affaires. Informations de base plutôt qu'un ensemble de règles. Textes du Traité de la CEE en appendice.

HEATON, Herbert: **Economic History of Europe**

Harper & Row, London/New York, 2nd rev. ed. 1948, 792 p., ill.

A well documented textbook, covering the period from prehistoric Europe to our day, with a special emphasis on the outlasting influence of some basic factors such as physical environment, technology, economic and social institutions, religion and politics. Abundant bibliography and many charts.

Manuel bien documenté sur l'économie européenne, de la préhistoire à nos jours, et qui souligne l'influence prédominante de certains facteurs, tels que: la géographie physique, la technologie, les institutions économiques et sociales, la religion, la politique. Bibliographie abondante et nombreux graphiques.

HENZLER, Reinhold: **Die Marktunion — eine betriebswirtschaftliche Wende**

Westdeutscher Verlag, Köln-Opladen 1958, 70 S.

Geht von der Hypothese eines vollkommenen Binnenmarktes im Unionsraum aus und untersucht die wechselseitigen Beziehungen zwischen supranationaler Marktgestaltung und Betriebswirtschaft sowohl im Unionsmarkt als auch in Drittmärkten.

Part de l'hypothèse d'un marché intégré à l'intérieur de l'Union, et étudie les relations réciproques entre la structure supranationale du marché et l'économie d'entreprise dans le marché de l'Union ainsi que dans les marchés tiers.

This study starts from the hypothesis of an integrated market within the Union and examines the mutual relations between supranational market structure and business economy, both in the market of the Union and in the markets of third countries.

HERCZEG, Karl L.: **Zukunft der Weltwirtschaft — Schicksalsfragen der westlichen Welt**

Econ, Düsseldorf 1958, 326 S.

Der Verfasser konstatiert das Versagen der klassischen Wirtschaftswissenschaft und -politik angesichts der weltwirtschaftlichen Strukturstörungen und bietet dann Diskussionsgrundlagen für zwei Hauptprobleme der heutigen Wirtschaftswissenschaft: Die europäische Integration und die Entwicklung der wirtschaftlich zurückgebliebenen Gebiete. Er will die Integration auf die Errichtung eines europäischen Grossmarktes beschränkt sehen, dessen verschiedene Aspekte er unter einem wirtschaftstheoretischen Gesichtspunkt positiv beurteilt.

L'auteur constate l'échec de la science économique classique devant les perturbations structurelles de l'économie mondiale. Il fournit les bases de discussion sur deux problèmes capitaux de la science économique actuelle: l'intégration européenne et les perspectives des pays en voie de développement. Il conçoit une intégration limitée à un Grand Marché européen, dont il approuve les différents aspects d'un point de vue économique théorique.

The author points out the failure of traditional economic and political sciences regarding the structural disturbances in world economy, and goes on to discuss two essential problems in modern countries: European integration and the economic development of the emerging countries. His idea of European integration is limited to an enlarged European market, the various aspects of which he approves from the point of view of a theoretical economy.

HOFFMANN, Emil: **COMECON — Der gemeinsame Markt in Osteuropa**

C. W. Leske, Darmstadt 1961, 174 S.

Allgemein verständliche Darstellung der Industrie in den europäischen Volksdemokratien und der Koordinierungsmassnahmen im Rahmen des COMECON.

Présentation accessible à tous de l'industrie des démocraties populaires européennes ainsi que des mesures de coordination dans le cadre du COMECON.

A popular work on industry in peoples' democracies in Europe, and the measures of co-ordination taken in the COMECON.

HOFMANN, Werner: **Europa-Markt und Wettbewerb**

Duncker & Humblot, Berlin 1959, 47 S.

Der Verfasser versucht, die Frage nach dem Ort der EWG in der allgemeinen Wirtschaftsgeschichte zu bestimmen. Er sieht die Kontinuität der Entwicklung und die Bedeutung der EWG in der Anpassung von Produktion und Markt. Von wissenschaftlichem Interesse.

L'auteur tente de définir la position de la CEE dans l'histoire économique générale. La continuité du développement et l'importance de la CEE dépendent de l'adaptation de la production au marché. D'intérêt scientifique.

The author attempts to fix the position of the EEC in the context of general economic history. According to him, the continuity of development and the importance of the EEC lie in the adaptation of production to the market. Of scientific interest.

HOUSSIAUX, Jacques: **Concurrence et Marché Commun**

Génin, Paris 1960, 174 p.

Première étude sur l'important problème des ententes et des concentrations dans le cadre du Marché Commun. "Nourrie de faits, d'aperçus nouveaux et originaux" — selon le Professeur Marchal — et alliant constamment le point de vue juridique au point de vue économique, elle s'adresse principalement aux spécialistes.

A first study of the important problem of ententes and groupings within the Common Market. "Bristling with facts and new, original points of view" according to Professor Marshal — and always linking the legal and economic problems. Mainly for specialists.

HUDECZEK, Carl: **Geldprobleme der Europäischen Wirtschaft**

Econ, Düsseldorf 1961, 272 S.

Behandelt in allgemein verständlicher Weise die Kräfte und Grundzüge des monetären Geschehens in der EWG: Währung, Zahlungsbilanz, Finanzpolitik, Tätigkeit der nationalen Banken und der zwischenstaatlichen EWG-Institutionen.

L'ouvrage traite d'une manière accessible à tous des ressorts et des éléments du phénomène monétaire dans la CEE: étalon monétaire, balance des paiements, politique des finances, activité des banques nationales et des institutions inter-étatiques de la CEE.

This popularly styled work discusses the scope and bases of the monetary activities of the EEC: monetary standard, balance of payments, financial policy, activities of national banks and inter-state institutions of the EEC.

HUEBBENET, Georg von: **Die Rote Wirtschaft wächst — Aufbau und Entwicklungsziele des COMECON**

Econ, Düsseldorf 1960, 288 S.

Entstehung, Aufbau und Entwicklungsziele des Comecon, — des Gegenstücks zu den europäischen wirtschaftlichen Zusammenschlüssen, dem westlicherseits nicht nur propagandistische Abwehrmotive und eigensinnige Autarkiebestrebungen zu unterschieben sind —, und dessen Bedeutung für die Entwicklungsländer und die exportorientierte Wirtschaft des Westens.

Origine, structure et buts du Comecon, organisme parallèle aux organisations économiques européennes, et auquel l'Ouest aurait tort de n'attribuer que des mobiles de propagande et de défense, voire d'autarcie. L'auteur montre son importance pour les pays en voie de développement et pour l'économie occidentale d'exportation.

Origins, structure and aims of development of Comecon which constitutes a parallel to the European economic organizations, and to which the West should not attribute only motives of propaganda and defence, nor obstinate autarkical tendencies. Shows its importance for the developing countries as well as for Western economy as far as exportation is concerned.

IFFLAND, Charles: **L'approvisionnement de la Suisse en matières premières et l'organisation de l'Europe**

Centre de recherches européennes, Lausanne 1961, 250 p.

Après une étude de l'évolution récente, l'auteur examine l'avenir de l'économie suisse face à l'intégration européenne, et arrive à un jugement très favorable à celle-ci.

After consideration of recent events, the author examines the future of the Swiss economy facing European integration, and comes out firmly in favour of the latter.

IJSSELMUIDEN, Th. S.: **De fiscale balans in Nederland en de andere landen van de EEG**

AE. E. Kluwer, Deventer 1963, 156 p.

Een overzicht van de administratieve en rechterlijke beslissingen over de fiscale balans, waarbij tot uitdrukking wordt gebracht op welke wijze de rechters in verschillende landen gelijke situaties hebben beoordeeld. Behandeld worden de algemene aspecten, de afschrijvingen, de voorzieningen en de voorraadwaardering.

Aperçu des différentes décisions administratives et juridiques relatives au bilan fiscal, qui montre comment les magistrats de différents pays ont jugé des situations analogues. L'ouvrage traite des aspects généraux, des attributions, des prévisions et des arbitrages sur les valeurs.

A survey of different administrative and juridical decisions taken with regard to the fiscal balance and illustrating the procedure adopted by the courts of the different countries to judge analogous cases. The book deals with the general aspects as well as with questions of competence, provisions and of stock arbitrage.

L'intégration économique de l'Europe (Groupe d'études sous les auspices de la Dotation Carnégie pour la Paix Internationale)

Presses Universitaires de France, Paris 1953, 332 p.

Edición española: **La integración europea.** *Edición Hispano Europea, Barcelona 1963, 216 p.*

Oeuvre de plusieurs spécialistes internationaux, groupés sous la direction de L. de Sainte-Lorette, et écrite au moment où l'Europe sortait d'une économie "d'après -guerre" pour entrer dans une époque délibérément constructive. Les auteurs présentent une analyse historique minutieuse des faits depuis la fin de la guerre 1939-45 et décrivent la planification économique, commerciale et sociale qui en est résultée à l'échelle de l'Europe.

This work of several international specialists grouped under the direction of L. de Sainte-Lorette was written at the key-moment when Europe emerged from a post-war economy to enter a deliberately constructive era. The authors present a highly detailed historical analysis of facts from the end of the second World War and describe the economic, commercial and social planning on a European scale, as their result.

Integración europea

Cuadernos de Estudio de la delegación nacional de organizaciones, 464 p.

Trabajos del Seminario Central de Estudios Europeos, realizados por jóvenes autores, que estudian profundamente las realizaciones y el porvenir de la integración europea. Obra bien documentada.

Travaux du "Seminaire Central d'Etudes Européennes", réalisés par de jeunes auteurs qui étudient en détail les réalisations et l'avenir de l'intégration européenne. Bien documenté.

A report of the Central Seminar of European Studies undertaken by young writers. They go deeply into the subject of the achievements and future of European integration. Well documented.

International Money and Capital Movements in Europe — Minimum Prices in European Trade in Agricultural and Horticultural Products

Political and Economic Planning, London 1961, 45 p. — 1960, 43 p.

Reports on the considerable progress which has been made towards freeing the movement of capital in Western Europe and the objectives lying ahead.

Rapports sur le progrès remarquable réalisé en vue de la libération des mouvements de capitaux en Europe occidentale. Aperçu des tâches à accomplir dans l'avenir.

JANSSEN, S. J.: **Free Trade, Protection and Customs Union**

Stenfert Kroese, Leiden 1961, 157 p.

Theoretical foundation of the subsequent equilibrium models which are applied to the theory of free trade and protection, and a study of customs unions, an application of equilibrium models to the EEC, with conclusion as to the effects of specialization.

Théorie des modèles d'équilibre appliqués au libre-échange et au protectionnisme; puis étude des unions douanières et de l'application des modèles d'équilibre à la CEE, avec des conclusions relatives aux conséquences de la spécialisation.

JEFFERYS, James B. — KNEE, Derek: **Retailing in Europe — Present Structure and Future Trends**

Macmillan & Co., London 1962, 178 p.
Edition française: **Le commerce de détail en Europe.** *Presses Universitaires de France, Paris 1963, 176 p. — Danske uitgave:* **Detailhandelen: Europa.** *Det Danske Forlag, København 1964, 190 S.*

The growing importance of the distribution sector in modern economics is the basis of this comprehensive study which contains comparisons of statistics of different European countries, together with forecasts for the coming decade, and the problems and changes ensuing.

L'importance croissante du secteur de distribution dans les économies modernes est la base de cette étude complète, comprenant des comparaisons des statistiques des pays européens, des prévisions pour les dix prochaines années, ainsi que les problèmes et transformations qui en résulteraient.

KAHMANN, H. — KÖLLNER, L.: **Europäische Wirtschaftspolitik — Beiträge zu den Aufgaben unserer Zeit**

Regensbergsche Buchdruckerei, Münster/Westf. 1957, 190 S.

Eine für Nicht-Fachleute gedachte Übersicht über Europas Wirtschaftspolitik und eine Charakterisierung seiner aussereuropäischen Partner. Mit dem geschichtlichen Hintergrund wird zugleich ein Ausblick auf die damals soeben gegründete EWG gegeben.

Panorama de la politique économique de l'Europe, avec une description de ses partenaires extra-européens, à l'usage des profanes. On donne un aperçu de la CEE - qui venait d'être fondée à l'époque — dans la partie historique.

A survey of the economic policy of Europe, with a description of her non-European partners, for the use of the lay-reader. In the historic section we are given a survey of the E.E.C. which had just been founded.

K A I S E R, Karl: **EWG und Freihandelszone — England und der Kontinent in der europäischen Integration**

A. W. Sijthoff, Leiden 1963, 320 S.

Versuch, die Ursprünge und Prinzipien der englischen Aussenpolitik angesichts der europäischen Integration systematisch darzustellen. Reicht von der Messina-Konferenz (Juni 1955) bis zum Abbruch der Freihandelszonenverhandlung der OEEC (Dezember 1958). Von allgemeinem Interesse.

Présentation systématique des origines et des principes de la politique étrangère anglaise face à l'intégration européenne. Ce livre, d'un intérêt général, s'étend de la conférence de Messine (juin 1955) jusqu'à la rupture des pourparlers de la zone de libre échange par l'OECE (décembre 1958). D'intérêt général.

An attempt to present systematically the sources and principles of British foreign policy faced with European integration. The book covers the period between the Messina conference (June 1955) and the break of negotiations for a free trade zone by the OEEC (December 1958). Of general interest.

K A P F E R E R, Clodwig: **Marktforschung in Europa**

B. Behr, Hamburg 1963, 258 S.
English edition: **Market research methods in Europe.** *Edit. by OEEC, Paris, 3rd ed. 1958, 204 p.*

Stand (1963) und Methoden der betriebswirtschaftlichen Marktforschung in Europa und ihre Einflussmöglichkeiten auf die nationale Produktivität. Es handelt sich um eine völlig neu bearbeitete Fassung der Arbeit, die der Verfasser 1956 auf English erstmalig herausbrachte. Tabellen, Statistiken, Quellennachweise, termini technici in English, Französisch und Deutsch. Durch seinen klaren Aufbau ein wertvolles Fachbuch.

Situation (en 1963) et méthodes de l'étude des marchés dans l'économie d'exploitation en Europe, et son influence possible sur la productivité nationale. Il s'agit d'une nouvelle édition entièrement remaniée de l'ouvrage publié pour la première fois en 1956 par l'auteur en anglais. Comprend des tableaux, des statistiques, des références, et une liste de termes techniques en anglais, français et allemand. La clarté de sa structure en fait un précieux livre technique.

Position (in 1963) and methods of operational market research in Europe, and its potential effect on national productivity. This is a completely revised edition of a book first published in 1956 in English. Tables, statistics, sources and technical terms in English, French and German. Its clear compilation makes this a valuable specialist work.

KELLER, Theo: **Finanzpolitik im integrierten Europa**

Deutsche Weltwirtschaftliche Ges., Berlin 1960, 14 S.

Behandelt den Einfluss der EWG-Integration auf Staatshaushalt und Finanzpolitik der Mitgliedstaaten sowie die Möglichkeit supranationaler Massnahmen (Konjunkturpolitik, Finanzausgleich, Investitionsbank, Harmonisierung der Steuersysteme).

Influence du Marché Commun sur le budget et la politique financière des Etats - membres. Perspectives ouvertes par des mesures supranationales: politique conjoncturelle, péréquation financière, banque d'investissements, harmonisation des systèmes fiscaux.

Deals with the effect of the integration of the Common Market on the budgets and financial policies of the member States, and the possibilities of supranational measures (cyclical policy, financial equalization, investment bank, harmonization of fiscal systems).

KERMANN, K.: **Europas handelswirtschaftliche Einheit**

A. Lutzeyer, Baden-Baden 1960, 140 S.

Präferenzgedanke und Aussenhandelsverflechtung bieten Ansatzpunkte für eine gesamteuropäische Assoziation rund um die Kristallisationskerne EWG und EFTA. Statistik zum Aussenhandel der OEEC-Länder (Stand 1957/58). Für Fachleute.

Le système préférentiel et l'interdépendance en matière de commerce extérieur sont les points de départ d'une association de toute l'Europe autour des noyaux de cristallisation que sont la CEE et l'AELE. Statistiques du commerce extérieur des pays de l'OECE (arrêté en 1957-58). Pour spécialistes.

The system of preferences and interdependence in foreign trade is the starting point for an all-European association around the core formed by the EEC and EFTA. Statistics of foreign trade of the OEEC countries (for 1957-58). For specialists.

KLAER, Werner: **Der Verkehr im Gemeinsamen Markt für Kohle und Stahl — Beiträge zur europäischen Verkehrspolitik**

A. Lutzeyer, Baden-Baden 1961, 386 S.

Eine wissenschaftliche Untersuchung der auf Grund von Art. 70 des Montanvertrages getroffenen verkehrspolitischen Massnahmen, zugleich eingehende Darstellung der Untersuchungen und Verhandlungen, die diesen Entscheidungen vorangegangen sind. Im Anhang einschlägige Abkommen mit Österreich und der Schweiz.

Etude scientifique des mesures de politique de transport prévues par l'art. 70 du Traité de la CECA; exposé détaillé des négociations qui se sont déroulées à l'occasion de ces décisions. En appendice: conventions en vigueur avec l'Autriche et la Suisse.

A scientific study on the measures of transport policy provided for in article 70 of the Treaty of the ECSC. Thorough description of the enquiries and negotiations which preceded these decisions. The appendix contains relevant agreements with Austria and Switzerland.

K L E P S, Karlheinz: **Kartellpolitik und Energiewirtschaft in der Montanunion**

Gustav Fischer, Stuttgart 1961, 349 S.

Eine wissenschaftliche Studie für Fachleute, die am Beispiel der Energiepolitik die Problematik des Nebeneinander verschiedener ordnungspolitischer Teilkonzeptionen in Montanunion, EWG und Euratom aufzeigen will. Reiche Bibliographie.

Etude scientifique pour des spécialistes, qui à propos de la politique en matière d'énergie, discute les diverses conceptions politiques en ce domaine, dans la CECA, la CEE, et l'Euratom. Riche bibliographie.

Scientific study for specialists which, taking energy policy as an example, shows the problem of the existence of different ideas on the subject of organization in the ECSC, the EEC and the Euratom. Detailed bibliography.

K N O R R E, Werner von: **Zehn Jahre Rat für gegenseitige Wirtschaftshilfe (COMECON) des Sowjetblocks — Entwicklung und Ergebnisse der Tätigkeit 1949-1959**

Holzner-Verlag, Würzburg 1961, 86 S.

Entstehung, Entwicklung und Ergebnisse der Tätigkeit des COMECON, des "Gemeinsamen Marktes jenseits des eisernen Vorhangs", werden dargestellt. Der Verfasser behandelt eingehend die rechtlichen Grundlagen, Organe, Abstimmung der Wirtschaftspläne, den Aussenhandel, die Möglichkeiten für den Westen, sowie die Bestrebungen zu einer Zusammenarbeit auf agrarpolitischem Gebiet.

Naissance, développement et résultats de l'activité du Comecon, qui est le "Marché Commun de l'Est"; l'auteur traite en détail les bases juridiques, les organes, l'ajustement des différents plans économiques, le commerce extérieur, les possibilités qui s'ouvrent pour l'Ouest, ainsi que les efforts pour une collaboration sur le plan de la politique agraire.

Establishment, development and results of the activities of Comecon, the "Common Market of the Iron Curtain countries"; the author deals in detail with the legal bases, the various bodies, the adaptation of different economic plans, export trade, the possibilities for the West, and the efforts at collaboration at the level of agricultural policy.

K R I E R, H.: **Main-d'œuvre rurale et développement industriel**

Publ. par l'OECE, Paris 1961, 123 p.

Rapport sur les trois problèmes suivants: l'ajustement quantitatif des travailleurs à la demande de l'industrie, l'adaptation de ces travailleurs au travail industriel dans le cadre de l'entreprise, et l'adaptation de la main-d'œuvre rurale au nouveau genre de vie et au nouveau milieu social.

A report on the three following problems: the quantitative adjustment of workers to the needs of industry, their adaptation to the practices of industrial concerns, and the acclimatization of rural manpower to a different life and a new social environment.

LADAME, Paul A.: **Le rôle des migrations dans le monde libre**

Droz, Genève/Librairie Minard, Paris 1958, 525 p.

Un auteur engagé fait ressortir l'enchaînement des grands mouvements migratoires dans le "monde libre" depuis la fin du Moyen-Age. L'étude se termine par une analyse du potentiel d'émigration européen. Excellentes bibliographies, index alphabétiques et 70 pages de tableaux.

The author describes the sequence of the great migrations in the "free world" since the end of the Middle Ages. The study ends with analysing the potential of European emigration. Excellent bibliographies, indices and 70 pages of charts.

Landarbeiter in der europäischen Industriegesellschaft

Agrarsoziale Gesellschaft, Göttingen 1960, 290 S.

Im Auftrag der OEEC erstellte Untersuchung über Struktur, Arbeitsbedingungen und Löhne der Landarbeiterschaft in den EWG-Staaten, Grossbritannien und Dänemark.

Etude entreprise pour l'OECE, sur la structure, les conditions de travail et les gains de la main—d'œuvre agricole dans les Etats membres de la CEE, en Angleterre et au Danemark.

Study commissioned by the OEEC on the structure, working conditions and wages of agricultural workers in the EEC countries, England and Denmark.

Landwirtschaft in Europa

Gustav-Stresemann-Institut, Bonn, 2. Aufl. 1959, 120 S., ill.

Geographisch-statistischer Überblick über Agrarstruktur, -verfassung und -produktion aller Länder Westeuropas (Stand 1958/59) inkl. Türkei. Graphische Darstellungen und Karten, im Anhang knappe Übersicht über die europäischen Wirtschaftsorganisationen.

Aperçu géographique et statistique de la structure, du régime et de la production agraires de tous les pays de l'Europe de l'Ouest (données de 1958-59) y compris de la Turquie. Graphiques, cartes et, en annexe, bref aperçu des organisations économiques européennes.

Geographical and statistical survey of agrarian structure, organization and production in all West European countries including Turkey (for 1958-59). Graphs, maps, and in the appendix, a glance at the economic organizations in Europe.

Die Landwirtschaft in der Europäischen Wirtschaftsgemeinschaft (hrsg. von der Akademie für Raumforschung und Landesplanung)

Gebr. Jänicke, Hannover 1962, 147 S.

Die Abhandlungen untersuchen konkrete Sachprobleme der regional stark differenzierten Landwirtschaft der EWG. Die Bedeutung des wirtschafts-geographischen Gesichtspunktes wird unterstrichen, während zugleich Vorschläge für die Durchführung regionaler Untersuchungen unterbreitet werden. Im Anhang reiches statistisches und bibliographisches Material.

Ces travaux étudient des questions concrètes de l'agriculture, régionalement très différentiée, de la CEE. L'importance du point de vue économico-géographique est bien soulignée et l'on présente en même temps des propositions d'études régionales. En annexe, riche documentation statistique et bibliographie.

These works study the problems of the regionally very varied agriculture of the EEC. The importance of the economico-geographical point of view is well emphasized and at the same time the suggestions for undertaking regional studies are given. A rich statistical and bibliographical documentation is annexed.

LEFEBVRE, Jacques: **Afrique et Communauté Européenne**

Editions Universitaires du Treuvenberg, Bruxelles 1957, 124 p.

Le principal mérite de cet ouvrage est de donner, avec documents annexés, une vue du cadre des relations économiques et commerciales entre l'Europe et l'Afrique, depuis la Conférence de Berlin jusqu'en 1957. Dépassé dans sa dernière partie consacrée à l'association des territoires d'outre-mer à la CEE.

The main merit of this work lies in giving, with documents in the appendix, a framework of the economic and commercial relations between Europe and Africa since the Berlin Conference up to 1957. The last section on the association of overseas countries to the EEC is outdated.

LENZ, Charles: **En marge de l'intégration économique de l'Europe**

Chambre de commerce de Genève 1960, 16 p.

Texte d'une conférence donnée par le Directeur général des Douanes suisses, et qui traite de l'intégration économique de l'Europe sous l'angle purement douanier. L'auteur dégage les principales répercussions que peut entraîner, sur les douanes européennes, la prochaine entrée en vigueur de l'Association européenne de libre échange.

Text of a lecture given by the Director-General of Swiss customs, which deals with European integration purely from the point of view of customs. The author outlines the principal repercussions on European customs, which the imminent setting up of the EFTA could entail.

LESOURD, J.-A. — GÉRARD, C.: **Histoire économique, XIXe et XXe siècles.** 2 vol.

Armand Colin, Paris 1963, 292/372 p.

Manuel universitaire. Par son exposé synthétique et la richesse de ses références bibliographiques, il constitue une utile introduction à l'histoire économique contemporaine. Le premier volume décrit les principaux mécanismes économiques et les étapes de l'économie moderne de 1760 à 1914. Le second volume va jusqu'en 1960.

A university text book. By its informative approach and excellent bibliographical references it constitutes a useful introduction to contemporary economic history. The first volume describes the principal economic mechanisms and the stages passed through by modern economics from 1760 to 1914. The second volume brings us up to 1960.

LEURQUIN, Philippe: **Marché Commun et localisations — les métaux non ferreux dans la Communauté Economique Européenne**

Nauwelaerts, Louvain 1962, 308 p.

Etude strictement technique sur la configuration future de la carte industrielle de la Communauté, dans une Europe où conditions de concurrence, dimension optimale des entreprises et types de structure industrielle évoluent sans cesse. Une impressionnante bibliographie ainsi que de nombreux tableaux, cartes et graphiques attestent la rigueur scientifique de l'ouvrage.

Strictly technical studies on the future of the industrial plan of the Community, in a Europe where conditions of competition, optimal size of organisations and types of industrial structure are in constant evolution. An impressive bibliography, as well as many charts, maps and graphs, show the scientific exactitude of this work.

La liquidité du système monétaire international (Société Royale d'Economie Politique de Belgique)

Librairie Encyclopédique, Bruxelles 1961, 212 p.

Colloque tenu les 22 et 23 avril 1961 à Bruxelles. L'ouvrage permet un rapide aperçu du problème de la liquidité de l'économie mondiale en 1960/61 et des thèses contradictoires. Le rapporteur propose la transformation du FMI en une véritable banque centrale internationale, en s'inspirant du plan Triffin.

Conference held on April 22 and 23, 1961, at Brussels. The work permits a rapid glance at the problem of the liquidity of the world economy in 1960/61 and of contradictory theses. The writer proposes the transformation of the IMF into a real international central bank, drawing his inspiration from the Triffin plan.

L I S T E R, Louis: **Europe's Coal and Steel Community — An Experiment in Economic Union**

The Twentieth Century Fund, New York 1960, 495 p.

Completed early in 1959, this well documented study covers the essential economic development of the first six years of the ECSC, focussing on major points of significance: how efficiency can be increased through greater international specialization, how institutions can conciliate the wide economic goals of a community and those of its member States.

Terminée au début de 1959, cette étude bien documentée couvre l'essentiel du développement économique des six premières années de la CECA. Elle est centrée sur les questions les plus importantes: l'efficacité peut-elle être augmentée par une plus grande spécialisation internationale, les institutions peuvent-elles concilier les vastes buts d'une communauté et ceux des Etats membres?

L O J E W S K I, Werner von: **Der Gemeinsame Markt in Europa**

Ullstein, Darmstadt 1958, 185 S.

Edición española: **El mercado común europeo.** *Taurus, Madrid 1960, 274 p.*

Allgemein verständliche Einführung in alle wesentlichen Probleme der EWG. Optimistische Stellungnahme zugunsten supranationaler Tendenzen.

Introduction très accessible à tous les problèmes essentiels de la CEE. Prise de position optimiste en faveur des tendances supranationales.

Easily comprehensible introduction to all the essential problems of the EEC. Optimist standpoint in favour of supranational tendencies.

L O P E Z - C U E S T A, Teodoro: **Problemas de la integración económica de Europa**

Revista de la Facultad de Derecho, Universidad de Oviedo 1959, 270 p.

Estudio detallado y objetivo de los principales problemas ecónomicos, políticos y psicológicos que plantea la integración económica europea. Libro de consulta de especial interés, con el texto integral del Tratado de Roma en el apéndice.

Etude détaillée et objective des principaux problèmes économiques, politiques et psychologiques posés par l'intégration économique européenne. Ouvrage de référence de grand intérêt, avec en annexe le texte intégral du Traité de Rome.

Detailed and objective study of the economic, political and psychological problems caused by European economic integration. Reference book of particular interest, with the complete text of the Treaty of Rome in the appendix.

LUNDSTRÖM, Hans O.: **Capital Movements and Economic Integration**

A. W. Sijthoff, Leiden 1961, 231 p.

After discussing the nature and financing of capital investment, and capital movements and their effects, the author considers whether liberalization of capital movements is the best course of action. He then sees how these questions have been dealt with in some European integration projects.

Après une discussion sur la nature de l'investissement des capitaux et du financement, des mouvements de capitaux et leurs effets, l'auteur examine si oui ou non la libération des mouvements de capitaux est la meilleure voie à suivre. Il étudie ensuite comment ces questions ont été traitées dans certains projets d'intégration européenne.

MAIER, H. J. — MEYER-MARSILIUS, H. J.: **Le représentant de commerce dans le Marché Commun**

Dalloz et Sirey, Paris 1961, 298 p.

Deutsche Ausgabe: **Der Handelsvertreter in der Europäischen Wirtschaftsgemeinschaft.** *A. Lutzeyer, Baden-Baden 1961, 340 S.* — *Edizione italiana:* **L'agente di commercio nei paesi del Mercato Comune.** *A. Giuffrè, Milano 1961, 345 p.* — *Nederlandse uitgave:* **De Handelsagent in de Europese Economische Gemeenschap.** *Stenfert Kroese, Leiden 1961, 280 p.*

Guide à l'intention du représentant et du voyageur de commerce sur la pratique du commerce et les questions juridiques à l'intérieur de la CEE. Source d'informations pour le commerçant en gros sur les particularités juridiques des pays du Marché Commun.

This guide intended for commercial representatives and travellers concerns trade practice and law in the EEC. A source of information for the wholesaler on the legal peculiarities of the countries of the Common Market.

Ratgeber für den Handelsvertreter und Handelsreisenden über die Fragen der Praxis und des Rechtes im Handel innerhalb der EWG. Informationsquelle für den Vertriebskaufmann überdie Besonderheiten der Rechtsmaterie in diesen Ländern.

M A N T E L, Kurt: **Die Forst- und Holzwirtschaft in der EWG und EFTA**

A. Lutzeyer, Baden-Baden 1960, 659 S., ill.

Umfassende Orientierung über alle Fragen der Forstwirtschaft und des Holzmarktes, mit nach Ländern gegliederter Darstellung von Produktion und Verbrauch sowie den zoll- und anderen handelspolitischen Auswirkungen der EWG, der EFTA und einer eventuellen europäischen oder atlantischen Freihandelszone. Für Fachleute.

Orientation étendue sur toutes les questions d'économie forestière et sur le marché du bois, tableau de la production et de la consommation par pays et indication des effets sur la politique douanière entre autres, des Traités de la CEE et de l'AELE, et d'une éventuelle zone de libre-échange européenne ou atlantique. Ouvrage pour spécialistes.

Extensive study on all forms of forestry and on the market of wood; charts of the production and consumption, presented by countries, and an indication of the repercussions of the customs, among others, of the EEC and EFTA, and of a future European or Atlantic free trade area. For specialists.

Le Marché Commun. — Chômage ou prospérité?

Editions du Monde Ouvrier, Paris 1959, 263 p., ill.

L'ouvrage reflète le point de vue socialiste sur l'aspect économique actuel de l'Europe. Il examine d'une façon simple, à l'aide de nombreux diagrammes comparatifs, les buts de la CEE ainsi que ses conséquences politiques, économiques et sociales.

This work reflects the socialist point of view on the present economic aspect of Europe. It examines in a simple fashion, with the aid of many comparative diagrams, the aims of the EEC as well as its political, economic and social consequences.

Le Marché Commun et ses problèmes (Numéro spécial de la "Revue d'Economie Politique" 1958)

Sirey, Paris 1958, 378 p.

Ouvrage collectif donnant une vue d'ensemble des problèmes que soulève la Communauté Economique Européenne naissante. Etudes dues à des personnalités aussi compétentes que J. Tinbergen, J. Rueff, F. Perroux, P. Uri.

Contains contributions by such personalities as J. Tinbergen, J. Rueff, F. Perroux, and P. Uri on the problems raised by a new-born EEC.

MARMULLA, Horst — BRAULT, Pierre: **Europäische Integration und Agrarwirtschaft**

BLV-Verlagsges., München 1958, 453 S., ill.

Eine Darstellung der Bedeutung des Vertrages von Rom für die Landwirtschaft sowie der Grundzüge einer einheitlichen Agrarpolitik und ihrer Einzelprobleme im allgemeinen Rahmen. Gut dokumentiert, mit einer Statistik vom Stand 1956/57.

Exposé de l'importance du Traité de Rome pour l'agriculture, et des traits principaux d'une politique agraire commune, avec ses problèmes particuliers dans le cadre général. Bien documenté. Statistiques de 1956/57.

Studies the significance of the Treaty of Rome for agriculture as well as the basic principles of a unified agrarian policy with its particular problems in the general situation. Well documented with statistics for 1956/57.

MASSI, Ernesto: **I fondamenti dell'integrazione economica europea — Il Mercato Comune del Carbone e dell'Acciaio**

A. Giuffrè, Milano 1959, 185 p.

Esame della CECA dal punto di vista della geografia economica dei sei e delle prospettive aperte dall'integrazione. Con un gran numero di tabelle e di dati quantitativi.

Examen de la CECA du point de vue de la géographie économique des Six, et des perspectives ouvertes à l'intégration. Grand nombre de tableaux et de données statistiques.

A study of the ECSC from the standpoint of the economic geography of the Six, and of the prospects for integration. Numerous illustrations and statistical data.

Massnahmen zur erleichterten Schaffung neuer Betätigungsmöglichkeiten

Hrsg. von der Hohen Behörde der Europäischen Gemeinschaft für Kohle und Stahl, Luxemburg 1959, 440 S.

Sachverständige geben ausführliche Auskunft über die rechtlichen und finanziellen Bestimmungen, die die Regierungen der Mitgliedstaaten und Grossbritanniens ausgearbeitet haben, um die Umstellung von Unternehmen und die produktive Wiederbeschäftigung der infolge der Errichtung des Gemeinsamen Marktes freigewordenen Arbeitskräfte zu erleichtern.

Des experts donnent des informations précises sur les mesures juridiques et financières étudiées par les Etats membres de la CECA et de la Grande-Bretagne pour faciliter l'adaptation des entreprises et la reconversion productive des forces de travail devenues libres à la suite de la création du Marché Commun.

Experts give precise information on the legal and financial measures elaborated by the members of the ECSC and Great Britain, to facilitate the adaptation of businesses and the productive re-employment of labour forces freed as a result of the formation of the Common Market.

M E A D E, J. E. — L I E S N E R, H. H. — W E L L S, S. J.: Case Studies in European Economic Union — The Mechanics of Integration

Oxford University Press, London 1962, 424 p.

The object of this set of studies is the evaluation of the economic problems facing the builders of three unions: The Belgium-Luxemburg Economic Union, Benelux, and the ECSC. Technical measures are examined in the light of future achievements. Short bibliography.

L'objet de cette série d'études est d'examiner les problèmes économiques que rencontrent les créateurs de trois unions: l'Union économique belgo-luxembourgeoise, le Bénélux et la CECA. Les mesures techniques nécessaires sont examinées à la lumière des réalisations futures. Courte bibliographie.

M E S E N B E R G, Heinz: Die umsatzsteuerliche Behandlung der Ein- und Ausfuhr in den Staaten der Europäischen Wirtschaftsgemeinschaft

Deutscher Industrie- und Handelstag, Bonn 1960, 125 S.

Stellt die gesetzlichen Regelungen über den grenzüberschreitenden Warenverkehr in den einzelnen Staaten der EWG in ihren wesentlichsten Grundzügen dar. Untersucht eingehend Wirkungsweise und Zweck des zwischen den Mitgliedstaaten angewandten Bestimmungsland-Prinzips.

La réglementation légale du commerce intracommunautaire des marchandises dans ses grandes lignes, pour chaque pays membre de la CEE. Les raisons et les effets du principe du pays de destination appliqué entre Etats-membres.

A broad outline of the legal provisions for customs transactions with regard to merchandise in each of the member countries of the EEC. Aims and effects of the "destination country" principle applied between member States.

Les méthodes d'étude comparée du consommateur européen

Publié par le Centre Emile Bernheim pour l'Etude des Affaires, Université Libre de Bruxelles 1959, 82 p.

Contient deux rapports traitant des aspects psychologiques des marchés et quatre études sur le problème des différences de comportement entre les consommateurs européens.

Contains two reports dealing with the psychological aspects of markets, and four studies on the problem of different behaviour patterns of European consumers.

MEYER, F. V.: **United Kingdom Trade with Europe**

Bowes & Bowes, London 1957, 197 p.

The first part of this quite technical book is a basic analysis of trade between the United Kingdom and the continent, while the second is devoted to a statistical study of merchandise trade and domestic exports. Wide documentation, many charts and tables.

La première partie de ce livre très technique analyse le commerce entre le Royaume Uni et le continent, la seconde partie est consacrée à une étude statistique du commerce des marchandises et des exportations intérieures. Vaste documentation, nombreux tableaux et graphiques.

MICHELET, Pierre: **Les transports au sol et l'organisation de l'Europe**

Payot, Paris 1962, 260 p.

L'auteur étudie le rôle des transports dans l'économie européenne, et examine la possibilité d'une coordination, d'une part à l'échelon des Communautés européennes, et d'autre part à l'échelon du continent entier. Ouvrage technique bien documenté.

The author studies the role of transport in the economy of Europe, and examines the possibility of co-ordination at the level of the whole continent, as well as at that of the European communities. A well documented technical work.

MIENES, Karl: **Kunststoffe in Europa**

Econ, Düsseldorf 1963, 148 S.

Nach Stoffarten gegliederte Darstellung von Qualität und Herstellungstechnik der europäischen Produktion. Dazu Produktionsvolumen 1960-62 der europäischen Länder. Die Integration lässt einen Ausgleich der qualitativen und technischen Unterschiede erwarten. Für Fachleute.

Présentation, classée d'après le genre de matières synthétiques, de la technique de production et de la qualité de la production européenne. Volume de production des différents pays europeéns en 1960-62. L'intégration laisse prévoir une égalisation des différences en matière de technique et de qualité. Ouvrage pour spécialistes.

A description, classified according to types of synthetic materials, of production techniques and qualities in Europe. Volume of production for 1960-1962 in the countries of Europe. Integration offers the prospect of eliminating inconsistencies in techniques and quality. For specialists.

M Ö L L E R, Hans: **Aktuelle Probleme der Europäischen Wirtschaftsgemeinschaft**

Duncker & Humblot, Berlin 1960, 20 S.

Auseinandersetzung mit dem Vorwurf, die EWG erstrebe eine auf Ausschliesslichkeit begründete Wirtschaftshegemonie.

Examen critique du reproche fait à la CEE d'aspirer à une hégémonie économique basée sur la discrimination.

A detailed examination of the criticism made of the EEC, according to which this organization aspires to economic hegemony based on discrimination.

M O N E T A, Erich H.: **Die europäische Automobilindustrie — Unternehmungen und Produktion**

A. Lutzeyer, Baden-Baden 1963, 206 S.

Gut dokumentiertes und statistisch sorgfältig belegtes Standardwerk über die Struktur- und Entwicklungsprobleme eines der export-intensivsten Produktionszweiges der westeuropäischen Automobilindustrie. Vermittelt eine Fülle von Informationen über Unternehmen, Investitionen, Zusammenschlüsse, Betriebsumstellungen und -erweiterungen. Vergleich mit den USA.

Œuvre fondamentale, bien documentée et riche en statistiques, sur la structure et les problèmes de développement d'une des branches de production pour l'exportation la plus intensive, l'industrie automobile européenne. Fournit quantité d'informations sur les entreprises, les investissements, accords, conversions et agrandissements d'entreprises. Comparaison avec les Etats-Unis.

A fundamental work, well documented and supplemented with statistics, on the structure and development problems of one of the European branches of production with the heaviest export, the motor-car industry. Provides much information of the direction, investments, agreements, conversions, and expansion of business. A comparison is made with the United States.

M O R A R D, Nicolas: **Fonctionnement et perspectives de la Communauté Européenne du Charbon et de l'Acier**

Edit. Universitaires, Fribourg 1962, 233 p.

Description des institutions de la CECA et bilan de son activité jusqu'au début de l'année 1958. Soulignant le caractère original du Plan Schuman, l'auteur expose le double aspect du but poursuivi par la Communauté: l'établissement de bases communes de développement économique (aspect matériel) et la réalisation de l'intégration économique proprement dite (aspect formel).

Description of the institutions of the ECSC and report on its activities up to the beginning of 1958. Underlining the original character of the Schuman Plan, the author shows the two fold aspect of the goal pursued by the Community: the establishement of common bases for economic development (material aspect), and the realization of economic integration per se (formal aspect).

MÜHLRADT, Friedrich: **Die Seehäfen in der Europäischen Wirtschaftsgemeinschaft**

Vandenhoeck & Ruprecht, Göttingen 1959, 19 S.

Vortrag aus dem Institut für Verkehrswissenschaft an der Universität Münster, der eine knappe Darstellung der Interessen des Schiffsverkehrs an einer liberalen Aussenhandels- und Assoziationspolitik der EWG gibt.

Conférence de l'Institut des Transports de l'Université de Münster montrant l'intérêt pour les transports maritimes d'une politique libérale de la CEE en matière de commerce extérieur et d'association.

Lecture from the Institute of Transport Studies of the University of Münster which shows the importance for maritime transport of a liberal policy of foreign trade and association on the part of the EEC.

MÜLLER-HERMANN, Ernst: **Die Grundlagen der gemeinsamen Verkehrspolitik in der Europäischen Wirtschaftsgemeinschaft**

Kirschbaum-Verlag, Bad Godesberg 1963, 176 S.

Inwieweit soll und kann die Verkehrspolitik der EWG vom Wettbewerbsprinzip bestimmt sein? Unterbreitet eine detaillierte verkehrspolitische Gesamtkonzeption. Für Fachleute.

Dans quelle mesure la politique des transports de la CEE peut-elle et doit-elle être déterminée par le principe de la concurrence? L'auteur présente une conception d'ensemble détaillée de ce sujet. Pour spécialistes.

How far can and should the transport policy of the EEC be determined by the principle of competition? The author offers a detailed review of the subject. For specialists.

MÜNSTER, Hans A.: **Werben und Verkaufen im Gemeinsamen Europäischen Markt**

C. W. Leske, Opladen 1960, 212 S.

Der Autor studiert die in Europa bestehenden Organisationen, die dem Industrieunternehmer die Marktforschung, die Werbung, die Erhöhung des Umsatzes sowie die Marktaktivität innerhalb der EWG erleichtern. Die Unterstützung der Werbung, ihr Publikum, die nationalen und internationalen Vorschriften, denen sie unterworfen ist, werden Punkt für Punkt untersucht. Hinweise auf die bestehenden Werbegruppen.

Etude des organisations existantes en Europe qui facilitent au chef d'industrie la prospection du marché, la publicité, l'augmentation du chiffre d'affaires et l'activité du marché au sein de la CEE. Le soutien de la publicité, le public auquel elle s'adresse, les prescriptions nationales et internationales à son sujet, sont examinés point par point. Indications sur les groupements de publicité actuels.

The author studies the existing organizations in Europe which facilitate the task of the head of industry in market research, advertising, increase of turnover and market activity within the EEC. Advertising support, the public, national and international regulations on the subject, are examined in turn. Mention is made of present advertising groupings.

NONIS, Francesco E.: **Dal Piano Marshall alla Comunità Economica Europea**

Banco di Santo Spirito, Roma 1959, 239 p.

Rievocazione delle tappe dell'unificazione europea, dal Piano Marshall ai trattati di Roma, con un interessante apporto sui giudizi sulla Comunità Economica Europea apparsi negli organi americani dell'ambiente degli affari.

Histoire des étapes de l'union européenne, du Plan Marshall aux Traités de Rome, avec un intéressant appendice où l'on trouve les jugements portés sur la CEE dans les milieux d'affaires américains.

History of the stages of European unification from the Marshall Plan to the Treaty of Rome, with an interesting appendix of criticisms of the EEC made by the American business world.

NORRO, Michel: **Le rôle du temps dans l'intégration économique**

Nauwelaerts, Louvain 1962, 260 p.

Traitant de l'influence d'un facteur généralement négligé dans l'étude du processus d'intégration, l'auteur s'attache dans une partie théorique à cerner le rôle du temps dans la vie économique face à la notion générale d'intégration, tandis que dans une partie pratique il confronte les considérations précédentes avec les problèmes de l'intégration des produits, des monnaies et des hommes.

Discussing the importance of a factor generally neglected when studying the process of integration, the author, in the theoretical section, attempts to define the role of time in economics, in relation to the general notion of integration, and in the practical section he sets the preceding considerations against the problems of the integration of products, currencies and men.

NORTHCLIFFE, E. B.: **Common Market Fiscal System**

Sweet & Maxwell, London 1960, 90 p.

A specialized examination of taxation in the C.M. countries, which brings to light the great differences now existing, and provides a broad outline of the background to harmonization. The last chapter is a comparison between continental and United Kingdom fiscal systems.

Un spécialiste examine l'imposition dans les pays du Marché Commun, met en lumière les grandes différences existant entre les divers pays, et expose les principes généraux sur lesquels pourrait se fonder une harmonisation générale. Le dernier chapitre compare les fiscalités continentales et celle du Royaume-Uni.

NYDEGGER, Alfred: **Die westeuropäische Aussenwirtschaft in Gegenwart und Zukunft**

J. C. B. Mohr, Tübingen/Polygraphischer Verlag, Zürich 1962, 170 S.

Die statistische Bestandaufnahme der Aussenwirtschaftsbeziehungen (Warenhandel, Dienstleistungen, Kapitalbewegungen) aller westeuropäischen Länder beleuchtet Westeuropas hervorragende Stellung in der Weltwirtschaft. Es folgen vorsichtige Schätzungen der bis 1970 zu erwartenden Entwicklung. Der Verfasser tritt für einen Abbau der Aussenhandelsschranken ein.

Tableau statistique des relations économiques extérieures (biens, services, mouvements de capitaux) de toutes les nations de l'Europe de l'Ouest. Il étude la situation prédominante de l'Europe de l'Ouest dans l'économie mondiale. Des estimations prudentes sur le développement que l'on peut attendre jusqu'en 1970 le complètent. L'auteur préconise le démantèlement des obstacles au commerce extérieur.

A statistical table of external economic relations (goods, services, movements of capital) between all West European countries. Points out the predominant position of Western Europe in world economy. Completed by a cautious estimate of possible developments until 1970. The author recommends the removal of obstacles to foreign trade.

OBERSON, Jacques: **L'assurance et l'Europe**

Centre de recherches européennes, Lausanne 1959, 151 p.

Compte tenu de sa position exceptionnelle sur le marché mondial de l'assurance, la Suisse doit-elle se préoccuper de l'intégration européenne? L'auteur voit dans le Marché Commun une "nécessité vitale" et incite les assureurs suisses à lier leur sort à celui de l'Europe.

Considering its special position in the world insurance market, should Switzerland concern itself with European integration? The author sees the Common Market as a "vital necessity" and urges the Swiss insurance brokers to link their fate to that of Europe.

Öffentliche Wirtschaft in Europa (hrsg. von der Gesellschaft für Öffentl. Wirtschaft, u. Leitung von W. Zetschke)

Allgemeine Verlagsgesellschaft, Berlin 1962, 168 S.

Ergebnisse einer Internationalen Studientagung in Brüssel stellt eine vergleichende Analyse über die Bedeutung des öffentlichen Sektors in den EWG-Ländern und über die Auswirkungen der Integration auf die Verkehrs- und Energiewirtschaft dar.

Résultats d'une session internationale d'études à Bruxelles, présentant une analyse comparative de l'importance du secteur public dans les pays-membres de la CEE, et des conséquences de l'intégration pour le transport et la politique énergétique.

An international study group at Brussels presents comparative analyses on the importance of the public sector in the member countries of the EEC and of the repercussions of integration on transport and energy.

OGILVIE, Alan G.: **Europe and its Borderlands**

Nelson & Sons, Edinburgh 1957, 339 p., ill.

Whether it be in its economic minerals, fisheries, vegetation, transport, or agricultural or industrial characteristics, Europe is studied in totum and regionally. A fine work for students or lay readers.

L'Europe est ici considérée dans son ensemble ou par régions, sous les aspects suivants: matières premières, pêcheries, végétation, transports, caractéristiques agricoles ou industrielles. Ouvrage fondé, pour étudiants et profanes.

OLDEWAGE, Rolf: **Die Nordseehäfen im EWG-Raum**

J. C. B. Mohr, Tübingen/Kyklos-Verlag, Basel 1963, 266 S.

Vergleichende Darstellung der Nachkriegsentwicklung und der heutigen Situation von 9 Seehäfen. Der Verfasser schätzt die Folgen der Umgestaltung des Hinterlandes durch die EWG ab und fordert eine überstaatliche europäische Seehafenpolitik Umfassende Statistik (Stand 1959).

Présentation comparative du développement d'après-guerre et de la situation actuelle de neuf ports. L'auteur évalue les conséquences de la transformation des structures de l'arrière-pays par la CEE, et préconise une politique portuaire européenne supranationale. Statistiques étendues (données de 1959).

Comparative accounts of the post-war development and the present situation in nine ports of Northern Europe. The author estimates the consequences of structural changes in the hinterland brought about by the EEC, and suggests a supra-national port policy for Europe. Considerable statistical information (for 1959).

ORDA, Hans: **Zur Wirtschaft und Einheit Europas**

Athenäum Verlag, Bonn 1959, 95 S.

Optimistisches Plädoyer für die politische Rolle der europäischen Wirtschaftsintegration im friedlichen Ausgleich des Ost-West-Konflikts.

Plaidoyer optimiste en faveur du rôle politique que pourrait jouer l'intégration économique européenne dans le règlement pacifique du conflit Est-Ouest.

An optimistic plea for the political intervention of the European economic integration as a means of peacefully settling the East-West conflict.

L'originalité de l'apport européen au progrès économique et social des pays en voie de développement (publ. par la Société Royale d'Economie Politique de Belgique)

Librairie Encyclopédique, Bruxelles 1961, 220 p.

Colloque tenu le 21 mai 1960, avec l'introduction de M.J. Lefèbvre de la Direction générale des Pays et Territoires d'Outre-Mer de la CEE. Les formes, moyens et conditions de l'intervention de l'entreprise capitaliste sont examinée.

Conference held on May 21, 1960, with an introduction by M.J. Lefèbvre, director of the General Bureau of the overseas countries and territories of the EEC. The forms, means and conditions of the intervention of capitalist enterprise are examined.

Ostblock, EWG und Entwicklungsländer (hrsg. von Erik Boettcher)

Kohlhammer, Stuttgart 2. Aufl. 1963, 173 S.

Die Referate der Jahrestagung 1962 der Deutschen Gesellschaft für Osteuropakunde behandeln die Probleme der wirtschaftlichen Integration und der Entwicklungshilfe in östlicher und westlicher Sicht. Konkrete Hinweise auf die politischen, sozialen und wirtschaftlichen Schwierigkeiten bei der Integration der Ostblockländer (COMECON) kontrastieren dabei mit dem Nachweis einer positiven Revision des sowjetischen Urteils über die EWG.

Les rapports de la session de 1962 de la Société allemande d'études de l'Europe de l'Est traitent de l'intégration économique et de l'aide au développement, des points de vue de l'Est et de l'Ouest. L'évocation concrète des difficultés politiques, sociales et économiques que rencontre l'intégration des pays de l'Est (COMECON) contraste avec le jugement favorable que l'Union Soviétique porte sur la CEE.

Reports of the 1962 conference of the German Society of East European studies presenting the problems of economic integration and aid for development from both Eastern and Western point of view. Precise indications on political, economic and social difficulties of integration in Eastern countries (COMECON) are contrasted with the demonstration of favourable change of judgment on the EEC by the Soviet Union.

OTTO, Ernst — EICHNER, Heinrich: **Die deutsche Industrie im Gemeinsamen Markt.** 2 Bde.

A. Lutzeyer, Baden-Baden 1957, 174/210 S.

Abgerundetes Bild der Gesamtsituation der Industrie eines Mitgliedstaates beim Eintritt in die EWG. Die Darstellung ist nach Industriezweigen gegliedert und vergleicht jeweils die deutschen Produktionszahlen, Aussenhandelspositionen, Zollsätze, Wettbewerbschancen und Strukturprobleme mit jenen der anderen EWG-Länder.

Exposé complet de la situation globale de l'industrie de la République Fédérale, à son entrée dans la CEE. Présentation par branche d'industrie; on y compare chaque fois les chiffres de la production, les positions du commerce extérieur, les droits de douane, les chances de la concurrence et les problèmes de structure en Allemagne et dans les autres pays du Marché Commun.

A comprehensive report on the industrial position of Germany when entering the EEC. Each sector of industry is presented; comparison between figures of production, the position of foreign trade, customs duties, possibilities of competition and problems of structure in Germany and those of the other Common Market countries.

OURY, Bernhard: **L'Agriculture au seuil du Marché Commun**

Presses Universitaires de France, Paris 1959, 364 p., ill.

L'auteur compare les positions respectives des six pays et examine ensuite les aspects démographiques de l'agriculture, l'avance technologique et la place de l'agriculture dans l'économie des Six. Plus de 100 tableaux statistiques comparatifs montrent le sérieux de l'étude.

The author compares the respective positions of the six EEC countries, and examines the demographic aspects of agriculture, the technological advance and the place of agriculture in the economy of the Six. More than 100 charts of comparative statistics show the seriousness of the work.

PHILIP, André: **Histoire des faits économiques et sociaux de 1800 à nos jours.** 2 vols.

Editions Montaigne, Paris 1963, 380/236 p.

Manuel général d'histoire économique pour étudiants en sciences économiques et sociales. L'auteur consacre 30 pages à l'intégration économique de l'Europe et un chapitre à l'adaptation de la France à cette intégration.

General handbook of economic history for students of economic and social science· The author devotes 30 pages to the economic integration of Europe, and a chapter to France's adaptation to this integration.

PHLIPS, Louis: **De l'intégration des marchés**

Nauwelaerts, Louvain 1962, 314 p.

Analyse des tendances générales de toutes les formes de marché, du marché concurrentiel au marché intégré. Etude approfondie et bien documentée.

The author analyses the general tendencies of all forms of markets, from the competitive to the integrated. Detailed and well-documented study.

PINDER, John: **Britain and the Common Market**

The Cresset Press, London 1961, 134 p.

Adopting a frankly pro-European point of view, the author, who wrote this book in 1961, intends to inform the British about the nature of the EEC and its prospects, the future of the Commonwealth and British sovereignty.

Adoptant un point de vue franchement pro-européen, l'auteur de ce livre se proposait à l'époque d'informer les Anglais sur la nature de la Communauté, ses projets. l'avenir du Commonwealth et la souveraineté britannique.

Politica monetaria e fiscale nella C.E.E.

Giovane Europa, Roma 1960, 142 p.

Studio dei Prof.: Rossignol sull'armonizzazione della politica fiscale della CEE; Selon, sulla coordinazione della politica monetaria; Della Porta, sui tentativi di unificazione della politica di bilancio e i loro effetti sulla politica monetaria; Schleiminger, sugli effetti sull'integrazione dei vari tipi di politica monetaria.

Etudes du Prof. Rossignol sur l'harmonisation des politiques fiscales de la CEE, de M. Selon sur la coordination des politiques monétaires, de M. Della Porta sur les efforts d'unifier la politique de bilan et leurs effets sur la politique monétaire, et de M. Schleiminger sur les effets des différents types de politiques monétaires sur l'intégration.

Studies by Profs. Rossignol, Selon, Della Porta, Schleiminger respectively, on the harmonization of fiscal policies in the EEC, the co-ordination of monetary policies, the efforts to standardize balance sheets and their effects on the monetary policy, and the effects of different types of monetary policies on integration.

La politique de développement régional et l'aménagement de l'espace (publ. par la Société Royale d'Economie Politique de Belgique)

Librairie Encyclopédique, Bruxelles 1962, 189 p.

Rapport du Colloque du 29 septembre 1962 à Bruxelles. Introduction aux problèmes généraux du développement régional avec de nombreux renvois aux sources bibliographiques et documentaires. Après examen des fondements de la politique de développement régional, ainsi que de son élaboration et de sa mise en œuvre, les rapporteurs passent à une brève analyse du problème dans le cadre de l'intégration européenne. Pour spécialistes.

Report of the conference of September 29, 1962, at Brussels. Introduction to the general problems of regional development with numerous references to bibliographical and documentary sources. After an examination of the principles, elaboration and application of regional development policy, the rapporteurs undertake a brief analysis of the problems which arise in the context of European integration. For specialists.

Les politiques nationales de développement régional et de conversion

Dalloz et Sirey, Paris 1961, 195 p.

Deutsche Ausgabe: **Die Politik der Mitgliedstaaten auf dem Gebiet der Umstellung und der regionalen Entwicklung.** *A. Lutzeyer, Baden-Baden 1961. — Edizione italiana:* **Le politiche nazionale di sviluppo regionale e di reconversione.** *A. Giuffrè, Milano 1961. — Nederlandse uitgave:* **Het nationale beleid inzake Streekontwikkeling en Omschakeling.** *Stenfert Kroese, Leiden 1961.*

Sept rapports nationaux dressés par les Etats membres de la CECA et par l'Angleterre, présentés à la conférence internationale sur la conversion industrielle dans les régions atteintes par l'arrêt des travaux dans les mines, conférence convoquée par le Conseil des Ministres et par la Haute Autorité de la CECA. Les auteurs, hauts fonctionnaires des administrations nationales, exposent les mesures étatiques nécessaires pour résoudre cette crise de nature essentiellement structurelle.

Seven national reports drawn up by the member States of the ECSC and Great Britain, presented to the international conference on industrial conversion in regions affected by the cessation of work in the mines, called by the Council of Ministers and the High Authority of the ECSC. The authors are high officials in national administrations; they show the measures which are necessary in each country in order to resolve this crisis, which is essentially structural in character.

Sieben nationale Berichte der Mitgliedstaaten der Montanunion und Grossbritanniens, welche der vom Ministerrat und von der Hohen Behörde der EGKS einberufenen zwischenstaatlichen Konferenz über die industrielle Umstellung in den von Zechenstillegungen betroffenen Gebieten vorgelegt wurden. Die Autoren sind hohe Funktionäre der staatlichen Verwaltungen und legen dar, welche staatlichen Massnahmen im Hinblick auf die Überwindung der vornehmlich strukturell bedingten Kohlenkrise ergriffen werden sollen.

POUNDS, Norman J. G. — PARKER, William N.: **Coal and Steel in Western Europe**

Faber & Faber, London 1957, 381 p.

The historical setting, recent increases in production and the current problems and prospects of the European Coal and Steel Community, form the dominant theme of this detailed study which deals mostly with Western continental Europe.

Le cadre historique, les récentes augmentations de la production, les problèmes courants, ainsi que les projets de la CECA forment le thème essentiel de cette étude détaillée, qui concerne surtout l'Europe continentale.

PREDÖHL, Andreas: **Weltwirtschaft und europäische Integration**

Aschendorff, Münster/Westf. 1960, 28 S.

Die Rektoratsrede unterbreitet eine standortstheoretische Begründung der Notwendigkeit einer europäischen Regionallösung des Problems der weltwirtschaftlichen Desintegration.

Discours sur les raisons qui rendent nécessaires une solution régionaliste européenne du problème de la désintégration de l'économie mondiale.

This speech presents the reasons necessitating the regional European solution of the problem of world economic disintegration.

PREUSCHEN, Gerhardt: **Europa — Probleme, Aufgaben, Chancen**

Otto Krausskopf, Mainz 1962, 275 S., ill.

Der Verfasser legt besonderes Gewicht auf die Landwirtschaft, weil sie seiner Ansicht nach in ihrer europäischen Ausprägung ebenso zu den Grundlagen des Abend landes gehört wie die gemeinsame indogermanische Vergangenheit und das von der Antike geprägte Christentum.

L'auteur attribue une importance particulière à l'agriculture parce que selon lui, dans son expression européenne, elle est un fondement de l'Occident, au même titre que son passé indo-européen commun et le christianisme marqué par l'Antiquité.

The author attributes much importance to agriculture, because, according to him, in its European form it is just as much a fundamental feature of the West as the West's common Indogermanic past, Christianity and Antiquity.

Probleme europäischer Wirtschaft (hrsg. Fritz Neumark)

Duncker & Humblot, Berlin 1963, 95 S.

Die fünf Vorträge von französischen Sachverständigen behandeln in gemischt wirtschaftstheoretischer und empirisch-soziologischer Methode Probleme der Investitionen, des Arbeitsmarktes und der Erziehung in der EWG, sowie ihre Aussenwirkung und Assoziation. Betonung planwirtschaftlicher Staatsinterventionen. V on all gemeinem wirtschaftlichem und politischem Interesse.

Cinq conférences de spécialistes français traitent, selon une méthode alliant l'économie théorique à la sociologie empirique, les problèmes des investissements, du marché du travail et de l'éducation dans la CEE ainsi que leurs effets extérieurs et leur association. On insiste sur l'intervention de l'Etat dans la planification économique. D'un intérêt économique et politique général.

Combining the methods of theoretical economy and empirical sociology, five French specialists deal with the problems of investment, the labour market, and education in the EEC, as well as their external effects and their association. They insist on state intervention in economic planning. Of general economic and political interest.

Les problèmes sociaux dans la politique économique. 2 vol. (publ. par la Société Royale d'Economie Politique de Belgique)

Ferdinand Larcier, Bruxelles 1956, 590/341 p.

Rapport du Congrès du centenaire de la S.R.E.P.B. tenu à Bruxelles en 1955, dont l'ensemble porte sur les problèmes sociaux au niveau de l'entreprise et au niveau de l'économie nationale. Etudes comparatives pour les principaux pays de l'Europe de l'Ouest, l'Amérique du Nord, pour la Yougoslavie et la Belgique en particulier. Présentées dans la langue nationale des rapporteurs, ou en anglais ou en français.

Report of the Congress held in 1955 at Brussels for the centenary of the "Société Royale d'Economie Politique de Belgique", concerning the social problems at the level of industry and at the level of national economy. A comparative study of the principal countries of Western Europe, North America, Jugoslavia, and Belgium in particular. Presented in the national language of the rapporteurs, or in English or French.

RÄDLER, Albert J.: **Die direkten Steuern der Kapitalgesellschaften und die Probleme der Steueranpassung in den sechs Staaten der Europäischen Wirtschaftsgemeinschaft**

Internationales Steuerdokumentationsbüro, Amsterdam 1960, 284 S.

Diese streng wissenschaftliche Untersuchung wendet sich an Fachleute in der Administration und in Wirtschaftsverbänden. Dem rechtsvergleichenden Teil, der die Ansätze einer Vereinheitlichung einschliesst, sind nach Ländern gegliederte Einzeldarstellungen der Körperschafts-Steuersysteme der EWG-Mitgliedstaaten vorangestellt.

Etude très scientifique pour spécialistes de l'administration et des associations économiques. La partie de droit comparé, qui comprend une esquisse d'unification, donne une description par Etat des systèmes fiscaux des corporations dans les Etats-membres de la CEE.

A scientific study for specialists in administration and economic associations. The part dealing with comparative law, which includes an outline of unification, also describes, by States, the systems of company tax in use in the member States of the EEC.

RASSMANN, Richard: **Die Europäische Steinkohlenwirtschaft zwischen den beiden Weltkriegen**

Selbstverlag der Deutschen Gesellschaft für Auswärtige Politik, Bonn 1947, 50 S.

Von der OEEC-Planung angeregte statistische Erhebung. Von historischem Interesse, vor allem im Hinblick auf die Entwicklung der europäischen Energieversorgung.

Relevé statistique suscité par la planification de l'OECE; d'un intérêt historique principalement, surtout en considération du développement de l'approvisionnement de l'Europe en énergie.

Statistical review suggested by OEEC planification. Of historical interest, especially with regard to the development of energy supplies in Europe.

REBOUD, L.: **Systèmes fiscaux et Marché Commun**

Sirey, Paris 1961, 374 p.

L'auteur compare d'abord les charges fiscales à l'échelle macro-économique (Etat) et micro-économique (personnes physiques ou morales) et demande en conclusion une unification des systèmes fiscaux pour éviter la prolongation de distorsions trop graves à long terme. Une annexe de 100 pages compare les systèmes fiscaux des six pays.

The author first gives a comparison of fiscal borders at macroecomonic scale (State) and microeconomic scale (individuals) and then suggests in conclusion a unification of fiscal systems to avoid further serious long-term distortions. An annex of a 100 pages compares the fiscal systems of the Six.

La réduction de la durée du travail
(publ. par la Société Royale d'Economie Politique de Belgique)

Librairie Encyclopédique, Bruxelles 1957, 209 p.

Colloque tenu les 23 et 24 février 1957 à Bruxelles. Sont examinées en particulier les questions suivantes: faut-il augmenter les salaires ou réduire la durée du travail; l'influence de la réduction sur le volume de la production et celle de la productivité sur les coûts de production. Analyse théorique, économique et sociale, avec application pratique au cas de la Belgique.

Conference held on February 23 and 24, 1957, at Brussels. The following questions are examined in detail: Should salaries be increased or working hours be reduced? The influence of a reduction on the volume of production and that of productivity on the cost of production. Theoretical economic and social analysis with practical application to Belgium.

La restauration des monnaies européennes

Sirey, Paris 1960, 214 p.

Numéro spécial de la Revue d'Economie Politique réalisé sous la direction de Pierre Dieterlen. Entièrement consacré au problème de la restauration des monnaies européennes. Toute l'argumentation des auteurs est basée sur le tournant historique que représente le Traité de Rome.

Special number of the "Revue d'Economie Politique", edited under the direction of Pierre Dieterlen, entirely devoted to the problem of the restoration of European currencies. All the arguments used by the authors are based on the historic step instigated by the Treaty of Rome.

RIEBEN, Henri: **C.E.C.A., équilibre européen et solidarité mondiale**

Centre de recherches européennes, Lausanne 1959, 81 p.

L'auteur tente de préciser dans quelle mesure les transformations structurelles déterminées par la CECA ont contribué à rétablir l'équilibre européen et à renforcer la Communauté internationale. De nombreux graphiques et tableaux statistiques illustrent l'exposé.

The author tries to show in how far structural alterations brought about by the ECSC have contributed to re-establish European equilibrium and to reinforce the international Community. Numerous graphs and tables.

RIEBEN, Henri: **La Suisse et l'Europe — La Suisse et le Marché Commun**

Centre de recherches européennes, Lausanne 1958 48 p. — 1960, 48 p.
Deutsche Ausgabe: **Die Schweiz und der Gemeinsame Markt.** *Centre de recherches européennes, Lausanne 1960, 52 S.*

L'auteur pense que la Suisse pourra construire "un avenir à la mesure de son passé' grâce à une nouvelle position plus favorable face à l'intégration européenne. Un rapprochement de la Suisse avec le Marché Commun ne compromettrait ni l'orientation de son commerce extérieur ni le libéralisme de sa politique douanière.

The author explains that Switzerland will be able to build "a future which will not disgrace her past" thanks to her new, more favourable attitude towards European integration. A coming-together of Switzerland and the Common Market would compromise neither her external trade, nor the liberalism of her customs policy.

RIEBEN, H. — URECH, M. — IFFLAND, Ch.: **L'Horlogerie et l'Europe**

Centre de recherches européennes, Lausanne 1959, 236 p.

Analyse des perspectives d'avenir de l'horlogerie européenne, en étudiant plus particulièrement le cas de la Suisse. Selon les auteurs, l'horlogerie suisse est soumise au double impératif d'une ouverture aux problèmes de la croissance des pays neufs et d'un effort accru de compétition.

Analyses the prospects for the future of the European watch-making industry, studying particularly the case of Switzerland. According to the authors, the Swiss watch-making industry will have to assert itself in the future by facing the problems of the growth of new countries and by a growing effort to maintain competition.

ROMUS, Paul: **Expansion économique régionale et Communauté Européenne**

A. W. Sijthoff, Leiden 1958, 363 p.

Edición española: **Economía regional y Comunidad Europea.** *Taurus, Madrid 1961, 511 p.*

Essai de politique économique comparée, centré autour de deux lignes de force (l'expansion régionale et l'intégration européenne) dont l'auteur s'efforce de faire la synthèse en dégageant les éléments d'une politique européenne d'expansion économique régionale. A côté de l'étude des six pays du Marché Commun, une très large place est réservée à la politique régionale de la Grande-Bretagne. Importante documentation.

This essay in comparative political economy, deals with two forces: regional expansion and European integration, which the author synthesizes showing the elements of a European policy on regional economic expansion. Along with the study of the six EEC countries, the regional policy of Great Britain also receives a good deal of attention. Impressive documentation.

RUSSEL, Ch. H. D. M. J.: **Economische ordening van het grondgebruik in verband met de Europese Economische Gemeenschap**

AE. E. Kluwer, Deventer 1958, 140 p.

Een beschouwing over de ordening en grondslagen van het agrarisch recht met een behandeling van pacht en eigendom in acht landen.

Considérations sur l'organisation et les fondements du droit agraire avec un traité relatif aux baux et à la propriété dans huit pays.

Some reflections on organization and foundations of agrarian law; followed by a treatise on leasehold and propriety questions of eight countries.

SAADIA, Emile: **Le Marché Commun et son combat**

Librairie Générale de Droit et de Jurisprudence, Paris 1959, 239 p.

Cette thèse est un plaidoyer en faveur du Marché Commun. Aperçu des "prémisses de l'intégration européenne" (Titre I). Examen approfondi, article par article, du Traité de Rome (Titre II). Style vif, frisant parfois la polémique.

This thesis is a plea in favour of the Common Market. A view of the "premisses" of European integration and an examination in depth, article by article, of the Treaty of Rome. A lively style, sometimes vaguely polemic.

SAINTE-LORETTE, L. de: **Le Marché Commun**

Armand Colin, Paris, 3e éd. mise à jour 1963, 224 p.

Rédigée avant l'entrée en vigueur du Traité de Rome, cette étude comprend: une esquisse historique des antécédents du Marché Commun, une analyse du Traité et de ses annexes, et un tableau des diverses réactions au projet du Marché Commun. Les explications techniques étant réduites au minimum, l'ouvrage peut atteindre un vaste public.

Drafted before the Treaty of Rome entered into effect this study includes: a historical outline of the precursors of the Common Market, an analysis of the Treaty and its annexes, and a chart of the different reactions to the project of the Common Market. As the technical explanations have been cut to a minimum, this work is apt to reach a large portion of the public.

SAINT MARC, Philippe: **La France dans la C.E.C.A. — une expérience de planification multiple du charbon et de l'acier**

Armand Colin, Paris 1961, 438 p.

L'auteur, conseiller référendaire à la Cour des Comptes, cherche dans une étude sérieusement documentée à dégager les enseignements des 7 ans d'existence de la CECA (1954-1961). Le rôle planificateur, informateur, prévisionnel, etc., de l'Etat français y est chaque fois étudié parallèlement à celui de la Haute Autorité. Ouvrage technique et d'un abord peu facile pour les non-spécialistes.

The author, an adviser and referendary of the Audit Office, sets forth the lessons learned during the seven years' existence of the ECSC (1954-1961). The planning, informing and predicting role of the French government is systematically compared with that of the High Authority. This is a well documented but technical work, and therefore difficult for non-specialists to understand.

SALIN, Edgar: **Frédéric List, la Communauté Européenne et la Zone de Libre-Echange**

Centre de recherches européennes, Lausanne 1960, 50 p.
Deutsche Ausgabe: **Friedrich List, Kerneuropa und die Freihandelszone.**
J. C. B. Mohr, Tübingen 1960, 53 S.

Textes remaniés de deux conférences: la première sur le plan d'union douanière européenne de Fr. List, et la seconde sur les divers aspects de la CEE et de l'AELE, et la nécessité d'une étroite collaboration entre les Six et les Sept.

Revised texts of two lectures: the first on the plan for a European customs union, of Fr. List, and the second on the different aspects of the EEC and EFTA, and the necessity for a close collaboration between the Six and the Seven.

SANNWALD, Rolf — STOHLER, Jacques: **Wirtschaftliche Integration**

J. C. B. Mohr, Tübingen 2. Aufl. 1961, 240 S.
English edition: **Economic Integration.** *Princeton University Press, Princeton 1959.*

Umfassende wirtschaftstheoretische Grundlagenstudie mit Anwendung auf den gesamten Fragenkomplex der europäischen Wirtschaftsintegration. Besondere Beachtung des Problems der Währungsstabilität. Eignet sich als Lehrbuch für Studenten.

Etude fondamentale d'économie théorique, très vaste, touchant l'ensemble des problèmes d'intégration économique. Une attention particulière est accordée au problème de la stabilité de la monnaie. Pour étudiants.

A fundamental, comprehensive study of economic theory, concerning the problems of European economic integration. Particular attention is paid to the problems of monetary stability. For students.

SARMET, Marcel: **L'épargne dans le Marché Commun — Comparaison avec la Grande-Bretagne et les Etats-Unis**

Editions Cujas, Paris 1963, 506 p.

Ouvrage bien documenté suscité par les soucis que cause l'inégalité des taux d'épargne chez les divers Etats membres de la CEE. L'auteur confronte l'épargne des Six avec des statistiques américaines et britanniques. L'étude s'adresse à la fois aux théoriciens de l'économie et aux spécialistes des questions européennes.

A well documented work which deals with the doubts raised by the unequal interest rates on savings in the different member States of the EEC. The author compares savings in the Common Market, with American and British statistics. The work is intended both for economic theorists and for experts on European questions.

SAUER, Jean-Jacques: **L'agriculture et l'Europe**

Centre de recherches européennes, Lausanne 1962, 156 p.

Etudiant chaque pays en détail, l'auteur montre que l'intégration est la seule chance qui reste à l'agriculture européenne de conquérir son autonomie financière et d'atteindre le niveau social correspondant à ses responsabilités.

Studying each country in detail, the author shows that integration is the only chance remaining for European agriculture to acquire its financial independence and to attain a social level corresponding to the responsibilities it has assumed.

SCHACHTSCHABEL, Hans Georg: **Das industrielle Potential in Ost und West**

W. Kohlhammer, Stuttgart 1963, 21 S.

Knapper Versuch einer Abschätzung der Industrieproduktion (Stand 1956) und ihrer Entwicklung in den USA und dem integrierten Westeuropa (ohne EFTA) einerseits, der Sowjetunion und dem COMECON anderseits. Von allgemeinem Interesse.

Bref essai d'évaluation de la production industrielle (données de 1956) et de son développement aux Etats-Unis et au sein de la Petite Europe des Six d'une part, en Union Soviétique et dans le COMECON d'autre part. D'intérêt général.

A concisely termed attempt to estimate industrial production (in 1956) and its development in the USA and Europe of the Six on one hand, and the Soviet Union and COMECON on the other. Of general interest.

SCHIEFER, J.: **Le marché du travail européen, libre circulation et migration des travailleurs.**

Dalloz et Sirey, Paris 1961, 246 p.

Deutsche Ausgabe: **Der europäische Arbeitsmarkt, Freizügigkeit und Mobilität der Arbeitnehmer.** *A. Lutzeyer, Baden-Baden 1961, 286 S. — Edizione italiana:* **Il mercato de lavoro in Europa.** *A. Giuffrè, Milano 1961, 298 p. — Nederlandse uitgave:* **De Europese arbeidsmarkt, het vrije verkeer en de migratie van werknemers.** *Stenfert Kroese, Leiden 1961, 240 p.*

Etude historique et sociologique de la migration de la main-d'œuvre. L'auteur examines in turn international and national mobility.

A historical and sociological study of the migration of the workers. The author examines in turn international and national mobility.

Eine historisch-soziologische Untersuchung der Wanderbewegung der Arbeiter. Der Verfasser prüft die internationale und nationale Bewegung.

SCHMITZ, Wolfgang: **Die wirtschaftliche Integration Europas**

Verlag für Geschichte und Politik, Wien 1953, 36 S.

Knappe Broschüre über Zweck, Begriff und Arten der Integration, wie sie sich 1953 in Realisation und Möglichkeit zur Diskussion stellten.

La raison d'être, la notion et les modalités de l'intégration, telles qu'elles ont été formulées en 1953, lors des discussions de leurs perspectives de réalisation.

Short brochure on the aims, ideas and methods of integration, as they appeared in 1953.

SCHMÖLDERS, Günther: **Steuerliche Wettbewerbsverzerrungen beim grenzüberschreitenden Warenverkehr im Gemeinsamen Markt**

Carl Heymanns, Köln 1962, 51 S.

Produkte sollten nach dem Prinzip des Ursprungslandes besteuert werden, um den Wettbewerb im Gemeinsamen Markt intakt zu halten. Im Anschluss wird diese These von kompetenten Wirtschaftsfachleuten diskutiert.

Les produits doivent être taxés selon le principe du pays producteur pour sauvegarder l'intégrité de la concurrence dans le Marché Commun. En annexe, discussion de l'exposé par des économistes.

The author puts forward his thesis that products should be taxed according to the principles of the producing country, so as to preserve the integrity of competition in the Common Market. In the appendix a debate by economists.

La science aux dimensions de l'Europe

Publ. par la Fédération Nationale des Syndicats d'Ingénieurs et de Cadres, Paris 1963, 95 p.

Cinq études sur les ressources énergétiques de l'Europe, la conquête de l'espace, l'Euratom, la recherche scientifique et l'industrie chimique à l'echelle du continent, précédées d'un essai de Louis Armand sur les rapports entre science et pensée, technique et action.

Five studies on the power resources of Europe, the conquest of space, scientific research and the chemical industry on continental level; preceded by an essay by Louis Armand on the relations between science and thought, technology and action.

SCITOVSKY, Tibor: **Economic Theory and Western European Integration**

G. Allen & Unwin, London, repr. 1962, 154 p.
Edizione italiana: **L'integrazione economica dell'Europa Occidentale.** *Feltrinelli, Milano 1961, 160 p.*

The estimations given in 1958 in a preceding print have been partially achieved and often surpassed. The problem of dealing with balance-of-payments difficulties is still acute, and many other issues are still as pressing as before. A valuable study for economists.

Les estimations données par une publication précédente en 1958 ont été en partie atteintes, parfois dépassées. Les problèmes posés par la balance des payements restent encore sérieux, et plusieurs autres sont toujours aussi urgents. Etude importante pour les économistes.

SEIDENFUS, Hellmuth Stefan: **Energie und Verkehr**

J. C. B. Mohr, Tübingen 1960, 229 S., ill.

Der Autor prüft zunächst, in welchem Verhältnis das Ansteigen der nationalen Wirtschaftskraft zur Nutzung der verschiedenen Energiequellen steht und stellt fest, dass der neu entstehende Bedarf hauptsächlich durch Petroleum, Rohgas und Wasserkraft gedeckt wird, während die Kohle merklich zurückfällt.

L'auteur examine tout d'abord dans quelle mesure l'augmentation de la puissance économique nationale va utiliser les diverses sources d'énergie. Il constate que les besoins nouveaux seront couverts principalement par le pétrole, le gaz naturel et l'énergie hydraulique, avec un recul sensible du charbon.

First of all the author studies how far the increase in national economic power will use the various sources of energy. He is of the opinion that new needs will be satisfied mainly by petroleum, natural gas and water power, and that there will be a considerable decrease in the use of coal.

SERAPHIM — ASCHHOFF — GOERZTEN — JÄGER — NOOK: **Das ländliche Genossenschaftswesen in den Mitgliedstaaten der EWG**

A. Lutzeyer, Baden-Baden 1963, 230 S.

Eine übersichtliche, vergleichende Darstellung des Aufbaus der landwirtschaftlichen Selbsthilfeorganisationen und Berufsverbände in den EWG-Staaten. Der gegenwärtige Anteil der Genossenschaften am binnenwirtschaftichen Markt und am internationalen Verkehr wird ausführlich untersucht.

Vue d'ensemble et étude comparative de l'édification des organisations économiques d'entraide et des associations professionnelles dans les Etats membres de la CEE. La part des sociétés coopératives sur le marché intérieur et dans le commerce international est étudiée de façon détaillée.

A general survey and comparative study of the formation of agricultural mutual help organizations, and professional associations among the member States of the EEC. A detailed study of the part played by co-operative associations in today's markets and in international trade.

Sessioni di studio sui problemi del Mercato Comune/Il Mercato Comune e l'Economia Italiana (Istituto Nazionale di Organizzazione del Lavoro, dir. dall' On. G. Pella, 11-13 maggio 1957)

Ed. del Levante, Bari 1957, 231/147 p.

Contiene le relazioni e gli interventi, da parte di uomini politici, tecnici e rappresentanti di gruppi, di interesse italiani. Vi si esamina in dettaglio le conseguenze del Mercato Comune nell'industria, nell'agricoltura, nel mercato finanziario e nei vari problemi economici italiani, regionali e settoriali.

Procès-verbaux du Congrès de Pise traitant des problèmes du Marché Commun sur les plans industriel, agricole et financier, ainsi que des conséquences de l'intégration dans ces secteurs. Sont également étudiés certains problèmes spécifiquement italiens ou régionaux, comme celui du "Mezzogiorno".

Reports and interventions of politicians, technicians and representatives of Italian pressure groups. Examines in detail the consequences of the Common Market in industry, agriculture, the money market, and various Italian economic problems of a regional or sectional nature.

SPRANGER, Peter-Henning: **Theorie des Nachrichtenverkehrs**

Duncker & Humblot, Berlin 1961, 124 S.

Wirtschaftstheoretische Studie über den Nachrichtenverkehr als Bestandteil der allgemeinen Verkehrstheorie. Analysiert die Voraussetzungen der im Vertragsentwurf für eine "Europäische Postgemeinschaft (1958)" angestrebten Integration.

Etude économique et théorique de la circulation des informations en tant que partie intégrante de la théorie générale des communications. Analyse les conditions de l'intégration souhaitée et le projet de traité en faveur d'une "Communauté Postale Européenne (1958)".

An economic study on the means of communication as an integral part of a general theory of communication and transport; it examines the conditions of the integration sought for in the draft treaty for a "European Postal Community (1958)".

STAMMATI, Gaetano: **Sistemi fiscali e Mercato Comune**

Editrice Studium, Roma 1959, 201 p.

Esposizione e commento dell'organizzazione fiscale della CEE, con in appendice numerosi dati e particolari sulla regolamentazione delle tariffe doganali.

Exposé et commentaire de l'organisation fiscale dans la CEE. Nombreuses données et détails sur la réglementation des tarifs douaniers en annexe.

Report and commentary on the fiscal organization of the EEC. Appendix: comprehensive data and details on the control of customs tariffs.

STEIN, Bernhard: **Die Europäische Wirtschaftsgemeinschaft und das Deutsche Handwerk**

Duncker & Humblot, Berlin 1958, 124 S.

Der Verfasser vergleicht die konjunkturelle Situation, Struktur und Bedeutung des Handwerks in den EWG-Staaten und untersucht die Wirkungen und Einflüsse des Gemeinsamen Marktes auf das deutsche Handwerk. Für Fachleute.

L'auteur compare la situation conjoncturelle, la structure et l'importance de l'artisanat dans les Etats membres de la CEE; il étudie les effets et l'influence du Marché Commun sur l'artisanat allemand. Pour spécialistes.

The author compares the cyclical situation, the structure and importance of handicrafts in the member States of the EEC. He also studies the effects and the influence of the Common Market on handicrafts in Germany. For specialists.

STEINDORFF, Ernst: **Problèmes des prix imposés dans le Marché Commun**

A. W. Sijthoff, Leiden 1962, 45 p.

Etude technique concise s'adressant aux spécialistes, consacrée à l'article 85 du Traité de Rome (restrictions de la concurrence au sein de la CEE). Elle tente de savoir si cet article s'oppose à l'imposition des prix par les producteurs aux détaillants, notamment pour les produits de marque.

A concise technical study intended for specialists, devoted to Article 85 of the Treaty of Rome (restrictions on competition in the EEC). It attempts to discover if this Article opposes the fixing of prices by producers for retailers, chiefly on brand-products.

STERRENBURG, J. N.: **L'intégration monétaire**

Stenfert Kroese, Leiden 1961, 168 p.

Les conséquences financières de l'intégration européenne. Selon l'auteur, l'intégration monétaire suppose une coordination économique des pays en ce qui concerne la monnaie, le marché et les plans de développement; il propose l'institution d'une monnaie unique.

Study of the financial consequences of European integration. According to the author, the monetary integration presupposes an economic co-ordination of the countries in terms of currency, market and development plans, and he proposes the introduction of a single currency.

STOHLER, Jacques: **Die Integration des Verkehrs — Europäische Erfahrungen und Probleme**

J. C. B. Mohr/Kyklos-Verlag, Basel Tübingen 1963, 186 S., ill.

Eine wissenschaftliche Untersuchung über die Grundlagen einer gemeinsamen EWG-Politik auf dem Sektor des Verkehrs. Die preis- und investitionspolitischen Vorschläge werden aus den wirtschaftstheoretischen Charakteristiken des Verkehrs, aus bisherigen Bemühungen um internationale Zusammenarbeit und aus den Erfahrungen der Montanunion abgeleitet.

Etude scientifique sur les bases d'une politique commune de la CEE dans le secteur des transports. Les propositions concernant la politique des prix et des investissements sont déduites des caractéristiques économiques théoriques des transports, des efforts entrepris jusqu'à présent en vue d'une collaboration internationale, ainsi que des expériences de la CECA.

A study of the basic principles of a common transport policy in the EEC. The proposals concerning price and investment policies are derived from theoretical characteristics of transport, as well as from efforts already made towards international collaboration and the experiences of the ECSC.

STOLZE, Diether: **Die Dritte Weltmacht — Industrie und Wirtschaft bauen ein neues Europa**

Kurt Desch, München 1962, 466 S. — Taschenbuchausgabe: Droemer, München 1963.

Eine optimistische Übersicht des bekannten Wirtschaftsjournalisten über die entstehende europäische Grosswirtschaft. Die weitgehende Konzentration der Unternehmen und rasche Umstellung auf eine rationalisierte Massenproduktion sind für den Verfasser die Voraussetzungen dafür, dass Europa als dritte Weltmacht die Zukunft wieder entscheidend mitgestalten kann.

Aperçus optimistes, par un journaliste économiste, sur l'essor de la grande industrie européenne. La concentration des entreprises et la production de masse rationalisée sont pour l'auteur les conditions nécessaires pour que l'Europe puisse, comme troisième puissance mondiale, contribuer à nouveau de façon décisive à bâtir l'avenir.

An optimistic survey by a well known economist-journalist, on the formation of heavy industry in Europe. Concentration of enterprises and rationalized mass-production are, for the author, the conditions under which Europe can contribute to the future as a third world power.

STUDDERS, Herbert: **Zur Integration der europäischen Arbeitskraft**

A. Lutzeyer, Frankfurt 1952, 158 S.

Sammlung statistischer Unterlagen zur Bevölkerung und zur Arbeitskräftebilanz der westeuropäischen Länder (Stand 1945-50). Die Deutung bewegt sich im Rahmen der Probleme, welche die erste Stufe der europäischen Integration (EGKS) stellte.

Collection de documents statistiques sur la population et la main-d'œuvre effective dans les pays de l'Europe de l'Ouest (données de 1945-50). L'interprétation de ces chiffres se limite aux problèmes posés par la première phase de l'intégration européenne (CECA).

Collection of statistical documents on the population and the available manpower in West European countries (figures for 1945-50). The interpretation of these figures is limited to the problems raised during the first phase of European integration (ECSC).

Succursales et filiales dans le Marché commun

Dalloz et Sirey, Paris 1963, 180 p.

Deutsche Ausgabe: **Zweigniederlassungen und Tochtergesellschaften im Gemeinsamen Markt.** *A. Lutzeyer, Baden-Baden 1964, 178 S. — Nederlandse uitgave:* **Bijkantoren en dochterondernemingenin de E.E.G.** *AE.E. Kluwer, Deventer 1965, 162p.*

Un chef d'entreprise d'un des pays de la CEE ayant décidé de créer un établissement au-delà de ses frontières nationales, doit-il le faire au moyen d'un prolongement de la maison-mère à laquelle la nouvelle branche restera juridiquement attachée (c'est la succursale) ou a-t-il intérêt à donner naissance à un être moral nouveau (c'est la filiale)?

Having decided to establish a firm beyond national frontiers, should the director of a firm in an EEC country procede to the extension of his parent firm to which the new branch would remain legally bound (a branch), or will he rather create a new legal entity (subsidiary company)?

Soll der Unternehmer eines EWG-Landes die Errichtung einer Firma ausserhalb seiner Landesgrenzen, sofern er hierzu die Absicht hat, in Form eines neuen, aber an die Mutterfirma juristisch gebundenen Hauses vornehmen (die Tochterfirma), oder wird er ein neues Unternehmen gründen (die Filiale)?

Les systèmes de liaison des salaires à la production, au rendement et à la productivité, dans les industries de la Communauté

Dalloz et Sirey, Paris 1963.

Deutsche Ausgabe: **Die Systeme des Zusammenhanges zwischen den Löhnen und der Produktion, der Leistung und der Produktivität in den Industrien der Gemeinschaft.** *A. Lutzeyer, Baden-Baden 1963, 166 S. — Edizione italiana:* **I sistemi di correlazione dei salari alla pro produzione e alla produttività nelle industrie della Comunità.** *A. Giuffrè, Milano 1962, 152 p. — Nederlandse uitgave:* **De stelsels, waarbij de lonen zijn gekoppeld aan de produktie, de prestatie en de produktiviteit in de industrieen der gemeenschap.** *AE. E. Kluwer, Deventer 1962, 162 p.*

Rapport préparé sous l'égide de la Haute Autorité, qui doit contribuer à une meilleure compréhension du système des salaires dans l'industrie de l'acier et du charbon. L'expert se borne à une présentation détaillée des faits et renonce à porter un jugement personnel.

A report, prepared under the aegis of the High Authority, which should contribute to a better understanding of the wages system in the steel and coal industry. The expert restricts himself to a detailed presentation of the facts and declines to make a personal judgement.

Ein im Auftrag der Hohen Behörde hergestelltes Gutachten, das zum besseren Verständnis der Entlöhnungssysteme in der Stahlindustrie und im Bergbau beiträgt. Der Gutachter beschränkt sich auf eine detaillierte Darstellung der Fakten und verzichtet auf eine persönliche Stellungnahme.

Tableaux synoptiques
a. des sociétés à responsabilité limitée dans les pays du Marché Commun,
b. des sociétés anonymes dans les pays du Marché Commun,
c. des fiscalités dans les pays du Marché Commun

Edition Jupiter, Paris 1962, 17 tabl. — 1961, 36 tabl. — 1960, 23 tabl.

Vivantes synthèses d'un ouvrage plus volumineux de la même "Collection Jupiter", permettant une comparaison rapide des législations européennes dans le Marché Commun en matière de Sociétés à responsabilité limitée et de Sociétés anonymes.

Lively syntheses of a bulkier work of the same "Collection Jupiter" aiming at a rapid comparison of the legislations in the Common Market countries on the subject of companies of limited liability and of public companies.

Taxes indirectes perçues à l'importation dans les six pays de la CEE (publ. par P. Guieu, R. Vandame, H. Lang, C. Rivano, L. de Jonge)

Dalloz et Sirey, Paris 1962, 717 p.

Deutsche Ausgabe: **Einfuhrbesteuerung in den sechs Ländern der EWG.** *A. Lutzeyer, Baden-Baden 1962, 743 S. — Edizione italiana:* **Imposte indirette riscosse all'importazione nei sei paesi della CEE.** *A. Giuffrè, Milano 1962, 720 p.*

Indique pour toutes les marchandises, par référence à la classification du tarif douanier extérieur commun déjà unifié et adopté par les six pays, la taxe fiscale indirecte à payer à l'importation dans l'un des six pays. En complément, le troisième volume donne une mise à jour au 30 novembre 1963.

Referring to the common external customs tariffs already unified and adopted by the Six — this work indicates precisely for all products the indirect charge on importation into one of the Six. The third volume is a supplement with datas up to November 30, 1963.

Dieses Werk vermittelt eine exakte Kenntnis der indirekten steuerlichen Belastung beim Import aller Waren, die infolge der Vereinheitlichung des Zolltarifs in den sechs Ländern der EWG zu entrichten ist. Band 3 der nachgelieferten Vervollständigung bringt das Werk auf den Stand von November 1963.

Tendances des politiques agricoles depuis 1955

Publié par l'OECE, Paris 1961, 418 p.

English edition: **Trends in Agricultural Policies since 1955.** *OEEC, Paris 1961, 360 p.*

Cinquième rapport de l'OECE sur les politiques agricoles. La première partie fournit les renseignements généraux sur la situation de l'agriculture en Europe et en Amérique du Nord, sur les objectifs de la politique agricole et les méthodes utilisées pour les réaliser. La seconde partie traite de la situation de l'agriculture et de son évolution pays par pays.

Fifth report of the OEEC on agricultural policies. The first part provides general information on the situation of agriculture in Europe and North America, on the objectives of agricultural policy and the methods used for their realization. The second part deals with the situation of agriculture and its evolution, country by country.

THIÉRY, André: **L'économie pour l'Homme**

Edition du Vieux Colombier, Paris 1961, 172 p.

Pour éviter que la personne humaine soit écrasée par le développement technique, l'auteur préconise une méthode fédéraliste qui respecte l'échelle humaine et le cadre géographique. Essai pour dégager une politique économique du Marché Commun dépassant la simple union douanière.

In order to preserve the human race from being crushed by technical development, the author favours a federal method which respects a human scale and the geographical context. He attempts to define the economic policy of a Common Market, seen as something more than a simple Customs Union.

TOOREN, E. ten: **Inkomstenbelasting en Europese integratie**

H. J. Paris Uitgev., Amsterdam 1956, 256 p.

Vergeleken worden de analytische- en synthetisch systemen in de inkomstenbelasting, zoals deze in de Europese landen wordt toegepast. De auteur concludeert hieruit, welk systeem geprefereerd moet worden bij het besluit voor de betrokken landen de nationale inkomstenbelastingen te coördineren, dan wel over te gaan tot een heffing van een inkomstenbelasting in Europees verband.

Comparaison entre les systèmes analytiques et synthétiques pour la perception des impôts sur le revenu, dans les divers pays d'Europe. Sur quel système faut-il se baser pour coordonner les régimes fiscaux pour arriver à une perception d'impôts sur le revenu à l'échelle européen?

A comparison of the different methods of income-tax collection used in the countries of Europe. The author shows which is the best system for co-ordinating the taxes in the countries interested, with a view to establish a European system of income-tax collection.

TRIFFIN, Robert: **Europe and the Money Muddle**

Yale University Press, New Haven, 2nd ed. 1962, 351 p., ill.

The author, who is financial adviser to the EEC, first describes the European monetary revival which followed the second World War. Then, after criticism of the Keynes plan, the International Monetary Fund and the Key Currency Approach, he goes on to discuss the European Payments Union. Intended for the economist.

L'auteur, conseiller financier à la CEE, commence par une description de la reprise monétaire européenne qui suivit la seconde guerre mondiale. Puis, après une critique du plan Keynes, du Fonds Monétaire International et du projet des devises-clé, il discute l'Union européenne des Paiements. Destiné aux économistes.

TRIFFIN, Robert: **The Future of the European Payments System**

Almquist & Wicksell, Stockholm 1958, 43 p.

Lectures on the perspectives of the European monetary system, written shortly before the dissolution of the European Payments Union. The principal subjects are the role of regional integration in the restoration of currency convertibility, and monetary policies adopted by the EEC and EFTA.

Conférences sur l'avenir du système monétaire européen, écrites peu avant la dissolution de l'Union européenne des Paiements. Sujets principaux: le rôle de l'intégration régionale dans le retour à la convertibilité, et la politique monétaire adoptée par la CEE et par l'AELE.

Übernationale Energiepolitik

Verlag für Literatur und Zeitgeschehen, Hannover, 2. Aufl. 1961, 130 S.

Referate von Parlamentariern und Fachleuten aus Wissenschaft und Praxis. Sie beleuchten die relative Bedeutung von Kohle, Erdöl, Strom und Gas für die Energieversorgung. Eine vergleichende Studie behandelt den Aufbau einer Atomwirtschaft in den USA, England, Frankreich und der Bundesrepublik. Hinweise auf europäische Koordinationsprobleme sowie auf die Energieplanung in den Entwicklungsländern.

Des parlementaires, des théoriciens et des praticiens mettent en évidence l'importance relative du charbon, du pétrole, de l'électricité et du gaz pour l'approvisionnement en énergie. Une étude comparative traite de l'établissement d'une industrie atomique aux Etats-Unis, en Angleterre, en France et en République Fédérale d'Allemagne. Indications sur les problèmes de coordination européenne et sur la planification de l'énergie dans les pays en voie de développement.

Reports by parliamentarians, theoreticians and practicians. They point out the relative importance of coal, petroleum, electricity and gas in the supply of power. A comparative study deals with the establishment of an atomic industry in the USA, England, France and the Federal Republic of Germany. Mentions the problems of co-ordination in Europe and the planning of power supplies in developing countries.

VISINE, François: **L'économie française face au Marché Commun**

Librairie Générale de Droit et de Jurisprudence, Paris 1958, 113 p.

Etude parue en 1958 et consacrée au problème de l'adaptation à long terme de l'économie française au Marché Commun naissant. S'appuyant sur l'étude comparative des statistiques, l'auteur affirme que la structure économique de la France rend possible une saine compétition entre les six partenaires du Traité de Rome.

Study published in 1958, and devoted to the problem of the long term adaptation of the French economy to the nascent Common Market. Basing his facts on a comparison of statistics, the author concludes, that the economic structure of France makes possible a system of healthy competition between the six partners of the Treaty of Rome.

VOELKNER, Jürgen: **Was der Kaufmann vom Gemeinsamen Markt wissen muss**

Maximilian-Verlag, Herford, 2. Aufl. 1963, 144 S.

Die für den praktischen Gebrauch bestimmte Darstellung gibt Auskunft über Hintergründe, Inhalt und Konsequenzen des Römischen Vertrages und die inzwischen durchgeführten Massnahmen von den Zöllen über die Kartellbestimmungen und Steuer-, Devisen-, Investitionsprobleme bis zur Frage der Assoziation.

Cet exposé, prévu pour un usage pratique, donne des informations sur les arrière-plans, le contenu et les conséquences du Traité de Rome et sur les mesures prises jusqu'ici, en matière de douanes, de cartels, de problèmes fiscaux, de devises, d'investissements et d'association.

This report, meant for practical usage, presents information on the background contents and consequences of the Treaty of Rome and the measures taken since then, concerning customs, cartel regulations, fiscal, investment and currency problems, and the question of association.

Voies et moyens de la conversion industrielle

Dalloz et Sirey, Paris 1962, 136 p.

Deutsche Ausgabe: **Mittel und Wege der industriellen Umstellung**. *A. Lutzeyer, Baden-Baden 1962, 156 S.* — *Edizione italiana:* **Vie e mezzi della riconversione industriale.** *A. Giuffrè, Milano 1962, 144 p.* — *Nederlandse uitgave:* **Wegen en middelen voor de industriële omschakeling.** *E. Kluwer, Deventer 1962, 144 p.*

Rapports de deux commissions pour la préparation de la conférence internationale sur la conversion industrielle dans les régions atteintes par l'arrêt des travaux dans les mines, convoquée par le Conseil des Ministres et la Haute Autorité de la CECA. On étudie également les possibilités d'intervention des organes responsables en vue de la création de nouvelles activités.

Reports of two committees set up to prepare the international conference on industrial conversion in regions affected by the cessation of work in mines, called by the Council of Ministers and the High Authority of the ECSC. The reports also study the possibility of intervention by responsible bodies with a view to the creation of new activities.

Berichte von zwei Ausschüssen zur Vorbereitung der vom Ministerrat und der Hohen Behörde der EGKS einberufenen zwischenstaatlichen Konferenz über die industrielle Umstellung der von Zechenstillegungen betroffenen Gebiete. Untersucht die Interventionsmöglichkeiten der Behörden zur Schaffung neuer Betätigungsmöglichkeiten.

VOIGT, Günter — BERNAUER, Walter: **Der Verbraucher im Gemeinsamen Markt**

A. Lutzeyer, Baden-Baden 1963, 222 S.

Zusammenfassende Darstellung der Verbrauchersituation, seines Standpunktes in der Marktwirtschaft und in der EWG im besondern, sowie der Mittel und Wege, seine Stellung am Markt organisatorisch zu stärken (EWG-Länder, restliche Länder Westeuropas und USA). Im Anhang Zusammenstellung der wichtigsten Verbraucher-Organisationen und -Einrichtungen.

Présentation résumée de la situation du consommateur, de sa position dans l'économie de marché et en particulier dans la CEE. Etude des moyens de renforcer sa situation sur le marché en s'organisant (Etats de la CEE, les autres pays de l'Europe de l'Ouest, Etats-Unis). En annexe, tableau des organisations de consommateurs les plus importantes, avec leur structure.

Short survey of the consumer's position in market economy, particularly in the EEC. A study of the methods of strengthening his position in the market by organization (EEC countries, the other Western countries, the USA). In appendix a table of the most important consumer organizations with their structure.

VOOYS, A. C. de — TAMSMA, R.: **Panorama der wereld** (deel I: Europa, een geografische verkenning)

Romen & Zonen, Roermond 1959, 568 p., ill.

Dit, door sociaal geografen geschreven boek geeft een beeld van de algemene structuur van Europa, zowel physisch als economisch. Het zwaartepunt ligt echter op de regionale behandeling.

Deux spécialistes en géographie sociale donnent une image de la structure générale de l'Europe, tant du point de vue physique que du point de vue économique. L'intérêt principal du livre réside dans les études régionales.

Specialists in social geography have written the different chapters of this book in which they try to give a picture of the general structure of Europe both from the physical and from the economic point of view. The main interest lies however in the regional studies.

WACK, Pierre: **Les charges et les chances d'une entreprise dans le Marché Commun**

Economie et Progrès, Paris 1959, 52 p.

Deutsche Ausgabe: **Die Anforderungen an ein Unternehmen und seine Chancen im Gemeinsamen Markt.** *A. Lutzeyer, Baden-Baden 1961, 63 S.*

L'auteur analyse les causes de la disparité des prix entre les Etats et préconise une méthode selon laquelle les prix, les investissements, et le financement pourraient être fixés.

The author analyses the reasons for the present disparity of prices between the Common Market countries and recommends a procedure to fix prices, investments and financing.

W A G E N F Ü H R, Horst: **Grossmarkt Europa — Verkaufschancen in Gegenwart und Zukunft**

C. W. Leske, Opladen 1961, 280 S., Tabellen

Der Autor untersucht die Lage der europäischen Länder in Handel und Produktion im Verhältnis zu derjenigen der übrigen Welt. Die Vergleiche werden dem Leser durch dem Text beigefügte Tabellen und Übersichten anschaulich gemacht. Ausführliche Bibliographie über Spezialisten in aller Welt.

L'auteur examine la situation des Etats européens, dans le commerce et la production, par rapport au reste du monde. Les comparaisons sont facilitées par des tabelles et des tableaux synoptiques. Bibliographie complète sur les spécialistes du monde entier.

The author examines the position of European countries in trade and production, in relation to the rest of the world. Comparisons are made easier by charts and summaries added to the text. Complete bibliography of the specialists of the whole world.

W A G E N F Ü H R, Rolf: **Croissances industrielles comparées de la Communauté Européenne, des U.S.A. et de l'U.R.S.S.**

Centre de recherches européennes, Lausanne, 1961, 29 p.

L'auteur entreprend une comparaison statistique des croissances de la CEE, des Etats-Unis et de l'URSS, en prenant d'abord comme année de base l'année 1956, puis 1959, et en considérant enfin les perspectives d'évolution future.

The author undertakes a statistical comparison to the growths of the EEC, the United States and the USSR, taking first 1956 and then 1959 as basic years, and finally considers the prospects of future evolution.

W A L K E R, Karl: **Neue Europäische Währungsordnung**

Rudolf Zitzmann, Lauf bei Nürnberg 1962, 144 S.

Die wissenschaftliche Monographie stellt die währungspolitischen Schwierigkeiten und Notwendigkeiten der EWG in die umfassendere Problematik der monetären Ordnung der westlichen Welt.

Difficultés et nécessités de la politique monétaire du Marché Commun, dans le cadre plus vaste de l'organisation d'un ordre monétaire occidental.

An expert monograph dealing with the difficulties and needs of monetary policy of EEC within the wider framework of the monetary organization of the Western world.

Lord WALSTON: **The Farmer and Europe**

Fabian Society, London 1962, 30 p.

This pamphlet is written on the assumption that Great Britain will join the Common Market, and is an attempt to present the outline of an agricultural policy which should satisfy agricultural and consumer interests everywhere.

Ecrite dans l'hypothèse de l'entrée de la Grande-Bretagne dans le Marché Commun, cette brochure tente de déterminer une politique agraire qui pourrait satisfaire partout les intérêts des agriculteurs et des consommateurs.

WELTER, Norbert: **Wachstumsprobleme der Europäischen Wirtschaftsgemeinschaft**

Europa-Union, Düsseldorf 1962, 48 S.

Die kurze Studie beleuchtet die wirtschaftlichen und politischen Probleme sowohl der EWG, als auch der Aussenseiter (Grossbritannien, neutrale Länder, europäische Randstaaten) vor der Frage einer Erweiterung des Gemeinsamen Marktes.

Brève étude des problèmes économiques et politiques tant de la CEE que des pays tiers (Angleterre, Etats neutres, pays péripheriques européens) face à la question d'un élargissement du Marché Commun.

A short study of the economic and political problems of both the EEC and the "outsiders" (England, neutral countries, and countries on the European periphery) faced as they are with the expansion of the Common Market.

WENTHOLT, W.: **Nederland en de Europese integratie**

Buyten & Schipperheijn, Amsterdam 1953, 200 p.

De monetaire aspecten worden hier besproken van de Beneluxsamenwerking in groter verband, waarbij de sociale, economische en financiële verhoudingen hun rol spelen.

Les aspects financiers de la Hollande sont examinés dans le cadre de la coopération avec le Bénélux, dans un contexte plus large où les rapports sociaux, économiques et financiers interviennent.

The monetary problems of Holland are examined within the framework of Benelux co-operation. Attention is given to related social, economic and financial problems.

WENTHOLT, W.: **West-Europa op de tweesprong**

Buyten & Schipperheijn, Amsterdam 1956, 196 p.
English edition: **Western Europe at Crossroads.** *1956, 206 p.*

De auteur bespreekt de voorwaarden, waaraan z.i. moet worden voldaan, tot ontwikkeling van het onderling vertrouwen — tussen de Westeuropese landen — in elkanders monetaire, financiële en economische politiek.

Etude des conditions qui doivent être remplies pour développer une confiance mutuelle entre les pays de l'Europe occidentale dans leurs relations monétaires, financières et économiques.

A commentary on the conditions which, according to the author, must be fulfilled if mutual confidence between the countries of Western Europe is to develop, especially with regard to their monetary, financial and economic relationship.

WIGHTMAN, David: **Economic Co-operation in Europe**

Stevens & Sons/William Heinemann, London 1956, 288 p.

A study of the United Nations Economic Commission for Europe, analysing the problem of intra-European trade. The author traces European efforts in the fields of coal and steel, agriculture and transport. Data must necessarily be limited to the year of publication.

Etude réalisée par la Commission Economique pour l'Europe auprès des Nations Unies et analysant les problèmes du commerce intra-européen, les efforts faits dans les domaines du charbon et de l'acier, de l'agriculture et des transports. Faits et chiffres valables jusqu'à la date de publication.

WILLIAMS, Gertrude: **Apprenticeship in Europe — The Lesson for Britain**

Chapman & Hall, London 1963, 208 p.

Facts on the training systems in the principal industrial countries of Europe, and views on the reforms in training and organization methods needed in Great Britain.

Données sur les systèmes de formation en vigueur dans les principaux pays industriels d'Europe. L'auteur nous fait part des réformes qu'elle envisage dans les méthodes d'organisation et d'éducation, nécessaires en Grande-Bretagne.

Die wirtschaftliche Einigung Europas

Verlag für Literatur und Zeitgeschehen, Hannover 1961, 85 S.

Enthält die Referate einer Tagung der Friedrich-Ebert-Stiftung vom April 1961. Sie bieten eine allgemeine Übersicht über die Probleme, die sich im Rahmen der Aussenwirkungen der Gemeinschaft der Sechs (Verhältnis zur EFTA, OECD, GATT und den Entwicklungsländern) und im Hinblick auf eine Erweiterung der EWG stellen.

Rapports d'une session de la Fondation Friedrich Ebert tenue en avril 1961. Vue générale des problèmes que posent les relations des Six avec l'AELE, l'OCDE, le GATT et les pays en voie de développement, dans la perspective d'un élargissement de la CEE.

Reports of the April 1961 session of the Friedrich Ebert Foundation. A general view of the problems brought about by the external effects of the EEC (relations with EFTA, OECD, GATT and the developing countries) and by the prospect of extending the EEC.

Die wirtschaftliche Integration

Carl Ueberreuter, Wien 1953, 160 S.

Referate und Diskussionsbeiträge aus dem Jahre 1953 zum Plan eines "Grünen Pools", zur EGKS und zur Europäischen Zahlungsunion. Im Mittelpunkt stehen spezifische Probleme Österreichs und der Arbeiterschaft. Von historischem Interesse.

Rapports et discussions, datant de 1953, au sujet du projet de "Pool Vert", de la CECA, et de l'Union européenne des Paiements (UEP). Les problèmes spécifiques de l'Autriche et de la classe ouvrière sont spécialement étudiés. D'intérêt historique.

Reports and discussions in 1953 on the "Green Pool" plan, the ECSC and the European Payment Union (EPU). Emphasis is laid on the specific problems of Austria, and the working classes. Of historical interest.

Wirtschaftslage, Haushaltsgebarung und Steuersysteme in den Partnerstaaten der EWG im Zeitpunkt der ersten EWG-Zollsenkung (hrsg. vom Bundesministerium der Finanzen)

Wilhelm Stollfuss, Bonn 1959, 348 S.

Amtlicher Bericht über die finanzwirtschaftliche Lage in den EWG-Mitgliedstaaten (Staatshaushalte, Struktur der staatlichen Einnahmen, Besteuerung der Verbrauchsgüter, der Handelsgesellschaften und Einzelfirmen). Reiches Tabellenmaterial.

Rapport officiel sur la situation économico-financière dans les Etas membres de la CEE (budget national, structure des recettes de l'Etat, imposition des biens de consommation, des sociétés commerciales et des entreprises isolées). Nombreuses tables.

Official report on the members of the EEC and their economic-financial positions: national budgets, composition of revenue, taxes on consumer goods, on commercial companies and on isolated businesses. Many tables.

Wirtschafts- und Finanzpolitik im Gemeinsamen Markt

Verlag für Literatur und Zeitgeschehen, Hannover 1963, 148 S.

Referate von Tagungen der Friedrich-Ebert-Stiftung über Konjunktur-, Finanz- und Steuerpolitik sowie das Wettbewerbsrecht in der EWG. Bieten Darstellung und Kritik der bisherigen Methoden und schlagen namentlich eine Ergänzung des konjunkturpolitischen Instrumentariums durch fiskal- und investitionspolitische Massnahmen vor. Für Fachleute.

Rapports des sessions de la Fondation Friedrich Ebert sur la politique conjoncturelle, financière et fiscale, ainsi que sur le droit relatif à la concurrence dans la CEE. Ils offrent un aperçu et une critique des méthodes employées jusqu'ici et proposent notamment de compléter les moyens de politique conjoncturelle par des mesures de politique fiscale et d'investissements. Pour spécialistes.

Reports of meetings of the Friedrich Ebert Foundation on the market, fiscal and financial policies, and the law on competition in the EEC. Survey and criticism of the methods used till now. In particular they suggest that the instruments of market policy be supplemented by measures of fiscal policy and investment. For specialists.

WOLTER, Hans: **Die Bewährungsprobe der Europäischen Gemeinschaft für Kohle und Stahl**

Rheinisch-Westfälisches Institut für Wirtschaftsforschung, Essen 1960, 20 S.

Kritik der Leistung der Montanunion in ihrer ersten Tätigkeitsphase. Wendet sich gegen übereilte institutionelle Methoden in der Wettbewerbsorganisation.

Analyse du travail de la CECA durant sa première phase d'activité. L'auteur critique les méthodes institutionnelles trop hâtives prises dans l'organisation de la concurrence.

A study of the work of the ECSC during the first phase of its existence. The author criticizes the undue haste of institutional methods in the organization of competition.

WORSWICK, G. D. N.: **The Free Trade Proposals**

Basil Blackwell, Oxford 1960, 142 p.

An Oxford University Symposium discussing perspectives for British trade in a European-wide Free Trade Area, during negotiations for such an area in 1958. A reappraisal submitted after their failure describes the means at the disposal of Britain in the future.

Les possibilités offertes au commerce britannique dans une Association de Libre Echange couvrant l'Europe, telles qu'elles furent discutées au cours d'une réunion à l'Université d'Oxford, pendant les négociations de 1958. Une courte étude réévalue, après l'échec, les moyens s'offrant à la Grande-Bretagne pour l'avenir.

YATES, P. Lamartine: **Food, Land and Manpower in Western Europe**

Macmillan Co., London 1960, 294 p.

The author, formerly head of the FAO economic division, says that European agriculture could produce as much food and more with half its present labour force, and analyses how this maladjustment has come about and how governments might recast their agricultural policies to meet the present situation.

Selon cet ancien chef de la section économique de l'Organisation des Nations Unies pour l'Alimentation et l'Agriculture, l'agriculture européenne pourrait produire la même quantité de nourriture avec la moitié de sa main-d'œuvre actuelle. Comment les gouvernements pourraient-ils modifier leurs politiques agricoles pour s'ajuster à cette situation?

ZIEGLER, Gert: **Griechenland in der Europäischen Wirtschaftsgemeinschaft**

Südosteuropa-Verlagsgesellschaft, München 1962, 110 S.

Analyse des Assoziationsabkommens und seiner möglichen Auswirkungen sowie der Wirtschaftlage Griechenlands zur Zeit des Abschlusses des Abkommens. Für Fachleute.

Analyse du Traité d'association de la Grèce à la CEE, des répercussions possibles, et de sa situation économique, à l'époque de la conclusion de la convention. Pour spécialistes.

Analysis of the Treaty associating Greece to the EEC, the possible repercussions, and her economic position at the time of the conclusion of the Treaty. For specialists.

ZIMMERMANN, Fritz: **Was ist und was will der Europamarkt?**

Verlag des Schweizerischen Kaufmännischen Vereins, Zürich 1959, 16 S.

Sehr knappe Interpretation der wichtigsten Bestimmungen des Römischen Vertrages. Für Schüler.

Interprétation très concise des disposition les plus importantes du Traité de Rome. Pour écoliers.

Condensed interpretation of the most important provisions of the Treaty of Rome. For school students.

Zone de Libre Echange ou Communauté Economique Européenne.
2 parties
(publ. par la Société Royale d'Economie Politique de Belgique)

Librairie Encyclopédique, Bruxelles 1959, 160 p./1960 ,135 p.

Pièce maîtresse du premier volume du Colloque de 1959, le rapport introductif du Prof. Charles Roger contient un historique des négociations relatives à la zone de libre-échange, une analyse des problèmes soulevés par la formule même de cette zone et, enfin, des conclusions et des perspectives sur l'avenir de l'intégration économique européenne. Le deuxième volume contient exclusivement le compte-rendu sténographique des débats du Colloque.

The principal part of the first volume of the Colloquy of 1959, the introductory report of Charles Roger, contains a history of the negotiations of the free trade area, an analysis of the problems raised by the form of this area and finally conclusions and prospects for the future of European economic integration. The second volume contains the verbatim report of the debates of the Conference.

Das zweckmässigste Verfahren zur wirtschaftlichen Integrierung Europas

Hrsg. von der "Europäischen Vereinigung für wirtschaftliche und soziale Entwicklung (CEPES)," Frankfurt, 31 S.

Die CEPES ist eine internationale Vereinigung von Kaufleuten, Bankiers, Industriellen und Wissenschaftlern, die ihre Aufgabe darin sieht, durche eine soziale Marktwirtschaft eine Erhöhung des Lebensstandards und soziale Gerechtigkeit herbeizuführen. In der vorliegenden Untersuchung werden Thesen zur monetären Integrierung Europas entwickelt.

La CEPES est une association internationale de commerçants, de banquiers, d'industriels et d'hommes de science, qui a pour but d'amener une élévation du niveau de vie et de promouvoir la justice sociale grâce à une économie "à la Erhard". L'étude présente des projets d'intégration monétaire de l'Europe.

CEPES is an international association of merchants, bankers, industrialists and scientists who are trying to bring about an increase in the standards of living and to promote social justice based on an economy of the Erhard type. The study puts forward plans for the monetary integration of Europe.

IX. DOCUMENTATION

ABC Europe Production

Europe Export Edition, Darmstadt, 4 langues: allemand, anglais, français, espagnol.

Publié chaque année depuis 1960, cet ouvrage répertorie les principaux producteurs intéressés au commerce extérieur dans sept pays d'Europe: Allemagne, Autriche, Belgique, France, Luxembourg, Pays-Bas, Suisse.

Published each year since 1960, this work lists the principal producers engaged in external trade in seven European countries: Germany, Austria, Belgium, France, Luxemburg, the Netherlands, and Switzerland.

Annuaire Européen — European Yearbook

Martinus Nijhoff, La Haye

L'Annuaire Européen, qui paraît chaque année depuis 1955, vise à encourager l'étude méthodique des organisations européennes et de leurs activités. Il est publié sous la responsabilité d'un Comité de rédaction, organe officieux et apolitique auquel il n'appartient pas d'exprimer une opinion sur un aspect quelconque des affaires internationales.

The aim of the European Yearbook which since 1955 is published every year, is to promote the scientific study of European organizations and their work. It is published under the responsibility of an Editorial Committee, which is an unofficial and non-political body precluded from expressing an opinion on any aspect of international affairs.

Associazione Europea di Libero Scambio — Convenzione e Annessi

Cedam, Padova 1960, 306 p.

Origine, tappe e caratteristiche dell' EFTA con un'analisi della Convenzione e delle prospettive di collaborazione con il MEC. Testo della Convenzione e degli allegati in francese ed in inglese.

Origine, étapes et caractéristiques de l'AELE avec une analyse de la Convention et des perspectives de collaboration avec le Marché Commun. Texte de la Convention en français et en anglais.

Origin, development and characteristics of EFTA with an analysis of the Convention, and of prospects for collaboration with the Common Market. Text of the Convention in English and French.

Atlas sozialökonomischer Regionen Europas
Atlas social et économique des Régions de l'Europe
Atlas of Social and Economic Regions of Europe
(hrsg. von Ludwig Neundorfer, Soziographisches Institut an der Johann-Wolfgang-Goethe-Universität, Frankfurt)

1962, 72 S., Texte und Bezeichnungen in 3 Sprachen.
A. Lutzeyer, Baden-Baden 1962, 72 S., Texte und Bezeichnungen in 3 Sprachen.
2. Lieferung von 6 Blättern 1964, Nomos, Baden-Baden.

Dieser grosse Atlas zeigt den Stand der sozialen und wirtschaftlichen Entwicklung Europas um die Mitte des 20. Jahrhunderts auf der Grundlage der Ausgangsdaten für die einzelnen Gebiete und stellt die Fakten zusammen, die das Leben von über 300 Millionen Europäern bestimmen. Der Ministerausschuss im Europarat hat die Aufmerksamkeit aller Regierungen auf diese wichtige Veröffentlichung gelenkt.

L'Atlas expose le développement social et économique de l'Europe au milieu du XXe siècle, à l'aide des données sociales et économiques qui déterminent les conditions de vie de l'ensemble de l'Europe occidentale. Le Comité des Ministres du Conseil de l'Europe a attiré l'attention des gouvernements sur cette importante publication. Supplément de 6 feuilles en 1964.

The Atlas covers the social and economic development of mid-twentieth century Europe and outlines the social and economic factors which govern living conditions in Western Europe as a whole, on the basis of data from each region. The Council of Europe's Committee of Ministers has brought this important publication to the attention of the governments. Supplement of 6 leaves in 1964.

BERIE, H. — MILLER, R.: **Gemeinsamer Markt und Euratom**

Verlag Neue Wirtschaftsbriefe, Herne 2. Aufl. 1959, 456 S.

Ungekürzt wiedergegebene Vertragstexte. Geschichte und Problematik der beiden europäischen Zusammenschlüsse und ein systematischer Überblick über wichtige Massnahmen der Organe der EWG.

Textes complets des Traités de la CEE et de l'Euratom. Histoire et problèmes des accords européens et vue d'ensemble systématique des mesures importantes prises par les organes du Marché Commun.

The unabridged texts of the Treaties of the EEC and Euratom. History and problems of these two European agreements and a systematic general view of the important measures taken by the executives of the Common Market.

Bottin Europe

Société Didot-Bottin, Paris, édition 1964, 2139 p. (quatre langues: français, allemand, italien, néerlandais)

Cette cinquième édition d'un répertoire pratique pour les milieux économiques et juridiques, se compose de cinq rubriques principales: "Organisations européennes", "Pays du Marché Commun", "Statistiques", "Adresses utiles", "Répertoire de l'offre et de la demande". Un système de numérotation et de tables renvoie le lecteur aux firmes qui fabriquent ou négocient le produit recherché.

This fifth edition of a practical directory, useful for economic and judicial bodies, is composed under five main headings: European organizations; Common Market countries; Statistics; Useful addresses; Supply and demand directory. A numbering system and tables enable the reader to find the firms who manufacture or deal in the product required.

CAMPBELL, Alan — THOMPSON, Dennis: **Common Market Law — Texts and commentaries**

A. W. Sijthoff, Leiden 1962, 487 p.

This book is the first detailed study, made for English lawyers, economists and industrialists, of the treaty which brought the Common Market into being, and a comparative study of the laws of the member States and the United Kingdom.

Cet ouvrage est la première étude détaillée, destinée aux avocats, économistes et industriels britanniques, du traité instituant le Marché Commun et donnant une comparaison des lois des Etats membres et du Royaume Uni.

COMMER, Heinz: **EWG-Wörterbuch — Dictionnaire CEE**

Erich Schmidt, Berlin, 2. Aufl. 1960, 122 S.

Die Leiter der staatlichen Aussenhandelsinformationsstellen in Frankreich, Belgien und Deutschland haben das Wörterbuch herausgegeben, um die wirtschaftliche Zusammenarbeit innerhalb der EWG im französischen und deutschen Sprachgebiet zu erleichtern.

Les directeurs des centres officiels d'information pour le commerce extérieur en France, Belgique et Allemagne ont préparé ce dictionnaire en vue de faciliter la coopération économique à l'intérieur de la CEE dans les régions de langue française et allemande.

The directors of the official information centres for external trade in France, Belgium and Germany have prepared this dictionary with a view to facilitating the economic co-operation in the EEC in the fields of the German and French languages.

Comunità Economica Europea e Euratom — Trattati e documenti annessi

Cedam, Padova 1957, 320 p.

Testo in lingua italiana dei trattati di Roma e dei protocolli di Bruxelles, con importanti introduzioni del Prof. Anzillotti e dell' Ambasciatore Ducci.

Textes en langue italienne des Traités de Rome et des protocoles de Bruxelles, avec deux importantes introductions par MM. Anzillotti et Ducci.

Texts in Italian of the Treaty of Rome and the Brussels agreements, with two important introductions by Messrs. Anzillotti and Ducci.

Directory of the Metal-Cutting Machine Tool Industry of Western Europe

O. W. Roskill & Co., London 1962, 251 p.

1) Etude statistique de l'Europe occidentale dans son ensemble, puis des divers pays européens (y compris l'URSS) séparément; 2) noms et adresses de 1400 entreprises, avec indications des produits fabriqués par elles; 3) volume de production pour chaque pays considéré. En anglais, français, italien.

1) A statistical study of Western Europe as a whole, and then of the various countries, including the USSR, separately; 2) Names and addresses of 1400 enterprises, with indication of the products manufactured; 3) Production figures for each country. In English, French, and Italian.

DOLLFUS, Jean: **Atlas de l'Europe de l'Ouest**

S.E.D.I., Paris 1961, 46 p., ill.

Deutsche Ausgabe: **Wirtschaftsatlas von Westeuropa.** *A. Lutzeyer, Baden-Baden 1961, 48 S. — Edizione italiana:* **Atlante dell'Europa occidentale.** *Istituto Geografico De Agostini, Novara 1961, 48 p. — English edition:* **Atlas of Western Europe.** *John Murray, London 1963, 48 p. — Nederlandse uitgave: Albert's Drukkerijen, Sittard.*

L'Europe de l'Ouest considérée comme une entité. 24 cartes en couleur nous présentent son relief, son hydrographie, son climat et sa météorologie, sa démographie sous tous ses aspects, ses cultures diverses, ses voies de communication, ses industries, etc.

In this work Western Europe appears as an entity. 24 colour maps describe its relief, its hydrography, its climate and meteorology, all aspects of its demography, its various cultures, communications, industries, etc.

Euromarktnieuws

Samsom, Alphen aan den Rijn/Kluwer, Deventer 1959.

Maandelijks verschijnt hierop een supplement, dat een snelle en uitgebreide informatie over alle belangrijke gebeurtenissen, die plaats vinden in en om de Euromarkt, waarborgt. Abonnees op het Handboek voor Europese Gemeenschappen ontvangen eenmaal per half jaar een supplement.

Un supplément à cet ouvrage paraît mensuellement et donne des informations rapides et détaillées sur tous les événements marquants se produisant au sein et autour du Marché Commun. Les abonnés au "Handboek voor Europese Gemeenschappen" reçoivent un supplément tous les six mois.

A supplement to this work is published every month, giving quick and detailed information on all notable events within and in connexion with the Common Market. The subscribers to "Handboek voor Europese Gemeenschappen" receive a supplement twice yearly.

Europa — Dokumente zur Frage der europäischen Einigung 3 Bde.

(Hrsg. vom Forschungsinstitut der Deutschen Gesellschaft für Auswärtige Politik, Bonn) R. Oldenbourg, München, 1806 S.

Ein unentbehrliches Nachschlagwerk für alle im politischen, sozialen und wirtschaftlichen Leben Verantwortlichen. Der Schwerpunkt der Dokumentation dieser Sammlung liegt auf den Memoranden, völkerrechtlichen Verträgen und Beschlüssen zuständiger Gremien. Ein verbindender Text sorgt dafür, dass die Kontinuität der mit der Sammlung dargestellten historischen und politischen Entwicklung gewahrt bleibt.

Ouvrage de référence indispensable pour tous les responsables de la vie politique, sociale et économique. La documentation est centrée sur les mémoranda, traités de droit des gens et décisions d'organes compétents. Un texte explicatif assure la continuité de l'exposé du développement historique et politique.

An indispensable reference book for all who have positions in political, social or economic life. The documentation is based on memoranda, treaties of international law and decisions of competent bodies. An explanatory text assures the continuity of historical and political development in the documents.

Europa-Taschenbuch — Europäische und internationale Zusammenschlüsse (hrsg. von Albert Oeckl)

Festland Verlag, Bonn, 3. Aufl. 1963, 320 S.

Das handliche und übersichtliche Orientierungsbuch eignet sich gut zur raschen Information für führende Persönlichkeiten in Staat und Politik, Wirtschaft und Kultur. Adressen nationaler und internationaler Verbände, ein europäischer Veranstaltungskalender und eine Europastatistik bilden nur einen geringen Teil des über 125.000 Angaben enthaltenden Handbuches.

Ouvrage pratique et clair, source d'informations rapides pour les personnes travaillant dans les ministères, l'économie et les institutions culturelles. Les adresses de nombreuses associations nationales et internationales, une liste d'événements européens et des statistiques figurent parmi les 125.000 données de ce livre de poche.

This clear and practical work allows rapid reference to information needed by persons with important positions in ministries, politics, in economy and cultural institutions. The addresses of many national and international organizations and a list of events and statistics connected with Europe represent only a few of the 125.000 entries in this documentary work.

The Europa Year Book, Vol. I

Europa Publications, London, 1964: 1045 p.

Two annual volumes since 1962. Volume I deals with Europe, volume II with the other continents. One third of the first volume is devoted to international organizations, the larger part, however, to different European countries. Demographic, economic, financial, and social statistics, facts on churches, newspapers, and universities.

Deux volumes annuels, à partir de 1962. Le tome I traite de l'Europe, le tome II des autres continents. Un tiers du volume sur l'Europe traite des organisations internationales, le reste des différents pays européens. Statistiques démographiques, économiques, financières et sociales, données sur les églises, la presse, les universités.

Die europäische Atomgemeinschaft (EURATOM)

A. Lutzeyer, Baden-Baden 1957, 222 S.

Der Vertrag zur Gründung des Euratom ist in vollem Wortlaut wiedergegeben. Im Anhang Spezialangaben und Protokolle, sowie Erläuterungen der Bundesregierung zum Vertrag.

Le Traité instituant l'Euratom est reproduit in extenso. En annexe, données spéciales et procès-verbaux, ainsi que des déclarations du Gouvernement de la République Fédérale au sujet du Traité.

Gives the complete text of the Treaty establishing Euratom. The appendix contains special data and protocols, also declarations of the German Federal Government on the Treaty.

Die europäischen wirtschaftlichen Zusammenschlüsse (hrsg. Bernard Woischnik)

Verlag für Publizistik, Bad Godesberg 1961, 64 S.

Popularisierende Information über Aufbau, Ziele und Methoden aller einschlägigen Organisationen von OEEC bis EFTA.

Ouvrage de vulgarisation sur l'institution, les buts et les méthodes de toutes les organisations européennes, de l'OECE à l'AELE.

Information for the layman on the establishment, aims and methods of all the European organizations, from the OEEC to EFTA.

Die Europäische Wirtschaftsgemeinschaft — die Europäische Atomgemeinschaft

Agenor, Frankfurt 1957, 310 S.

Eine unkommentierte Textausgabe der Verträge und Protokolle.

Edition non commentée des textes des Traités instituant la CEE et l'Euratom, et des protocoles.

An uncommentated edition of the Treaty texts and protocols of the EEC and Euratom.

GAEDKE, Jürgen: **Das Recht der Europäischen Gemeinschaft für Kohle und Stahl**

C. H. Beck, München 1954 ,1955, 368 S.

Die Verträge und Protokolle werden in französischer und deutscher Sprache wiedergegeben. Die Anmerkungen nehmen nur einen geringen Raum ein. Im Anhang die Geschäftsordnungen der Organe der EGKS und die Verfahrensordnung des Gerichtshofes.

Les Traités et protocoles, instituant la CECA sont reproduits en français et en allemand. Les notes n'occupent que peu de place. En annexe, le règlement des organes de la CECA et la procédure de la Cour.

The Treaties and protocols establishing the ECSC, are given in French and German. Brief notes. Appendix: the rules of the ECSC organisms and Court procedure.

Der Gemeinsame Markt: EWG und EURATOM

Agenor, Frankfurt 1957, 310 S.

Die Verträge zur Gründung der Europäischen Wirtschaftsgemeinschaft und der Europäischen Atomgemeinschaft in vollständigem Wortlaut. Im Anhang mehrere wichtige Protokolle und der Text des Abkommens über gemeinsame Organe für die Europäischen Gemeinschaften.

Texte in extenso des Traités instituant la CEE et l'EURATOM. En annexe, plusieurs procès-verbaux importants ainsi que le texte de l'accord concernant les organes communs des Communautés européennes.

The Treaties establishing the EEC and the European Atomic Energy Community are given in full. In the appendix, several important protocols and the text of the agreement on common administrative bodies for the European communities.

Handboek voor Europese Gemeenschappen

Samsom, Alphen aan den Rijn/Kluwer, Deventer 1963.

1a. SAMKALDEN, I.: Commentaar op het EEG-, Euratom- en EGKS-verdrag

Dit deel dat in boekvorm gaat verschijnen, zal een volledig commentaar bevatten. Verschijning vermoedelijk eind 1964.

Cette partie, qui paraîtra sous forme de livre, comprendra un commentaire complet. Date probable de publication: fin 1964.

This part, to be published in book form, will comprise a complete commentary. Publication probable for end 1964.

1b. NERÉE TOT BABBERICH, M. F. F. A. de: **Verdragsteksten en aanverwante stukken betreffende de EEG, Euratom en EGKS**

Deze uitgave bevat: tekst tot oprichting van de EEG, Euratom en EGKS, met bijlagen, protocollen, overeenkomsten en goedkeuringswetten, reglementen van orde, financiële reglementen, beschikkingen en aanverwante stukken, tekst van de belangrijkste verordeningen alsmede een chronologische lijst van álle verordeningen, beschikkingen en aanverwante stukken. Het geheel wordt gecompleteerd met uitvoerige trefwoordenregisters en adreslijsten van de aan de gemeenschappen verbonden personen en instellingen.

Textes visant à la constitution de la CEE, de l'Euratom et de la CECA, avec annexes, protocoles, accords et lois d'approbation, règlements d'ordre, règlements financiers, dispositions et pièces connexes, texte des décrets les plus importants ainsi qu'une liste chronologique de tous les décrets, dispositions et pièces connexes. Le tout est complété de registres détaillés et de listes d'adresses de personnes et d'institutions attachées aux Communautés.

Texts preparing the constitution of the EEC, Euratom and ECSC, with annexes, minutes, agreements and laws of approval, rules of procedure, financial regulations, rules and connected papers, texts of the most important decrees, and a chronologically established list of all the connected decrees, regulations and other papers. Completed by detailed registers as well as lists of addresses of individuals and of institutions affiliated to the Communities.

2. SPAAN, A. H.: **Tarieflijsten van de Europese Economische Gemeenschap**

Dit deel bevat de douanetarieven, alsmede de andere belastingen en heffingen bij invoer in Frankrijk, Duitsland en Italië en de Belgische omzetbelastingpercentages.

Les tarifs douaniers, les autres impôts et droits à l'importation en France, en Allemagne et en Italie, ainsi que les pourcentages des impôts belges sur le chiffre d'affaires.

Custom duties, further tariffs and duties levied on imports into France, Germany and Italy, as well as percentages of taxes levied by Belgium on the turnover.

3. ELLIS, J. J. A. — HEUVEL, H. van den: **Europees Mededingings- en Kartelrecht**

Dit deel geeft een volledige behandeling van de Europese Kartelverordening. Achtereenvolgens komen aan de orde: de tekst met toelichting, vergelijkend overzicht van de vier teksten, algemene inleiding, artikelsgewijs commentaar op de kartelverordening en de desbetreffende bepalingen van het EEG-verdrag, literatuuroverzicht en jurisprudentie.

Traité du décret relatif au Cartel européen: introduction générale, commentaire par articles du décret relatif au Cartel et aux dispositions y afférentes du Traité de la CEE, bibliographie et jurisprudence.

Deals at length with the European decree cartel. The text is given together with explanatory notes, followed by a general comparison of the four texts, a general introduction, a commentary by articles on the cartel decree and on related portions of the Treaty of the EEC, a bibliography and a section on jurisprudence.

Handbuch der Europäischen Agrarwirtschaft
(hrsg. von Franz-Wilhelm Engel) 3 Bde.

Agenor, Frankfurt 1962, ca. 1500 S., 14. Erg. Lieferung: April 1964.

Konjunkturübersichten, die Widergabe der jüngsten Entscheidungen der EWG-Organe, Rechtsprechung, Preisvergleiche, Quellennachweise über die jüngste Agrarliteratur, etc. Unerschöpfliche Informationsquelle für den Fachmann, als Fortsetzungswerk immer auf dem neuesten Stand.

Aperçu conjoncturel. Récentes décisions des organes du Marché Commun. Jurisprudence. Comparaisons de prix et indications de sources sur les dernières publications dans le domaine de l'agriculture, etc. Cet ouvrage volumineux offre au spécialiste une source inépuisable d'informations. Régulièrement complété par la publication de feuilles volantes.

This voluminous work which offers the specialist an inexhaustible source of information, deals amongst other things with the cyclical situation, recent decisions of Common Market executives, jurisprudence, price comparisons, and references to sources of the most recent agricultural publications. Brought continually up-to-date by the publication of loose leaves.

Handbuch der europäischen Eisen- und Stahlwerke
Manuel des usines européennes de la sidérurgie
Handbook of the European iron and steel works

Montan- und Wirtschaftsverlag, Frankfurt 5. Aufl. 1964, 1300 S., ill.

Umfassende Informationen in Deutsch, Französisch und Englisch über die Rohstoffgrundlagen und über die Produktivität der Stahlindustrie in 18 Ländern Westeuropas und 8 Ländern Osteuropas. Darüberhinaus werden Hütten-, Stahl- und Walzwerke mit ihrem spezifischen Lieferprogramm vorgestellt.

Informations en français, en allemand et en anglais sur la situation des matières premières et de la productivité de l'industrie de l'acier dans 18 pays de l'Europe de l'Ouest et dans 8 pays de l'Europe de l'Est. Les fonderies, aciéries et lamineries sont présentées avec leurs programmes particuliers de production.

Information in English, French, and German on the supply of raw materials and productivity in the steel industry in 18 countries of Western Europe and 8 countries of Eastern Europe. The founderies, steel works and rolling mills are presented with their own production programmes.

Handbuch für Europäische Wirtschaft (hrsg. von Hans von der Groeben und Hans von Boeckh)

Grundwerk. 8 Ganzleinenordner, bis Ende 1963 2 Ergänzungsordner, ca. 7000 S
A. Lutzeyer, Baden-Baden

Mit der 50. Ergänzungslieferung vom 31. März 1964 ist dieses Werk auf den Stand vom April 1963 gebracht und umfasst insgesamt zehn Bände. Die einzelnen Kapitel sind von bekannten Fachleuten geschrieben, und die wichtigsten Bestimmungen der Verträge werden systematisch kommentiert.

Par le cinquantième supplément paru le 31 mars de 1964, cet ouvrage documentaire sur l'économie en Europe, est mis à jour jusqu'au mois d'avril de 1963 et comprend actuellement dix volumes. Les différents chapitres ont été rédigés par des spécialistes, et les dispositions les plus importantes des traités sont commentées.

With its fiftieth supplement from March 1964 this documentary work on European economic policy is brought up to date until April 1963 and comprises a total of ten volumes. The different chapters have been written by specialists, and the important regulations of the treaties are systematically commented upon.

HILBERT, Lothar: **The Stockholm Convention establishing the European Free Trade Association (EFTA) 1960**

Publ. par la Faculté Internationale de Droit Comparé, Luxembourg 1962, 25 p.

A paper on the relationship of EFTA with non member countries, obstacles to understanding with the EEC, the rules of EFTA for trade liberation, and its institutions. The conclusion suggests that the EEC-EFTA dispute can be likened to the Prussia-Austria struggle for hegemony in the German Empire.

Les relations de l'AELE avec les pays non-membres, les obstacles à une entente avec la CEE, les règlements de l'AELE pour la libération des échanges, et ses institutions. L'auteur conclut que la dispute CEE-AELE pourrait être comparée à la lutte entre la Prusse et l'Autriche pour l'hégémonie dans l'Empire allemand.

JURIS-CLASSEUR: **Traités de l'Europe occidentale et textes d'application**

Editions Techniques, Paris

1. Traités instituant les Organisations européennes et occidentales multilatérales dont la France fait partie. 2) Traités et textes relatifs aux Communautés européennes des Six. 3) Textes d'intérêt général pour l'application de ces traités en France. 4) Textes supranationaux émanant des organisations elles-mêmes. 5) Traités conclus par les organisations elles-mêmes, soit avec des Etats, soit avec d'autres organisations. 6) Traités conclus sous l'égide de ces organisations. — Edité sur fascicules mobiles, ce volume in-quarto est constamment tenu à jour et complété par des fiches périodiques ou par addition de fascicules nouveaux.

1. Treaties setting up the European and Western multilateral organizations, of which France is a member. 2. Treaties and texts relative to the European communities of the Six. 3. Texts of general interest for the application of these Treaties to France. 4. Supranational texts issued by the organizations. 5. Treaties made by the organizations themselves with other States and with other organization. 6. Treaties made under the aegis of these organizations. — Edited in loose-leaf form this volume is constantly kept up to date by the periodical addition of new leaves.

La legislazione europea sul credito agrario

A. Giuffrè, Milano 1960, 868 p.

Raccolta di testi delle principali leggi sul credito agrario nei paesi della C.E.E. In appendice disposizioni della legislazione svizzera.

Recueil des principaux textes legislatifs sur le crédit foncier dans les pays de la CEE. En annexe, dispositions de la législation suisse.

A collection of the main legal texts on agricultural credit in the EEC countries. The annexe provides the provisions of Swiss legislation.

Livret Européen de l'Etudiant (en français, anglais, allemand, italien)

Dunod, Paris, (paraît chaque année) 48 p.

Livret ayant pour but de faciliter aux étudiants les changements d'université pour leur permettre de diffuser les connaissances déjà acquises dans le domaine des mathématiques. Enumération des branches d'enseignement en anglais et français.

A booklet whose aim is to facilitate the movement of students between different universities in order to permit them to spread the knowledge they have acquired in mathematics. An enumeration of subjects on the programme in English and French.

Market Research on a European Scale

European Productivity Agency of the OEEC, Paris 1960, 136 p.

A selection of papers concerned with the expansion of market research on a European scale. Five appendices contain statistics and lists.

Choix de travaux sur le développement de l'étude des marchés à l'échelle européenne. Cinq appendices contiennent des statistiques et des répertoires.

MEGOW, Heinrich: **Steuern und Zölle im Gemeinsamen Markt**

A. Lutzeyer, Baden-Baden 1962, ca. 700 S., 4. Erg. Lieferung: Stand April 1964

Eine durch das Losblattsystem nie veraltende Informationsquelle für Handel und Industrie. Die Einführung in die Rechtsgrundlagen und Rechtsanwendungen des EWG-Vertrages erleichtert das Verständnis der Einzelfragen.

Source d'informations pour l'industrie et le commerce, toujours actuelle grâce à un système de feuilles volantes. Une introduction explicite aux bases et aux applications juridiques du Traité du Marché Commun permet une meilleure compréhension des questions particulières.

A source of information for industry and commerce kept up to date through loose-leaves. The introduction explains the legal bases and applications of the Treaty of the Common Market, thus permitting a better understanding of particular questions.

NONIS, Francesco E.: **EFTA e OCED nel quadro della Cooperazione Economica dell'Occidente**

Banco di Santo Spirito, Roma 1961, 177 p.

L'autore esamina l'istituzione dell'EFTA e la trasformazione dell'OECE nell'OCED e rievoca quindi i principali fra i precedenti accordi di cooperazione economica. Testi in lingua italiana delle convenzioni dell'EFTA e dell'OCED.

Etude de l'institution de l'AELE et de l'OCDE et des principaux accords de coopération économique qui ont précédé les deux institutions. En annexe textes italiens des traités institutant les deux organisations.

A study of the institution of EFTA and OECD and of the main agreements of economic co-operation which preceded these institutions. The appendix contains in Italian, the texts setting up these two organizations.

PASETTI, Giulio — TRABUCCHI, Alberto: **Codice delle Comunità Europee**

A. Giuffrè, Milano 1962, 2361 p.
Edition française: **Code des Communautés européennes I.** *A. Giuffrè, Milano 1964, 2781 p.*

Testo dei trattati e dei regolamenti interni della CECA, CEE e Euratom; principali accordi internazionali conclusi dalle Comunità o che le concernono; principali decisioni e regolamenti adottati dai vari organi comunitari; convenzioni e regolamenti comuni alle tre comunità europee, e disposizioni legislative italiane riguardo ad ognuna de esse.

Texte des traités et des réglements internes de la CECA, de la CEE et de l'Euratom; principaux accords internationaux conclus par les Communautés ou qui les concernent; principaux règlements et décisions adoptés par les différents organes communautaires; conventions et règlements communs aux trois communautés européennes et dispositions législatives italiennes concernant chacune d'entre elles.

Texts of the Treaties and internal rules of the ECSC, EEC and Euratom; principal international agreements concluded by the Communities or by others concerning them; chief decisions and rules discussed by the different community bodies; conventions and rules common to the three European Communities, and Italian legal provisions concerning each of them.

Recht und Organisation der Parlamente (hrsg. i. A. der Interparlamentarischen Arbeitsgemeinschaft) 2 Bde., Losblatt

Erich Schmid, Bielefeld, seit Juni 1960.

Die grundlegenden Texte der Bundesrepublik Deutschland, der Parlamente von zehn europäischen Ländern, der wichtigsten aussereuropäischen Parlamente und der internationalen sowie übernationalen Parlamente. Wichtiges Standardwerk, das ständig ergänzt wird.

Textes fondamentaux de la République Fédérale d'Allemagne, des Parlements de dix pays européens, des Parlements non européens les plus importants, ainsi que des Parlements internationaux et supranationaux. Ouvrage de base, régulièrement mis à jour.

Reproduces basic texts pertaining to the German Federal Republic, the Parliaments of ten European countries, the chief Parliaments outside Europe, and the international and supranational Parliaments. Important standard work, kept constantly up to date.

Recueil de la Jurisprudence de la Cour de Justice des Communautés Européennes, Luxembourg

Publ. par les Communautés Europeénnes, Luxembourg, Vol. X: 1964.
Deutsche Ausgabe: **Sammlung der Rechtsprechung des Gerichtshofes der Europäischen Gemeinschaften** *(également en italien et néerlandais)*

Publication annuelle comprenant un index des parties, une table des matières, une table des articles traités et un sommaire des différents volumes. Indispensable aux praticiens.

This collection of jurisdiction at the Court of Justice of the European Communities in Luxemburg, which contains an index of parts, a table of contents, tables of articles considered and a summary of different volumes is published every year. Indispensable to practising lawyers.

Recueils pratiques du droit des affaires dans les pays du Marché Commun

Edit. Jupiter, Paris, depuis 1962, VIII tomes prévus.
Edizione italiana: **Trattati di Diritto e Legislazione nei Paesi del Mercato Comune.**
Edit. Jupiter-Italia, Roma.

Cette collection de recueils comportant jusqu'à présent 13 volumes répartis sur les 4 premiers tomes, est composée de feuillets mobiles. Grâce à leur haute tenue scientifique, ces recueils constituent un instrument de travail très pratique pour tous les chefs d'entreprise qui veulent prospecter les marchés étrangers et s'y faire une position.

This collection of reports concerning business law in the EEC countries, at present comprises 13 separate parts in 4 volumes and is composed of loose leaves. Being of highly scientific nature these reports constitute a very practical working instrument for all senior business men who wish to acquaint themselves with the working of foreign markets.

Les régimes de Sécurité sociale applicables aux travailleurs du Charbon et de l'Acier dans la CECA et en Grande Bretagne. 2 vol., feuillets mobiles

Dalloz et Sirey, Paris 1962.

Deutsche Ausgabe: **Die Systeme der sozialen Sicherheit für die Arbeiter des Kohlenbergbaus und der Eisen- und Stahlindustrie in der Gemeinschaft sowie in Grossbritannien.** *A. Lutzeyer, Baden-Baden 1961, 700 S. — Edizione italiana:* **I regimi di sicurezza soziale applicabili ai lavoratori del carbone e dell'acciaio nella Comunità e in Gran Bretagna.** *A. Giuffrè, Milano 1961, 500 p. — Nederlandse uitgave:* **Stelsels van sociale zekerheid van toepassing op de werknemers in de kolenmijn- en ijzer- en staalindustrie in de Gemeenschap en Groot-Brittannië.** *AE. E. Kluwer, Deventer 1962.*

Les efforts d'harmonisation de la législation sociale en Europe exigent une documentation importante. La Haute Autorité répond à ce besoin en rassemblant, en une seule langue, les législations sociales éparses.

The aim at harmonizing social legislation in Europe requires substantial documentation. The High Authority here answers a practical need bringing together, in one language, details of scattered social legislations.

Die Bemühungen, die Sozialgesetzgebung in Europa zu harmonisieren, erfordern eine reiche Dokumentation, welche hier von der Hohen Behörde in Form einer Zusammenstellung der verstreuten Sozialgesetze in einer Sprache geboten wird.

Les régimes de Sécurité sociale dans la Communauté Européenne

Dalloz et Sirey, Paris 1963.

Deutsche Ausgabe: **Die Systeme der sozialen Sicherheit in der Europäischen Gemeinschaft.** *A. Lutzeyer, Baden-Baden 1963, 850 S. — Edizione italiana:* **I regimi di sicurezza sociale nella Comunità Europea.** *A. Giuffrè, Milano 1963, 764 p. — Nederlandse uitgave:* **De stelsels van sociale zekerheid in de Europese Gemeenschap.** *AE. E. Kluwer, Deventer 1963.*

La commission du Marché Commun complète les travaux de la Haute Autorité en rassemblant dans cet ouvrage les législations sociales des pays de la Communauté Européenne. Elle remplit ainsi ses obligations (art. 117 et 118 du Traité de Rome) dans le domaine de la sécurité sociale.

The commission of the Common Market completes the work of the ECSC High Authority in bringing together in this work the social legislations of the countries of the European Community, thus fulfilling its obligations (articles 117 and 118 of the Treaty of Rome) in the field of social security.

Die Kommission der EWG ergänzt mit dieser Zusammenstellung der Sozialgesetzgebung in den Ländern der Europäischen Gemeinschaft die Arbeiten der Hohen Behörde, um die ihr durch Art. 117 und 118 des Vertrages von Rom auf dem Gebiete der sozialen Sicherheit gestellten Aufgaben zu erfüllen.

RICHEMONT, Jean de: **La Cour de Justice — Code annoté, guide pratique**

Librairie du Journal des Notaires et des Avocats, Paris 1954, 340 p.

Un avocat à la Cour de Paris a réuni sous la forme d'un code annoté et guide pratique les textes réglant le rôle et le fonctionnement de la Cour de Justice de la CECA. Les textes provenant de documents différents, mais se rapportant au même objet, ont été reproduits en tête d'un bref commentaire.

A Paris lawyer here gathers together, in the form of an annotated code and practical guide, the texts governing the role and function of the Court of Justice of the ECSC. Texts taken from different documents but concerned with the same subject are reproduced at the head of a brief commentary.

The Rules of Procedure of the Court of Justice of the European Communities

A. W. Sijthoff, Leiden 1962, 64 p.

Translation of the rules of procedure without commentary or notes. Index at back.

Une traduction des règles de procédure de la Cour de Justice des Communautés Européennes, sans commentaire ni notes. Index à la fin de l'ouvrage.

SARTORIUS II: **Europa-Recht und andere internationale Verträge**

C. H. Beck, München 1961, 730 S., Erg. Lieferung: Sept. 1963, 410 S.

Eine Ausgabe im Losblattsystem, die ständig ergänzt werden soll. Neben den wichtigsten europäischen Verträgen von 1868 bis heute enthält der Band auch eine begrüssenswerte Sammlung internationaler Verträge.

Publication en feuilles volantes, pouvant toujours être complétée. Outre les traités européens les plus importants depuis 1868 jusqu'à nos jours, elle contient une série de traités internationaux.

Loose leaf publication allowing for eventual completion. Apart from the most important European treaties between 1868 and the present day it contains a series of international treaties.

Der Schuman-Plan (Redaktion: Ulrich Sahm. Vorwort: Walter Hallstein)

Verlag Kommentator, Frankfurt 1951, 300 S.

Der Vertragstext wird in französischer und deutscher Sprache gekürzt wiedergegeben. Eine kurze erläuternde Einführung und Anmerkungen erleichtern dem Laien den Überblick.

Texte résumé du Plan Schuman, reproduit en langue française et allemande. Une courte introduction et des notes permettent une compréhension plus facile.

The summarized text of the Schuman Plan is reproduced in French and German. Understanding is made easier by a short introduction and by notes.

SIEGLER, Heinrich von: **Dokumentation der Europäischen Integration — unter besonderer Beachtung des Verhältnisses EWG-EFTA 1946-1961**

Siegler & Co., Bonn 1961, 474 S.

Ein weiteres Dokumentarwerk zur europäischen Integration, in dem die wesentlichsten Dokumente zusammengetragen wurden, die sich vor allem auf die wirtschaftlichen Bemühungen konzentrieren. Ein Stichwortverzeichnis nebst eines Personenregisters am Ende des Buches erleichtern die Auffindung der einzelnen Dokumente.

Ouvrage documentaire sur l'intégration européenne, comprenant les documents les plus imprtants, principalement dans le domaine des efforts économiques. Un index par mots-clés et un autre par personnes facilitent la recherche des documents.

Documentary publication on European integration. Contains very important documents, concentrating mainly on the economic efforts. An index of key-words and an index of proper names help the search for documents.

SIEGLER, Heinrich von: **Hilfe für die Entwicklungsländer**

Europa-Union Verlag, Bonn 1960, 86 S.

Enthält eine reichhaltige Dokumentation über Institutionen, die Entwicklungshilfe leisten, und über die Entwicklungspolitik der europäischen Industriestaaten, der USA und der UdSSR.

Ouvrage avec une riche documentation sur les institutions qui fournissent une aide au développement et sur la politique suivie dans ce domaine par les Etats européens industrialisés, ainsi que par les Etats-Unis et l'URSS.

A lavishly documented work on the institutions supplying development aid, and on the policies followed in this field by the industrialized countries of Europe, the USA and the USSR.

Die Stockholmer Konvention über die Europäische Freihandelszone (hrsg. von Heinrich Rieber)

A. Lutzeyer, Baden-Baden 1960, 101 S.

Der Herausgeber skizziert in kurzen Zügen Entstehung, Aufbau und wirtschaftliche Verflechtung der EFTA mit ihren europäischen Handelspartnern. Im Anhang Wortlaut der Stockholmer Konvention, ausführliche Tabellen über Ein- und Ausfuhr der EFTA-Länder.

Esquisse rapide de la création et de l'organisation de l'AELE et de ses relations avec ses partenaires commerciaux en Europe. En annexe: texte de la Convention de Stockholm, et tabelles sur l'importation et l'exportation des pays-membres de l'AELE.

The author outlines the creation and organization, as well as the relations of EFTA with its European commercial partners. Annexed are the text of the Stockholm Convention and tables on the imports and exports of member countries of EFTA.

Les systèmes fiscaux des pays membres de la Communauté Economique Européenne — tableau synoptique (publ. par UNICE)

Sirey, Paris/Emile Bruylant, Bruxelles 1960, 107 p.
Deutsche Ausgabe: **Die Steuersysteme in den Mitgliedstaaten der Europäischen Wirtschaftsgemeinschaft — synoptische Darstellung,** *(hrsg. von UNICE) Verlag Neue Wirtschaftsbriefe, Herne 1960, 115 S. — Edizione italiana: A. Giuffrè, Milano 1960.*

Etablie d'après un schéma assez uniforme, cette présentation synoptique de l'état de la législation fiscale dans les pays de la CEE contient toutes les données importantes sur les taxes perçues au premier juillet 1960 dans ces pays.

Adopting a fairly uniform method of presentation, this work describes synoptically the state of fiscal legislation in the countries of the EEC. It contains all the important data on the taxes collected up to July 1st, 1960, in these countries.

Taschenbuch der Noten, Pakte und Verträge (hrsg. von Franz Wilhelm Engel)

Agenor, Frankfurt 1961, 1254 S.

Enthält eine dokumentarische Erfassung der wichtigsten internationalen Vereinbarungen aus Politik, Recht, Kultur, Wirtschaft und Verteidigung sowie eine chronologische Sammlung der grundlegenden Noten und Briefwechsel zu den grossen politischen Fragen. Das sehr handliche Taschenbuch beschränkt sich auf die Zeit nach dem 2. Weltkrieg und gibt die Texte zum Teil gekürzt wieder.

Contient un ensemble bien documenté des accords internationaux les plus importants dans les domaines politique, juridique, culturel, économique et de la défense ainsi qu'un recueil chronologique des notes et des échanges de lettres fondamentaux concernant les grandes questions politiques. Cet ouvrage très pratique se limite à la période suivant la seconde guerre mondiale et donne quelquefois les textes abrégés.

Contains a well documented collection of the most important international agreements in the political, juridical, cultural, economic and military fields, as well as a chronological compilation of notes and basic correspondence on the great political issues. This very practical work covers the time since the second World War, and sometimes quotes the texts abridged.

TELEUROPE — Europäischer Wirtschafts- und Telegrammdienst European Economic and Telegraphic Service Service Economique et Télégraphique Européen

Hrsg. i. A. der OCDE in Paris, vom Deutschen Adressbuchverlag für Wirtschaft und Verkehr, Darmstadt, letzte Ausgabe 1963, 2.627 S., deutsch, English, français, español.

Dieses Jahrbuch liegt in der achten Auflage (1963) vor. Es enthält alle offiziellen telegraphischen Adressen der OECD-Länder und ist besonders für Import- und Export-Kaufleute dieser Länder zu empfehlen.

This annual at present in its eighth edition (1963) contains all the telegraphic addresses registered in the countries affiliated to OECD. Specially useful to businessmen in exports and imports in these countries.

Cet annuaire, qui en est actuellement à sa huitième édition (1963), est destiné aux exportateurs et importateurs des pays de l'OCDE; il contient toutes les adresses télégraphiques enregistrées dans ces pays.

Die Vertragswerke von Bonn und Paris vom Mai 1952

Verlag für Geschichte und Politik/Deutsche Gesellschaft für Auswärtige Politik, Frankfurt 1952, 356 S.

Der Vertrag über die Beziehungen zwischen der Bundesrepublik Deutschland und den Drei Mächten und das Vertragswerk über die Gründung der Europäischen Verteidigungsgemeinschaft werden ungekürzt wiedergegeben.

Le texte du Traité sur les relations entre la République Fédérale d'Allemagne et les Trois Puissances ainsi que les travaux préparatoires de la Communauté Européenne de Défense sont reproduits intégralement.

The text of the Treaty on relations between the German Federal Republic and the three great Powers, as well as the preparatory work on the European Defence Community, are reproduced here in their entirety.

Der Warschauer Pakt (hrsg. von Boris Meissner)

Verlag für Wissenschaft und Politik, Köln 1962, 206 S.

Die erste detaillierte Analyse des Warschauer Paktes und der mit ihm verbundenen völkerrechtlichen und politischen Probleme. Seine Vereinbarkeit mit der Satzung der Vereinten Nationen, die Problematik der kollektiven Verteidigung und der sowjetische Angriffsbegriff werden eingehend untersucht.

Première analyse détaillée du Pacte de Varsovie, des problèmes de droit des gens et des questions politiques qui s'y rattachent. On y examine attentivement sa compatibilité avec la Charte des Nations-Unies, les problèmes soulevés par la défense collective et la conception soviétique de l'agression.

First detailed analysis of the Warsaw Pact, and related problems of human rights and politics. Its compatibility with the Charter of the United Nations, the problems raised by collective defence and by the Soviet concept of agression are all closely examined.

WICKERT, Günter: **Markt- und Meinungsforscher in Europa**

Demokrit Verlag, Tübingen 1960, 102 S.

Namensverzeichnis mit Zusammenstellung von Daten, Adressen, Instituten, Ausbildung und Publikationen.

Index de noms avec des indications d'adresses, d'Instituts, de formation scientifique et de publications concernant l'étude du marché et les sondages d'opinion publique.

Index of names with data, addresses, institutes, training facilities and publications concerning market and public opinion.

Wirtschaftssysteme des Westens — Economic Systems of the West — Systèmes économiques de l'Occident, 2 vol. (hrsg. vof Rudolf Frei)

J. C. B. Mohr, Tübingen 1957/1959, 247/221 S.

Monographien über die Formen der Organisation der Wirtschaftssysteme westeuropäischer Länder, sowie Japans und Kanadas, mit dem Ziel festzustellen, wieweit diese Systeme noch auf Grund der Wettbewerbstheorie erfasst werden können.

Série de monographies sur les formes d'organisation économique des pays de l'Europe occidentale, du Japon et du Canada, pour déterminer dans quelle mesure les systèmes de ces pays peuvent encore être envisagés dans le cadre théorique du modèle de concurrence.

A series of monographs on the organization of the economic systems of Western European countries, of Japan and of Canada, with the aim of determining to what extent the systems of these countries can still be considered within the framework of competition theory.

WOHLFARTH — EVERLING — GLAESNER — SPRUNG: **Die Europäische Wirtschaftsgemeinschaft**

Franz Vahlen, Berlin 1960, 953 S.

Vier Mitglieder der Bundesministerien für Justiz und Wirtschaft der Bundesrepublik haben in diesem Kommentar die Literatur und Rechtsprechung zum EWG-Vertrag zusammengestellt, und ihre in der Praxis geformten Ansichten wiedergegeben.

Quatre membres des ministères de la justice et de l'économie de la République Fédérale d'Allemagne commentent les publications et la jurisprudence relatives au Traité instituant le Marché Commun, et y ajoutent leurs opinions formées dans la pratique.

Four members of the Ministries of Justice and Economy of the German Federal Republic here comment upon literature and jurisprudence relative to the Treaty establishing the Common Market, and give opinions based on their experience.

Yearbook of the European Convention on Human Rights — Annuaire de la Convention Européenne des Droits de l'Homme (publ. for the European Commission and European Court on Human Rights / pour la Commission et la Cour Européennes des Droits de l'Homme)

Martinus Nijhoff, The Hague / La Haye, since / depuis 1959, ca. 500 p. per vol.

This is the continuation of the "European Commission of Human Rights, Documents and Decisions" published in 1959. The most important documents of the setting up of the Court in 1959, followed by basic texts, the work programmes as well as many extracts from decisions made over the years. The English and French texts are placed side by side. Documents relative to matters brought before the Court, and bibliographical appendices. Appears annually.

Suite de la publication "Commission Européenne des Droits de l'Homme, Documents et Décisions", parue en 1959. Documents principaux de l'institution de la Cour en 1959, suivis des textes de base, des protocoles de travail, de nombreux extraits de décisions. Les textes français et anglais sont juxtaposés. Documentation relative aux affaires portées devant la Cour, et annexes bibliographiques. Paraît chaque année.

Die Zusammenschlüsse und Pakte der Welt auf politischem, militärischem und wirtschaftlichem Gebiet (hrsg. von Heinrich von Siegler)

Siegler & Co., Bonn, 7. neu bearb. Aufl. 1963, 82 S., 21 Skizzen

Das Werk begnügt sich nicht mit der blossen Wiedergabe der Vertragstexte, sondern stellt auch die Vorgeschichte und den politischen Zweck der unzähligen internationalen Zusammenschlüsse heraus. Enthält die Dokumentation sämtlicher europäischer Organe und Zusammenschlüsse (Stand Sept. 1962).

Textes des traités internationaux, accompagnés d'un aperçu historique et politique sur leur négociation. Documentation sur tous les organes et pactes européens (arrêté en sept. 1962).

Texts of the international treaties, accompanied by a historical and political outline of their negotiation. Documentation on all European bodies and agreements (situation of Sept. 1962).

Nous croyons utile de donner en supplément une liste sélective de publications officielles des Organisations européennes, ainsi que du BIT, dont les titres suffisent à décrire le contenu.

We thought useful to provide a supplement containing a selected list of the official publications of the European Organizations and the ILO, the titles of which are a sufficient indication of their contents.

Bureau International du Travail (BIT)
Genève

Les aspects sociaux de la coopération économique européenne. Rapport d'un groupe d'experts. 1956, 212 p.
angl., franç., all.

Labour Costs in European Industry, 1959, 170 p.
angl., franç., all.

André Philip: Social Aspects of European Economic Co-operation, 1957 (offprint)

Guy J. Puyoógur: Employers' Associations in Europe and North America, 1951 (offprint)

René Roux: The Position of Labour under the Schuman Plan, 1952 (offprint)

Kaare Salvesen: Co-operation in Social Affairs between the Northern Countries of Europe, 1956 (offprint)

H. Umrath: Rent Policy in Western Europe, 1953 (offprint)

Payment by Results in the Building Industry in Eastern Europe, 1953 (offprint)

H. Umrath: The Problem of Ownership in Workers' Housing Policy in Western Europe, 1955 (offprint)

Commission économique pour l'Europe, Nations Unies (ONU)
Genève

Etudes sur la situation économique de l'Europe, depuis 1948; paraît chaque année.

Etude sur le commerce entre l'Amérique latine et l'Europe, 1953

Etude sur le commerce entre l'Asie et l'Europe, 1953

Growth and Stagnation in the European Economy, par Ingvar Svennilson en coopération avec le secrétariat, 1954

La revue de la situation agricole de l'Europe à la fin de 1962; 1963, 48 p.
angl., franç., russe

Prix des produits agricoles et des engrains en Europe 1961/62; 1963, ca. 120 p.
angl., franç., russe

Revue de la situation agricole en Europe à la fin de 1963; 1964, ca. 200 p.
angl., franç., russe

Commerce agricole européen — Développements récents, 1964, 200 p.
angl., franç., russe

Aperçu de la situation énergétique récente en Europe, 1962

La situation de l'industrie électrique européenne en 1961/1962 et ses perspectives, 1963, ca. 95 p.
angl., franç., russe

Situation de l'électrification en Europe en 1960, 1962

Situation et perspectives de l'industrie électrique européenne en 1962/63; 1964, ca. 110 p.
angl., franç., russe

Situation de l'électrification rurale en Europe pendant la période triennale ler janvier 1960-ler janvier 1963; 1964, 100 p.
angl., franç., russe

La situation du marché charbonnier européen en 1961/62 et les perspectives d'avenir, 1963, 108 p.
angl., franç., russe

Le problème de l'habitat en Europe, 1949

La situation du logement en Europe, 1956

Le logement dans les pays moins industrialisés de l'Europe, 1956

La situation de l'habitat rural en Europe, 1962

Les Prix de la construction dans les pays européens, 1963, ca. 270 p.
angl., franç., russe

L'acier et les matériaux de remplacement, 1959

Le marché européen de l'acier en 1962; 1964, ca. 140 p.
angl., franç., russe

Statistiques européennes du bois, 1913-1950; 1950

Répertoire des organisations s'occupant de la sécurité du travail en forêt, 1960

Bulletin annuel de statistiques de transports européens, ca. 90 p.
angl., franç.

Quinze années d'activité de la Commission économique pour l'Europe — 1947-1962; 1964, 168 p.
angl., franç., russe

Communautés Européennes
Luxembourg–Bruxelles

I. Parlement Européen

Traités de Rome, 472 p.
édition synoptique
franç., all., ital., néerl.

Règlement du Parlement européen, 64 p.
franç., all., ital., néerl.

Annuaire du Parlement européen, paraît depuis 1958-1959, ca. 700 p.
franç., all., ital., néerl.

Catalogue "Le Marché commun": table bibliographique de toutes les publications concernant le marché commun rassemblées à la bibliothèque du Parlement européen, édition 1961-1962, 5 vol.

II. Cour de Justice des Communautés européennes

Recueil de textes: Organisation, compétence, procédure de la Cour et index analytique, 330 p.
franç., all., ital., néerl.

Publications juridiques concernant l'intégration européenne
Bibliographie juridique, 1962, 444 p. (supplém. 1964)
franc., all., ital., néerl.

III. Communauté économique européenne (CEE)

Traité instituant la Communauté économique européenne et documents annexes, 1957, 348 p.
franç., all., ital., néerl., angl.

Rapport annuel sur l'activité de la Communauté
paraît chaque année depuis 1958
franç., all., ital., esp., néerl.

Exposé sur la situation sociale de la Communauté
paraît chaque année depuis 1958, ca. 250 p.
franç., all., ital., néerl.

La première étape du Marché commun
Rapport sur l'exécution du traité (janvier 1958-janvier 1962), 1962, 128 p.
franç., all., ital., néerl., angl.

Premier mémorandum de la Commission de la Communauté économique européenne au Conseil de ministres de la Communauté, 1959, 42 p. (plus 7 annexes)
franç., all., ang., ital., esp., néerl.

Accord créant une association entre la Communauté économique européenne et la Grèce, et documents annexes, 1962, 152 p.
franç., all., ital., néerl.

Annuaire de la Commission de la Communauté économique européenne, 1963, 36 p.
franç., all., ital., néerl.

Corps diplomatique accrédité auprès de la Communauté économique européenne, 1964, 80 p.

Les perspectives de développement économique dans la C.E.E. de 1960 à 1970; 1962, 90 p.
franç., all., ital., esp., néerl.

Les instruments de la politique monétaire dans les pays de la Communauté économique européenne, 1962, 279 p.
franç., all., ital., néerl., angl.

Rapport annuel d'activité du Comité monétaire
paraît chaque année depuis 1959, ca. 30 p.
franç., all., ital., néerl.

Le prix de vente de l'énergie électrique dans les pays de la C.E.E., 1962, 108 p.
franç., all., ital., néerl.

Répertoire des organismes communs créés dans le cadre de la C.E.E. par les associations industrielles, artisanales et commerciales des six pays, 1960, 513 p.
franç., all., ital., néerl.

C.E.C.A. — C.E.E. — C.E.E.A. (Euratom) Tarif douanier des Communautés européennes (feuilles mobiles), 1963, 332 p.
franç., all., ital., néerl.

Guide pratique concernant les articles 85 et 86 du traité instituant la C.E.E. et leurs règlements d'application, 1963
franç., all., ital., néerl., angl.

Avant-projet de convention relatif à un droit européen des brevets élaboré par le groupe de travail "brevets", 1962, 108 p.
franç.-all., ital.-néerl.

Dictionnaire comparatif des professions donnant lieu le plus souvent à migrations dans les pays de la C.E.E. (feuilles mobiles), 1962
franç., all., ital., néerl.

C.E.E. – C.E.C.A.: Tableaux comparatifs des régimes de sécurité sociale applicables dans les Etats membres des Communautés européennes, juin 1962

La formation professionnelle des jeunes dans les entreprises industrielles, artisanales et commerciales des pays de la C.E.E., 1963, 126 p.
franç., all., ital., néerl.

La réglementation des congés payés dans les six pays de la Communauté, 1962, 121 p.
franç., all., ital., néerl.

Etude sur la physionomie actuelle de la sécurité sociale dans les pays de la C.E.E., 1962, 130 p.
franç., all., ital., néerl.

Le droit et la pratique des conventions collectives dans les six pays de la C.E.E., 1963, 63 p.
franç., all., ital., néerl.

Répertoire des organisations agricoles non gouvernementales groupées dans le cadre de la Communauté économique européenne (feuillets mobiles, mises à jour de 1962 et de 1963), 1960
franç., all., ital., néerl.

Regulations and Decisions in the Field of Agriculture adopted by the Council on 14 January 1962; 1962, 80 p.

Tendances de la production et de la consommation en denrées alimentaires dans la C.E.E. (1956-1965); rapport: 1960, 120 p.; annexes: 1960, 148 p.
franç., all., ital., néerl.

G. Schmitt:
Méthodes et possibilités d'établissement des projections à long terme pour la production agricole / Methoden und Möglichkeiten der langfristigen Vorausschätzung der Agrarproduktion, 1961, 80 p.

Priebe/Möller:
La politique économique régionale, condition du succès de la politique agricole / Regionale Wirtschaftspolitik als Voraussetzung einer erfolgreichen Agrarpolitik, 1961, 20 p. (aussi en italien et néerlandais)

M. Soenen/P. F. Pelshenke: Problèmes relatifs à la qualité du blé, de la farine et du pain dans les pays de la C.E.E. / Qualitätsprobleme bei Weizen, Mehl und Brot in den EWG-Ländern, 1962, 36 p. (également en italien et néerlandais)

L'organisation de la recherche agronomique dans les pays de la C.E.E., 1963, 128 p.
franç., all., ital., néerl.

Le marché commun des produits agricoles, perspectives 1970; 1963, 198 p.
franç., all., ital., néerl.

Régime juridique des transports ferroviaires, routiers et fluviaux dans les Etats membres de la Communauté économique européenne (situation au premier juillet 1962, feuillets mobiles)
franç., all., ital., néerl., (angl. en prép.)

Dictionnaire EUROTERM — Concordances phraséologiques (feuillets mobiles, mises à jour périodiques)
franç., all., ital., angl., néerl.

IV. Communauté européenne de l'énergie atomique (Euratom)

Traité instituant la Communauté européenne de l'énergie atomique/Treaty Establishing the European Atomic Energy Community/Vertrag zur Gründung der Europäischen Atomgemeinschaft (Euratom), 204 p.
franç., all., ital., néerl., angl.

Rapport général sur l'activité de la Communauté, depuis 1958, paraît chaque année; 1963, 318 p.
franç., all., ital., néerl., angl.

Accord entre la Communauté européenne de l'énergie atomique (Euratom) et le gouvernement des Etats-Unis d'Amérique (8 novembre 1958), 1959, 148 p.
franç., all., ital., néerl., angl.

V. Communauté européenne du charbon et de l'acier (C.E.C.A.)

Traité instituant la Communauté européenne du charbon et de l'acier
franç.-all.: 408 p.; franç.-ital.: 400 p.; franç.-néerl.: 408 p.

Rapport général sur l'activité de la Communauté, depuis 1953, paraît chaque année; 1963, 740 p.
franç., all., ital., néerl., angl.

C.E.C.A. 1952-1962: Résultats, limites, perspectives, 1963, 646 p.
franç., all., ital., néerl.

Echange de lettres entre le président Eisenhower et les présidents des commissions des affaires étrangères du Congrès des Etats-Unis au sujet de la C.E.C.A. et de l'unification de l'Europe, 1953, 32 p.
franç., all., ital., néerl.

Rapport sur la comparaison du système britannique de Sécurité sociale avec les systèmes des pays de la Communauté, 1962

Rapport sur les problèmes posés par les taxes sur le chiffre d'affaires dans le marché commun (rapport Tinbergen), 1953, 48 p.
franç., all., ital., néerl., angl.

Rapport sur la situation énergétique de la Communauté et perspectives d'approvisionnement d'énergie dans la Communauté en 1962, 168 p.
franç., all., ital., néerl.

La conjoncture énergétique dans la Communauté, perspectives 1963 (avec note complémentaire), 1963, 180 p.
franç., all., ital., néerl.

Objectifs généraux "Acier". Mémorandum sur les objectifs de 1965, méthodes d'élaboration et résultats détaillés, 1962, 540 p.
franç., all., ital., néerl.

Les entreprises sidérurgiques de la Communauté avec répertoire des produits sidérurgiques, 1963
franç., all., ital., néerl.

Les entreprises sidérurgiques de la Communauté avec le répertoire des adresses, 1962
franç., all., ital., néerl.

Les sources du droit du travail/Die Quellen des Arbeitsrechts, 1962, 192 p.
franç., all., ital., néerl.

La formation professionnelle dans les houillères des pays de la Communauté, mars 1956, 516 p.
franç., all.

La formation professionnelle dans les mines de fer de la Communauté, février 1959, 184 p.
franç., all.

Les investissements dans les industries du charbon et de l'acier de la Communauté, depuis 1956; paraît chaque année, ca. 90 p. par ex.
franç., all., ital., néerl.

Guide des Communautés européennes: renseignements sur l'organisation interne des institutions, avril 1962, 180 p.

Les publications périodiques, textes de débats, documents de séances, rapports des Commissions, les statistiques, graphiques, cahiers et brochures peuvent être obtenus directement auprès du Service commun de Presse et d'Information des Communautés européennes, à Bruxelles.

Periodical publications, texts of debates, documents of sessions, Committee reports, statistics, graphs, bulletins and pamphlets are available from the Press and Information Services of the European Communities at Brussels.

Conseil de l'Europe
Strasbourg

Statut du Conseil de l'Europe
The Statute of the Council of Europe

Convention européenne de sauvegarde des Droits de l'Homme et des Libertés fondamentales/The Convention for the Protection of Human Rights and Fundamental Freedoms

Convention culturelle européenne, 1954
The Cultural Convention, 1954

Convention européenne sur l'équivalence des périodes d'études universitaires, 1956
European Convention on the Equivalence of Periods of University Study, 1956

Convention européenne d'établissement, 1955
European Convention on Establishment, 1955

Convention européenne pour le règlement pacifique des différends, 1957
European Convention for the Peaceful Settlement of Disputes, 1957

Protocole additionnel à la Convention européenne relative à l'équivalence des diplômes donnant accès aux établissements universitaires, 1964
Protocol to the European Convention on the Equivalence of Diplomas leading to admission to Universities, 1964

Charte Sociale Européenne, 1961

L'Union de l'Europe: ses progrès, ses problèmes, ses perspectives, sa place dans le monde occidental (réunion tenue à Washington en 1951), 45 p.
The Union of Europe: its progress, problems, prospects, and place in the Western world (meeting held at Washington in 1951), 45 p.

Documents de l'Assemblée consultative sur la Communauté européenne, 1953, 312 p.
Documents of the Consultative Assembly relating to the European Community, 1953, 306 p.

Vers une politique européenne, 1953, 247 p.
A Policy for Europe To-day, 1953, 248 p.

Les problèmes énergétiques européens; rapports de 1962 et de 1963, et addendum statistique pour 1963/64
Report on European Energy Problems; reports of 1962 and 1963, and statistical addendum for 1963/64

La coopération européenne en 1959; 1960, 218 p.; paraît chaque année
European Co-operation in 1959; 1960; published every year

Le Commonwealth et l'Europe, 1962
The Commonwealth and Europe, 1962

Europe and Africa, 1961

European Culture and the Council of Europe
angl., all.

Règlement de la Commission européenne des Droits de l'Homme
Rules of Procedure of the European Commission of Human Rights

Règlement de la Cour européenne des Droits de l'Homme
Rules of Procedure of the European Court of Human Rights

Manuel de la Convention européenne des Droits de l'Homme
Manual of the European Convention on Human Rights

Collection de textes sur la Convention européenne des Droits de l'Homme
Collection of Texts on the European Convention on Human Rights

La peine de mort dans les pays européens, 1962

Civisme et éducation européenne dans l'enseignement primaire et secondaire (partie de la série: L'Education en Europe), 1963, 166 p.
Civics and European Education in Primary and Secondary Teaching (part of the series: Education in Europe), 1963

Les jeunes et l'aide au développement (même série), 1963
Youth and Development Aid (same series), 1963

Développements récents dans le domaine de l'enseignement des langues vivantes (même série), 1964
Recent Developments in Modern Language Teaching (same series), 1964

Recherches et techniques nouvelles au service de l'enseignement des langues vivantes (même série), 1964
New Research and Techniques for the Benefit of Modern Language Teaching (same series), 1964

L'Europe des travailleurs (de la série: Les Annales de l'Europe)
Security and Freedom (from the series: Europe Today)

Un sang nouveau en Europe (même série)
New Blood for Europe (same series)

Mille ans d'art européen (même serie)
One thousand years of European Art (same series)

L'Europe des villes et des villages (même série)
Your town has a stake in Europe (same series)

Notre Europe et la leur (même série)
Europe in a Nutshell (same series)

Données statistiques: population, emploi, agriculture, commerce, transports, commerce extérieur, finances en 1960; 1961, 460 p.

D'autres textes de l'Assemblée, rapports, annales et brochures, textes des Conventions et d'Accords économiques, sociaux, juridiques et culturels, peuvent être obtenus directement auprès du Service d'Information du Conseil de l'Europe, à Strasbourg.

Other texts concerned with the Assembly, as well as annals, pamphlets, reports, texts of Conventions and of economic, social, juridical, and cultural Agreements, are available from the Information Service of the Council of Europe at Strasburg.

Organisation de Coopération et de Développement Economiques (OCDE)
(anciennement: Organisation européenne de coopération économique)
Paris

Accord sur l'établissement d'une Union européenne des Paiements du 19 septembre 1950, 66 p., bilingue
Agreement for the Establishment of a European Payments Union of 19th September, 1950, 66 p., bilingual

Union européenne des Paiements, 96 p.
European Payments Union, 92 p.

Accord monétaire européen du 5 août 1955; mis à jour 1962, 58 p., bilingue
European Monetary Agreement of 5th August 1955; brought up to date 1962, 58 p., bilingual

Directives pour l'application de l'Accord monétaire européen; mis à jour 1962, 28 p.
Directives for the Application of the European Monetary Agreement; brought up to date 1962, 28 p.

L'action communautaire, 1960, 82 p.
Community Development, 1960, 68 p.

Catalogue des institutions de formation en matière de développement économique, 1962, 164 p., bilingue
Catalogue of Training Institutions in the Field of Economic Development, 1962, 164 p., bilingual

Conditions générales pour les boursiers et stagiaires dans les pays d'Europe occidentale, 1963, 62 p.
General Conditions for Participants Training in Western European Countries, 1963, 62 p.

Les grandes régions agricoles dans la Communauté économique européenne, 1960, 60 p.
Agricultural Regions in the European Economic Community, 1960, 60 p.

Les régions agricoles dans les pays membres de l'OECE, 1961, 130 p.
Agricultural Regions in the OEEC Countries, 1961, 124 p.

Third Report on the Agricultural Policies in Europe and North America, 1958
Agrarstruktur, Marktregelung, Preisstürzung in Europa und Nordamerika, 1958

Répertoire des quotidiens et périodiques agricoles dans les pays membres de l'OECE, révisée en 1960, 144 p., bilingue
List of Agricultural Press and Periodicals in OEEC Member Countries, revised in 1960, 144 p., bilingual

L'Energie en Europe; nouvelles perspectives, 1960, 142 p.
Towards a New Energy Pattern in Europe, 1960, 126 p.

L'Industrie de l'électricité en Europe 1959-1966; 1962, 148 p., bilingue
The Electricity Supply Industry in Europe 1959-1966; 1962, 148 p., bilingual

L'Union pour la coordination de la production et du transport de l'électricité, dix ans d'activité 1951-1961; 1962, 42 p.
The Union for the Co-ordination of Production and Transmission of Electricity, Ten Years of Activity, 1951-1961; 1962, 42 p.

Catalogue des cours sur les sciences et techniques nucléaires dans les pays européens de l'OCDE, 1963-1964; 1963, 226 p.
Catalogue of Courses on Nuclear Science and Technology in the European Countries of OECD, 1963-1964; 1963, 210 p.

Situation et problèmes de l'économie des pays membres et associés de l'OECE; études séparées sur chaque pays

L'Industrie chimique en Europe, paraît chaque année, ca. 200 p.
The Chemical Industry in Europe, published every year, ca. 200 p.

L'Industrie sidérurgique en Europe, paraît chaque année, ca. 150 p.
The Iron and Steel Industry in Europe, published every year, ca. 150 p.

Guide de l'acheteur de biens d'équipement, 1962, 122 p., bilingue
Buyer's Guide to Machinery, 1962, 140 p., bilingual

L'Industrie textile dans les pays de l'OCDE 1962-1963; 1963, 174 p., bilingue
Textile Industry in OECD Countries, 1962-1963; 1963, 174 p., bilingual

Le libre service en Europe et son rendement, par K. H. Henksmeier, 1960, 132 p.
The Economic Performance of Self Service in Europe, by K. H. Henksmeier, 1960, 132 p.

Liste des répertoires officiels en matière de statistiques officielles et semi-officielles, révisé en 1963, 40 p., bilingue
List of Existing Official Guides to Official and Semi-Official Statistics, revised in 1963, 40 p., bilingual

Le rôle des organisations professionnelles dans l'étude des marchés, 1962, 108 p.
The Role of Trade Associations in the Study of Markets, 1962, 108 p.

Guide des sources européennes d'information technique, 1964, 264 p.
Guide to European Sources of Technical Information, 1964, 260 p.

Le tourisme en Europe, 1961, 100 p.
Tourism in Europe, 1961, 98 p.

Le tourisme dans les pays de l'OCDE, 1963, 112 p.
Tourism in OECD Member Countries, 1963, 108 p.

L'Evolution démographique de 1956 à 1976 en Europe occidentale et aux Etats-Unis, 1961, 150 p.
Demographic Trends 1956-1976 in Western Europe and in the United States, 1961, 150 p.

Statistiques de main-d'œuvres 1950-1962; 1963, 140 p., bilingue
Manpower Statistics 1950-1962; 1963, 140 p., bilingual

Catalogue européen des programmes généraux d'enseignement d'administration des entreprises, 1960, 656 p.
European Guide to General Courses in Business Management, 1960, 640 p.

La formation syndicale en Europe, 2 vol. à feuillets mobiles, 1959, 356/365 p.
Trade Union Training in Europe, 2 vol. in loose-leaf binding, 1959, 350/350 p.

Ressources en personnel scientifique et technique dans les pays de l'OCDE, 1963, 310 p.
Resources of Scientific and Technical Personnel in the OECD Area, 1963, 310 p.

Guide des sources européennes d'information technique, 1964, 290 p.
Guide to European Sources of Technical Information, 1964, 290 p.

Glossary of Work Study Terms, trilingual English-French-German, 1958, 128 p.

INDEX